1682 J.B. METZLER

Hannes Möhle

Philosophie des Mittelalters

Eine Einführung

J. B. Metzler Verlag

Der Autor
Apl. Prof. Dr. Hannes Möhle ist seit 2005 Leiter des Albertus-Magnus-Instituts in Bonn. 2011 wurde er zum außerplanmäßigen Professor an der Rheinischen Friedrich-Wilhelms Universität Bonn ernannt. Er lehrt vor allem in Bonn und München.

ISBN 978-3-476-04746-5
ISBN 978-3-476-04747-2 (eBook)
https://doi.org/10.1007/978-3-476-04747-2

Die Deutsche Nationalbibliothek verzeichnet diese Publikation in der Deutschen Nationalbibliografie; detaillierte bibliografische Daten sind im Internet über http://dnb.d-nb.de abrufbar.

J. B. Metzler

Einbandgestaltung: Finken & Bumiller, Stuttgart (Foto: Der Codex MS 253 aus dem Balliol College in Oxford enthält eine Sammlung der logischen Werke des Aristoteles in lateinischer Sprache. Die Handschrift ist mit zahllosen Anmerkungen späterer Benutzer versehen. Die Initialen zu Beginn eines jeden Werkes sind mit Szenen aus dem mittelalterlichen Schulbetrieb ausgemalt. Das Bild fol. 159v zeigt einen Lehrer, der auf dem Lehrstuhl (*cathedra*) sitzend eine Gruppe von Schülern unterrichtet; The Master and Fellows, Balliol College)

J. B. Metzler ist ein Imprint der eingetragenen Gesellschaft
Springer-Verlag GmbH, DE und ist ein Teil von Springer Nature
Die Anschrift der Gesellschaft ist: Heidelberger Platz 3, 14197 Berlin, Germany

Inhaltsverzeichnis

1 Einführung

1.1 | Die historische Perspektive

Welchen Sinn soll die Beschäftigung mit der Philosophie des Mittelalters haben, zumal dann, wenn es keineswegs beabsichtigt ist, in erster Linie eine Geschichte der Philosophie zu verfassen? Scheint es bereits grundsätzlich fragwürdig zu sein, dass man sich innerhalb der Philosophie überhaupt mit deren Geschichte beschäftigen soll, anstatt sich unmittelbar den Sachfragen zuzuwenden, so ergeben sich zudem spezifische Probleme, die aus der Fokussierung auf das Mittelalter resultieren. Der oberflächliche Blick auf die im Mittelalter üblichen Textgattungen und die Lehrformen, in denen die Auseinandersetzung mit autoritativen Texten oder die schematisch durchgeführte Diskussion mitunter abwegiger Scheinfragen zu dominieren scheinen, lassen Zweifel an einer fruchtbaren und eigenständigen Philosophie aufkommen. Doch noch sehr viel gravierender scheint der Vorbehalt zu sein, der in einer geistesgeschichtlichen Perspektive erwächst. Denn worin soll der Wert einer Auseinandersetzung mit einer philosophischen Theorie bestehen, wenn die dort gegebenen Antworten – so könnte man in einer naiven Betrachtungsweise mutmaßen – im Kontext einer auf Offenbarung rekurrierenden und auf das jenseitige Seelenheil hoffenden Geisteshaltung gegeben werden, wie dies für das Mittelalter aufgrund des christlich geprägten Hintergrundes naheliegt? Eine kaum in Zweifel gezogene Voraussetzung scheint gerade darin zu bestehen, dass allein das, was mittels der von Natur aus gegebenen Vernunft erfasst wird, zu Recht das Prädikat philosophischen Wissens beanspruchen kann. Wer eine andere Erkenntnishaltung der Philosophie erwägt, hört damit auf, im Modus der Philosophie zu argumentieren und fällt schließlich aus dem Kosmos der Wissenschaft heraus.

Trotz der spezifischen Probleme, die sich aus der Konzentration auf das Mittelalter ergeben, ist ein solches sich von jeglicher Historie abgrenzendes Philosophieverständnis seinerseits zu hinterfragen. So selbstverständlich uns heute diese Haltung vorkommen mag, bleibt doch die Frage zu stellen, wo ein solches, die eigene Genese ausblendendes Verständnis von Philosophie herrührt und wie es zu rechtfertigen wäre. Eine erste mögliche Antwort scheidet hierbei aus: Es ist weder selbstevident, noch können wir uns auf eine angeborene und wie auch immer wiedererinnerte oder gnadenhaft zugänglich gemachte Idee der Philosophie berufen, da dies dem philosophischen Selbstverständnis zuwiderliefe. Eine alternative Strategie rationaler Begründung scheint aber ebenfalls problematisch zu sein, denn der Versuch, eine solche Vorstellung allein argumentativ herleiten zu wollen, setzt zumindest eine Grundsatzentschei-

H. Möhle, *Philosophie des Mittelalters*, https://doi.org/10.1007/978-3-476-04747-2_1

dung für den rationalen Diskurs und dessen Bevorzugung gegenüber anderen Rechtfertigungsstrategien voraus. Diese fundamentale Option ist aber selbst nicht argumentativ zu begründen, ohne das anzunehmen, was eigentlich erst begründet werden soll, nämlich den Rationalitätsanspruch selbst.

Die Antwort auf dieses offensichtliche Dilemma scheint darin zu bestehen, dass man unser Verständnis von Philosophie eben nicht als ein zeitloses Ergebnis unseres vermeintlich so aufgeklärten Bewusstseins verstehen kann, sondern es als das zu begreifen hat, was es ist: eine geschichtlich gewachsene Errungenschaft, deren Genese man sich klar macht, wenn man die Philosophie in ihrer Historie betrachtet und hierbei – aus sich im weiteren zeigenden Gründen – das Mittelalter nicht aus dem Blick lässt.

Was für den Begriff der Philosophie selbst gilt, gilt nicht weniger für die zentralen Begriffe, die innerhalb der Wissenschaft der Philosophie – also etwa auch für den Begriff der Wissenschaft selbst – thematisiert werden und die sich alle, mehr oder weniger offensichtlich, als historisch geprägte Vorstellungen erweisen, die man sich nur mit sehr viel Fantasie und in Ermangelung eines jeden kritischen Urteils als ewig waltende Ideen vorstellen kann. Doch ist der historische Kontext, aus dem auch unsere philosophischen Begriffe erwachsen, keineswegs ein aus sich allein erschlossenes Feld aufeinander folgender Ereignisse, aus denen sich dann gleichsam in mechanistischer Manier ein immer reicheres Instrumentarium philosophischer Termini ergibt. Geschichte – und das gilt auch für historisch geprägte philosophische Begriffe – bedarf der Interpretation und der Aufschlüsselung und ist darum ebenso erneuerungsbedürftig und letztlich unabschließbar wie die Philosophie selbst. In diesem Sinne ist die Philosophie auf die Historie verwiesen und wird ihren eigenen Ansprüchen nur dann gerecht, wenn sie sich selbst als ein solches Phänomen betrachtet und sich eines entsprechenden Instrumentariums zur Verwirklichung ihrer Aufgaben bedient.

1.1.1 | Probleme der Epoche

Probleme der Periodisierung: Die Philosophie des Mittelalters lässt sich nicht allein durch die historischen Grenzen einer Epoche in dem, was sie auszeichnet, bestimmen. Zum einen sind diese Grenzen selbst aufgrund der Vielzahl der als Epochenschwelle in Frage kommenden historischen Ereignisse unsicher: Soll der Anfang des Mittelalters durch die vermeintlich nach dem Sieg an der Milvischen Brücke erfolgte Konstantinische Wende, also die Zuwendung Kaiser Konstantins des Großen zum Christentum ab 312, durch den Untergang des römischen Westreichs 476 oder die Schließung der Platonischen Akademie durch Kaiser Justinian im Jahr 529 bedingt sein? Wovon soll schließlich das Ende dieses Zeitalters abhängen, etwa von der Eroberung Konstantinopels 1453, den Aufschwung des Buchdrucks ab 1450 oder doch eher von der Entdeckung Amerikas 1492 bzw. dem Anschlag der 95 Thesen durch Martin Luther 1514? Vielleicht sollte man auch der These Le Goffs folgen und von einem langen Mittelalter ausgehen, das bis ins 16., ja womöglich sogar bis in die Mitte des 18. Jahrhunderts reicht. Alle diese Periodisierungsvorschläge hängen von einer zugrundeliegenden Blickrichtung und Wertung ab und sind in diesem Sinne normativ geprägt, ohne dass man deshalb vollständig auf eine solche Strukturierung verzichten könnte, auch wenn sie in den zeitlichen und inhaltlichen Grenzen mehr oder weniger verschwimmt.

Zum anderen, und das ist der interessantere Grund, ist die historische Epoche des Mittelalters auch durch die eigentümliche Art des Philosophierens in Abgrenzung zu anderen Formen der Philosophie gekennzeichnet. Die Epoche des Mittelalters ist als solche gar nicht ohne die sie prägende Form des Philosophierens sinnvoll in den Blick zu nehmen. Aber was zeichnet diese Philosophie aus und wodurch unterscheidet sie sich von den philosophischen Ansätzen in Antike und Neuzeit? Doch auch das, was Philosophie ist, ergibt sich keineswegs selbstverständlich und ohne normative Implikationen. Allerdings wird das Wesen der Philosophie in der besonderen historischen Konstellation, die auch durch unterschiedliche Epochengrenzen keineswegs ausgeschlossen wird, auf eigentümliche Weise selbst reflektiert. Zudem wirkt diese Auseinandersetzung um das Wesen der Philosophie in vielfältiger Weise auf andere Bereiche des mittelalterlichen Lebens zurück, so dass sie selbst einen Beitrag zur Epochendiskussion leisten kann.

Innovationen des Mittelalters: Selbstverständlich sind es auch die historischen Rahmenbedingen und die konkreten Formen des philosophischen Unterrichts – die einen autoritativen Text erklärende und kommentierende Vorlesung der *lectio* oder die im Wechsel von Frage und Antwort, Rede und Gegenrede betriebene Diskussion einzelner Sachfragen in der *disputatio* –, die die Entwicklung der mittelalterlichen Philosophie beeinflusst haben. Umherwandernde Lehrer, die ihren Lebensunterhalt durch die ihnen von ihren wechselnden Schülern zufließenden Einnahmen decken, werden nicht zuletzt der Rekrutierung neuer Schüler wegen sich durch Lehrmethoden und -meinungen profilieren wollen, mit denen sie sich von anderen Lehren abgrenzen können. Damit werden ein Wettstreit der Meinungen und ein entsprechendes Innovationsstreben systemimmanent. Auch die unterschiedlichen Institutionen von Kloster- und Kathedralschulen mit ihren spezifischen Bildungsinteressen und dann vor allem die gerade entstandenen Universitäten mit den ihnen eigenen Organisationsformen schlagen sich in den Inhalten und den Methoden der mittelalterlichen Philosophie nieder.

Vor allem ist es aber die geistesgeschichtlich signifikante Begegnung der christlich geprägten Religiosität mit der paganen heidnischen Wissenskultur der Antike und den hierin enthaltenen Wahrheitsansprüchen, die in einem längeren Prozess zur Herausbildung eigenständiger philosophischer Entwürfe führt. Zudem wird dieser Prozess der Auseinandersetzung mit der heidnischen Philosophie zusätzlich durch die Herausforderungen angeregt, die die ebenfalls erstmals bekannt werdenden jüdischen und arabischen Texte der Philosophie und vor allem die Kommentare der antiken Texte und die von ihnen geprägte Rezeptionsperspektive mit sich bringen. Die Fülle antiker Wissensstoffe und die Flut neuester wissenschaftlicher Erkenntnisse, die für das lateinische Mittelalter aufgrund der Bekanntschaft mit den neuen Quellen der jüdischen und arabischen Gelehrsamkeit und der antiken Schriften prägend wird, wirkt als Herausforderung unbekannten Umfangs, die zu bewältigen den langen Prozess der Herausbildung und Veränderung der mittelalterlichen Philosophie ausmacht.

Erbe des Mittelalters: Die Ergebnisse dieses Vorgangs sind in ihrer Wirkung keineswegs auf die Epoche des Mittelalters beschränkt. Anders als es das eher von Unwissenheit und Selbstüberschätzung geprägte Pathos eines neuzeitlichen Neuanfangs wahrhaben will, finden in der konkreten Konstellation des Mittelalters Weichenstellungen statt, die bis heute zum selbstverständlichen Bestand unserer geistesgeschichtlichen Identität gehören. Das mittelalterliche Erbe kann dem Rationalismus und der Aufklärung keineswegs nur als Abstoßungspunkt dienen, denn es ist eben auch in vielerlei Hinsicht integraler Bestandteil der eben doch nicht so neuen Neuzeit.

Eine Einführung in die Philosophie des Mittelalters, die von diesen Leitgedanken getragen wird, kann keine Geschichte der Philosophie des Mittelalters sein, die in historistischer Manier ein möglichst umfassendes Bild sich beliebig ablösender und kontingent zueinander verhaltender Philosophieentwürfe präsentiert. Genauso wenig sollte man die sich ablösenden und zum Teil ausschließenden philosophischen Entwürfe leichtfertig als Etappen eines von Geisteshand gesteuerten Vervollkommnungsprozesses mit einem die Essenz der mittelalterlichen Philosophie bildenden Höhepunkt zu verstehen suchen. Dies scheint auch dann bedenklich, wenn der vermeintliche Höhepunkt als kritischer Wendepunkt verstanden wird, der das mittelalterliche Erbe hinter sich lässt und den Weg zur vermeintlich aufgeklärten Neuzeit durch die Selbstüberwindung der mittelalterlichen Philosophie bereitet.

Ziel: Vielmehr muss es darum gehen, ein Verständnis für die signifikanten Weichenstellungen und ihre konkreten Voraussetzungen zu ermöglichen, das bestimmte philosophische Lehrstücke in ihren historischen Entstehungsprozessen einsehbar und in ihrer sachlichen wie wirkungsgeschichtlichen Relevanz erkennbar werden lässt. Welche Fragestellungen, welche Autoren und welche Texte für eine solche kontextualisierende Betrachtungsweise in Frage kommen, lässt sich nicht zwingend aus einem nicht selbst schon begründungsbedürftigen Prinzip ableiten, sondern kann erst im Gesamtzusammenhang an Plausibilität gewinnen.

Um nicht nur in einer historischen, sondern auch in einer sachlich orientierten Perspektive die Philosophie des Mittelalters erfassen zu können, ist die chronologische Reihenfolge der zu betrachtenden Positionen durch eine Orientierung an Diskussionssträngen, die auch Vorgeschichten beleuchtet und Folgeprobleme sowie Wirkungsgeschichten berücksichtigt, zu ergänzen. Um die Chronologie nicht durch Beliebigkeit zu ersetzen, ist gleichwohl ein Leitfaden erforderlich, der eine sinnvolle Anordnung der Fragestellungen gewährleistet.

1.1.2 | Problem der Wesensbestimmung

Ein erstes Grundgerüst ergibt sich aus der Themenstellung des beabsichtigten Buches selbst. Wenn man eine Einführung in die Philosophie des Mittelalters verfasst, vertritt man implizit die These, dass es eine solche gegeben hat. Aber dies ist keineswegs selbstverständlich, führt man sich die Vorbehalte vor Augen, die die Rede vom »Dunklen Mittelalter«, ja allein der Begriff des Mittelalters als einer zu vernachlässigenden Übergangsepoche enthält. Die Prägung durch die christliche Religion, die Autoritätsgläubigkeit und der Aberglaube, kurz der vielfach begründete Verzicht auf rationale Argumentation scheinen für eine vernunftorientierte Wissenschaft, wie es die Philosophie unterstellter Maßen ist, kaum Raum zu lassen. Die Sorge, die Chance auf das durch Frömmigkeit und Gebet am ehesten zu erlangende Seelenheil des Menschen zu wahren, scheint das Bemühen um ein Wissen um des Wissens willen, wie die Antike die vornehmste Form der Philosophie verstanden hat, überflüssig zu machen und sogar als schädlich zu erweisen. Ein Weg, sich der Philosophie des Mittelalters zu nähern, könnte demnach darin bestehen, die Diskussionen in den Vordergrund zu stellen, die die Fragen nach den Bedingungen, der Zielsetzung und den Möglichkeiten einer Erkenntnis- und Argumentationsweise betreffen, die sich in Abgrenzung zu anderen Disziplinen als Philosophie versteht. Auf diese Weise wird die Frage nach dem Wesen der mittelalterlichen Philosophie selbst thematisiert, ohne dies von einem externen Standpunkt her einfach vorauszusetzen.

Philosophie und Rationalität: Man sollte sich allerdings bei diesem Vorgehen darüber im Klaren sein, dass der zu entwickelnde Begriff der Philosophie gleichwohl nur durch einen bestimmten Vorgriff überhaupt in den Blick kommt. Denn nicht jede Form des Denkens und Argumentierens ist Philosophie, sondern nur solche, die eine – allerdings noch zu spezifizierende – Ausrichtung auf die Rationalität des Menschen hat. Wenn im Weiteren über die Philosophie des Mittelalters gehandelt wird, geschieht dies in der Perspektive, Stationen und Wendepunkte zu vergegenwärtigen, die im Mittelalter dazu beigetragen haben, auf vielfältigen Sachgebieten Ansprüche und Grenzen eines rational ausweisbaren philosophischen Diskurses zu formulieren. Das fortan bestimmende Narrativ ist in diesem Sinne durch erkenntnis- und wissenschaftstheoretische Gesichtspunkte gekennzeichnet.

Einzelne philosophische Positionen dieser Epoche sind danach in den Blick zu nehmen, wie sie diesen die mittelalterliche Philosophie konstituierenden und verändernden Prozess mitbestimmen. Verständlich gemacht werden können sie nur in dem Umfang, wie es gelingt, ihnen im Kontext dieser Entwicklung das ihnen entsprechende Gewicht zu verleihen. So kann es etwa – um ein Beispiel zu nennen – nicht allein darum gehen, den berühmten Gottesbeweis des Anselm von Canterbury um seiner selbst willen darzustellen, sondern es muss vor allem um das im Hintergrund stehende Verhältnis von Glaube und Vernunft (s. Kap. 2.1) gehen, das sich markant auf die weitere Deutung dessen, was Philosophie und Theologie als Wissenschaften sind, auswirkt.

Philosophie und Geschichte: So wichtig die ideengeschichtliche Perspektive ist, so wenig ist sie doch allein hinreichend, denn es gibt eine Fülle von Anhaltspunkten dafür, dass es eben auch die konkreten historischen Konstellationen sind, die ein geistiges Klima erzeugen, ohne das nicht klar zu erkennen ist, warum die Diskussion einen bestimmten Verlauf nimmt. Signifikant ist etwa die Entstehung der Städte mit der Verlagerung einer ländlich geprägten Kultur samt der in der Abgeschiedenheit des Ländlichen gelegenen Klöster und der ihnen eigene Bildungsstätten hin zu einer zunehmend städtisch geprägten Lebensweise. Dies führt zu einer Verschiebung des klösterlichen Lehrsystems hin zu den Bildungsinstitutionen von Dom- und Kathedralschulen, die schließlich in den Gründungen der Universitäten mündet. Unter dem gemeinsamen Dach der Universität stellt sich dann die für die Entwicklung der mittelalterlichen Geistesgeschichte zentrale Frage, wie sich die unterschiedlichen in der Universität gelehrten Disziplinen, vor allem die Theologie und die Philosophie, zueinander verhalten. Sind beide Fächer jeweils Wissenschaften im engeren Sinne? Gibt es eine Rangordnung der Wissenschaften oder gibt es vielleicht nur eine einzige Wissenschaft, die alle anderen Disziplinen wie Teilgebiete umfasst? Neben diesen institutionellen Gegebenheiten sind aber auch die konkreten Rahmenbedingungen des Wissenschaftsbetriebes, etwa die Lesegewohnheiten, die zur Verfügung stehenden Texte und die jeweiligen Sprachkenntnisse ihrer Rezipienten von entscheidender Bedeutung für die Entwicklung der mittelalterlichen Philosophie.

Die Antworten auf diese Fragen fallen zunächst unterschiedlich aus, aber auf lange Sicht führen sie dazu, dass die kritische Reflexion auf die eigenen Methoden und die Grenzen dessen, was man mit ihnen jeweils leisten kann, zunehmen. Als Ergebnis dieses Prozesses ist das, was man später eine Kritik der Vernunft, der spekulativen wie der praktischen, genannt hat, durchaus erkennbar und keineswegs erst eine Errungenschaft der Neuzeit.

1.2 | Christliche Apologie und das Gebot der Rationalität

In einer gewissen Hinsicht ist es verwunderlich, warum man dem Mittelalter gerade wegen der charakteristischen Bedeutung, die die christliche Religion für das lateinischsprachige Mittelalter hat, eine besondere Distanz zur Rationalität und eine weitgehende Zurückhaltung in der Aneignung wissenschaftlich fundierter Kenntnisse und Methoden attestiert hat, was schließlich in der Kennzeichnung eines »Dunklen Mittelalters« zum Ausdruck kommt. Nimmt man die ersten Jahrhunderte in den Blick, in denen das Christentum in doktrineller Hinsicht Konturen gewinnt und die Christen sich als religiöse Gemeinschaft etablieren, scheint zunächst einmal wenig dafür zu sprechen, warum man gerade als Christ während dieser Frühphase der rationalen Methode und dem vernünftigen Argument gegenüber kritisch eingestellt sein sollte. Der Weg, der von den Christenverfolgungen über die Konstantinische Wende zu Beginn des 4. Jahrhunderts schließlich 380 zur Anerkennung des Christentums als

Staatsreligion des Römischen Reiches führt, legt zunächst einmal die Vermutung nahe, das gerade in der Auseinandersetzung mit der heidnischen Antike und dann aber vor allem während der Christenverfolgungen im Römischen Reich der rationale Diskurs im Interesse der Christen selbst gelegen haben muss.

Apologie und Vernunft: Gerade in der Situation der Verfolgung und der Anklage wird man am aller wenigsten darauf verzichten wollen, sich allein schon der eigenen Verteidigung wegen auf das durch die Vernunft gestützte Argument zu berufen. Denn genau dies kann man bei den potentiellen Richtern voraussetzen, die selbst auf dem Fundament einer rationalen Bildung stehen. Nimmt man etwa die Situation unter dem römischen Kaiser Marc Aurel in den Blick, wird dies sehr deutlich. Wenn während der Regierungszeit dieses hochgebildeten Kaisers, der sich selbst als Philosoph und damit als einer rational begründeten Wahrheitsliebe verpflichtet versteht, die Gefährdung der Christen von einer zunehmenden Intensität war, ist kaum vorstellbar, dass man darauf verzichtet hat, sich aus christlicher Perspektive vor der höchsten Gewalt des Reiches mit dem Instrument zu verteidigen, das dieser Kaiser selbst schätzte. Es wäre kaum nachvollziehbar, dass die gefährdeten Christen das Mittel einer Apologie nicht einsetzten und damit die Methode nicht anwendeten, die Marc Aurel als die seine begreifen musste, nämlich die rational argumentierende Widerlegung der gegen die Christen erhobenen Vorwürfe. Und in der Tat wird genau dieser Versuch von christlicher Seite vielfach unternommen. Ein Beispiel hierfür ist etwa der Athener Athenagoras, der sich in seiner Apologie unmittelbar an Marc Aurel und dessen Sohn Commodus wendet.

Kontinuität, Rationalität, Überlegenheit: Wie der Blick auf die Verteidigungsschrift des Athenagoras zeigt, sind es vor allem drei Elemente, die wichtig sind: (1) Die Kontinuität der (philosophischen) Tradition; (2) die Rationalität der Lehre, die als argumentative Basis der Verteidigung gegenüber dem unterstellter Maßen philosophisch gebildeten Richter/Imperator dient; (3) die Überbietung hinsichtlich des Wahrheitsanspruchs aufgrund weitergehender Erkenntnismöglichkeiten durch die Propheten und die unmittelbare göttliche Offenbarung. Diese drei Elemente – Kontinuität, Rationalität und Überlegenheit – führen zu einer Synthese antiker und christlicher Wahrheitsansprüche, wobei das Christentum die ursprüngliche Philosophie gleichzeitig integriert und überbietet. Das Hauptargument besteht darin, dass die Antike ihre Erkenntnisse allein aus menschlichem Vermögen schöpft, während das Christentum darüber hinaus durch die göttliche Offenbarung einen Erkenntniszugewinn in Anspruch nehmen kann. Das Glaubwürdigkeitsproblem, das entstünde, wenn man das antike Wissen gänzlich ausklammern wollte, wird dadurch gelöst, dass man die philosophischen Lehren als Teilaspekte einer das Ganze umfassenden Wahrheit begreift, die nicht aufgehoben, sondern relativiert und überboten werden. Athenagoras skizziert zunächst die Beschränkung des vorchristlichen Wissens, wenn er sagt:

Athenagoras, Legatio 7, 2–3 (Ed. Fiedrowicz) 583 n. 470

Dichter und Philosophen traten nämlich wie an andere so auch an dieses Thema nur mit Vermutungen heran, wobei zwar jeder im Maß einer Sympathie mit dem Hauch Gottes von seiner eigenen Seele gedrängt wurde zu suchen, ob er die Wahrheit fin-

den und verstehen könne, aber doch nur soviel Erfolg hatte, dass er sich das Seiende nur annäherungsweise vorstellen, es aber nicht wirklich finden konnte, denn er suchte nicht bei Gott Belehrung über Gott, sondern nur bei sich selbst. Daher haben sie auch über Gott und Materie, über Ideen und Welt widersprechende Lehren aufgestellt.

Den vorläufigen Charakter und die Beschränkung auf die Fähigkeiten des endlichen Menschen kann nach Athenagoras erst das Christentum beseitigen.

Ebd., 583 n. 470

Wir dagegen haben für unsere Vorstellungen und für unseren Glauben die Propheten zu Zeugen, die in der Kraft des göttlichen Geistes über Gott und göttliche Dinge gesprochen haben. Auch Ihr, die Ihr durch eure Einsicht und durch eure Frömmigkeit gegenüber dem wahrhaft Göttlichen die andern überragt, dürftet zugeben, dass es unvernünftig ist, vom Glauben an den göttlichen Geist, der den Mund der Propheten wie ein Musikinstrument berührte, abzulassen und sich nach Menschenmeinungen zu richten.

Kritik der heidnischen Rationalität: Athenagoras nimmt den Rationalitätsanspruch, den er dem römischen Kaiser unterstellt, zunächst auf, um dann aber unmittelbar ein kritisches Argument gegen die heidnische Rationalität daraus zu machen. Rationalität impliziert nämlich auch ein kritisches Potential gegen die Beschränkung auf ein rein menschliches Wissen, das als endliches notwendig hinter dem zurückstehen muss, was als geschichtliches Faktum dem christlichen Menschen etwa aufgrund der Prophetenworte an Erkenntnismöglichkeit zur Verfügung steht. Damit ist das Grundmodell gekennzeichnet, das zu der Auffassung des Christentums als der wahren Philosophie führt, wie es etwa bei Augustinus vorliegt.

Wende statt Kontinuität: Es gibt aber auch ein Gegenmodell, das nicht auf Kontinuität und Überhöhung baut, sondern eine radikale Wende akzentuiert, die mit dem Erscheinen Jesu Christi eingetreten ist. Infolge dieser Wende wird die selbstverschuldete Unwissenheit der Juden und Heiden durch den unmittelbaren Eingriff Gottes für die beseitigt, die dem Glauben folgen. Im *Brief an Diognet* von der Schwelle des 2. zum 3. Jahrhundert wird auf die Nähe des im Paradies befindlichen Baumes der Erkenntnis und des Lebens hingewiesen. Wahre Erkenntnis hätte demnach nur der erlangen können, der sich dem Baum des Lebens genähert, d. h. dem geforderten moralischen Gehorsam angeschlossen hätte, welcher der »Erkenntnis, die ohne das Gebot der Wahrheit auf das Leben hin ausgeübt wird« (Brief an Diognet, c. 12 (Ed. Lona) 239–241), fehlt. Vorchristlich entbehrt die Wahrheitssuche der Anbindung an die moralische Lebensweise, und das daraus resultierende Versagen der Menschheit zeigt Gott auf, indem er die Menschen vor Erscheinen seines Sohnes des Ungehorsams überführt. Dass Juden und Heiden in diesem Sinne Unwissende waren, ist also aufgrund des moralischen Versagens selbstverschuldet und nicht durch einen bloßen Erkenntniszugewinn, sondern nur durch Gehorsam und Glauben zu kompensieren.

Im Ergebnis zeigt sich zunächst, dass allein aufgrund der bestehenden historischen Konstellation keine Rede davon sein kann, dass eine antirationale Abgrenzung der christlich geprägten Lehre im Interesse ihrer Anhänger gewesen sein kann. Darüber hinaus lässt sich aber auch mit einem Blick auf eine grundlegende These des Augustinus zeigen, dass eine solche Abgrenzung vor allem dem Selbstverständnis des Christentums und dem damit verbundenen Wahrheitsanspruch widersprochen hätte, womit nicht nur lebensweltliche Motive, sondern auch systematisch relevante Argumente die Inanspruchnahme rationaler Strukturen belegen.

1.2.1 | Augustinus' Lehre vom Christentum als der wahren Philosophie

Augustinus vertritt grundsätzlich ein integratives und synthetisierendes Modell, das nicht primär den Bruch, sondern die Kontinuität mit der heidnischen Philosophie betont, was insbesondere auf den Platonismus zutrifft. Gleichwohl benutzt er auch Differenzkriterien, vor allem die Offenbarung, um die herausragende Stellung des Christentums aufzuzeigen. Interessanterweise spitzt Augustinus aber seine umfassende Abgrenzung der christlichen Lehre von der heidnischen Philosophie und den nichtchristlichen Religionen mit Blick auf den Wahrheitsbegriff zu, der sowohl für die christliche wie die nicht-christliche Tradition fundamental ist.

Vera philosophia: Das letzte Kapitel des zehnten Buches von Augustinus' *Gottesstaat* beschließt eine ausführliche Auseinandersetzung mit der platonischen Philosophie in den Büchern acht bis zehn, der bereits eine noch umfassendere Abgrenzung der christlichen Religion gegenüber den heidnischen Kulten in den ersten sieben Büchern vorausgegangen ist. Im Zentrum dieses Kapitels steht die Frage, ob die platonische Philosophie dem Anspruch, die *vera philosophia* zu sein, gerecht werden kann. Augustinus' Abweisung der platonischen Philosophie rekurriert auf ein Argument, das nicht nur für die Widerlegung des platonischen Anspruchs, sondern vor allem auch für die Rechtfertigung des christlichen von zentraler Bedeutung ist. Gemeint ist die Lehre vom ›Menschheitsweg‹, wie es in der deutschen Übersetzung heißt, bzw. von der *via universalis*, wie es der lateinische Text sagt. Im Hintergrund der folgenden Diskussion steht die Annahme, dass die von den Platonikern vorgetragene Lehre insofern die Wahrheit lehrt, als sie den Menschen hinsichtlich seines wesentlichen Teils, nämlich mit Blick auf seinen Verstand befreit. Sie befreit ihn nämlich, indem solche Irrtümer beseitigt werden, die dazu beitragen, das menschliche Glück zu verfehlen. Die Wahrheitsfrage wird auf die Weise mit der Lehre von der menschlichen Glückseligkeit verbunden, so dass die Erkenntnis des Wahren zur Befreiung der Seele von den Hindernissen, die dem Glück im Wege stehen, führt.

Wahrheit und Platonismus: Die Platoniker selbst, insbesondere der die christliche Lehre scharf angreifende Porphyrios, ist für Augustinus Zeuge, dass dieser allgemeine Weg, der die Wahrheitssuche mit dem Glücksstreben verbindet, durch keine Form der Philosophie oder der bisherigen Religionsgemeinschaften bereitgestellt werden konnte. Ausdrücklich beruft sich Augustinus darauf, dass Porphyrios trotz umfassender historischer Untersuchungen nirgendwo, d. h. in keiner Philosophenschule und in keiner religiösen Sekte ein Wissen über diesen allgemeinen Weg hat finden können, auch wenn er von seiner Möglichkeit überzeugt sei. Offensichtlich rekurriert Augustinus auf die porphyrianische Schrift *De regressu animae*, in der der Autor von seiner vergeblichen Suche nach einer solchen *via universalis* berichtet.

Via universalis: Was meint aber diese Bezeichnung *via universalis* und inwiefern ist die Annahme über diesen Weg zu verfügen bzw. eben nicht verfügen zu können ein Kriterium, das über Wert und Unwert einer philosophischen bzw. religiösen Haltung entscheidet? Der allgemeine Weg kann nach Augustinus nur ein solcher sein, auf dem die Seelen aller Menschen oder aller Völker, wie es später heißt, befreit werden. Augustinus unterstellt, dass die angesprochene Universalität für die Platoniker keineswegs ein Qualitätskriterium ist, das für den Wahrheitswert einer Theorie entscheidet. Aus seiner Sicht liegt hier aber ein Zeichen vor, das das Versagen der platonischen – und mit ihr jeder philosophischen – Lehre dokumentiert. Der ausdrückliche Verzicht des Porphyrios auf diesen allgemeinen Weg, wird von Augustinus als Beleg interpretiert, dass die platonische Lehre nicht die wahre Philosophie sein kann.

Augustinus, De civitate Dei X,32 (Ed. Thimme) 524

Wenn er [Porphyrios] aber sagt, keine sei's auch noch so wahre Philosophie habe ihm bis jetzt einen Verein von Menschen zeigen können, der über den Menschheitsweg zur Erlösung verfüge, so gibt er damit, meine ich, deutlich genug zu verstehen, daß entweder die von ihm selbst vertretene Philosophie nicht die wahre sein könne, oder doch über diesen Weg nicht verfüge. Aber wie kann das die wahre Philosophie sein, die nicht über diesen Weg verfügt? Denn es kann doch nur einen Menschheitsweg zur Erlösung der Seele geben, nämlich den, auf dem alle Seelen erlöst werden und ohne den keine erlöst wird.[1]

Die Zugänglichkeit für alle Völker und die darin eingeschlossene allgemeine Heilsrelevanz ist für Augustinus eine notwendige Bedingung für die Wahrheit einer Lehre.

Ebd., 526–527

[D]er jenen Menschheitsweg, das ist den für alle Völker bestimmten Weg zur Erlösung der Seele, eröffnen soll [...]. Dies ist also nicht der Weg eines einzigen Volkes, sondern der gesamten Menschheit; denn das Gesetz und Wort des Herrn blieb nicht in Zion und Jerusalem, sondern ging von dort aus, um sich über alle Völker auszubreiten.[2]

In diesem Sinne ist das Christentum nicht nur eine Philosophie für das Volk, wie das etwa der von Nietzsche geprägte Begriff vom »Platonismus fürs Volk« (Kobusch 2006, 46) nahelegt, sondern der interne Wahrheitsanspruch der christlichen Lehre führt dazu, dass das beanspruchte Wissen nicht nur eines für das Volk, sondern eines für die Völker und zwar für alle Völker ist. Es geht also nicht allein um die Überwindung sozialer Grenzen und Glückszuteilungen, sondern um einen erkenntnistheoretisch begründeten Universalitätsanspruch in Bezug auf Wahrheit.

Hinzu kommt für Augustinus eine zweite Bedeutungskomponente, die im Ausdruck ›allgemein‹ enthalten ist, nämlich eine Universalität, die sich auf den ganzen Menschen und nicht nur auf einen Teilaspekt, etwa auf den Geist des Menschen, beschränkt und einen anderen, etwa den Körper, ausschließt. Auch in dieser Hinsicht grenzt sich Augustinus deutlich von Porphyrios ab.

Wahrheitsanspruch: Augustinus teilt mit Porphyrios die Voraussetzung, dass die Erkenntnis der Wahrheit heilsrelevant ist, so dass eine Befreiung oder Erlösung der Seele – oder des ganzen Menschen, wie es Augustinus sieht – mit der umfassenden Erkenntnis der Wahrheit und in diesem Sinne mit der *vera philosophia* zusammenfällt. Augustinus knüpft mit diesem Gedanken an die zentrale Gottesprädikation aus dem Johannes-Evangelium an, in der es heißt: »Ich bin der Weg, die Wahrheit und das Leben« (Joh 14,6). Der Unterschied, den Augustinus gegenüber den Platonikern betont, besteht darin, dass die Wahrheitserkenntnis und das Heilsgeschehen jeweils universell sein müssen, denn für ihn ist es ein ausdrückliches Kennzeichen der wahren Philosophie, dass sie in ihrer prinzipiellen Zugänglichkeit nicht beschränkt ist, da sie nur so den universellen Weg zum Heil darstellen kann. Einen Partikularismus der Wahrheit kann es nicht geben, weil das Heilsgeschehen universell ist, denn Gott bezeichnet sich selbst als den Weg, die Wahrheit und das Leben und nicht als den Gott einer bestimmten Sekte.

Universalität: Der universelle Wahrheitsanspruch des Christentums wird für Augustinus auch nicht dadurch in Frage gestellt, dass er auf dem Weg des göttlichen Gnadengeschenks erfolgt. Zwar ist die göttliche Offenbarung äußerlich betrachtet ein partikulares Ereignis, wenn man diese auf die Menschwerdung Christi zuspitzt, doch ist aus Sicht des Augustinus mit der Inkarnation nur ein letzter Schritt getan, ohne den man auch aufgrund der prophetischen Kundgebungen der Vorzeit bereits die Erlösung der Seele im christlichen Sinne hätte erreichen können. Auch wenn sich die Wahrheit in partikulären Vorkommnissen offenbart, ist sie als Wahrheit grundsätzlich universell zugänglich und damit auch umfassend heilswirksam.

Ebd., 527–528

Das ist also der Menschheitsweg zur Erlöung der Seele. Ihn haben die heiligen Engel und Propheten zunächst einigen wenigen für die Gnade Gottes empfänglichen Menschen kundgetan, sodann ihn vor allem in dem hebräischen Volke, dessen gottgeweihtes Staatswesen schon an sich eine Prophezeiung und Vorhersage des aus allen Völkern aufzubauenden Gottesstaates darstellte, durch das Zelt, den Tempel, das Priestertum und die Opfer angedeutet sowie durch Aussprüche, teils ganz unmißverständlich, größerenteils aber mystisch verhüllt im voraus angekündigt. Darauf haben der im Fleisch erschienene Mittler selbst und seine seligen Apostel, die die Gnade des Neuen Bundes offenbarten, zu klarem Ausdruck gebracht, was einstmals nach der durch Gottes Weisheit verfügten Einteilung der Zeitalter des Menschengeschlechts nur geheimnisvoll angedeutet war, und Zeichen wunderbarer Gotteswerke, von denen ich früher schon einige erwähnt, bekräftigten es.[3]

1.2.2 | Häresie und Rationalität

Innere Gründe der Rationalität: Selbstverständlich war die Christenverfolgung innerhalb des Römischen Reiches von begrenzter Dauer und lokal unterschiedlicher Ausprägung, so dass es sicher nicht möglich ist, in einem daraus abgeleiteten Bedürfnis nach Verteidigung und der sich daraus ergebenden rational argumentierenden Apologie einen dauerhaften Impuls für eine durchgängig vernunftgeleitete Durchdringung einer christlichen Weltdeutung ableiten zu können. Doch gibt es eine zweite Richtung, in der sich die christliche Lehre nicht nur zu verteidigen, sondern damit einhergehend auch als konsistente Doktrin zu etablieren hatte. Denn nicht nur die von außen herangetragenen Gefährdungen spielen eine Rolle, sondern eben auch die gleichsam im Inneren auszutragenden Konflikte um die richtige Deutung der christlichen Lehren als solcher, die zwischen Rechtgläubigkeit und Häresie zu unterscheiden hat, stellen eine dauerhafte Herausforderung dar, die nur auf dem Weg der rationalen Auseinandersetzung zu führen ist.

Dieser Kampf, der im Inneren des Christentums zu bestehen ist, hat keine zeitliche Grenze, denn Deutungsfragen und damit die Möglichkeit der häretischen Missdeutung sind durch kein historisches Ereignis ein für alle Mal zu beenden, sondern können sich immer wieder neu stellen und müssen folglich auch im Mittelalter immer wieder neu beantwortet werden. Selbst die größten Kritiker einer zu weitreichenden rationalen Durchdringung christlicher Lehr- bzw. Glaubensinhalte haben ein Mindestmaß rationaler Argumentation zugelassen, soweit es eben der Widerlegung häretischer Lehren diente. Unabhängig davon, auf welcher Seite einer Kontroverse man sich befand, war das Medium der Auseinandersetzung letztlich das auf der Vernunft ruhende Argument.

Allerdings ändert sich diese Perspektive – und das ist für das Verständnis der mittelalterlichen Deutung der Rationalität in Betracht zu ziehen – wenn man jegliche Häresie nicht unmittelbar ihrer Falschheit wegen angreift, sondern in ihr die sich mehr oder weniger notwendig einstellende Konsequenz der Anwendung der Vernunft auf autoritativ überlieferte Inhalte sieht (s. Kap. 2.3.2). Denn in diesem Fall sucht man nicht ihre Widerlegung durch die Vernunft, sondern verurteilt eben diese, weil man sie des rationalen Anspruchs wegen für die Quelle jeder Häresie hält. In diesem Fall wird nicht das falsche Urteil durch das zutreffende überwunden, sondern die Fragen, auf die man in solchen Urteilen antwortet, sind als solche bereits verfehlt und die Inanspruchnahme der Rationalität gilt bereits als verwerflich. Der Maßstab für eine solche Haltung ist dann nicht die Wahrheit des Urteils, sondern die Zuträglichkeit für das Heil, das man nur ohne den ungebührlichen Aufwand der Vernunft zu erreichen vermag.

Ein wahres Urteil zu fällen bedeutet nicht zwangsläufig, das wahre Glück zu finden, denn die Bedingungen dieses zu erreichen, sind ganz anderer Art. Damit ergibt sich für die Frage nach der spezifisch mittelalterlich geprägten Philosophie die Notwendigkeit, auch die Verflechtung einer vermeintlich nur theoretischen Disziplin mit den Anforderungen einer sich durch das Handeln verwirklichenden menschlichen Natur in den Blick zu nehmen. Wahrheit und Heil, spekulative und praktische Vernunft sind jeweils beide Gegenstand und Bestandteil mittelalterlicher Philosophie.

1.3 | Leitfaden und Methode

Vernunft und Vernunftkritik: Als Perspektive für das Weitere ergibt sich somit ein zweifacher Leitfaden: Zum einen den Weg der der mittelalterlichen Philosophie inhärenten Rationalisierung nachzuzeichnen und zum anderen, den Blick dafür zu schärfen, dass dieser Prozess einer wiederum inhärenten Gefährdung unterliegt, die Grenzen der menschlichen Vernunft zu überschreiten, wenn diese nicht durch eine kritische Reflexion des natürlichen Vernunftvermögens einhergeht. Dass die mittelalterliche Philosophie, insofern sie dem Rationalitätsparadigma verpflichtet ist, Philosophie ist, ist unstrittig; ob sie im Sinne des Augustinus die wahre Philosophie ist, kann im Lichte einer ebenfalls dem Mittelalter eigenen Vernunftkritik als zweifelhaft gelten. Sicher ist die mittelalterliche Philosophie nicht christliche Philosophie, aber ohne das Christentum und die damit verbundenen Auseinandersetzungen wäre sie nicht die Philosophie, die sie auf das Ganze gesehen ist.

Vorgehen: Die weitere Aufgabe besteht darin, Grundlinien und Weichenstellungen der mittelalterlichen Philosophie paradigmatisch und nicht in allen Verästelungen und Varianten darzustellen. Ohne eine Auswahl der zu behandelnden Autoren und Werke, die sich aus der zuvor genannten Perspektive ergibt, in der die mittelalterliche Philosophie in den Blick genommen wird, ist das beabsichtigte Projekt nicht zu realisieren. Zudem soll durch die enge Anbindung an die Originaltexte mit den Quellen, ihren Kontexten und den für ihr Verständnis notwendigen Methoden vertraut gemacht werden. Ohne eine Lektüre der mittelalterlichen Texte selbst ist eine Vertrautheit mit dem Denken dieser Epoche nicht zu vermitteln. Alle Zitate der ursprünglich lateinischen Texte werden durchweg unter Rückgriff auf vorhandene, gelegentlich modifizierte, oder eigene Übersetzungen dargeboten. Die Quelle für die Übersetzung wird jeweils angeben und gegebenenfalls auf Modifizierungen hingewiesen (= *mod.*); wenn keine Quelle genannt wird, handelt es sich um eigene Übersetzungsvorschläge unter Nennung der Stellenangabe des lateinischen Textes. Lateinische Begriffe werden, sofern sie verwendet werden, zuvor erläutert oder paraphrasiert; ein gänzlicher Verzicht auf sie würde die Anschlussfähigkeit an den philosophischen Diskurs gefährden und den Bezug zu den Forschungsdebatten erschweren. Die lateinischen Primärtexte werden in den Fußnoten im Anhang jeweils entsprechend den heute maßgeblichen Editionen, zum Teil mit einer leicht angepassten Schreibweise und Zeichensetzung, präsentiert; die Übersetzungen sind mitunter anderen zweisprachigen Ausgaben entnommen und werden entsprechend nachgewiesen. Die Auswahl der Primärtexte versucht möglichst zusammenhängende Passagen — Kapitel, Fragen oder Artikel – vorzustellen, um die Annäherung an die Originalwerke zu ermöglichen.

Zur Vermeidung unnötiger Wiederholungen werden durch Verweise innerhalb des Textes Lehrstücke kenntlich gemacht, die in anderen Kontexten erörtert werden.

Im Literaturverzeichnis werden die für eine Einführung geeigneten Überblickswerke genannt. Auf den Nachweis von Detailuntersuchungen im Zusammenhang spezieller Forschungsdebatten wird weitgehend verzichtet. Alle im Text zitierten Werke werden im Literaturverzeichnis aufgeführt. Die Primärtexte werden durch Angabe der maßgeblichen Gesamt- oder Teileditionen, sowie die Nennung etwaiger Übersetzungen oder Studienausgaben erschlossen.

2 Glaube und Vernunft

Zeittafel

Anselm von Canterbury 1033–1109	1076 *Monologion* 1077–1178 *Proslogion*
Petrus Abaelardus 1079–1142	1121–1126 *Sic et non* 1124 *Tractatus de intellectibus*
Gilbert von Poitiers 1080/85–1154	vor 1145 *De trinitate* vor 1145 *De hebdomadibus*
Bernhard von Clairvaux 1090–1153	1135–1153 *Super cantica canticorum* 1148–1153 *De consideratione*
Hugo von St. Viktor 1096/7–1141	1127 *Didascalicon* 1130–1135 *De sacramentis*
Bonaventura 1221–1274	1259 *Itinerarium mentis ad Deum*
Thomas von Aquin 1225–1274	1256–1259 *Quaestiones de veritate* 1265–1272 *Summa theologiae*
Johannes Duns Scotus 1265/6–1308	1297–1304 *In libros sententiarum* 1306–1307 *Quaestiones quodlibetales*

Sola ratione: Spontan mag man bei Nennung der Stichwörter ›Glaube‹ und ›Vernunft‹ an eine sich ausschließende Alternative denken, die mit Blick auf die christliche Prägung des Mittelalters, zumindest des lateinischsprachigen, in ein Votum für den Glauben und gegen die Vernunft umschlägt. Damit mag der Auffassung Vorschub geleistet werden, diese Epoche sei der Vernunft abgewandt und ließe dieser nur dort Raum, wo der Glaube diesen nicht schon eingenommen habe. Bereits der flüchtige Blick auf die christliche Apologetik gebietet hier Zurückhaltung und lässt ein sehr viel differenzierteres Bild erwarten. In der Tat ist die Haltung in dieser Frage keineswegs einheitlich, sicher aber nicht durch eine uneingeschränkte Ablehnung der Rationalität gekennzeichnet. Hierfür gibt es sachliche Gründe und deshalb, je nach Gewichtung solcher Gründe, auch differenzierte Lösungen. Eine Extremposition scheint darin zu bestehen, Fragen – und zwar auch solche, die Gott betreffen – allein mit der Vernunft, *sola ratione*, beantworten zu wollen, was etwa Anselm von Canterbury seinem ausdrücklichen Methodenideal entsprechend zu tun vorgibt, aber aus noch zu entfaltenden Gründen nur bedingt umsetzen kann.

J. B. Metzler © Springer-Verlag GmbH Deutschland, ein Teil von Springer Nature, 2019
H. Möhle, *Philosophie des Mittelalters*, https://doi.org/10.1007/978-3-476-04747-2_2

2.1 | Anselm von Canterbury: Der Anspruch der Vernunft

Vater der Scholastik: Unbestritten ist Anselm von Canterbury eine Schlüsselgestalt der mittelalterlichen Philosophie. Seit der Prägung des Begriffs durch Martin Grabmann zu Beginn des 20. Jahrhunderts wird er einhellig als »Vater der Scholastik« bezeichnet. Grabmann spricht sogar ausdrücklich davon, Anselm sei »der wahre und eigentliche Vater der Scholastik« (Grabmann 1909 I, 259).

Definition

> Als Bezeichnung eines schulisch organisierten Lehr- und Lernbetriebs und einer methodisch reflektierten Argumentationsweise wird der Begriff der Scholastik zur Kennzeichnung einer für das Mittelalter kennzeichnenden Wissenschaftspraxis gebraucht. Gegenstand einer scholastischen Erörterung konnte jede sich stellende Frage sein, ohne dass man für das Mittelalter eine inhaltliche Einschränkung auf theologische Probleme oder ein nur logisch motiviertes Interesse unterstellen könnte. Je nachdem, ob man dieser scholastischen Methode – die es tatsächlich nicht in einer einheitlichen Form, sondern nur in sehr unterschiedlichen Ausprägungen gegeben hat – skeptisch gegenübersteht, weil man sie für unfruchtbar hält, wird die Bezeichnung ›Scholastik‹ auch mit abwertenden Konnotationen verbunden. Betont man hingegen die methodologische Reflexion der scholastischen Wissensvermittlung, tritt die Tendenz zur Verwissenschafltlichung allen Wissens in den Vordergrund.

Diese Feststellung, als Vater der Scholastik zu gelten, beruht nicht auf einem einzelnen Lehrstück, das auf Anselm zurückgeht, sondern bezeichnet die grundsätzliche Haltung, die seiner philosophischen Methode, eben der scholastischen Methode, zugrunde liegt. Die besondere Haltung, die Anselm hinsichtlich des Gebrauchs der menschlichen Vernunft zur Aufklärung überlieferter Offenbarungsgehalte einnimmt, begründet seine herausragende Stellung in der Geistesgeschichte der mittelalterlichen Philosophie, wobei man den Ausdruck ›Philosophie‹ bei Anselm selbst vergebens sucht.

Anselm wird um 1033 in Aosta in Italien geboren; 1060 tritt er in das von Lanfranc geleitete Benediktinerkloster in Le Bec in der Normandie ein, wo er 1063 Prior und als Nachfolger Lanfrancs Leiter der Schule wird. Im Jahr 1093 wird Anselm, wiederum als Nachfolger des vier Jahre zuvor gestorbenen Lanfranc, vom englischen König Wilhelm Rufus zum Erzbischof von Canterbury berufen; zwischen 1097 und 1100 sowie zwischen 1103 und 1106 muss Anselm jeweils England verlassen. Der Grund hierfür waren Streitigkeiten zwischen dem Papst und dem jeweiligen König von England, die um die Frage der Laieninvestitur, also die Einsetzung von kirchlichen Würdenträgern durch Laien, entbrannt waren. Nach seiner endgültigen Rückkehr nach England ist Anselm dort am 21. April 1109 in Canterbury gestorben.

2.1.1 | Anselms Methode: *sola ratione*

Fragt man nach dem Eigentümlichen von Anselms Methode, so lässt sich eine erste Annäherung aus zwei begrifflichen Prägungen gewinnen, die das Vorgehen des Vaters der Scholastik charakterisieren. Die Stichworte, die die Haltung Anselms zum Ausdruck bringen, lauten »*Fides quaerens intellectum*«, »Glaube, der Einsicht sucht«, und »*Credo, ut intelligam*«, »Ich glaube, damit ich verstehe«.

Die beiden Ausdrücke Anselms, die er in seiner Schrift *Proslogion* verwendet, deuten an, dass es zwei Grundpfeiler in seinem Entwurf gibt: einerseits den Glauben, andererseits die Vernunft. Bevor das besondere Verhältnis beider Momente im Ausgang von Anselms Schrift *Proslogion* untersucht wird, soll zur ersten Orientierung auf die programmatischen Äußerungen verwiesen werden, die sich in der bereits ein oder zwei Jahre zuvor verfassten Schrift mit dem Titel *Monologion* finden und die in einer gewissen Spannung zu der Annahme stehen, die Vernunft würde dem Glauben nachfolgen, insofern dieser jene vorbereite. Anselm verfasste diesen Text im Jahr 1076. Offensichtlich nachträglich fügt er ihm ein Vorwort hinzu, von dem er ausdrücklich verlangt, dass man es bei weiteren Abschriften, die man von dem ursprünglichen Text macht, fortan an den Anfang der Schrift setzt. Anselm begründet diese nachdrückliche Bitte damit, dass es dem besseren Verständnis des Folgenden diene, wenn der Leser zuvor über die ihn leitende Absicht und die von ihm verfolgte Methode seiner Disputation unterrichtet würde.

Was ist aber die besondere Weise, die spezifische Methode, der sich Anselm nach Aussage des Vorwortes bedient? Der unmittelbar vorausgehende Satz macht dies deutlich, denn dort fällt das entscheidende Stichwort: »*sola cogitatione*«, »allein durch Nachdenken« ist das, was die vorliegende Schrift des *Monologion* enthält, zustande gekommen. Und mit diesem Vorgehen, so hält Anselm fest, entspricht die Schrift dem Vorgehen, das seine Mitbrüder, auf deren Bitte hin er die Schrift verfasst hat, sich gewünscht haben. Im Zusammenhang heißt es bei Anselm:

Alles aber, was ich dort gesagt habe, wurde in der Rolle eines, der mit sich durch bloßes Nachdenken das diskutiert und erforscht, was er früher nicht beachtet hatte, vorgebracht, so wie ich wusste, dass die es wollten, deren Bitte zu willfahren ich bestrebt war.[4]

Anselm von Canterbury, Monologion prol. (Ed. Schmitt) 29

Allein durch das Denken: Der Gegenstand, den Anselm in seiner Schrift *Monologion* verhandelt, ist die Wesenheit Gottes. Über das Wesen Gottes, so betont Anselm, habe er nichts anderes gesagt als bereits Augustinus gelehrt habe, insbesondere wenn man dessen Schrift *Über die Dreieinigkeit* zugrunde legt. Das Neue, das sein Werk enthält, kann deshalb nicht in den sachlichen Bestimmungen liegen, die er über das göttliche Wesen trifft. Vielmehr liegt es darin, so wird man schließen dürfen, dass er sich einer bestimmten Methode bedient, mit der er die in Frage stehenden Inhalte behandelt. Diese Methode besteht darin, allein durch das eigene Nachdenken, allein durch die menschliche Vernunft, das zu erkennen und in seiner Wahrheit zu begreifen, was autoritative Texte, die Bibel, die

Kirchenväter und allen voran Augustinus, bereits gelehrt haben. Das entscheidende Stichwort der zu befolgenden Methode lautet also: »*sola ratione*«, »allein durch die Vernunft«.

Ebd., c. 1, 41

Wenn einer die eine Natur, die höchste von allem, was ist, die allein sich in ihrer ewigen Seligkeit genügt und allen anderen Dingen eben dies, dass sie etwas sind oder dass sie auf irgendeine Art und Weise gut sind, durch ihre allmächtige Güte gibt und bewirkt und vieles andere mehr, was wir von Gott und seiner Schöpfung notwendig glauben, nicht kennt – sei es, dass er nicht von ihr gehört hat oder dass er nicht an sie glaubt –: so meine ich, dass er sich selbst von dem zum großen Teil, wenn er auch nur von mittelmäßiger Begabung ist, wenigstens durch die bloße Vernunft überzeugen kann.[5]

Fasst man diesen Eingangssatz des ersten Kapitels in einem ersten Zugriff thesenartig zusammen, so wird deutlich, wovon Anselm ausgeht. Wenn man eine durchschnittliche Geistesbegabung voraussetzt, ist jeder Mensch in der Lage, die wesentlichen Inhalte über Gott und seine Schöpfung allein mit Vernunftmitteln zu erkennen.

Doch diese Formulierung ist zu ungenau und wird der Differenziertheit von Anselms Ausdruckweise nicht gerecht. Anselm unterscheidet zwei Bereiche, auf die sich das Wissen erstreckt. Was *sola ratione* gewusst werden kann, ist zunächst die eine und höchste Natur, die Ursache ihrer eigenen Glückseligkeit und Ursache der Existenz und der Wohlbeschaffenheit aller anderen Dinge ist. *Sola ratione* kann zudem in einem hohen Maße (*perplura*) auch gewusst werden, was zwar zu unseren Glaubenssätzen gehört, wovon aber der seine Vernunft benutzende Mensch bislang weder durch andere gehört hat, noch aufgrund seines eigenen Glaubens bereits einen Zugang hat.

Schlussfolgern: Aber nicht nur der Bereich des Wissens wird von Anselm differenziert beschrieben, auch die Tätigkeit oder die Haltung des Wissens selbst wird präziser beschrieben als dies durch das Wort ›wissen‹ geschieht. Nicht »wissen«, sondern »sich selbst überzeugen können« ist der Ausdruck, den Anselm benutzt. Wie die folgenden Abschnitte des Textes zeigen, ist damit ein Vorgang gemeint, in dem der Nichtwissende unter Führung der Vernunft zu dem, was er bislang nicht wusste, fortschreitet, so dass es ihm als etwas Notwendiges erschlossen wird, »*quasi necessarium concludatur*«. »Sich von etwas überzeugen können« heißt also in diesem Kontext, etwas als Schlussfolgerung aus anderem ableiten zu können.

Die These, die Anselm bezüglich seiner Methode vertritt, besagt also, dass es dem Menschen möglich ist, ein Wissen von Gott und den meisten Offenbarungswahrheiten zu gewinnen, indem er sich der Vernunft bedient, um unter ihrer Führung zu den als notwendig anzusehenden Schlussfolgerungen fortzuschreiten. Hieraus ergibt sich, dass Anselm offensichtlich den Glauben als Ausgangspunkt menschlichen Erkennens auch im Blick auf Gottes Natur für verzichtbar hält; denn ob der Mensch nicht wissend ist aufgrund des fehlenden Glaubens (*non credendo ignorat*) oder aus mangelnder Vernunft (*irrationabiliter ignorat*), wie es später im Text heißt – der Weg, der ihm *sola ratione* ein Fortschreiten ermöglicht, scheint ihm dennoch offen zu stehen.

Um die Bedeutung Anselms und der von ihm proklamierten Methode des ausschließlichen Vernunftgebrauchs richtig einschätzen zu können, bedarf es allerdings weitergehender Untersuchungen. Offen ist nämlich zunächst die Frage, was denn für Anselm als Ausgangspunkt des fraglichen Wissens in Betracht kommt. Es hat sich nämlich gezeigt, dass die Leistung der Vernunft in einer Hinführung zu Schlussfolgerungen besteht, deren Ausgangspunkt bislang noch nicht thematisiert wurde. Denn wenn es nicht die Glaubenssätze sind, die als Prämissen eines solchen Verfahrens dienen können, ist die Suche nach einem anderen Fundament unausweichlich. Die Schwierigkeit besteht darin, dass Anselm behauptet, mit der Vernunft zu dem gelangen zu können, was man ohne die Vernunft, also irrationaler Weise nicht kennt. Wörtlich heißt es im Text:

[Der Mensch] möge unter der Führung der Vernunft und unter dem Geleit jenes zu dem, was er unvernünftigerweise nicht weiß, vernünftigerweise fortschreite[n].[6]

Ebd., 41 (mod.)

Die Schwierigkeit besteht darin, dass die Vernunft sowohl das Ziel am Ende eines Prozesses zu sein scheint, aber auch das Mittel, das zum Erreichen des Ziels angewandt werden soll. Bildlich gesprochen ist die Vernunft das andere Ufer jenseits eines Flusses, aber auch die Brücke, die von hier dorthin führt.

2.1.2 | Der Gottesbeweis: *Fides quaerens intellectum*

Um dieser Frage nachzugehen, sollen im Folgenden die Eingangspassagen von Anselms bald im Anschluss verfasstem Werk *Proslogion* aus dem Jahr 1077 oder 1078 im Vordergrund stehen. Nach eigenem Bekunden war die Bezeichnung ›Proslogion‹, was so viel heißt wie ›Anrede‹, ursprünglich zur Benennung der Schrift nicht vorgesehen. Vielmehr, so schreibt Anselm im Vorwort, sollte das Werk eigentlich den Titel tragen »*Fides quaerens intellectum*«, also »Glaube, der nach Einsicht sucht.« Auch dieser Titel darf sicherlich als Programm verstanden werden. Man hat ihn nicht nur als methodischen Leitfaden dieser Schrift des Anselm von Canterbury verstanden, sondern hat ihn gar zur Signatur der beginnenden Scholastik gemacht.

Der Hintergrund für ein solches Urteil ist naheliegender Weise der darin zum Ausdruck kommende Aufbruch, die menschliche Vernunft als eigenständige Kraft in den Blick zu nehmen, die es erlaubt, christliche Inhalte nicht nur unter den Gläubigen, sondern auch gegenüber Nicht- oder Andersgläubigen thematisieren und verteidigen zu können.

Glauben, um Einsicht zu erhalten: Aber wie ist das Verhältnis von Glaube und Einsicht, wie es der ursprüngliche Titel des Werkes zum Ausdruck bringen sollte, genau zu verstehen? Die Deutung des Wortlautes kann sich an anderen Formulierungen Anselms orientieren, die dieser am Ende des ersten Kapitels benutzt und die offensichtlich eine Präzisierung des Diktums »*Fides quaerens intellectum*« darstellen. Das ganze Kapitel ist in der Form eines Gebetes an Gott selbst gerichtet. In den letzten Zeilen des Textes distanziert sich Anselm von dem Versuch, Gott in seiner ganzen Tiefe erkennen zu wollen. Worum es ihm im Weiteren geht, so führt er aus, ist allein, eine gewisse Einsicht in die göttliche Wahrheit zu gewinnen, die bereits Gegenstand seines Glaubens und seiner Liebe ist. Seine Absicht ist es nicht, um des Glaubens willen nach Einsicht zu streben, sondern umgekehrt gehe es ihm darum, zu glauben, damit er Einsicht erhalte. Denn ohne zuvor geglaubt zu haben, heißt es unter Anspielung auf Jesaja 7,9, wird er selbst auch keine Einsicht erlangen. Wörtlich lauten die entscheidenden Sätze, mit denen Anselm in Gebetsform das erste Kapitel beschließt:

Anselm von Canterbury, Proslogion c. 1 (Ed. Schmitt) 83–85

Ich versuche nicht, Herr, Deine Tiefe zu durchdringen, denn auf keine Weise stelle ich ihr meinen Verstand gleich; aber mich verlangt, Deine Wahrheit einigermaßen einzusehen, die mein Herz glaubt und liebt. Ich suche ja auch nicht einzusehen, um zu glauben, sondern ich glaube, um einzusehen. Denn auch das glaube ich: »wenn ich nicht glaube, werde ich nicht einsehen«.[7]

Betrachtet man das Ergebnis der angekündigten Vorgehensweise, so scheint die Bedeutung der Vernunft gegenüber Anselms Ansatz aus dem *Monologion* doch deutlich zurückgetreten zu sein. Anstelle des *sola ratione* ist hier eine offensichtliche Nachordnung der Vernunft gegenüber dem Glauben zum Programm erhoben. Wie soll man beide Ansätze in Einklang bringen, wenn zunächst ein Wirken der Vernunft unabhängig vom Glauben befürwortet und wenig später ein zeitlich oder auch sachlich gearteter Vorrang des Glaubens gegenüber der Vernunft betont wird? Sind *sola ratione* und *credo ut intelligam* Charakterisierungen ein und desselben Vorgehens? Eine Antwort auf diese Frage ergibt sich am ehesten daraus, dass Anselm im folgenden Kapitel das, was er zunächst als Vorgehensweise in Aussicht gestellt hat, in der konkreten Durchführung verdeutlicht.

Die wenigen Zeilen des sich anschließenden zweiten Kapitels des *Proslogion* und der darin entfaltete Gottesbeweis gehören unstrittig zu den Meilensteinen philosophischer Literatur. Die Auseinandersetzung mit diesem Text und seinen Folgeproblemen füllt ganze Regale. Die hierdurch ausgelöste Diskussion reicht ungebrochen bis in die Gegenwart. Für die vorliegende Frage steht das Verhältnis von Glaube und Vernunft, wie es in Anselms Argument in Anwendung gebracht wird, im Vordergrund – dass es sich um die Entfaltung eines einzigen Argumentes, *unum argumentum*, handelt, betont Anselm bereits in den ersten Zeilen des Vorwortes.

Unum argumentum: Als Ausgangspunkt für Anselms Argument spielt ein Vers aus dem Alten Testament eine ganz entscheidende Rolle. Der 13. Psalm des Alten Testamentes (nach Zählung der Vulgata, ebenso Ps 52) bringt in wenigen Versen eine tiefgreifende Klage über die um sich greifende Gottlosigkeit der Israeliten zum Ausdruck und verbindet hiermit den Hinweis auf das göttliche Gericht, das die treffen wird, die von ihm abgefallen sind. Der erste Vers bringt das entscheidende Vergehen, das dieser Psalm anprangert, zur Sprache:

Psalm 13,1

Zum Ende ein Psalm Davids. Es spricht der Tor in seinem Herzen: »Es ist kein Gott«. Verderbt sind sie und verabscheuungswürdig sind sie geworden in ihrem Bemühen. Keiner ist, der Gutes tue, auch nicht ein einziger.[8]

Thematisiert wird in diesem Text das Vergehen, dass der Mensch in seinem tiefsten Inneren die Nichtexistenz Gottes behauptet. Ein solcher Mensch kann nur einer sein, der nicht im Vollbesitz seiner geistigen und moralischen Kräfte ist. Im Psalm wird er deshalb als Tor, als Unweiser, als *insipiens* bezeichnet. So lautet der zentrale Satz von Psalm 13 (14): »Es spricht der Tor in seinem Herzen: ›Es ist kein Gott‹.«

Dieser *insipiens* ist es, der im zweiten Kapitel des *Proslogion* den entscheidenden Einwand formuliert, mit dem sich Anselm im Weiteren auseinanderzusetzen hat. Der Einwand ist genau der, der in Psalm 13 formuliert wird, also die Aussage des Toren: »Kein Gott existiert«. Wogegen sich dieser Einwand richtet, erläutert Anselm unmittelbar zuvor. Er tut dies wiederum in Gebetsform, indem er Gott direkt anspricht. Wörtlich heißt es:

Also, Herr, der Du die Glaubenseinsicht gibst, verleihe mir, dass ich, soweit Du es nützlich weißt, einsehe, dass Du bist, wie wir glauben, und das bist, was wir glauben.[9]

Anselm von Canterbury, Proslogion c. 2 (Ed. Schmitt) 85

Der Einwand des *insipiens* richtet sich gegen die doppelte Annahme, dass Gott existiert und dass er das ist, was man von ihm glaubt. Die Annahme der Existenz und der Wesensbestimmung Gottes sind als Glaubensinhalte gegeben. Anselm fast diese beiden Aspekte, nämlich die Existenz Gottes und dessen Wesensbestimmung in einem einzigen Glaubenssatz zusammen. Dieser Satz, der durch den Glauben festgehalten wird, lautet:

Und zwar glauben wir, dass Du etwas bist, über das nichts Größeres gedacht werden kann.[10]

Ebd., 85 (mod.)

Der Wortlaut »*aliquid quo nihil maius cogitari possit*«, »das, über das nichts Größeres gedacht werden kann« ist der Dreh- und Angelpunkt, um den sich der folgende Versuch eines Gottesbeweises bei Anselm dreht. Anselm lehnt sich mit dieser Formulierung ganz eng an den Wortlaut an, mit dem bereits Seneca Mitte des ersten nachchristlichen Jahrhunderts auf die Frage antwortet, was Gott sei. Anselm kannte die Formulierung des Seneca vermutlich aus einem Florilegium, das u. a. den folgenden Textauszug des Seneca enthielt. Im ersten Buch der *Naturales quaestiones* heißt es bei Seneca wörtlich:

Was ist Gott? Das, was Du siehst, in Gänze und, was Du nicht siehst, in Gänze. Seine Größe, zu der nichts Größeres gedacht werden kann, wird ihm nur dann gewährt, wenn er allein alles ist und wenn er sein Werk sowohl innerlich als auch äußerlich umfaßt.[11]

Seneca, Naturales quaestiones I. 1 praef. n.13 (Ed. Brok) 29

Mit diesem Satz wird eine bestimmte Natur beschrieben, deren Existenz dadurch in Frage gestellt wird, dass der eingangs genannte *insipiens* zu sich spricht: »Es gibt keinen Gott.« Der von Anselm angeführte Wortlaut und der vom *insipiens* verwandte Ausdruck »Gott« bezeichnen also ein und dieselbe Sache. Genau auf diese Übereinstimmung der beiden Ausdrücke »Gott« und »das, über dem nichts Größeres gedacht werden kann«

zielt Anselm ab, wenn er argumentiert, dass auch der Tor, der die Existenz Gottes in Frage stellt, doch immerhin, wenn er den Wortlaut »das, über dem nichts Größeres gedacht werden kann« hört, diesen Ausdruck auch versteht. Anselm verwendet für diesen Verständnisakt die Bezeichnung »*intelligere*«, also genau den Begriff, der das bezeichnet, was Gott dem Menschen über den Glauben hinaus gewähren soll, nämlich *fidei intellectum*, Einsicht in das Geglaubte.

Ohne dass bereits deutlich ist, was mit einer solchen Einsicht im Einzelnen gemeint ist, lässt sich für Anselm immerhin die Konsequenz ableiten, dass derjenige, der etwas im Sinne des *intelligere* einsieht, dies auch *in intellectu*, also in der Vernunft als dem der Einsicht zugrundeliegenden Vermögen, hat. Dies bedeutet allerdings noch keineswegs, dass man deshalb auch eine Einsicht darüber hat, ob das, was man in der Vernunft hat, auch außerhalb dieser existiert, also extramental wirklich ist. Wer Gott denkt und ihn in diesem Sinne *in intellectu* hat, weiß deshalb noch nicht, ob Gott auch außerhalb des Verstandes wirklich existiert.

Anselm von Canterbury, Proslogion c. 2 (Ed. Schmitt) 85

Gibt es also ein solches Wesen nicht, weil »der Tor in seinem Herzen gesprochen hat: Es ist kein Gott«? Aber sicherlich, wenn dieser Tor eben das hört, was ich sage: »etwas, über dem nichts Größeres gedacht werden kann«, versteht er, was er hört; und was er versteht, ist in seinem Verstande, auch wenn er nicht einsieht, dass jenes da ist.[12]

Dass der Schluss von der intramentalen zur extramentalen Existenz nicht ohne weiteres gültig ist, ergibt sich eben aufgrund der von Anselm ausdrücklich genannten Differenz der Existenzmodi in und außerhalb des Verstandes.

Ebd., 85

Denn ein anderes ist es, dass ein Ding im Verstande ist, ein anderes, einzusehen, dass das Ding da ist.[13]

Der Unterschied lässt sich leicht einsichtig machen, wenn man sich mit Anselm einen Maler vorstellt, der im Verstand hat, was er zukünftig malen wird. Im Verstand selbst ist dies dann wirklich, wobei es als etwas außerhalb des Verstandes eben noch nicht wirklich existiert, da es zunächst nur der Absicht des Künstlers entspricht, nicht aber bereits als fertiges Kunstwerk gegeben ist. Nach Vollendung des Bildes kann man dann von einem Wirklichsein sowohl im Verstand als auch in der extramentalen Wirklichkeit sprechen.

Ebd., 85

Denn wenn ein Maler voraus denkt, was er schaffen wird, hat er zwar im Verstande, erkennt aber noch nicht, dass da ist, was er noch nicht geschaffen hat. Wenn er es aber schon gemalt hat, hat er sowohl im Verstande, als er auch einsieht, dass da ist, was er bereits geschaffen hat.[14]

Berücksichtigt man diesen Unterschied, kann es zunächst als sicher gelten, so argumentiert Anselm, wenn der Tor, indem er den Wortlaut »das, über dem nichts Größeres gedacht werden kann« hört, diesen auch versteht und dann auch im Verstand hat. Anselm konstatiert also einen Dreischritt, der vom Hören zum Verstehen und dann zum Im-Verstand-Haben voranschreitet, ohne dass damit zusammen eine extramentale Existenz des Verstandenen unterstellt würde.

So wird also auch der Tor überführt, dass wenigstens im Verstande etwas ist, über dem nichts Größeres gedacht werden kann, weil er das versteht, wenn er es hört und was immer verstanden wird, im Verstande ist.[15]

Ebd., 85

Bis zu diesem Punkt der Argumentation geht Anselm auf die spezifische Bedeutung des in Frage stehenden Begriffs überhaupt nicht ein. Lediglich die formale Kennzeichnung dieses Begriffes als Gegenstand des Glaubens, als Objekt des Hörens, als Inhalt des Verstehens und schließlich als im Verstand des Toren Existierendes ist bislang in den Blick getreten.

Im nächsten Schritt der Argumentation ändert sich dies. Denn nun wendet sich Anselm der inhaltlichen Komponente des Begriffes zu. Er tut dies, indem er zunächst die formale Betrachtung um ein weiteres Moment präzisiert. Denn durch die Hinzufügung des Wortes »*solo*« zum Ausdruck »*in intellectu*«, also indem Anselm von einer Existenz allein im Verstand spricht, stehen sich nun zwei Alternativen gegenüber: Zum einen eine Existenz im Verstand, der auch eine Existenz außerhalb des Verstandes korrespondiert, und zum anderen eine Existenz, die nur auf den Verstand beschränkt ist, ohne dass dieser eine extramentale Existenz entsprechen könnte. Fragt man sich jetzt, welcher dieser beiden Alternativen der Begriff »das, über dem Größeres nicht gedacht werden kann« zuzuordnen ist, so ist es für Anselm unstrittig, dass es sich um die erste der beiden Möglichkeiten handeln muss, womit deutlich wird, dass der durch diesen Begriff bezeichnete Gegenstand nicht allein im Verstand existieren kann.

Und sicherlich kann das, über dem Größeres nicht gedacht werden kann, nicht im Verstande allein sein.[16]

Ebd., 85

Dieser Gegenstand, der auch durch den Begriff ›Gott‹ bezeichnet werden kann, muss also auch außerhalb des Verstandes existieren. Denn vergleicht man die Alternativen einer nur intramentalen und einer zudem auch extramentalen Existenz, so das entscheidende Argument, das Anselm anführt, so wird deutlich, dass der zweite Fall gegenüber dem ersten als größer anzusehen ist.

Denn wenn es wenigstens allein im Verstande ist, kann gedacht werden, dass es auch in Wirklichkeit da sei, was ja größer ist.[17]

Ebd., 85

Da der Ausgangsbegriff »Das, über das Größeres nicht gedacht werden kann« einen Gegenstand bezeichnet, der keine denkbare Steigerung zulässt, so ergibt sich für Anselm zwingend, dass diesem Gegenstand auch eine Existenz außerhalb des Verstandes zukommen muss. Andernfalls wäre nämlich nicht der nur intramental existierende Gegenstand, sondern der, der auch in der äußeren Wirklichkeit vorkäme, derjenige, im

Verhältnis zu dem nichts Größeres gedacht werden kann. Dieses Gedankenexperiment eines Vergleiches beider Alternativen drückt Anselm folgendermaßen aus:

Ebd., 85–87

Wenn also das, über dem Größeres nicht gedacht werden kann, im Verstande allein ist, so ist eben das, über dem Größeres nicht gedacht werden kann, etwas, über dem [doch] Größeres gedacht werden kann. Das aber kann gewiß nicht sein.[18]

Das Ergebnis kann also nur sein, dass der durch den Ausgangsbegriff bezeichnete Gegenstand, nämlich Gott, sowohl im Verstand als auch außerhalb des Verstandes existiert.

Ebd., 87

Es existiert also ohne Zweifel etwas, über dem Größeres nicht gedacht werden kann, sowohl im Verstande als auch in Wirklichkeit.[19]

2.1.3 | Was heißt Erkennen? Der Unterschied von *cogitare* und *intelligere*

Wie verhalten sich Vernunft und Glaube zueinander, wenn man die Argumentation zugrunde legt, die Anselm im zweiten Kapitel seines *Proslogion* entwirft? Der Ausgangspunkt für eine Beantwortung dieser Frage ist der letzte Satz des vierten Kapitels des *Proslogion*. Dieser Satz schließt den Gottesbeweis, der sich nach gängiger Interpretation von Kapitel zwei bis einschließlich Kapitel vier erstreckt, ab. Anselm wendet sich wiederum in Gebetsform an Gott, um ihm sowohl für das Geschenk des Glaubens als auch für das der Einsicht zu danken. In beiden Fällen handelt es sich aus Sicht Anselms um göttliche Gnadenakte, die dem Menschen widerfahren. Anselm betont zudem auch den zeitlichen Vorrang, der dem Glauben gegenüber der Vernunfteinsicht zukommt. Wörtlich heißt es am Ende des Kapitels:

Ebd., c. 4, 89

Dank Dir, guter Herr, Dank Dir, daß ich das, was ich zuvor durch Dein Geschenk geglaubt habe, jetzt durch Deine Erleuchtung so einsehe, daß ich, wollte ich es nicht glauben, daß Du lebst, es nicht nicht einsehen könnte.[20]

Aufschlussreich ist vor allem der letzte Teilsatz, in dem Anselm die Wirkung der göttlichen Gaben beschreibt. Verfügt er nämlich einmal über die entsprechende Einsicht, so ist diese selbst gegen den willentlichen Entschluss, nicht zu glauben, resistent. Offensichtlich haben Glaube und Einsicht in diesem Fall den gleichen Gegenstand, nämlich eine Wesensbestimmung Gottes, die dessen Existenz einschließt. Die Haltung von Glaube und Einsicht gegenüber diesem Inhalt ist aber unterschiedlich, denn offensichtlich ist der Glaube an einen willentlichen Entschluss gebunden, mit dem sich der Gläubige affirmativ einem entsprechenden Inhalt zuwendet. Dieser Willensentschluss, so die Hypothese, die Anselm formuliert, könnte sich aber auch von dem gleichen Gegenstand abwenden, ihm also die Zustimmung, die jeder Glaube beinhaltet, verweigern.

Einsicht als naturhafte Nötigung: Exakt an diesem Punkt zeigt sich die Differenz von Glaube und Einsicht. Ist die Einsicht erst einmal erlangt, so handelt es sich nicht mehr um eine Angelegenheit des Willens, dem erkannten Inhalt zuzustimmen oder ihn abzulehnen. Hat man den entsprechenden Wesensbegriff Gottes, den Anselm in der Formulierung »das, über das Größeres nicht gedacht werden kann« zum Ausdruck bringt, einmal verstanden, ist es notwendig, auch die Existenz Gottes mitzudenken. Der Glaube beinhaltet eine willentliche Zustimmung; die Einsicht bedeutet eine naturhafte Nötigung, die keiner Willkür unterstellt ist. Dem Akt der Erkenntnis folgt notwendig der Akt der Anerkennung.

Offensichtlich gehören für Anselm zwei Aspekte hinsichtlich der Vernunft durchaus zusammen. Zum einen bedarf die Einsicht im vorliegenden Fall einer vorausgehenden Fundierung im Glauben. Es ist der Glaube, der der Vernunft vorausgeht und der ihr die Inhalte bereitstellt. Wenn Anselm davon spricht, dass die Vernunft den Gottesbegriff in Gestalt des Ausdruckes »das, über das Größeres nicht gedacht werden kann« erfasst, dann ist mit diesem Gedanken auch immer die Aussage verbunden, dass es eben der Begriff ist, den wir zuvor bereits im Glauben erfasst haben.

Auf der anderen Seite bedeutet dies aber für Anselm keineswegs, dass durch diesen Vorrang des Glaubens das eigenständige Wirken der Vernunft in Frage gestellt wäre. Denn es ist die Pointe seines letzten Teilsatzes, dass die einmal vollzogene Einsicht in den Gottesbegriff unabhängig von jedem Glaubensentschluss besteht, sei dieser zustimmend oder sei dieser ablehnend, wie der hypothetische Fall bei Anselm unterstellt. Der Weg, der vom Denken des Begriffes Gottes zur notwendigen Zustimmung hinsichtlich dessen Existenz führt, ist in letzter Konsequenz unabhängig von jedem Glauben, da er, wie es bei Anselm heißt, durch ein bloßes *nolle*, d. h. durch ein ablehnendes Nicht-Wollen, keineswegs in Frage gestellt werden kann.

Eigenleistung der Vernunft: Was bedeutet nun diese Vernunfteinsicht, die zwar einerseits vom Glauben ausgeht, aber doch andererseits über diesen in der Weise hinausreicht, dass sie ihrer eigenen Gesetzmäßigkeit und nicht der des Glaubens folgt? Um diese Frage beantworten zu können, ist die spezifische Eigenleistung der Vernunft, so wie Anselm sie darstellt, herauszuarbeiten. Anselm tut dies in gewisser Weise selbst, wenn er in Kapitel vier einen Erklärungsversuch gibt, wie der eingangs zitierte *insipiens* überhaupt so etwas wie die Nicht-Existenz Gottes denken konnte.

Wie aber hat er im Herzen gesprochen, was er nicht hat denken können; oder wie hat er nicht denken können, was er im Herzen gesprochen hat, da doch im Herzen sprechen und denken dasselbe ist?[21]

Ebd., 89

Das Problem, um das es geht, wird deutlich, wenn man zeigt, dass hier offensichtlich zwei nicht zu vereinbarende Annahmen vorliegen: Nämlich auf der einen Seite, dass der Tor die Nicht-Existenz Gottes gedacht hat, und auf der anderen, dass er den Satz »es gibt keinen Gott« nicht gesagt hat. Die Nicht-Existenz Gottes hat er deshalb gedacht, weil er den Satz »es gibt keinen Gott« in seinem Herzen gesprochen hat; gleichzeitig ist dieser Satz aber auch gar nicht im Inneren aussprechbar, weil man seinen Inhalt gar nicht denken kann. Offensichtlich, so Anselms Schlussfolgerung, wird in diesen beiden Aussagen nicht in ein und demselben Sinne von innerer Rede und Denken gesprochen.

Ebd., 89

Wenn er dies wirklich, vielmehr weil er es wirklich gedacht hat, da er es im Herzen gesprochen hat, und nicht im Herzen gesprochen hat, da er es nicht denken konnte, so wird nicht nur auf eine Weise im Herzen gesprochen oder gedacht.[22]

Denken versus einsehen: Um diese unterschiedlichen Deutungen dessen, was Denken heißt, zum Ausdruck zu bringen, unterscheidet Anselm zwischen denken und verstehen bzw. einsehen. Im Lateinischen ist es der Unterschied zwischen »*cogitare*« im Sinne von denken und »*intelligere*« mit der Bedeutung von einsehen. Etwas im Sinne des *cogitare* zu denken, bedeutet dann lediglich, mit einem bedeutungstragenden Wort auf einen Gegenstand zu verweisen. Eine Sache einzusehen, *intelligere*, meint hingegen, den Sachgehalt eines Gegenstandes zu verstehen.

Ebd., 89

Anders nämlich wird ein Ding gedacht, wenn der es bezeichnende Laut gedacht wird, anders, wenn eben das, was das Ding ist, eingesehen wird.[23]

Cogitare bedeutet also die Bezugnahme auf einen Gegenstand, ohne dass das, was diesen Gegenstand der Sache nach ausmacht, mit dem Verstand erfasst wird. In diesem Sinne kann man z. B. von gefiederten Pferden oder gar von eckigen Kreisen sprechen, ohne über das wirkliche Vorkommen oder gar die logische Möglichkeit solcher Objekte zu urteilen. Denken im Sinne von *intelligere* kann man eckige Kreise oder hölzernes Eisen natürlich nicht, da man die inhaltlichen Teilmomente, die in diesen komplexen Begriffen enthalten sind, nicht zu einer gedanklichen Einheit im engeren Sinne verbinden kann.

Bezogen auf die im Vordergrund stehende Frage kann man also die Nicht-Existenz Gottes zwar mit einem sprachlichen Zeichen zum Ausdruck bringen, aber im engeren Sinne denken, nämlich sachbezogen verstehen, kann man die Annahme, dass Gott nicht existiert, auf keinen Fall.

Ebd., 89

Auf jene Art also kann gedacht werden, dass Gott nicht da sei, auf diese jedoch keinesfalls.[24]

Etwas im Sinne des *intelligere* zu denken, bedeutet nicht nur Worte ohne Kenntnis des durch sie bezeichneten Inhalts zu gebrauchen, sondern die inhaltlichen Implikationen eines Begriffes konsequent zu entfalten. In Bezug auf das göttliche Wesen bedeutet dies, die extramentale Existenz als notwendige Bestimmung der göttlichen Natur zu begreifen.

Ebd., 89

Denn niemand, der das einsieht, was Gott ist, kann denken, dass Gott nicht existiert, auch wenn er diese Worte im Herzen spricht, sei es ohne jede Bedeutung, sei es mit einer fremden Bedeutung.[25]

Keiner vermag es also, den Satz »Gott existiert nicht« mit einem wirklichen Bedeutungsgehalt zu füllen, auch wenn er ihn ohne eigentliches

Verständnis der Sache oder in einer unangemessenen Bedeutung inwendig formulieren kann. Der Grund hierfür liegt darin, dass der Begriff ›Gott‹ im Grunde genommen nur eine abgekürzte Redeweise für den Ausdruck darstellt, den Anselm in den Mittelpunkt seines Gottesbeweises stellt.

Denn Gott ist »das, über dem Größeres nicht gedacht werden kann«. Wer das gut einsieht, sieht durchaus ein, dass dies so ist, so dass es auch nicht in Gedanken nicht da sein kann.[26]

Ebd., 89

Ein adäquates Verständnis dieses Gottesnamens bewahrt davor, wie der Tor einen Satz zu äußern, der sich deshalb nicht wirklich begreifen lässt, weil er einen verborgenen Widerspruch enthält, der bei der Ausdeutung des von Anselm verwandten Begriffs »das, über dem Größeres nicht gedacht werden kann« offensichtlich wird.

Im Ergebnis des vierten Kapitels zeigt sich also, dass der Tor die Nichtexistenz Gottes im engeren Sinne gar nicht hat denken können. Wenn die Einsicht in den Gottesbegriff, d. h. in das, was das Wesen Gottes bestimmt, einmal vorliegt, ist diese nicht mehr außer Kraft zu setzen. Die Behauptung der Nicht-Existenz Gottes ist also ein verbaler Vorgang, der sich von der Sache selbst abgekoppelt hat.

Wer also einsieht, dass Gott auf diese Weise ist, der kann von ihm nicht einmal denken, dass er nicht da sei.[27]

Ebd., 89 (mod.)

Unabhängigkeit der Vernunft: Der Sachbezug, der durch den Akt des *intelligere* hergestellt wird, widersteht nicht nur den Widersprüchen eines vermeintlichen Denkens, das eher fiktiv als am Gegenstand ausgerichtet ist, sondern – und damit kommen wir auf die Eingangsfrage zurück – es löst sich auch vom ursprünglichen Ausgangspunkt im Glauben. Zwar ist einerseits die inhaltliche Füllung des Gottesbegriffes aufgrund von Vorgaben durch den Glauben geprägt. Dies macht Anselm explizit zu Beginn von Kapitel zwei deutlich, wenn es dort heißt: »Und zwar glauben wir, dass Du etwas bist, über dem nichts Größeres gedacht werden kann.« Im Ausgang vom Glauben strebt Anselm nach der vernünftigen Einsicht in das, was dessen Inhalt ist. Von daher treffen die Ausdrücke *credo ut intelligam* und *fides quaerens intellectum* tatsächlich Anselms Vorgehen. Andererseits verselbstständigt sich aber die Einsicht in diesen Glaubenssatz in dem Sinne, dass, wenn das richtige Verständnis dieses Satzes einmal gefunden ist, die Zustimmung oder die Ablehnung hierzu nicht mehr vom Glauben oder einer anderen Instanz abhängt. In Anselms Perspektive ist dem Urteil der Vernunft notwendig zu folgen und es bedarf hierzu keines weiteren Anstoßes von etwas außerhalb der Vernunft Liegendem. In diesem Sinne ist auch das aus dem *Monologion* abgeleitete Motto *sola ratione* eine adäquate Beschreibung von Anselms Methode.

Diese Unabhängigkeit der Vernunft vom Glauben hat darin ihre tiefere Wurzel, dass der Inhalt, auf den sich der Gläubige bezieht, wenn er nach den Gründen des von ihm Geglaubten fragt, und auf den sich auch der Ungläubige bezieht, wenn er nach den Gründen des Glaubens fragt, ohne die er sich nicht zum Glauben entschließen will, ein und derselbe ist. So unterschiedlich die Ausgangspositionen für denjenigen sind, der nach einer nachträglichen Rechtfertigung seines Glaubens fragt, und für denjenigen, der zuerst nach den Gründen fragt, um erst durch die rationale Durchdringung zum Glauben geführt zu werden, so ist doch in beiden Fällen daran festzuhalten, dass das, wonach man fragt, wenn man an die Vernunft appelliert, identisch ist. In seiner theologischen Hauptschrift *Cur deus homo, Warum Gott Mensch geworden ist*, die nahe an der Grenze zum 12. Jahrhundert im Sommer 1098 entstand, verdeutlicht Anselm diesen Aspekt, wenn er seinen Gesprächspartner sagen lässt:

Anselm von Canterbury, Cur deus homo c. 3 (Ed. Schmitt) 15 (mod.)

Dulde folglich, dass ich die Worte der Ungläubigen gebrauche. Denn es ist billig, dass ich, wenn wir die Begründung unseres Glaubens zu erforschen bemüht sind, die Einwände derer vorbringe, die keinesfalls eben diesem Glauben ohne Begründung zustimmen sollen. Obschon nämlich jene deshalb nach Gründen fragen, weil sie nicht glauben, wir dagegen, weil wir glauben, so ist es doch ein und dasselbe, wonach wir forschen. Und wenn du etwas antwortest, dem eine geheiligte Autorität entgegenzustehen scheint, so sei es mir erlaubt, diese entgegenzuhalten, damit du offen legst, wieso sie nicht entgegensteht.[28]

Die Pointe dieser Aufforderung des Boso, so heißt Anselms Gesprächspartner in der genannten Schrift, besteht darin, den Anspruch der Vernunft auf Anerkennung durch beide Seiten zu fordern, nämlich die der Gläubigen wie die der Ungläubigen. Die unterschiedliche Motivation, weshalb man sich der Vernunft zuwendet – ob um sie gegen den Glauben zu wenden oder um sie für den Glauben einzusetzen –, ändert nichts an der Vernunft und ihrem Geltungsanspruch selbst. Denn das, wonach wir suchen, wenn wir uns der Vernunft zuwenden, ist nach Bosos Worten, und Anselm gibt ihm hierin Recht, jeweils dasselbe.

2.1.4 | Die Reichweite der Vernunft

Was ist aber eigentlich damit gemeint, wenn es heißt, dass es ein und dasselbe sei, worauf sich der Gläubige wie der Ungläubige beziehen, indem sie an die Vernunft appellieren, bzw. sich der Vernunft unterstellen? Diese Frage lässt sich nach dem bisher Gesagten dahingehend präzisieren, dass man nach dem Gemeinsamen fragt, das der zentrale Begriff des *Proslogion* für den ungläubigen Toren ebenso wie für den gläubigen Verteidiger der Existenz Gottes enthält. Die Einheit der Vernunft zeigt sich in der einheitlichen oder kohärenten Deutung von Begriffen, so etwa auch in der kohärenten Deutung des Begriffes, durch den Gottes Wesen im *Proslogion* ausgedrückt wird, also in der Deutung des Ausdruckes »das, über dem Größeres nicht gedacht werden kann«.

Befolgen von Regeln der Vernunft: Worin besteht aber die Deutung dieses Begriffes? Mit Rückgriff auf die von Anselm geführte Diskussion dieses Begriffes kann man sagen: Sie besteht in der kohärenten Befolgung einer Regel, die implizit durch diesen Begriff ausgedrückt wird. Diese Rede vom Befolgen einer Regel ergibt sich aus Anselms Verständnis der

Vernunft, die er ausdrücklich als ein Vermögen versteht, den Menschen voranschreiten zu lassen, nämlich von dem, was er erkannt hat, zu dem, was er bislang noch nicht einsieht, was aber aufgrund der (regelhaften) Führung durch die Vernunft als implizit wissbar gelten kann (s. Kap. 2.1.1). Die Regel besteht im vorliegenden Fall darin, sich alle möglichen Gegenstände zu vergegenwärtigen und sie daraufhin zu prüfen, ob sich hierzu jeweils ein größerer denken lässt. Ist dies möglich, gehört der Gegenstand nicht in die Klasse von Gegenständen, die der Begriff bezeichnet; ist es nicht möglich, zu einem Gegenstand einen weiteren zu denken, der größer ist, dann handelt es sich um etwas, was unter diesen Begriff fällt. Die in diesem Begriff enthaltene Regel führt also den, der diesen einsieht, zu der Erkenntnis, dass das, was unter diesen Begriff fällt, also Gott, notwendig existiert, weil die extramentale Existenz auf alles zutrifft, auf das der Begriff anwendbar ist.

Anselm wendet dieses Verfahren in seinem Beweis ausdrücklich an, nämlich dann, wenn er fragt, ob ein vollkommenes Wesen, das nicht die aktuelle Existenz besitzt, der Regel des genannten Begriffs entspricht oder nicht. Seine Antwort lautet, dass dieser Gegenstand, nämlich das vollkommene, aber nicht existente Wesen, diesen Test nicht besteht. Nur ein vollkommenes Wesen, das auch Existenz besitzt, entspricht dieser Regel und kann als kohärente Deutung des Begriffes gelten. Anders formuliert: Nur das vollkommene und existierende Wesen erfüllt die implizite Definition des Begriffes »das, über dem Größeres nicht gedacht werden kann«.

Üblicherweise ist es nicht schwierig, zu entscheiden, ob ein Gegenstand unter einen Begriff fällt oder nicht. Hat ein Gegenstand die Eigenschaften, die in der Definition des Begriffes enthalten sind, so weiß man, dass dieser Gegenstand zu den Dingen gehört, die unter den Begriff fallen. Weiß man z. B., dass etwas belebt und vernunftbegabt ist, dann weiß man, dass es ein Mensch ist, denn die durch den Begriff ›Mensch‹ implizierte Definition enthält die zwei Momente des Belebten und des Vernünftigen.

Im Falle von Anselms Begriff »das, über dem Größeres nicht gedacht werden kann« ist dies viel komplizierter, weil im Grunde genommen kein endliches Verfahren zur Verfügung steht, um zu entscheiden, ob ein Gegenstand unter den Begriff fällt oder nicht. Und zwar deshalb, weil Anselms Gottesbegriff eine Kombination aus der Negation »nichts« (*nihil*) und des grammatischen Komparativs »größeres« (*maius*) ist. Das bedeutet, dass der Vergleich, der durch den Ausdruck »*nihil maius*« gefordert ist, prinzipiell nicht abschließbar ist; denn die Regel, die dieser Ausdruck fordert, funktioniert so, dass eben alle Fälle verglichen werden müssen, bevor das Ergebnis, dass es nichts anderes gibt, das größer ist, feststeht.

Problem der prinzipiellen Unabschließbarkeit: Die Frage, die sich im Anschluss an diese Überlegungen stellt, lautet demnach, ob diese Regel mit den Mitteln des endlichen Verstandes zu erfüllen und die implizierte Handlungsanweisung zu befolgen ist. Nur wenn das der Fall ist, kann der von Anselm genannte Begriff in der geforderten Weise als vom Menschen verstanden gelten. Denn Anselm betont die Differenz zwischen einem wirklichen Verstehen bzw. Einsehen im Sinne des *intelligere* gegenüber einem nur vermeintlichen Denken im Sinne des *cogitare*. Ob der Mensch diesen Begriff aufgrund seiner prinzipiellen Unabschließbarkeit wirklich einsehen kann, oder ob er sich vielleicht doch nur durch den Wortlaut verführen lässt, wie es auch der Tor aus Sicht Anselms tut, wenn er den Satz formuliert »es gibt keinen Gott«, scheint eine durchaus ernstzunehmende Frage.

Die wirkliche Einsicht in den Begriff »das, über dem Größeres nicht gedacht werden kann« scheitert für den Menschen nicht daran, dass dieser Begriff widersprüchlich wäre. Das ist aus Anselms Sicht zwar für den Versuch des Toren, die Nicht-Existenz Gottes einsehen zu wollen, der Fall. Der Tor hat von Gott nach Anselms Deutung nur einen vermeintlichen Begriff, wenn er ihn für nicht-existierend hält, da sich die Bestimmung eines vollkommensten Wesens und die Kennzeichnung der Nichtexistenz gegenseitig ausschließen. Der Gottesbegriff des Toren ist in diesem Sinne widersprüchlich.

Doch Anselms Gottesbegriff kann in diesem Sinne keineswegs als widersprüchlich gelten. Das Problem ist vielmehr ein anderes. Es besteht darin, dass sich Anselms Gottesbegriff dem Denken des endlichen Verstandes in gewisser Weise entzieht. Das ist insofern der Fall, als dieser Begriff eine Verifikationsbedingung enthält, die grundsätzlich nicht erfüllbar ist, da das entsprechende Verfahren prinzipiell nicht abschließbar ist. Man hat ja erst dann den Gegenstand, der durch den in Frage stehenden Ausdruck bezeichnet wird, gefunden, wenn man sich sicher sein kann, nichts anderes finden zu können, von dem sich denken ließe, es sei größer. Für einen Verstand, der aktuell alles Denkbare denkt, ist dies unproblematisch, für den endlichen Verstand des Menschen, der immer nur bestimmte Möglichkeiten realisieren kann, ist dies hingegen unmöglich.

Einheit der Vernunft: Fasst man Anselms Argumentation zusammen, zeigt sich ein differenziertes Bild. So eindeutig der Ausgangspunkt von Anselms Vernunftstreben im Glauben begründet liegt, wie es prägnant in den Formulierungen *fides quaerens intellectum* und *credo ut intelligam* zum Ausdruck kommt, so offensichtlich ist damit keineswegs das Programm, allein mit der Vernunft *sola ratione* verfahren zu wollen, in Frage gestellt. Wenn einmal der Weg der Vernunft beschritten ist, dann sind es die Gesetzmäßigkeiten der Vernunft, denen zu folgen ist. Mag der Ausgangspunkt und mag die Zielsetzung der Vernunft der Glaube sein, so relativiert Anselm doch an keiner Stelle die Geltung der Regeln, die eben Regeln der Vernunft und nicht des Glaubens sind. Dies wird ganz deutlich, wenn Anselm den Bereich des Vernunfturteils von jeder vorherigen Verknüpfung mit einer Haltung des Glaubens oder Unglaubens loslöst. Zugespitzt mündet diese Annahme in Anselms These von der Einheit der Vernunft in den Einstellungen von Glaube und Unglaube.

Kritik an Anselms Ansatz: Problematisch erscheint hingegen, ob die Bedeutung der Vernunft in Anselms Denken nicht dadurch in Frage gestellt wird, dass sie unkritisch in ihrer Leistungsfähigkeit überschätzt wird. Für Anselms Ansatz ist die Differenz, die er selbst zwischen den Begriffen des *intelligere* und des *cogitare* hervorhebt, von entscheidender Bedeutung. Implizit macht Anselm hierbei von einem Unterschied zwischen wirklichem und nur vermeintlichem Denken Gebrauch. In diesem

Sinne hat er einen erkenntniskritischen Ansatz. Allerdings reicht dieses Anliegen Anselms nicht so weit, die Möglichkeit des Einsehens im Blick auf den zentralen Begriff seiner Argumentation, dem im Gottesbeweis verwandten Begriff »das, über dem Größeres nicht gedacht werden kann«, selbst kritisch zu hinterfragen. Damit unterliegt das Programm des *sola ratione* dem Vorwurf des überschwänglichen Vernunftgebrauchs und damit dem Einwand, nicht wirklich Glaube und Vernunft in ihrer Eigenleistung bestimmt zu haben.

2.2 | Petrus Abaelardus: Die rationalen Voraussetzungen des Glaubens

Kaum ein anderer Gelehrter des Mittelalters scheidet in einem solchen Maß die Geister wie der 1079 geborene Petrus Abaelardus. Mehr noch: An ihm scheiden sich nicht nur die Geister, sondern auch die Herzen, was an den besonderen Umständen seines Lebens liegt, über das wir u. a. durch seine Autobiographie (*Historia calamitatum*) gut unterrichtet sind.

Für die Einen ist er der romantisch verklärte Liebhaber, der sich über alle gesellschaftlichen Konventionen hinweg und durch alle Schwierigkeiten, die sich ihm in den Weg stellen, hindurch in einer die Phantasien bis heute beflügelnden Liebesgeschichte mit seiner jungen Schülerin Heloïse verliert. Für die Anderen ist er der perverse und gewissenlose Lüstling, der die Zuneigung der jungen Heloïse seiner Eitelkeit wegen sucht, aber deren eigenes Wohlergehen um seiner Karriere willen bereitwillig opfert.

Auch sein Ruf als Intellektueller ist gespalten. Es gibt wieder die Einen, die in ihm den Aufbruch der Rationalität und das Hervorbrechen eines neuen Individualismus verkörpert sehen. Die Anderen sehen in ihm den zweiten Aristoteles, was für diese Leute ungefähr so viel bedeutet, wie der Zwillingsbruder des leibhaftigen Teufels zu sein. Sein ärgster Feind, Bernhard von Clairvaux, attestiert Abaelard zwar, sich mit seinem Wissen bis zu den höchsten Höhen erhoben zu haben, allerdings, so das vernichtende Urteil Bernhards, gebührt ihm dafür auch die Verbannung in die Finsternis der tiefsten Tiefen:

Wie er bis zum Himmel emporgestiegen ist, so soll er bis zu den Unterirdischen hinabsteigen; die Werke der Finsternis, die sich ans Licht gewagt haben, mögen vom Licht im hellen Glanz als verwerflich erwiesen werden.[29]

Bernhard von Clairvaux, Brief 188 (Sämtliche Werke 3) 63–65

Wie auch immer man zu Abaelard steht, auf den ersten Blick scheinen seine Pläne auf ganzer Linie gescheitert, sein Leben ein einziges Trümmerfeld zu sein. Seine Lehren wurden mehrfach durch kirchliche Synoden und päpstliches Votum verurteilt, was sicherlich auch mit der Persönlichkeit, der Durchsetzungskraft und den Beziehungen seines Kontrahenten Bernhard von Clairvaux zu tun hat. Die geliebte Heloïse wird ins Kloster abgeschoben und er selbst von den Verwandten der zwischenzeitlich ihm vermählten Mutter seines Sohnes auf brutale Weise kastriert, was er selbst im Nachhinein als gerechte Strafe Gottes an dem Teil seines Körpers ansieht, mit dem er gesündigt hat. Abaelard bleibt zunächst nur die Flucht in Kloster, wo man ihm gleich wieder mehrfach nach dem Leben trachtet.

Welches Bild, das man von Abaelard gezeichnet hat, stimmt denn nun eigentlich? Ist er nur ein eitler, intellektuell angehauchter ›Schnösel‹, dessen Verhalten man irgendwo zwischen schlechten Manieren und bösartigem Charakter zu verorten hat? Oder ist er einer der ganz großen Wegbereiter eines intellektuellen Aufbruchs im Mittelalter, der sich in seinem leidenschaftlich verfolgten Lebensweg und seinem die Normen eines bornierten Umfeldes überspringenden Liebesleben widerspiegelt?

2.2.1 | Der Wahrheitsanspruch aus dem Geist des Christentums

Man würde Abaelard – und mit ihm wohl die allermeisten Autoren des Mittelalters – falsch verstehen, wenn man den Anspruch auf Rationalität als einen Fremdkörper verstehen wollte, der von außen an das Christentum und die christliche Theologie herangetragen wurde. Die Herausbildung einer Theologie im Christentum ebenso wie die rationale Zugänglichkeit dieser sich dann als Wissenschaft begreifenden Disziplin stellte eine Entwicklung dar, die der christlichen Religion inhärent ist. Der geschichtliche Ort dieses Vorgangs ist das Mittelalter, in dem sowohl äußere Ereignisse, wie die Bekanntschaft mit der heidnischen Philosophie, aber auch innere Gesetzmäßigkeiten, die der christlichen Lehre eigen sind, eine entscheidende Rolle spielen.

Das innere Motiv der Theologie für diese Entwicklung liegt wohl am ehesten im Anspruch der christlichen Lehre, als Theologie widerspruchsfrei und konsistent sein zu müssen. Denn was für ein Gott sollte das sein, der sich der Zugänglichkeit der Menschen verbirgt, heute dies, morgen das offenbart, und so weder verlässlich noch wahrhaft gut sein kann? Auf diese Weise brächte er die Menschen eher von ihrem Heil, das in der Bekanntschaft mit eben diesem Gott besteht, ab, als dass er als guter Gott zu diesem hinführen könnte. Bestenfalls wäre er ein lokal und zeitlich begrenzt erkennbarer und relativ guter Gott, aber keinesfalls der eine und in diesem Sinne universelle Gott, der im Sinne des Augustinus den Menschen die *via universalis* (s. Kap. 1.2.1), also den von allen zu beschreitenden Weg zum Heil bereiten könnte.

Will man solche Spannungen im Gottesbegriff vermeiden, ist es notwendig, die göttlichen Offenbarungen und damit die autoritativen Zeugnisse der Kirchenväter und vor allem der Bibel als eine kohärente und spannungsfreie Verlautbarung über das göttliche Wesen und sein zeitliches Wirken verstehbar zu machen. Aus diesem Bedürfnis heraus erwächst eine Reflexion auf die Methoden, die es erlauben, scheinbar widersprechenden Aussagen des Glaubens, wie man sie in vielen religiösen Zeugnissen findet, eine kohärente Deutung zu geben.

2.2.2 | Wahrheit und Widerspruchsfreiheit

Rationalitätsanspruch: Für diese Tradition kennzeichnend ist der Versuch Petrus Abaelards, in seinem Werk *Sic et Non* durch ein entwickeltes Instrumentarium der Logik (s. Kap. 5.1), das er im Prolog dieser Schrift eigens erörtert, vermeintlich widersprüchlichen Aussagen der Heiligen Schrift und anderer Autoritäten eine kohärente Deutung zu geben. Dieser Versuch geht von der Überzeugung aus, dass alle Zeugnisse des biblischen Textes und der Kirchenväter zwar als solche nicht der rationalen Rechtfertigung unterliegen können, doch gleichwohl einen konsistenten Zusammenhang bilden, der durch eine Rationalität gekennzeichnet ist, die eine allgemeine Geltung beanspruchen kann.

Vertiefung

Wahrheitsanspruch und Autorität

Grundsätzlich gibt es zwei Möglichkeiten den Geltungsanspruch eines Satzes oder eines Textes zu untermauern: Zum einen, indem man rationale Gründe oder eigene bzw. überlieferte Erfahrungen als Beleg anführt, zum anderen, indem man auf den Sprecher eines Satzes bzw. den Autor eines Textes verweist und aus dessen Urheberschaft den Wahrheitsanspruch entsprechender Äußerungen ableitet. Im ersten Fall geht der Geltungsanspruch auf nachvollziehbare Gründe zurück, im zweiten auf die **Autorität** des Urhebers.

Eine besondere Autorität kommt in christlicher Perspektive der Bibel zu, da diese durch den Heiligen Geist den gleichsam nur als Werkzeug dienenden Verfassern des biblischen Textes übermittelt wurde und mithin als **Offenbarung** Gottes selbst gelten kann, die dieser den Menschen als gnadenhaftes Geschenk zukommen lässt. Diese **Gnade** übersteigt die Erkenntnisfähigkeiten, die dem Menschen von Natur gegeben sind. Der Geltungsanspruch der Offenbarung ist also nicht davon abhängig, dass der Mensch sie rational nachvollziehen oder gar begründen könnte, sondern besteht allein aufgrund der Autorität ihres göttlichen Ursprungs.

In diesem Vorgehen Abaelards kommen zwei Momente zusammen: zum einen der autoritative Anspruch des biblischen Textes und der Literatur der Kirchenväter, zum anderen die Notwendigkeit, diese Texte mit einem entsprechenden hermeneutischen Instrumentarium zu interpretieren. Abaelards Auffassung ist es, dass die genannten Texte zwar unzweifelhaft einen uneingeschränkten Geltungsanspruch haben – sie haben autoritativen Charakter –, aber sie unterliegen der Notwendigkeit, erst auf ihren eigentlichen Sinn und ihre zentrale Aussage hin interpretiert werden zu müssen. Diese Notwendigkeit demonstriert Abaelard in *Sic et Non*, wenn er hier über nahezu 500 Druckseiten hinweg zu insgesamt 158 Sachfragen Zitate der Kirchenväter gegenüberstellt, die deshalb ausgewählt werden, weil sie sich einander – dem ersten Anschein nach – eklatant widersprechen. Aus dieser Gegenüberstellung von Aussagen, von denen die einen bejahen, was die anderen verneinen, hat das ganze Werk seinen Titel *Ja und Nein* erhalten.

Wie geht Abaelard bei diesem Vorgehen mit den Autoritäten um und was ist seine generelle Haltung gegenüber den Ansprüchen autoritativer

Aussagen? Glaubt man den Gegnern Abaelards, ist seine Haltung von einer vollständigen Missachtung der Autoritäten bestimmt. An die Stelle der von der Offenbarung getragenen Lehren setzt er die überhebliche Anmaßung, mit den Mitteln der menschlichen Vernunft Fragen entscheiden zu wollen, die die eigenen Kräfte des endlichen Verstandes bei weitem übersteigen. Deshalb heißt es bei Bernhard von Clairvaux:

Bernhard von Clairvaux, Brief 190 (Sämtliche Werke 3) 70

Denn was könnte mehr gegen die Vernunft sein als zu versuchen, durch Vernunft die Vernunft zu übersteigen? Und was mehr gegen den Glauben, als nicht glauben zu wollen, was man mit der Vernunft nicht erfassen kann?[30]

Doch kann man dieser Haltung der Kritiker tatsächlich zustimmen? Programmatisch äußert sich Abaelard naturgemäß in dem Prolog der genannten Schrift, wo er die von ihm präferierte Vorgehensweise erläutern muss. Nachdem er auf die Schwierigkeit, in den Schriften der Heiligen auf abweichende und sogar widersprüchliche Aussagen zu treffen, hingewiesen hat, formuliert er einen Umgang mit autoritativen Sätzen, den man wohl weniger als einseitig ablehnend, denn als ausgewogen differenziert betrachten muss:

Petrus Abaelardus, Sic et non prol.

Indem wir auf unsere Schwäche zurückgehen, sollten wir glauben, dass uns eher die Gnade beim Verstehen fehlt, als dass denen die Gnade beim Schreiben gefehlt hätte, denen von der Wahrheit selbst gesagt wurde: Nicht ihr seid es, die ihr sprecht, sondern der Geist eures Vaters ist es, der in euch spricht [Mt 10,20]. Wie sollte es also verwunderlich sein, wenn uns in Abwesenheit des Geistes, durch den diese Dinge geschrieben, gesagt und auch den Schreibern [der Heiligen Schrift] mitgeteilt wurden, hiervon die Einsicht fehlt?[31]

Grenzen des Verstandes: Differenziert scheint diese Haltung deshalb zu sein, weil sie einen signifikanten Unterschied macht zwischen der Betrachtung der autoritativen Aussagen, was ihre Entstehung und was ihr Verständnis betrifft. Die Inspiration durch den Geist des Vaters, also durch Gott, und der damit verbundene Wahrheitsanspruch werden von Abaelard ausdrücklich anerkannt. Was er in Zweifel zieht, ist die Fähigkeit des menschlichen Verstandes, die ihm dargebotenen Texte richtig zu verstehen. Die Gnade beim Verstehen – *intelligendo* – und beim Schreiben – *scribendo* – ist nämlich jeweils eine andere. Die Fähigkeiten des Verstehens und des Schreibens, also während der Aufnahme und der Entstehung der Schriften, ist jeweils unterschiedlich: einerseits bei der Abfassung vom göttlichen Geist inspiriert und andererseits bei der Rezeption auf die menschlichen Möglichkeiten und ihre natürlichen Grenzen beschränkt.

Die Pointe Abaelards besteht darin, dass er die Autoritäten als solche voll und ganz anerkennt. Er warnt allerdings davor, zu glauben, dass damit das Problem gelöst sei, wie mit diesen Texten umzugehen ist. Eben weil wir als Menschen nur mit den beschränkten Möglichkeiten unseres Verstandes ausgestattet sind, bedarf der Prozess der Aneignung dieser Autoritäten einer besonderen Methode. Als Beleg dafür, dass dieser Bedarf besteht, führt Abaelard eine Fülle von autoritativen Aussagen an, die er in ihrer Widersprüchlichkeit herausstellt. Unser Verständnis ist herausgefordert, weil ein unmethodischer Umgang mit diesen Aussagen nicht möglich ist, denn wir können nicht naiv am Wahrheitsanspruch aller Aussagen festalten, solange diese sich gegenseitig auszuschließen scheinen. Im Aufweis dieser Widersprüchlichkeiten besteht der Sinn dieser umfassenden Zitatensammlung, die Abaelard unter dem Titel *Sic et non* zusammengestellt hat.

Einsatz philosophischer Mittel: Abaelard löst diese Widersprüche selbst nicht auf, entwirft aber im Prolog des Werkes ein vielschichtiges Instrumentarium, mit dessen Hilfe der Leser in die Lage versetzt werden soll, den scheinbaren Gegensätzen eine kohärente Deutung zu geben. Abaelard zeigt mit diesem Vorgehen zweierlei, zum einen die Notwendigkeit, am Sinngehalt auch autoritativer Texte zu zweifeln, und zum anderen die Möglichkeit, diese mit einem Instrumentarium zu deuten, das weitgehend der Wissenschaft der Logik und damit vor allem den Vorlagen des Aristoteles entnommen wird. Als notwendiges Instrumentarium sind die Logik und damit die Philosophie im Umgang mit den autoritativen Texten notwendig. Wer den Wahrheitsanspruch bei der Deutung dieser Texte nicht aufgeben will, muss sich also, so die Schlussfolgerung Abaelards, der philosophischen Mittel bedienen. Am Ende des Prologs heißt es deshalb:

Denn dies wird als erster Schlüssel zur Weisheit ausgemacht: hartnäckiges und häufiges Fragen. Zu diesem ermahnt die Studierenden jener Philosoph, der klarsichtigste von allen, Aristoteles. [...] Denn durch Zweifeln kommen wir zum Fragen, durch das Fragen erfassen wir die Wahrheit.[32]

Ebd., prol.

Das übergeordnete Motiv, das dieses Vorgehen rechtfertigt, ist die Suche nach der Wahrheit. Dieser ist der Text der Autorität untergeordnet. Da die Wahrheit nur eine einzige ist, ergibt sich die Notwendigkeit, scheinbare Widersprüche in einem kohärenten System unter dem Dach dieser einen Wahrheit zu vereinen.

2.2.3 | Glaube und Verstand

Kritik durch Bernhard von Clairvaux: Diese Haltung Abaelards räumt der menschlichen Vernunft nicht nur ein Eigenrecht ein, sondern macht sie in einer noch zu erläuternden Weise zur Voraussetzung des Glaubens selbst. Dies ruft – wie nicht anders zu erwarten – seine Kritiker und allen voran den Widerspruch Bernhards von Clairvaux hervor. Bernhard weigert sich, Fragen, die den Glauben als solchen oder seine Inhalte betreffen, zuzulassen.

Der Glaube schlichter Menschen wird verlacht, die Geheimnisse Gottes werden durchstöbert, Fragen über die tiefsten Dinge werden unbedacht erörtert, man verhöhnt die Kirchenlehrer, weil sie die Ansicht vertreten haben, man solle diese Fragen lieber ruhen lassen als lösen. [...] So macht der menschliche Verstand alles für sich geltend und lässt nichts dem Glauben. Er untersucht, was zu hoch für ihn ist, er

Bernhard von Clairvaux, Brief 188 (Sämtliche Werke 3) 63

ergründet, was über seine Kräfte geht, er dringt in das Göttliche, er entweiht das Heilige mehr als dass er es erklärt, was verschlossen und versiegelt ist, das öffnet er nicht, sondern bricht es auf, und alles, was er für seinen Scharfsinn als unzugänglich findet, hält er für nichts und verweigert ihm den Glauben.[33]

Von Abaelards Seite wird ein einfaches, aber gleichwohl schlagkräftiges Argument gegen die Befürchtungen Bernhards formuliert, das auf die Voraussetzungen zielt, die jeder machen muss, wenn er ernsthaft einen Glauben vertreten möchte. Dieses Argument findet sich in seiner Autobiographie.

Einsehbare Aussagen: Wie diese Passage aus der *Historia Calamitatum* deutlich macht, wird damit ein Problemfeld betreten, dass offensichtlich im intellektuellen Umfeld Abaelards von zentraler Bedeutung ist. In seinem unmittelbaren Schülerkreis besteht nämlich der ausdrückliche Wunsch, so berichtet Abaelard, die Inhalte des Glaubens nicht nur in bloßen Worten, sondern in einsehbaren Aussagen zu erfassen, da dies die Voraussetzung dafür sei, diese Inhalte überhaupt zum Gegenstand des Glaubens machen zu können. Die Gegenüberstellung, die hier unter Rückgriff auf die Wünsche der Schüler – und in Anlehnung an die von Anselm von Canterbury genannte Differenz von *cogitare* und *intelligere* (s. Kap. 2.1.3) – gemacht wird, ist die zwischen den bloß mit Worten ausgesprochenen Gründen, *rationes dicere*, und den Gründen bzw. Inhalten, die von einem sachlichen Einsehen begleitet sind, *rationes intelligere*. Während Ersteres schlichtweg überflüssig ist, ist Letzteres notwendig, wenn es überhaupt zum Glauben kommen soll, wie Abaelard unter Rückgriff auf die Erfahrungen mit seinen ehemaligen Schülern deutlich macht:

Petrus Abaelardus, Historia Calamitatum, De libro theologiae

Ich befasste mich nun zuerst damit, das Fundament unseres Glaubens selbst durch Analogien aus dem Bereich menschlicher Vernunft fasslich zu machen, und schrieb eine theologische Abhandlung *Über die göttliche Einheit und Dreiheit* für den Gebrauch meiner Schüler, die nach menschlichen und philosophischen Vernunftgründen verlangten und mehr solche forderten, die man verstehen, als solche, die man nur aussprechen könne. Sie sagten, überflüssig sei ein Vortrag bloßer Worte, denen der Verstand nicht folge; man könne doch nichts glauben, was man nicht vorher verstanden habe; es sei lächerlich, wenn einer etwas predigen wolle, was weder er selbst noch jene, die er belehre, mit dem Verstand fassen könnten; das seien »die blinden Blindenführer«, von denen der Herr spreche.[34]

Dieses hier eher rhetorisch formulierte Argument hat nachvollziehbare philosophische Implikationen, die sich unter Rückgriff auf einen Traktat des Abaelard rekonstruieren lassen, der um 1124 unter dem Titel *De intellectibus* entstanden ist.

Jeder Streit, der mit Gründen ausgefochten wird, bleibt ein Streit in den Grenzen der Vernunft, so dass Pro- und Contra-Argumente den gemeinsam geteilten Anforderungen der Rationalität unterliegen. Aber was geschieht, wenn diese Standards der Rationalität selbst in Frage gestellt werden, indem ihre Reichweite oder ihre Anwendbarkeit auf bestimmte Probleme in Zweifel gezogen werden? Genau dieser Fall tritt ein, wenn man die Leistungen der Rationalität für unzureichend erklärt, weil sie im Bereich des Glaubens schlichtweg irrelevant sind.

Diese Haltung einer Loslösung des Glaubens von der rationalen Vergewisserung wird durch das Argument gestärkt, dass der Glaube nur dann verdienstvoll und heilsrelevant sein könne, wenn er nicht durch die Vernunft erzwungen werde, sondern sich unabhängig von dieser entfalte. Der Glaube scheint eine Haltung des menschlichen Geistes zu sein, die außerhalb der Reichweite der Rationalität liegt und von deren Anforderungen unberührt bleibt. Derjenige, der im engeren Sinne etwas glaubt, bedarf weder der rationalen Rechtfertigung noch lässt er sich in seinem Glauben durch den Einspruch der Vernunft berühren.

Für eine rational argumentierende Philosophie bedeutet das in allen Bereichen, wo der Glaube zählt, den Weg in die Verbannung. Zur Bedeutungslosigkeit verurteilt, wird die Philosophie bestenfalls geduldet, wirklich etwas zu sagen hat sie in einer solchen Konstellation nicht. Macht man sich diese Bedrohung von Seiten der Philosophie klar, erkennt man die Brisanz, die darin besteht, wenn ein Philosoph des Mittelalters, für den es keineswegs in Frage kommt, die Heilsrelevanz des Glaubensaktes in Zweifel zu ziehen, daran geht, das Verhältnis von Glaube und Vernunft eingehend zu untersuchen. Abaelard tut dies im Rahmen eines geschlossenen Traktates, in dem er über die verschiedenen Leistungen des Intellekts reflektiert und die daraus hervorgehenden Tätigkeiten exakt abzugrenzen versucht.

Einschätzung versus Einsicht: Zu Beginn seines Werkes *De intellectibus* unterscheidet Abaelard fünf verschiedene Betätigungen der Seele, die im weitesten Sinne als Formen der Betrachtung oder des Einsehens, also als epistemische Haltungen verstanden werden können. Von einem besonderen Interesse ist hierbei der Unterschied, den Abaelard zwischen Einschätzung und Einsicht feststellt.

Der Begriff »Einschätzung«, *existimatio*, meint das, was man als Haltung des Glaubens oder des Fürwahrhaltens, *credulitas sive fides*, begreifen kann. Einsicht, *intellectus*, hingegen meint das verstandesmäßige, also nicht-sinnliche, Erfassen von etwas, von dem nicht feststeht, ob man es glauben soll oder nicht. Es geht in diesem letzten Fall also um das bloße Erfassen eines Sachverhaltes, ohne dass ein Urteil gefällt würde, ob dieser besteht oder nicht.

Neben dieser Unterscheidung, die Abaelard trifft, ist vor allem das Verhältnis wichtig, das zwischen diesen beiden Haltungen angenommen wird. Abaelard nimmt nämlich eine deutliche Vorordnung der bloßen Einsicht vor dem mit dem Urteil einhergehenden Glaubensakt an, so dass die Einsicht zur Voraussetzung des Glaubens wird, dieser aber nicht von jener gefordert wird.

In diesem Text *De intellectibus* geht es um die Unterscheidung verschiedener intellektueller Leistungen, die man dem Menschen zuschreiben kann. Was im vorliegenden Kontext interessiert, ist der Zusammenhang, den Abaelard zwischen Einsicht, Einschätzung und Glaube herstellt. In einem ersten Schritt werden einerseits Einsehen und Einschätzung unterschieden – obwohl sie scheinbar sehr ähnlich sind – und darüber hinaus Einschätzung und Glaube gleichgesetzt. In einem zweiten Schritt wird dann aber der Unterschied hervorgehoben, der zwischen Einschätzen, Gläubigkeit und Glaube auf der einen Seite und Einsehen auf der anderen besteht.

Petrus Abaelardus, Tractatus de intellectibus

Nachdem der Unterschied der Einsichten zum Sinneseindruck und zur Vorstellung, ja sogar zur Vernunft, betrachtet wurde, bleibt jetzt, diesen Unterschied zur Einschätzung und zum Wissen aufzuzeigen. Deshalb scheint die Einschätzung am meisten mit Einsicht identisch zu sein, weil wir manchmal einsehen statt einschätzen sagen, und der Name der Meinung – was dasselbe bedeutet wie Einschätzung – mitunter auf die Einsicht übertragen wird. Es besteht jedoch ein Unterschied darin, dass Einschätzen Glauben bedeutet, und Einschätzung dasselbe ist wie Gläubigkeit oder Glaube.[35]

Während das Einsehen das betrifft, was in einer Aussage behauptet wird, bezieht sich der Glaube auf die Behauptung als solche, d. h. er erhebt den Anspruch, dass der bloße Inhalt einer Aussage auch tatsächlich vorliegt, also die Behauptung wahr ist. Wenn man Glaube und Einsehen in dieser Weise aufeinander bezieht, ergibt sich die Konsequenz, dass die Einsicht dem Glauben, d. h. das Verstehen des Inhaltes der Behauptung, dass etwas der Fall ist, vorausgeht.

Ebd.

Einsehen aber heißt Betrachten durch die Vernunft; sei es, dass wir so glauben [wie die Vernunft es sagt], sei es, dass das nicht der Fall ist. Wenn ich deshalb sagen höre: Der Mensch ist Holz, erkenne ich nicht weniger die Einsicht dieser Aussage, auch wenn ich dem Erkannten keinen Glauben schenke, d. h. glaube, dass es nicht so ist, wie ich es erkenne. Deshalb sieht jeder, der etwas einschätzt, das, was er einschätzt, notwendig ein, nicht jedoch umgekehrt.[36]

Die entscheidende Schlussfolgerung lautet deshalb, dass es die Einschätzung ohne die Einsicht, d. h. den Glauben ohne die Vernunft, die den Inhalt einer Aussage begreift, gar nicht geben kann.

Ebd.

Es gibt jedoch keine Einschätzung außer darüber, was eine Aussage zu sagen hat, d. h. über irgendeine Verbindung oder Trennung von Dingen. Deshalb steht fest, dass man die Einschätzung niemals ohne die Einsicht in die Aussage hat.[37]

Glaube und Vernunft: Diese Passage reflektiert ausdrücklich auf die Voraussetzungen des Glaubens, der als solcher nur unter bestimmten Bedingungen überhaupt zustande kommen kann. Es handelt sich um Bedingungen, die auf die rationale Struktur der Glaubensaussagen Bezug nehmen. Nur was die Vernunft aus eigenem Vermögen erfassen kann, kann überhaupt in einem zweiten Schritt, so kann man sachgerecht ergänzen, durch einen begleitenden Akt des Glaubens mit dem affirmativen Urteil, dass es sich so verhält, wie es die Vernunft erfasst, versehen werden.

Auch wenn der Glaube durch eine Autorität bestärkt wird, ist dies nur denkbar, wenn zuvor erfasst werden konnte, worauf sich Glaube und Autorität überhaupt beziehen. Abaelard rückt mit diesen Überlegungen diejenigen, die unter Rückgriff auf eine Autorität oder einen autoritativen Text predigen wollen, in die Nähe der im Matthäus-Evangelium zitierten Blinden, die als Blinde andere Blinde führen wollen, was natürlich dazu führt, dass beide in die Grube stürzen, wie es im Evangelium heißt (Mt 15,14).

Innerhalb dieser zwischen Abaelard und Bernhard diskutierten Frage nach dem Wert einer auf Einsicht beruhenden Philosophie zielt dieses

Argument nicht einfach auf den Eigenwert der Vernunft, sondern begründet diesen eben mit dem Voraussetzungscharakter, den die Einsicht für den Glaubensakt besitzt. Auch und gerade im Namen des Glaubens selbst – so wird Abaelards Haltung zu Bernhard von Clairvaux zu verstehen sein – ist das Eigenrecht der Vernunft und ihr reflektierter Einsatz zu fordern.

2.2.4 | Johannes Duns Scotus: Glaube und Metaphysik

Was folgt aus dieser Haltung Abaelards auf der Ebene der Wissenschaften? Denn für die mittelalterliche Debatte ist zu erwarten, dass diese Deutung des Verhältnisses von Glaube und Vernunft vor allem für diejenige wissenschaftliche Disziplin, die auf den Annahmen des Glaubens beruht, nämlich die Theologie, Konsequenzen hat. Insbesondere ist zu fragen, welches Verhältnis sich aus dieser Vorordnung der Vernunft gegenüber dem Glauben für die Theologie und die Philosophie, Letztere vor allem in Gestalt ihrer Grundlagendisziplin der Metaphysik, ergibt. Auch wenn es sich bei dieser Vorordnung keineswegs um eine Wertigkeit handelt, die die Würde oder die Heilsrelevanz einer intellektuellen Haltung betrifft, so liegt es doch nahe, dass, sofern man die These von der rationalen Einsicht als Voraussetzung des Glaubens akzeptiert, sich dies im Verhältnis der Glaubenswissenschaft in Gestalt der Theologie und der Vernunftwissenschaft in Gestalt der Philosophie widerspiegelt.

Der Sache nach eine an die Lehre Abaelards anschließende Position vertritt Johannes Duns Scotus, der explizit die Auffassung vertritt, dass die Theologie eben aus Gründen, die bereits bei Abaelard anklingen, keineswegs voraussetzungslos ist, sondern in gewisser Weise auf das angewiesen ist, was in einer anderen wissenschaftlichen Disziplin, nämlich der Metaphysik, grundgelegt wird.

2.2.4.1 | Glauben und Wissen

Glauben und Wissen sind jeweils Haltungen, die dem menschlichen Verstand zukommen. Es handelt sich auf je eigentümliche Weise jeweils um eine Form von Erkennen. Worin besteht nach Scotus aber das Eigentümliche des Glaubens, das diesen im Unterschied zum Wissen, insbesondere zum Wissen des Philosophen, auszeichnet? Scotus argumentiert gewohnt abstrakt, wenn er sagt:

Johannes Duns Scotus, Quaestiones Quodlibetales q. VII n. 11

Das Wissen des Glaubens bietet nämlich keinen einfachen Begriff von Gott, sondern macht nur geneigt dazu, gewissen zusammengesetzten [Sätzen/Begriffen] zuzustimmen, die keine Evidenz aufgrund der erfassten einfachen Termini haben. In Konsequenz hieraus erhält man durch den Glauben kein einfaches Erfassen, das jeden einfachen Begriff des Metaphysikers überschreitet.[38]

Begriff und Urteil: Scotus macht in seiner Erörterung von einer Unterscheidung Gebrauch, die er zwischen einfachen Begriffen und zusammengesetzten Sätzen annimmt. Der Glaube bezieht sich nur auf Zusammengesetztes, also etwa auf einen Satz wie »Gott ist allmächtig«. Der Glaube selbst bringt nicht die einfachen Begriffe hervor, aus denen solche Glaubenssätze zusammengesetzt sind. Er macht lediglich geneigt, einem solchen Satz, dessen Bestandteile also anderswoher bekannt sein müssen, zuzustimmen.

Bei den Glaubenssätzen handelt es sich um Urteile, die nicht allein aufgrund der enthaltenen Begriffe als wahr erkannt werden können. Ausgeschlossen sind also solche Urteile, die gemeinhin als analytisch wahr bezeichnet werden, wie etwa den Satz »Alle Junggesellen sind unverheiratet«. Ein solcher Satz ist nicht Gegenstand des Glaubens, sondern er ist selbstevident.

Inhalt und Glaube: Der Glaube ist also nicht identisch mit dem geglaubten Inhalt, sondern er ist eine Stellungnahme zu einem Inhalt, der als solcher dem Glaubensakt vorausgeht. Ein beliebiger Inhalt kann infrage gestellt, befürchtet, erhofft oder geglaubt werden; in all diesen Fällen ist aber der Inhalt selbst – man könnte modern sagen: der propositionale Gehalt – von der Haltung, die man zu diesem einnehmen kann, zu unterscheiden.

Aus dieser Beschreibung dessen, was es heißt, etwas zu glauben, ergibt sich, dass der Glaube die Grenzen der natürlichen Vernunft hinsichtlich der einfachen Begriffe keineswegs überschreitet. Dies ist der Fall, weil es nicht der Glaube selbst ist, der diejenigen Begriffe hervorbringt, die erst als zu einem Urteil verbundene zum eigentlichen Gegenstand des Glaubens werden. Der Glaube bezieht sich auf das Urteil »Gott ist allmächtig«; die Begriffe »Gott« und »allmächtig« stammen aber nicht aus dem Glauben selbst, sondern werden von diesem bereits als bekannt vorausgesetzt. Aus diesem Grund wird die Philosophie vom Glauben nicht ungebührend überschritten, weil die Grundbegriffe des Geglaubten, und das gilt eben auch für den zentralen Begriff Gottes, nicht durch den Glauben selbst hervorgebracht werden.

Damit mit übernatürlicher Kraft, nämlich mit der göttlichen Gnade, der Satz »Gott ist allmächtig« geglaubt werden kann, muss zuvor mit natürlichen Mitteln dieser Satz gebildet und verstanden werden können. Dazu bedarf es genau der Kenntnisse, die die Philosophie, speziell die Metaphysik, bereitstellt. Weil der Theologie der Wesensbegriff Gottes fehlt – er kann mit natürlichen Mitteln nicht erworben werden –, muss sie den einfachen Gottesbegriff der Metaphysik entlehnen, um auf dieser Grundlage die Sätze bilden zu können, die allererst Glaubenssache werden können.

2.2.4.2 | Die Einheit des Begriffs

Diese These, dass der Glaube die einfachen Gehalte des Geglaubten, nämlich die Begriffe, aus denen sich die Glaubenssätze zusammensetzen, bereits voraussetzt und einer anderen Wissenschaft, nämlich der Metaphysik, entlehnt, wird durch die abschließende Textpassage deutlich:

Ebd., q. VII n. 11

Das ist zudem offensichtlich, weil der ungläubige Metaphysiker und der andere, der gläubig ist, ein und denselben Begriff haben. Denn wenn dieser so [etwas] von Gott

bejaht, jener aber verneint, dann widersprechen sie sich gegenseitig nicht nur hinsichtlich des [äußeren] Ausdruckes, sondern auch hinsichtlich der Bedeutung.[39]

Dieses Argument kann wie ein Gedankenexperiment gelesen werden. Man stelle sich zwei Metaphysiker vor, von denen der eine glaubt, der andere nicht. Beiden wird ein und derselbe Satz zur Beurteilung dargeboten, in dem etwas von Gott ausgesagt wird. Der eine bejaht den Satz, der andere verneint ihn. Beide widersprechen sich also, täten sie es nämlich nicht, würde nicht der eine glauben, was der andere nicht glaubt.

Einheit der Bedeutung: Was ist die Voraussetzung dafür, dass sich die beiden widersprechen? Die Antwort, die Scotus der Sache nach gibt, lautet: Sie widersprechen sich nur dadurch, dass sie sich auf ein und denselben Inhalt beziehen, und nicht nur einen je unterschiedlichen Wortlaut äußern. Nur wenn für beide der Begriff Gottes ein und derselbe ist, widersprechen sich die Aussagen »Gott ist allmächtig« und »Gott ist nicht allmächtig«. Diese Einheit der Bedeutung muss bereits vorausgesetzt werden, bevor es überhaupt zu der Differenz, etwas zu glauben und etwas nicht zu glauben, kommen kann.

Der gläubige und der ungläubige Metaphysiker unterscheiden sich zwar in ihrer Haltung in Bezug auf das zusammengesetzte Urteil, denn allein dies ist Sache des Glaubens, aber sie unterscheiden sich in dieser Hinsicht nur dadurch, dass sie in der Erfassung des Unzusammengesetzten, nämlich der verwendeten Begriffe, einig sind.

Soll ein Unterschied zwischen Glaube und Unglaube, zwischen dem Glauben des Richtigen und dem Glauben des Falschen gemacht werden können, dann bedarf es zuvor eindeutiger Begriffe, in der sich der Glaube oder der Unglaube für jedermann mit natürlichen Mitteln nachvollziehbar ausdrücken kann. Aus diesem Grund entlehnt die Theologie gerade als Glaubenswissenschaft ihren zentralen Grundbegriff, nämlich denjenigen Gottes, einer anderen Wissenschaft, nämlich der Metaphysik.

Hält man sich diese Ausgangssituation, wie sie dieser kurze Text des Duns Scotus entfaltet, vor Augen, dann kann es nicht mehr verwundern, warum für den Theologen Scotus die Frage nach der Metaphysik und vor allem nach der Möglichkeit der Metaphysik zu einer so herausragenden Bedeutung gelangt.

Gemeinsamer Bezugspunkt: Der letzte Abschnitt des Textes offenbart eine für Scotus ganz charakteristische Denkweise, die, das wird sich noch zeigen, in der zentralen Annahme der scotischen Univokationsthese verwurzelt ist (s. Kap. 6.2.2.6–6.2.2.7). Geht man von einer Vielfalt sich widersprechender Meinungen aus, wie dies etwa der Fall ist, wenn der eine Metaphysiker gläubig, der andere aber nicht-gläubig ist, so ist nach scotischer Auffassung danach zu fragen, ob dieser Gegensatz nicht doch etwas Gemeinsames voraussetzt.

Die These, die Scotus vertritt, besagt, dass es einen wirklichen Gegensatz nur geben kann, wenn in Bezug auf ein und dasselbe jeweils Unterschiedliches behauptet wird. Ein wirklicher Widerspruch, der nicht nur ein Streit der Worte, sondern ein Disput um die Sache selbst ist, lässt sich nicht ohne Voraussetzungen erklären. Vorausgesetzt werden muss nämlich ein gemeinsamer Bezugspunkt, hinsichtlich dessen die unterschiedlichen Haltungen vertreten werden.

Im diskutierten Fall muss man einen gemeinsam geteilten Begriff annehmen, der Gott so allgemein beschreibt, dass die Eigenschaft der Allmacht darin noch gar nicht vorkommt. Nur wenn man diesen gemeinsamen Bezugspunkt bereits voraussetzt, lässt sich überhaupt verstehen, was es bedeutet, dass der eine glaubt, Gott sei allmächtig, während der andere nicht glaubt, Gott sei allmächtig.

Scotus spricht nicht ohne Grund von zwei Metaphysikern, die sich in dieser Frage im Widerstreit befinden, denn das gemeinsame Fundament, auf dessen Grundlage es überhaupt zu einer Glaubensdifferenz kommen kann, darf nicht schon Glaubenssache sein, sondern gehört allein der natürlichen Vernunft an. Die natürliche Vernunft und damit die Philosophie sind aus diesem Grund in verschiedenen Hinsichten ein Fundament, auf dem die Theologie fußt. Dieses Fundament kann die Philosophie aber nur sein, solange sie sich ihrer eigenen Grenzen kritisch vergewissert und damit ausdrücklich den Freiraum schafft, den nur die Theologie mit der angemessenen Kompetenz ausfüllen kann.

2.3 | Wahrheitssuche und Seelenheil

Eine Infragestellung der Ansprüche der natürlichen Vernunft im Kontext der Gegenstände, auf die sich der Glaube richtet, kann auch aus einer ganz anderen Perspektive erfolgen. Auch wenn man nachweisen kann, dass der Vernunft eine eigenständige Kompetenz zukommt, die nur sie und nicht der Glaubensakt als solcher leisten kann, bleibt die Frage, ob der Mensch dieser Leistung der Vernunft überhaupt bedarf und ob sie nicht vielleicht aus anderen Gründen sogar eine Gefährdung des Menschen darstellt. Dieses Problem wird virulent, wenn man das, was die Vernunft leistet, im Kontext der Frage betrachtet, wodurch der Mensch seine Bestimmung findet und letztlich seine von Natur aus angestrebte Glückseligkeit erlangt.

2.3.1 | Bernhard von Clairvaux: Häresie und Vernunft

Unter diesem Aspekt betrachtet erfährt auch die Philosophie des Petrus Abaelardus eine kritische Würdigung. Die Auffassung Abaelards zum Verhältnis von christlicher Religion und philosophischer Reflexion ist keineswegs unwidersprochen geblieben, wie ein Blick auf seinen schärfsten und wohl einflussreichsten Kritiker, den etwa zehn Jahre jüngeren Bernhard von Clairvaux zeigt.

In dem Augenblick, da die Frage nach der Reichweite der Vernunft einmal gestellt ist, wird sie entweder mit Vernunftmitteln beantwortet oder sie wird samt der Vernunft selbst zum Schreckgespenst stilisiert, dem man nicht mehr mit Argumenten, sondern nur mit Verboten oder noch drastischer, nur noch mit Stockschlägen beikommen kann. Letztere

Empfehlung stammt von Bernhard von Clairvaux in der Absicht, seinen Widersacher Petrus Abaelard zu widerlegen.

In seinem berühmten Brief, *Epistula 190*, an Papst Innozenz II., der vermutlich aus dem Herbst 1139 stammt, stellt Bernhard mit diesem Hintergedanken und Petrus Abaelardus im Blick die rhetorische Frage:

Müsste nicht ein Mund, der solches spricht, eher mit Knüppeln geschlagen als mit Vernunftgründen zum Schweigen gebracht werden?[40]

Bernhard von Clairvaux, Brief 190 (Sämtliche Werke 3) 95

Zur Widerlegung von Argumenten werden nicht Gründe, sondern allein der bloße Schrecken angeführt, den diese Argumente verursachen. So heißt es bei Bernhard wenige Seiten zuvor:

Beim bloßen Hören schaudere ich, und eben diesen Schauder halte ich für ausreichend genug, seine [nämlich Abaelards] Gedanken zu widerlegen.[41]

Ebd., 89

Im Kampf Knüppel gegen Argument und Schauder gegen Vernunft wird sich dauerhaft die Position durchsetzen, die das Rationalitätsstreben der Theologie ernst nimmt, denn nur so kann sich die Theologie in einer Zeit der Verwissenschaftlichung mit einem eigenen Profil neben den anderen Wissenschaften behaupten.

Häresievorwurf: Wogegen richtet sich denn der Vorwurf Bernhards, den er gegen Abaelard, aber auch wenige Jahre später gegen Gilbert von Poitiers erhebt? Beide, Abaelard wie Gilbert, werden von Bernhard der Häresie angeklagt und in einen förmlichen Prozess verwickelt. Gilbert hat seinerzeit, als Bernhard in der Anwesenheit Gilberts seine Vorwürfe auf der Synode von Sens 1141 gegen Abaelard erhob, geahnt, dass ihm das gleiche Schicksal bevorstehen könnte. Denn nach dem Bericht des Gottfried von Auxerre soll er Abaelard mit der Abwandlung des Horazzitats »Auch deine Sache steht auf dem Spiel, wenn die Wand des Nachbarn brennt« (Horaz, Epistulae I, 18,84) auf seine Befürchtung hingewiesen haben, selbst zum Opfer von Häresievorwürfen zu werden, die ihn dann ja tatsächlich wenige Jahre nach Abaelard treffen. Die Auseinandersetzung zwischen Bernhard und Gilbert ist kennzeichnend für die grundsätzliche Divergenz im Umgang mit dem Verhältnis von Vernunftstreben und Glaubensinhalt.

2.3.2 | Gilbert von Poitiers. Anspruch und Grenzen der Vernunft

Nicht nur in Kenntnis aller logischen Schriften des Aristoteles und ihrer teilweisen Kommentierung durch den Neuplatoniker Porphyrius, sondern unter Berücksichtigung eines breiten Fundus antiker grammatischer, rhetorischer und argumentationslogischer Lehren wendet sich zu Beginn des 6. nachchristlichen Jahrhunderts Anitius Manlius Severinus Boethius in fünf Traktaten der zentralen christlichen Lehre der Dreieinigkeit Gottes zu. Der Hintergrund für die Entstehung dieser Schriften, so wird in den Texten selbst deutlich, ist die Auseinandersetzung mit verschiedenen häretischen

Deutungen, die die christlichen Lehren betreffen. Die besondere Herausforderung dieser Traktate besteht darin, dass Boethius die divergierenden Lehren nicht nur sondiert, um sie dann zu verwerfen, sondern den Versuch unternimmt, die den christlichen Lehren zugrundeliegenden Sprach- und Argumentationsregeln herauszuarbeiten, um die häretischen Deutungen nicht nur als doktrinelle Verfehlungen, sondern als Verstöße gegen die die theologische Rede bestimmenden Sprachregeln zu erweisen. Aussagen, die über die zentralen theologischen Lehrinhalte, die etwa die Dreiheit der Personen oder die Zweiheit der göttlichen und menschlichen Natur Christi betreffen, folgen anderen Sprachregeln, als die, die über die empirisch zugänglichen natürlichen Phänomene getroffen werden.

Primat der Alltagssprache: Gilbert von Poitiers folgt diesem methodologischen Grundgedanken des Boethius, wenn er es Mitte des 12. Jahrhunderts unternimmt, die theologischen Traktate dieses spätantiken Denkers zu kommentieren. Eine exakte Kenntnis der zugrundeliegenden Strukturen unserer natürlichen Sprache ist auch für Gilbert die Voraussetzung, die es erlaubt, die genannten Unterschiede der natürlichen Sprache zur theologischen Rede zu erkennen und im Detail zu beschreiben. Gilbert von Poitiers formuliert diesen Grundsatz in programmatischer Weise und nimmt damit die Stoßrichtung der *ordinary language philosophy*, also der Richtung der Philosophie, die die Alltagssprache für nicht-hintergehbar und damit für grundlegend aber aufklärungsbedürftig hält, vorweg. Für Gilbert ist auch die theologische Rede nicht ohne Rückgriff auf die Alltagssprache der Menschen rekonstruierbar, die diese gebrauchen, um über die Dinge der sie umgebenden Wirklichkeit zu sprechen.

Gilbert von Poitiers, De Trinitate c. IV n. 1–4 (Ed. Mandrellla/ Möhle) 219–221

Hier ist daran zu erinnern, dass, weil die Fachgebiete gemäß den Gattungen der Gegenstände, von denen in ihnen gehandelt wird, unterschiedlich sind – nämlich natürliche, mathematische, theologische, politische, schlussfolgernde –, es dennoch ein [Fachgebiet] gibt, nämlich das natürliche, das im Gebrauch der menschlichen Sprache offenkundiger ist und in den Verhältnisbestimmungen der zu übertragenden Reden Priorität hat. [...] Diesen Gebrauch der Worte also nimmt der Philosoph [Boethius] nicht nur aus der alltäglichen Sprache aller Menschen auf, sondern auch aus der Autorität der Schriften, die von den sorgfältigsten und trefflichsten Männern verfasst worden sind.[42]

Diese Alltagsprache sieht Gilbert mit Boethius in ihren Strukturen durch das Kategorienschema des Aristoteles vollständig beschrieben, weshalb – so die Unterstellung Gilberts – Boethius die Anwendbarkeit solcher kategorialen Aussagen auf die theologischen Verhältnisse zum zentralen Untersuchungsgegenstand seiner theologischen Traktate macht. In diesem Sinne fährt er in seinem Kommentar fort:

Ebd., 221

[U]nd auf rechte Weise zählt er die Gattungen aller natürlichen Kategorien auf und erklärt durch eine Einteilung, was und in welchem Sinne [es] entweder von den Subsistierenden oder von Gott ausgesagt wird. Er sagt also: Von den Philosophen, vor allem von Aristarchos und Aristoteles, werden der Zahl ihrer Gattungen nach insgesamt zehn Kategorien überliefert. Außerhalb ihrer wird nämlich in keinem Fachgebiet etwas ausgesagt und sie werden von allen Dingen allgemein, d. h. ohne dass

es einen ausgenommenen Fall gibt, von dem es angemessen wäre, dass etwas ausgesagt wird, entweder eigentlich oder durch Übertragung ausgesagt. Und welche diese [Kategorien] sind, fügt er hinzu.[43]

Nach diesem Urteil Gilberts bildet die durch Aristoteles aufgrund des Kategorienschemas gegliederte natürliche Sprache den Bezugsrahmen, der nicht nur für die Rede von den natürlichen Dingen, sondern für alle Wissensbereiche und damit auch für die Theologie gilt. Damit ist keineswegs gesagt, dass das Kategorienschema auf allen Gebieten auf gleiche Weise angewandt wird – das ist ausdrücklich nicht der Fall –, aber als Ausgangspunkt, um die abweichende Anwendung, etwa im Fall der theologischen Gegenstände, begreiflich zu machen, bleibt es unverzichtbar. Gilbert sieht selbstverständlich die Notwendigkeit einer modifizierten Anwendung der kategorialen Ausdruckweise, denn er spricht von einer Übertragung (*transformatio*), die im Übergang zur theologischen Rede zu geschehen hat, doch setzt dieser Prozess den zuvor gegebenen Bezugsrahmen unserer natürlichen Rede voraus und kann nur so in seiner Unterschiedenheit beschrieben werden.

Einheit Gottes: Dieser Zusammenhang spielt eine entscheidende Rolle, wenn man etwa danach fragt, in welchem Sinne Gott ein Einziger ist. Um die Gott eigene Form der Einzigkeit verstehen zu können, ist es den sprachphilosophischen Überlegungen Gilberts zufolge notwendig, die göttliche Einheit in Abgrenzung zu jener Einheit zu beschreiben, die wir aus dem Bereich der natürlichen Gegenstände und der darauf bezogenen Ausdrucksweise, z. B. wenn wir von Menschen sprechen, kennen. Die Frage muss also lauten: Wodurch ist Gott ein einziger Gott und wodurch ist ein konkreter Mensch ein einziger singulärer Mensch? Beide Formen der Einheit sind unterschieden, wobei wir erstere nur in Abgrenzung zu der uns bekannten Einheit letzterer Form verstehen und benennen können.

Die Ausgangsthese des Boethius, mit der sich Gilbert auseinandersetzt, lautet, dass Gott ein Einziges und in diesem Sinne einfach ist. Diese Einfachheit erläutert Boethius damit, dass Gott »das ist, was er ist«. Damit unterscheidet sich Gott von allem anderen, was es gibt, also von allen natürlichen Gegenständen, denn diese »sind nicht das, was sie sind«. In welchem Sinne trifft diese zuletzt genannte Kennzeichnung zu, d. h. was ist der Grund dafür, weshalb natürliche Gegenstände nicht das sind, was sie sind? Die Antwort, die Boethius auf diese Frage gibt, lautet:

Jedes dieser [natürlichen Dinge] nämlich hat sein Sein aus den [Bestimmungen], aus denen es ist, d. h. aus seinen Teilen.[44]

Boethius, De trinitate 2 (Ed. Moreschini) 170, 93–95

Kategorienschema des Aristoteles: Folgt man der Interpretation, die Gilbert von Poitiers von dieser Stelle gibt, ist vor allem was den Nachsatz, es handle sich um eine Zusammensetzung von Teilen, betrifft, Vorsicht geboten. Boethius selbst – so rechtfertigt Gilbert seine Intervention – habe ja auf seine verkürzte und mitunter verbergende Ausdrucksweise hingewiesen, so dass die Rede von Teilen tatsächlich einer näheren Untersuchung des Gemeinten unterzogen werden darf. Gilbert selbst hält die Rede von den Teilen offensichtlich für problematisch, widerspricht dieser

Ausdrucksweise allerdings nicht direkt, sondern versucht sie seiner eigenen Auffassung, die die boethianische Formulierung entsprechend dem von Aristoteles für die Rede von den natürlichen Dingen entworfenen Kategorienschema interpretiert, anzupassen. Gilbert versteht die Zusammensetzung nicht als eine solche von Teilen im eigentlichen Sinne, sondern als eine von ineinandergreifenden Bestimmungsmomenten.

Vertiefung

Kategoriale Bestimmung

Bestimmungsmomente, die man sprachlich zum Ausdruck bringen kann, sind also – wie Aristoteles dies in seinem **Kategorienschema** (s. Kap. 6.2.1.2 und Kap. 6.2.2.5) vorsieht – unter- und übergeordnete Kennzeichnungen, die einerseits eine inhaltliche Charakterisierung eines Gegenstandes vornehmen, die aber andererseits eine weitere Konkretisierung durch eine spezifischere Bestimmung zulassen. So schränkt beispielsweise der Begriff des Menschen die Klasse der Lebewesen auf die vernunftbegabten ein, kann aber selbst weiter bestimmt werden, indem man etwa zwischen weiblichen und männlichen unterscheidet, und damit die Klasse der Menschen in Frauen und Männer einteilt. Durch das Kategorienschema erfasste Gegenstände sind in diesem Sinne aus bestimmenden und weiter bestimmbaren Momenten zusammengesetzt, weil kein natürlicher Gegenstand durch eine einzige Bestimmung in dem, was er ist, abschließend und vollständig beschrieben werden kann.

Der Grund für die Skepsis, die Gilbert gegenüber der Rede von den Teilen hegt, beruht darauf, dass diese Ausdrucksweise des Boethius zu Missverständnissen führen kann, wenn man versucht, die Einheit eines aus Teilen zusammengesetzten Ganzen begreifbar zu machen. Dies lässt sich an einem Beispiel verdeutlichen: Ein konkreter Mensch besteht in einem gewissen Sinne aus Teilen, wenn man auf seinen Körper und die konkrete Farbe blickt, die ihm zukommen. Der Mensch ist aber nicht nur Körper, denn er hat auch eine Seele, und der Körper ist auch nicht diese konkrete Farbe, weil er auch andere Bestimmungen als die der Farbigkeit besitzt, etwa eine bestimmte Größe oder Konsistenz. Auf der anderen Seite ist dieser Körper auch nicht ein anderer Mensch, sondern eben dieser eine. Und bei einem mehrfarbigen Körper konstituiert diese Farbe auch nicht einen anderen Körper als jene. Es handelt sich also immer um einen einzigen konkreten Menschen, von dem allerdings Verschiedenes ausgesagt wird, was einerseits von den anderen Bestimmungen verschieden ist – die Farbe ist nicht der Körper –, das aber andererseits nicht einen anderen Gegenstand, also einen anderen Körper oder einen anderen Menschen, hervorbringt.

Subsistens: Gilbert beschreibt diese Struktur, indem er sagt, dass das Sein des Körpers nicht das Sein des Menschen, und das Sein der Farbe nicht das Sein des Körpers ist, wobei der Mensch nur ein einziger ist und der Körper auch kein anderer Mensch ist, genauso wenig, wie die Farbe einen anderen Körper hervorbringt. Der für sich bestehende konkrete Gegenstand, den Gilbert ein Subsistierendes (*subsistens*) nennt, ist nur ein einziger, nämlich dieser Mensch. Allerdings ist das, was das Sein des Körpers – die Körperhaftigkeit – und das Sein des Menschen – die Menschhaftigkeit – ausmacht, jeweils etwas anderes. Körperhaftigkeit und Menschhaftigkeit als abstrakte Kennzeichnungen sind jeweils etwas anderes, weil wir jeweils auf unterschiedliche Bestimmungen blicken, die wir ansprechen, wenn wir den einen oder den anderen Begriff verwenden.

Subsistentia: Zudem ist das, was wir mit diesen Bezeichnungen benennen, nicht beliebig, denn es gehört beispielsweise zum Begriffsgehalt der Farbe, nur als weitere Bestimmung eines Körpers vorzukommen. Man kann sich keine Farbe denken, ohne in einer gewissen Weise Körperhaftigkeit mitzudenken. Auch hat nicht nur der Körper eine bestimmte Farbe, sondern eben auch der Mensch, dem dieser Körper zukommt. Insofern ist der Mensch nicht nur Körper, sondern auch Farbe und vieles mehr, ohne dass er deshalb aufhörte, dieser eine Mensch zu sein. Gleichwohl geht der Unterschied zwischen diesen Bestimmungsmomenten der Körperhaftigkeit und der Farbigkeit und aller anderen nicht verloren, weshalb Gilbert betont, dass das Sein der Farbe nicht das Sein des Körpers und auch nicht das Sein des Menschen ist. ›Sein‹ meint also in diesem Sinne das inhaltliche, nur abstrakt zu erfassende Bestimmungsmoment, das neben anderen in einer gewissen Über- und Unterordnung vorkommt. Gilbert nennt diese Bestimmungsmomente Subsistenzen (*subsistentiae*), die in einer Vielzahl miteinander verbunden sein können: die Körperhaftigkeit als untergeordnete Bestimmung des Menschen und als übergeordnete der Farbe etc.

Vielheit der Bestimmungsmomente: Wenn man also danach fragt, worin dasjenige besteht, was das Sein eines konkreten Menschen ausmacht, wird man auf eine strukturierte Vielheit stoßen, in der jeweils für sich singuläre Subsistenzen aufgrund ihrer nicht wiederholbaren Zusammensetzung in eben diesem Menschen ein Individuum bilden. Die Einheit dieser Zusammensetzung entsteht dadurch, dass mannigfache Bestimmungsmomente sowohl bestimmend sind, wie etwa die Körperhaftigkeit das Menschsein bestimmt, aber auch selbst bestimmt werden, wie es der Fall ist, wenn die Körperhaftigkeit durch eine konkrete Farbe weiter gekennzeichnet wird. Zudem ist auch der Fall möglich, dass Bestimmungsmomente nebeneinander bestehen, ohne dass das eine dem anderen untergeordnet wäre, etwa wenn es dem Menschen gleichermaßen zukommt, ein geistiges, wie ein körperliches Wesen zu sein:

Der Mensch ist also nicht vom Körper her, aus dem er besteht, Körper, sondern vom Sein jenes Körpers her. Und derselbe Mensch ist nicht von dem geistigen Vermögen her, aus dem er besteht, geistiges Vermögen, sondern vom Sein jenes geistigen Vermögens her. Deshalb ist das Sein des Menschen nicht einfach oder vereinzelt. Er ist nämlich, wie gesagt wurde, sowohl Körper vom Sein seines Körpers her, aus dem er besteht, als auch Seele vom Sein seiner Seele her, aus der er selbst nämlich besteht.[45]

Gilbert von Poitiers, De Trinitate c. II n. 78 (Ed. Mandrella/Möhle) 175

Im Ergebnis führt dies dazu, dass die Dinge, die uns in der natürlichen Welt umgeben – also auch Menschen, um beim Beispiel zu bleiben –, zwar in gewisser Weise eine Einheit besitzen, insofern es sich um jeweils selbstständige Dinge, Subsistierende, handelt. Diese Einheit ist auch dann gegeben, wenn der Gegenstand seinerseits wieder aus für sich subsistierenden Dingen, also etwa ein Körper aus verschiedenen Organen besteht. Doch liegt diese Einheit eben nicht vor, wenn man auf das Sein eines solchen Dinges blickt, denn dieses setzt sich aus einer Komplexität von ineinandergreifenden Bestimmungsmomenten zusammen, die nur in dieser gegliederten Struktur das Sein eines Gegenstandes, also das, was dieser seinem Wesen nach ist, bilden. Die Struktur von Bestimmbarkeit und Bestimmung liegt vor, wenn das Wesen eines Gegenstandes nicht von sich her einfach und in diesem Sinne ein selbstgenügsamer Ursprung bzw. ein Prinzip ist, wie Gilbert sich ausdrückt. In der endlichen Welt ist dieser Fall nicht gegeben, weshalb alles Geschaffene nicht einfach und in diesem Sinne nicht das ist, was es ist.

Ebd., 179

Nicht nur bei den subsistierenden Dingen, die aus verschiedenen subsistierenden Dingen zusammengesetzt sind – wie der Mensch oder der Stein es sind –, sondern auch bei den einfachen – wie die Seele des Menschen, die aus keinen subsistierenden Dingen besteht und subsistiert, es ist – und bei allen Subsistenzen und akzidentellen Bestimmungen und schließlich bei allem, was so aus einem Prinzip herstammt, dass es kein Prinzip ist, wie zuvor gesagt wurde, gibt es Vielerlei, wodurch ein jedes etwas ist. Und deshalb ist keines von diesen im eigentlichen Sinne das, was es ist.[46]

Tritt damit die grundlegende Interpretation zu Tage, die die vermeintliche Einheit der weltlichen Dinge als strukturierte Gegliedertheit darstellt, ist hiervon das göttliche Seiende abzuheben, um nach der eingangs erläuternden Vorgehensweise zu erklären, wie von Gott in Abhebung vom Endlichen gesprochen werden kann. Dieser ist nämlich das, was er ist, denn er ist Gott durch die Göttlichkeit, die anders als alle endlichen Bestimmungsmomente keine weitere Bestimmbarkeit zulässt. In diesem Sinne ist die göttliche Einheit, also das, wodurch Gott ein einziger Gott ist, von gänzlich anderer Art als dies im Bereich des Geschaffenen der Fall ist.

Ebd., 181

Was aber nicht aus diesem oder aus diesem ist, d. h. nicht aus Verschiedenem, sondern nur aus diesem ist, nämlich von dem es nur ein Einziges gibt, durch das es ist, jenes aber ist das, was nicht etwas anderes als es selbst ist: wie Gott oder seine Göttlichkeit. Es gibt nämlich nicht etwas anderes als Göttlichkeit, durch das Gott ist. Und es gibt nicht etwas, woher die Göttlichkeit selbst ist, außer dass diese Gott ist.[47]

Einzigkeit der Göttlichkeit: Für Gott gibt es kein »woher«, also kein anderes Prinzip, von dem her die Göttlichkeit erst als das zu bestimmen wäre, was sie ausmacht. Die Pointe Gilberts besteht darin, dass Gott ausschließlich durch seine Göttlichkeit und nicht nur durch ein weiteres Bestimmungsmoment Gott ist. Allerdings hält Gilbert durchaus daran fest, dass ein konzeptioneller Unterschied bestehe, ob man von Gott als einem Subsistierenden spricht oder ob man danach fragt, worin das Sein bzw. das

Wesen Gottes besteht. Dieser Unterschied ergibt sich daraus, dass man zwei unterschiedliche Fragen stellt, je nachdem ob man wissen will, was das Wesen Gott ausmacht, oder ob Gott ist. Die Erklärungsleistung der Vernunft und damit die Reflektiertheit der theologischen Rede verlieren aber ihre Basis, wenn der strukturelle Unterschied zwischen der Rede von Gott und der Göttlichkeit aufgegeben wird.

Diese These Gilberts, dass Gott durch die Göttlichkeit Gott ist, ergibt sich aus dem aus Gilberts Sicht notwendigen Versuch, die Rede von den göttlichen Dingen in Abhebung zu unserem Sprechen von den natürlichen Gegenständen her zu konzipieren. Sie ist damit Ausdruck eines Rationalitätsstrebens in der Theologie, das nicht die Eigenheit der theologischen Gegenstände aufheben möchte, sondern erklären will, wie es mit den beschränkten Mitteln der natürlichen Vernunft möglich ist, von Gott zu sprechen, ohne die Grenzen zu überschreiten, die unserem Verstand eigen sind.

Grund des Häresievorwurfs: Dieses Vorgehen interpretiert nicht nur die Sprache der Theologie, sondern verändert sie auch. Im Gefolge der Auseinandersetzung mit den boethianischen Traktaten gewinnt deshalb die Frage, ob durch diese Reflexion der ganzen von Boethius übermittelten und durch ihn geprägten Tradition nicht nur die Ausdrucksweise, sondern auch die Lehrinhalte der Theologie verändert und – so der Verdacht der Kritiker – die alten Häresien durch neue ersetzt werden, zunehmend an Brisanz. Insbesondere die von Gilbert im Ausgang von den boethianischen Überlegungen her entwickelte Unterscheidung von Gott und Göttlichkeit wird zum Anlass, neue Häresievorwürfe zu erheben und diese insbesondere gegen die Person Gilberts von Poitiers geltend zu machen. Der Hauptankläger in dieser Angelegenheit ist Bernhard von Clairvaux. Den von Gilbert aufgezeigten Unterschied aufzugeben und Gott mit der Göttlichkeit gleichzusetzen, ist – wie der Zeitzeuge Johannes von Salisbury in seiner *Historia pontificalis* berichtet (c. 8) – die These, die Bernhard von Clairvaux für die allein rechtgläubige hält, so dass er in Gilberts Befürwortung des Unterschieds eine Irrlehre erblickt und ihn der Häresie anklagt. Die Anklage richtet sich einerseits gegen bestimmte Lehren, etwa die gerade genannte, aber auch grundsätzlich gegen einen für Bernhard zu sehr ausufernden Gebrauch der menschlichen Vernunft als solchen. Aus diesem Grund verfolgt der Abt von Clairvaux Gilbert ebenso mit Häresievorwürfen, wie er es zuvor bei Petrus Abaelardus getan hat.

2.3.3 | Wissen und Heil

So plakativ eingängig die zu Beginn zitierten Aussagen Bernhards sind, in denen er Abaelard mit dem Knüppel droht (s. Kap. 2.3), und so zielstrebig er seine Häresievorwürfe gegen Gilbert zuerst in 1147 Paris und ein Jahr später in Reims durchzusetzen versucht, so würde man doch die eigentliche Stoßrichtung seiner Haltung verfehlen, würde man sich nicht den Hintergrund für diese Angriffe vergegenwärtigen. Zur Verdeutlichung von Bernhards Haltung mag der Text einer seiner berühmten Predigten dienen, die er in besonderer Weise dem Thema des Wissens widmet.

Bernhard selbst sieht die Gefahr, die damit einherginge, wenn er als unreflektierter Gegner jeglichen Wissens erschiene. Eine unausgewogene Ablehnung von Wissen, die keinen Unterschied macht, je nachdem welches Erkenntnisstreben einer kritischen Distanzierung zugrunde liegt, muss vermieden werden. Deshalb hat er sich gegen den Anschein zur Wehr zu setzen, er wolle einer undifferenzierten Gegnerschaft der Vernunft das Wort reden:

Bernhard von Clairvaux, Predigt 36 c. 1 n. 2 (Sämtliche Werke 5) 563

Es scheint vielleicht so, als würde ich das Wissen maßlos verhöhnen und die Gelehrten gleichsam tadeln oder wissenschaftliche Studien verbieten. Das liegt fern. Nicht unbekannt ist es mir, wie viel Nutzen die Gebildeten der Kirche gebracht haben und bringen, sei es in der Widerlegung der Gegner oder der Unterweisung der Einfachen.[48]

Wer die wissenschaftlichen Studien oder gar das Wissen selbst verdammt, so wie es Bernhard von Clairvaux offensichtlich tut, redet damit zumindest einer gewissen Form der Unwissenheit das Wort. Soll dieses Vorgehen in irgendeiner Weise begründbar sein, wird man erklären müssen, um welche spezifische Form der Unwissenheit es sich handelt und warum man sie für erstrebenswert halten sollte. Bernhard deutet an, dass bestimmte Formen des Wissens durchaus einen Nutzen haben können, der in der Widerlegung der Ungläubigen oder in der Stärkung der Unwissenden liegen könnte.

Zwei Arten von Unwissenheit: Die 36. Predigt aus dem Zyklus der insgesamt 86 dem alttestamentarischen Buch des Hohenliedes (*Sermones super cantica canticorum*) gewidmeten *Sermones* tut genau dies, indem Bernhard, etwa um 1139, zwei Arten von Unwissenheit differenziert. Beide unterscheiden sich dadurch, dass die eine dem Heil des Menschen abträglich ist, die andere aber nicht.

Ebd., c. 1 n. 1, 561

Doch möchte ich zuerst die Frage stellen, ob jede Unwissenheit verwerflich ist. Mir scheint es jedenfalls nicht so zu sein; nicht jede Unwissenheit ist verwerflich, sondern es gibt vieles, ja Unzähliges, was man ohne Beeinträchtigung seines Heiles nicht wissen muß.[49]

Das *principium divisionis*, also das Kriterium, das den Unterschied begründet, ist die Heilsrelevanz. Es gibt ein Wissen, das notwendig ist, wenn man zum Heil gelangen will, und es gibt ein Wissen, das in dieser Hinsicht verzichtbar ist. Auch ein Wissen, das im engeren Sinne als wissenschaftliches Wissen zu verstehen ist, muss sich nach Bernhard dieser Differenzierung unterwerfen. Das Ergebnis fällt aus seiner Perspektive eindeutig aus, wenn man auf den zeitgenössischen Wissenschaftsbetrieb, der durch das spätantike Bildungsmodell der Sieben Freien Künste (s. Kap. 5.1.2.1) bestimmt ist, blickt:

Ebd., 561–563

Auch ohne all die sogenannten freien Künste – selbst wenn sie in noch so angesehenen und nützlichen Studien gelernt und eingeübt werden – wurden gar viele Menschen gerettet, die durch ihre Gesinnung und Werke Gefallen fanden.[50]

Es gibt keinen Eigenwert, der das eine Wissen vom anderen unterscheidet. An sich betrachtet ist alles Wissen gleich gut oder gleich schlecht, mithin indifferent. Will man einen Unterschied festmachen, so bedarf es eines Kriteriums, das dem Wissen selbst äußerlich ist. Der ausschlaggebende Gesichtspunkt, der über den Charakter des Wissens entscheidet, ist die Hinordnung auf das Heil des Menschen. Führt das Wissen zum Heil, ist es gut, führt es schneller dorthin als anderes, so ist es zudem besser als dieses.

An und für sich ist jedes Wissen gut, vorausgesetzt, daß es sich auf die Wahrheit stützt: du jedoch, der du es wegen der Kürze der Zeit eilig hast, dein Heil mit Furcht und Zittern zu wirken, sollst dich darum bemühen, ausführlicher und früher das zu wissen, was du für dein Heil als wichtiger erkannt hast.[51]

Ebd., c. 2 n. 2, 565

Wissen um des Wissens willen ist für Bernhard weder wünschenswert noch ist es auch nur als neutral zu betrachten; angesichts der fehlenden Heilsrelevanz gilt es ihm als Zeichen bloßer Neugierde und gar als Ausdruck von Eitelkeit, führt den Wissenden also zu Geisteshaltungen, die beide moralisch zu verwerfen sind.

Es gibt nämlich Menschen, die nur wissen wollen, um zu wissen: das ist beschämende Neugier. Es gibt solche, die wissen wollen, damit man von ihnen weiß: das ist beschämende Eitelkeit.[52]

Ebd., c. 3 n. 3, 565

Mit Selbsterkenntnis zum Heil: Auf das Heil hin ordnen den Menschen allein die Selbsterkenntnis, die ihn über seine Unzulänglichkeit und die daraus resultierende Bedürftigkeit aufklärt, und die Gotteserkenntnis, die ihn auf die Erfahrung der göttlichen Güte und Hilfsbereitschaft verweist. Der Wert einer Erkenntnis bemisst sich demnach weder nach dem Akt des Erkennens noch nach dem Inhalt des Erkannten, sondern allein nach der heilsrelevanten Wirkung, die von der Erkenntnis ausgeht. Aus diesem Grund versteht Bernhard seiner Predigttätigkeit auch nicht als bloße Wissensvermittlung, sondern als rhetorisch hoch aufgeladene Anleitung mit dem übergeordneten Ziel, den Menschen der Bestimmung zuzuführen, die ihm zur Rettung seines Seelenheils zukommt. Welcher subtilen Mittel sich Bernhard von Clairvaux hierbei bedient, macht der letzte Abschnitt der in Rede stehenden Predigt deutlich und zeigt Bernhard auf der Höhe der rhetorischen Kunst.

Nachdem er die grundlegende Bedeutung der Selbsterkenntnis aufgezeigt hat, spricht er bewusst die innere seelische Befindlichkeit seiner Zuhörer an, die er diesen aufgrund ihres äußeren Verhaltens als von ihm erkannt vor Augen hält. Die vermeintliche Rücksichtnahme und Mildtätigkeit, die er seinen Zuhörern scheinbar zukommen lässt, entpuppt sich als massive Drohung, die sich der objektiven Beobachtung wie eines Brenneisens bedient, das auf die Haut der Zuhörer gedrückt wird:

Doch mach dir nun bewußt, inwiefern jede der beiden Erkenntnisse [nämlich die Selbst- und der Gotteserkenntnis] für dich zu deinem Heil notwendig ist, so dass du zu deinem Heil keine entbehren kannst. Denn wenn du dich selbst nicht kennst,

Ebd., c. 4 n. 7, 571

wirst du keine Gottesfurcht in dir haben noch Demut. Ob du aber ohne Gottesfurcht und ohne Demut auf das Heil hoffen kannst, mußt du selber wissen. Recht habt ihr, wenn ihr durch euer Gemurmel zu verstehen gebt, daß ihr keineswegs so geartet, oder besser nicht so entartet seid, solches zu denken. So brauchen wir uns nicht bei Selbstverständlichem aufzuhalten. Doch achtet auf das Folgende. Oder soll ich besser eine Pause einlegen wegen der Schläfrigen? Ich hoffte, daß ich mein Versprechen, die zweifache Unwissenheit zu erklären, mit einer Predigt erfüllen könnte, und ich hätte es auch getan, wenn es nicht denen allzu lange vorkäme, die schon genug davon haben. Einige sehe ich nämlich gähnen, und manche schlafen überhaupt. Kein Wunder: die Vigilien [nämlich das nächtliche Stundengebet] in der letzten Nacht waren wirklich besonders lang und entschuldigen sie. Doch was soll ich zu denen sagen, die schon damals geschlafen haben und nun ebenfalls schlafen? Doch ich rede nicht mehr davon: ich möchte sie jetzt nicht noch mehr beschämen. Es genügt, daran gerührt zu haben. Ich denke, sie werden die Nachtwachen in Zukunft besser einhalten, da sie das Brandmal unserer Beobachtung fürchten. In dieser Hoffnung geben wir ihnen dieses Mal nach. Zwar drängt die Vernunft auf Fortsetzung, doch aus Liebe zu ihnen brechen wir hier ab, auch wenn die Erörterung noch unvollendet ist. So machen wir ein Ende, wo kein Ende war. Sie aber sollen wegen der ihnen gewährten Nachsicht den Bräutigam der Kirche mit uns preisen, unseren Herrn und Gott. Ihm sei Lobpreis in Ewigkeit. Amen.[53]

Ohne beschämen zu wollen, doch mit der Angst vor dem Brandmal seiner Beobachtung drohend, versichert Bernhard seine Zuhörer nun ausreichend über das notwendige Wissen und die Gefahren der dem Heil abtrünnigen Erkenntnis aufgeklärt zu haben.

Sicher sind die direkte Ansprache der Mitbrüder und die Anspielung auf deren tatsächliche Verfassung, nämlich den Schlafmangel, der sich in ihrem Gähnen zeigt, rhetorische Mittel. Aber zugleich spiegelt sich in diesem Vorgehen Bernhards auch die unmittelbare Sorge um das Seelenheil der Mitbrüder, das das entscheidende Kriterium bei der Differenzierung der Wissensformen war. Nicht die theoretische Einsicht in die unterschiedlichen Typen des Wissens, sondern wiederum das mit dieser Diskussion verfolgte Ziel steht für die Predigt Bernhards im Vordergrund. Deshalb nimmt er die Müdigkeit und das Schlafen einiger seiner Zuhörer auch gleich zum Anlass, auf ein mögliches Versagen nicht nur zum Zeitpunkt seiner Predigt, sondern bereits in der vergangenen Nacht hinzuweisen. Gegenüber einem Versagen beim heilsnotwendigen Nachtgebet rückt die Aufklärung über die eigentliche Sachfrage vollständig in den Hintergrund, so dass der sicherlich kunstvoll inszenierte Abbruch der Predigt zur wirkungsvollen Bestätigung der von Bernhard vertretenen Lehre selbst wird. Der Schritt, seine Ausführungen zu beenden und keine weiteren Argumente zu nennen, wird auf diese Weise selbst zum Argument. Es wird nämlich zum Argument dafür, dass die Konzentration auf das heilsnotwendige Verhalten und damit auf das diesem Ziel untergeordnete Wissen angesichts der tatsächlichen Verfassung seiner Mitbrüder mehr als berechtigt ist.

2.3.4 | Geschichte als Heilsgeschichte

Die erkenntniskritische Haltung Bernhards und sein rigoroser Moralismus sind nur vor dem Hintergrund einer heilsgeschichtlichen Perspektive zu verstehen, die das Mittelalter in vielerlei Hinsicht prägt. Geschichte ist für die Menschen des Mittelalters keineswegs nur eine Aneinanderreihung mehr oder weniger zusammenhängender Ereignisse. Auch eine sinnhafte Deutung der Geschichte durch das Individuum oder eine bestimmte soziale Gruppe greift zu kurz, um die umfassende Ordnung eines durch den Schöpfergott initiierten und bestimmten Weltverlaufs zu begreifen. Alles weltliche Geschehen ist von Gott gelenkt und führt von der Schöpfung zum Sündenfall und schließlich zum Weltengericht, das hoffentlich die heilsversprechende Rettung des Einzelnen bedeutet. Geschichte ist Heilsgeschichte, die von der Erschaffung der Welt über den Fall des Menschen zu dessen Wiederherstellung führt.

Dies zeigt sich z. B. in den Worten von Bernhards Zeitgenossen Hugo von St. Victor (s. Kap. 5.1), mit denen er die Geschichte der Welt in zwei Abschnitte gliedert und ihr so eine sich durchhaltende heilsgeschichtliche Prägung verleiht:

Es gibt zwei Werke, in denen alles enthalten ist, was geschehen ist. Das erste ist das Werk der Gründung, das zweite ist das der Wiederherstellung. Das Werk der Gründung ist das, durch das geschehen ist, dass die Dinge sind, die nicht waren. Das Werk der Wiederherstellung ist das, durch das geschehen ist, dass die Dinge besser werden, die untergegangen sind. Also ist das Werk der Gründung die Schöpfung der Welt mit allen ihren Elementen. Das Werk der Wiederherstellung ist die Inkarnation des Wortes mit allen seinen Sakramenten, sei es denen die von Anbeginn der Zeit vorausgingen, sei es denen, die bis ans Ende der Welt folgen werden.[54]

Hugo von St. Victor, De sacramentis I prol.

Jede Individualgeschichte ist in die Weltgeschichte und damit in eine Heilsgeschichte eingebettet. Ob dem Einzelnen wirklich das Heil, vorübergehendes Fegefeuer oder endloses Leiden widerfahren wird, bleibt dahingestellt. In jedem Fall ist der Rahmen für einen zielorientierten Ablauf der Geschichte, also eine Teleologie, abgesteckt.

Rückt man diese heilsgeschichtliche Perspektive in den Vordergrund und räumt dem Erkenntnisstreben keinen Eigenwert ein, wird verständlich, warum Bernhard von Clairvaux jegliches Erkenntnisstreben des Menschen in einer moralisierenden Perspektive betrachtet und bewertet. Sieht man sich ständig vom Fegefeuer bedroht, wird jede Betätigung, die nicht unmittelbar heilsrelevant ist, zur moralischen Verfehlung. Von der unmittelbaren Bedrohung durch das göttliche Gericht sieht Bernhard offensichtlich den Spielraum für menschliches Handeln eingeschränkt, so dass keine Zeit für ein nicht heilbezogenes Wissen bleibt, wenn er sich durch den Hinweis, den er in seiner Predigt auf die Kürze der Zeit gibt (*pro temporis brevitate*), indirekt auf das nahende Ende beruft.

2.3.5 | Bonaventura: Vernunft und mystische Gottesschau

Dieses heilgeschichtliche Modell erlaubt aber nicht nur die Einbettung des menschlichen Erkenntnisstrebens in eine das Heil gefährdende Verfallsgeschichte, sondern ermöglicht auch eine gegenläufige Deutung menschlicher Erkenntnis, nämlich als Hinführung zur beseligenden Gottesschau. In dieser Perspektive kann der Grundgedanke verstanden werden, den der in Paris lehrende Bonaventura, der 1257 zum Generalminister des Franziskanerordens gewählt wird, in seinem Werk *Itinerarium mentis ad Deum* zum zentralen Gegenstand der Untersuchung macht. Diese Schrift stellt den Versuch dar, menschliche Erkenntnis als den vom Menschen zu beschreitenden Weg zu deuten, der ihn zum Seelenheil in der unmittelbaren Gottesschau führt. Der Titel des Werkes *Wegebeschreibung des Geistes zu Gott* ist Ausdruck dieses Programms. Betrachtet man den Aufbau dieses oft als einen Höhepunkt der mystischen Theologie verstandenen Werks von seinem Ende her, wird die heilsgeschichtliche Einbettung des dort geschilderten Stufenbaus der geistigen Vermögen des Menschen deutlich. Insgesamt schildert Bonaventura sechs Stufen oder Grade menschlichen Erkennens, wobei dieser Begriff im weitesten Sinne gemeint ist, so dass er von der sinnlichen Wahrnehmung bis zur Schau der Heiligen Dreifaltigkeit reicht, was im Detail an anderer Stelle zu erörtern ist (s. Kap. 5.2).

Ausschlaggebend ist zunächst der Grundgedanke, dass der Mensch, weil er aufgrund seiner Anlage über unterschiedliche Geistesvermögen verfügt, in der Lage ist, durch die ihm zu Gebote stehenden Erkenntnisleistungen, mittels der er Gott mehr oder weniger deutlich in der materiellen, in der geistigen und in der das Geistige übersteigenden Welt erfassen kann, bis zu einer Vereinigung mit Gott aufzusteigen, die letztlich jegliches Erkennen im engeren Sinne überflüssig macht. Der Weg zu Gott ist nach diesem Modell zwar ein Weg des erkennenden Geistes, der aber letztlich bis zu einem Grad der Erhebung führt, der das Erkennen selbst aufhebt. Das Ziel, das es schließlich zu erreichen gilt, ist der von der Heilsgeschichte in Aussicht gestellte Friede, der der menschlichen Seele das reine Glück beschert. In seiner symbolisch aufgeladenen Sprache, die die sechs Stufen des Aufstiegs mit den sechs Flügeln eines Engels vergleicht, heißt es deshalb bei Bonaventura im abschließenden Kapitel der Schrift:

Bonaventura, Itinerarium mentis ad Deum c. 7,1 (Ed. Kaup) 147

Wenn die sechs Betrachtungen gleichsam wie sechs Stufen zum Thron des wahren Salomon durchschritten sind, dann gelangt man zum Frieden, wo der wahrhaft Friedvolle in tiefer Ruhe der Seele wie im inneren Jerusalem Rast hält. Sie gleichen den sechs Cherubsflügeln, auf denen die Seele des wahrhaft Beschaulichen, ganz erfüllt von den Erleuchtungen überirdischer Weisheit, sich emporzuschwingen vermag.[55]

Gerade die von Bonaventura bevorzugte symbolistische Deutung des von ihm geschilderten Aufstiegs macht es möglich, diesen wiederum in ein analoges Verhältnis mit dem göttlichen Sechstagewerk bei der Erschaffung der Welt zu stellen, so dass eine direkte Parallele zwischen der ursprünglichen Schöpfung und der heilsgeschichtlich gedeuteten Wiederherstellung im Erkenntnisfortschritt entsteht.

[Diese sechs Betrachtungsweisen] sind aber auch den sechs ersten Tagen vergleichbar, an denen die Seele sich abmühen muß, um endlich zum Sabbat der Ruhe zu gelangen.[56]

Ebd., 147

Letztlich hebt der von Bonaventura beschriebene Aufstieg die durchschrittenen Etappen des zurückgelegten Weges auf, so dass jegliche Tätigkeit des Verstandes ausgesetzt werden muss. Ausdrücklich kann es am Ende dieses Geschehens keine Handlungen des Verstandes (*operationes intellectuales*) mehr geben. Vielmehr findet ein Transformationsvorgang (*transformatio*) statt, der die Tätigkeit des Verstandes in ein affektives Betroffensein des Menschen durch Gott verwandelt, das den Menschen nicht als Akteur, sondern als Hinnehmenden eines geheimnisvollen göttlichen Wirkens versteht, an dem er nur dadurch vorbereitend beteiligt ist, als er ein Streben entwickelt, das göttliche Werk in sich aufzunehmen.

Soll dieser Übergang vollkommen sein, dann muß jede Geistestätigkeit aufhören und das tiefste Fühlen des Gemütes ganz in Gott aufgehen und in ihn umgewandelt werden. Das ist aber etwas Geheimnisvolles und ganz Verborgenes, das niemand kennt, der es nicht empfängt; niemand empfängt, der nicht danach verlangt.[57]

Ebd., c. 7,4, 151

Bonaventura grenzt Heil und Wissen nicht gegeneinander ab, indem er diese Gegenüberstellung als sich ausschließende oder sich wechselweise in Frage stellende Alternativen betrachtet, sondern er deutet das Verhältnis integrativ, insofern das Erkennen einen Prozess durchlaufen kann, der schließlich im Heil mündet. Allerdings werden nach seinem Verständnis die zurückgelegten Etappen intellektueller Tätigkeit überwunden und durch die affektive Haltung eines sich Gott zuwendenden Strebens ersetzt. Diese Zuwendung wird dann ausdrücklich im Gegensatz zu einer intellektuellen Haltung als mystisch und in hohem Maße verborgen bezeichnet (*mysticum et secretissimum*). Ziel des Menschen bleibt die affektive Einheit mit Gott in der mystischen Schau. Die von Bonaventura im Detail geschilderten sechs Grade menschlicher Erkenntnis gilt es zu durchlaufen, ohne dass das Erkennen selbst an die Stelle eines ursprünglichen Zieles träte.

2.4 | Thomas von Aquin: Die theologische Synthese

Thomas von Aquin nimmt diese Forderung eines heilsgeschichtlichen Rahmens für das intellektuelle Streben des Menschen durchaus auf. Allerdings gewinnt in seiner Deutung des Verhältnisses von Glaube und Vernunft das Eigenrecht beider Haltungen deutlich an Profil. Für Thomas geht es nicht darum, das eine durch das andere zu ersetzen, sofern der Maßstab der Heilsrelevanz das nahezulegen scheint, sondern beide Aspekte sowohl in ihrer Verwiesenheit aufeinander als auch in ihren jeweils nicht zu kompensierenden Eigenleistungen zu würdigen und zu wahren.

2.4.1 | Glaube und Wissen

Einen zentralen Artikel seiner *Quaestiones de veritate* hat Thomas der Frage gewidmet, ob Augustinus Recht habe, wenn er Glauben als ein Erkennen verstehe, das mit Zustimmung geschieht (*credere est cum assensione cogitare*), und damit zwei Elemente als konstitutive Bestandteile des Glaubens ausmache. Gegen diese Deutung spricht zunächst – so deutet Thomas an –, dass damit der Unterschied von Glauben und Wissen in Frage gestellt sei, weil ja Wissen (*scire*) ebenfalls die beiden Bestimmungsmomente des Erkennens und der Zustimmung enthalte und deshalb nicht mehr vom Glauben zu unterscheiden sei, wenn dieser ebenfalls eine mit Zustimmung erfolgte Erkenntnis ist.

Mit diesem Hinweis deutet Thomas bereits an, dass aus seiner Sicht der Glaube notwendig als eine intellektuelle Tätigkeit zu verstehen ist, die von allen anderen unterschieden ist. In einem ersten Schritt kann man den Glauben von all den Tätigkeiten unterscheiden, durch die der Verstand einfache Gehalte erfasst, ohne dass ein Urteil gefällt würde, durch das eine Behauptung entsteht, die wahr oder falsch sein kann. Denn der Glaube spielt nur dort eine Rolle, wo es um zusammengesetzte Gehalte, nämlich um Urteile geht, die für sich betrachtet wahr oder falsch sein können. Allerdings sind nicht alle Urteile Glaubenssache, wie Thomas ausführt, denn ebenso werden zusammengesetzte Prinzipien, die selbstevident sind, gewusst, wie auch die in einem Schlussverfahren abgeleiteten Folgerungen gewusst werden, ohne dass es sich bei diesem Wissen um Glaubensangelegenheiten handelte.

Der Wille als intellektuelles Vermögen: Will man also genauer verstehen, worin das Eigentümliche des Glaubens liegt, sind diejenige Urteile in den Blick zu nehmen, für deren Entscheidung nicht der Verstand selbst verantwortlich ist, wie es bei den Wissensakten im engeren Sinne der Fall ist, sondern bei denen ein anderes Vermögen dafür sorgt, den Urteilenden geneigt zu machen, entweder zuzustimmen oder seine Ablehnung zu äußern. Schließt man die Fälle aus, in denen jemand entweder ständig zwischen Zustimmung und Ablehnung wechselt, oder eine Entscheidung trifft, aber dennoch unter der Angst leidet, es könne die falsche sein, bleibt – nachdem die Entscheidung aufgrund eines unmittelbaren oder mittelbaren Wissens bereits als nicht zum Glauben gehörend ausgeschlossen wurde – nur noch die Möglichkeit, dass der Wille als intellektuelles Vermögen diese herbeiführt.

Das Besondere des Willens liegt nach Thomas darin, dass dieser zur Zustimmung oder Ablehnung bewegt werden kann durch etwas, das erstens außerhalb seiner liegt, und das zweitens hinreichend ist, den Willen zu bewegen, obwohl es nicht in der Lage ist, den Verstand zu einer Entscheidung zu motivieren:

Thomas von Aquin, De veritate q. 14 a. 1 co.

[Eine solche Entscheidung] wird durch den Willen getroffen, der die Wahl trifft, der einen Seite mit Bestimmtheit und ausschließlich zuzustimmen wegen etwas, das hinreichend ist den Willen zu bewegen, aber nicht den Verstand. Dies geschieht z. B. weil es gut und angemessen erscheint, diesem Teil zuzustimmen. Dies ist die Disposition eines Glaubenden, wenn jemand den Worten eines Menschen glaubt, weil es für ihn geboten und nützlich erscheint.[58]

Wenn der Wille den Verstand zur Zustimmung bewegt, ist dies eine ganz andere Situation, als wenn der Verstand selbst diese in sich hervorgebracht hätte. Erfolgt die Zustimmung aufgrund von Einsichten und Schlussfolgerungen, die der Verstand selbst gewinnen kann, fallen die Zustimmung und die Erkenntnis dessen, was zur Zustimmung führt, gleichsam auseinander: Sie sind nicht *ex aequo*, wie Thomas sagt, weil ein diskursives Verfahren vorliegt, in dem der Verstand prozesshaft dahin geführt wird, einem Urteil zuzustimmen. Liegt ein Fall von Glauben vor, so erfolgt die Zustimmung durch den Willen, so dass die Erkenntnis dessen, was Gegenstand eines Urteils ist, und das, was im Urteil selbst beschlossen wird (bzw. der Entschluss selbst), zusammenfallen, also *ex aequo* sind. Es liegt dann kein Prozess vor, in dem ein Urteil durch etwas anderes, nämlich die vorausliegende Einsicht verursacht wird.

Im Glauben fallen Zustimmung und Erkenntnis gleichsam zusammen. Denn die Zustimmung wird nicht durch die Erkenntnis verursacht, sondern durch den Willen.[59]

Ebd., q. 14 a. 1 co.

Dieser Weg, durch den Willen zum Glauben und damit zu einem heilswirksamen Wissen zu gelangen, steht jedem ohne eine besondere Qualifikation seiner intellektuellen Fähigkeiten offen. Auf diese Weise kann jeder zu jeder Zeit den Weg des Heils beschreiten,

so dass es heilsam ist, dass für die Menschen der Weg des Glaubens vorgesehen ist, durch den für alle jederzeit leicht das Tor zum Heil offensteht.[60]

Ebd., q. 14 a. 10 co.

Ruhelosigkeit des Verstandes: Diese Deutung hat Konsequenzen, denn im Ergebnis führt sie dazu, dass der Verstand in einem solchen Urteil des Glaubens, das der Wille aufgrund eines äußeren Guts – z. B. um des ewigen Lebens willen – herbeiführt, nicht wirklich zur Ruhe kommt. Vielmehr wird er sein Erkenntnisstreben beibehalten und weitere Forschungen über das anstreben, was er glaubt.

Weil der Verstand auf diese Weise nicht bei etwas zum Ende kommt, als sei er zu einem ihm eigentümlichen Ende geführt worden, das die Einsicht von etwas Verstehbarem ist, ist seine Bewegung noch nicht zur Ruhe gekommen. Er hält weiterhin Erkennen und Nachforschen bei über die Dinge, die er glaubt, obwohl er diesen mit größter Festigkeit zustimmt. Was ihn selbst betrifft, ist ihm weder Genüge getan, noch ist er hinsichtlich des einen, [für das er sich entschieden hat], zum Ende gelangt, sondern nur durch etwas Äußerliches beendet worden.[61]

Ebd., q. 14 a. 1 co.

Mit diesen wenigen Sätzen skizziert Thomas eine Konzeption des Glaubens, die diesen aufgrund der Zurückführung auf eine Entscheidung des Willens von einer Reduzierung allein auf den Verstand bewahrt, ohne dass er irrational würde in dem Sinne, dass sein Inhalt ohne jegliche Erkenntnisleistung gegeben sein könnte. Auf der anderen Seite führt die Anbindung an die äußere Willensentscheidung dazu, dass der Verstand in dem ihm eigentümlichen Streben nach Erkenntnis und einer fortschreitenden Vergewisserung erhalten bleibt. Auch wer glaubt, strebt weiterhin danach, zu wissen und die Gründe, die das Geglaubte betreffen, besser zu verstehen. Erkennen und Nachforschen – *cogitatio* und *inquisitio* – bleiben nicht nur hinsichtlich anderer Gegenstände, die nicht Objekte des Glaubens sind, erhalten, sondern eben auch in Bezug auf das Geglaubte selbst. Hier liegt der Kern dessen, was man die theologische Synthese bei Thomas genannt hat (Kluxen 1998, 1–13).

2.4.2 | Das Verhältnis von Glaubenswissen (Theologie) und Vernunftwissen (Philosophie)

An prominenter Stelle, gleich in der ersten Quaestio seiner *Summa theologiae* diskutiert Thomas das Verhältnis einer Lehre, die sich auf die im Glauben angenommenen Glaubensartikel als ihre Prinzipien stützt, und einer allein auf der natürlichen Vernunft gründenden Form des Wissens. Der Sache nach geht es um das Verhältnis von Theologie, die Thomas mit der Tradition als Heilige Lehre (*doctrina sacra*) oder Heilige Schrift (*sacra scriptura*) bezeichnet, und Philosophie als dem Inbegriff einer unabhängig von der göttlichen Offenbarung zu gewinnenden Erkenntnis. Eine Rechtfertigung dafür, den Ausdruck *doctrina sacra* in diesem Kontext mit der Theologie gleichzusetzen, besteht darin, dass Thomas diese Form der Lehre mit den gleichen wissenschaftstheoretischen Kategorien, nämlich Prinzipien und daraus ableitbaren Schlussfolgerungen, interpretiert, die er auch verwendet, um jede andere Form wissenschaftlichen Wissens im engeren Sinne zu charakterisieren. Das Bild, das Thomas bemüht, um dieses Verhältnis von Theologie und Philosophie zu beschreiben, ist das einer Herrin, die von ihren Untergebenen und Mägden Gebrauch macht, um etwas zu verwirklichen, das ohne die Hilfe der untergeordneten Bediensteten nicht zu leisten wäre. Allerdings ist die Unterstützung nicht wegen eines Ungenügens der Herrin selbst notwendig, sondern hat einen anderen Grund.

Thomas von Aquin, Summa theologiae I q. 1 a. 5 ad 2

[Die Theologie] kann etwas von den philosophischen Disziplinen übernehmen, nicht dass sie dieser mit Notwendigkeit bedürfe, sondern zur größeren Verdeutlichung der Dinge, die in dieser Wissenschaft überliefert werden. Sie nimmt nämlich ihre Prinzipien nicht von den anderen Wissenschaften, sondern unmittelbar aufgrund der Offenbarung von Gott. Und sie nimmt sie deswegen nicht von den anderen wie von übergeordneten Wissenschaften, sondern sie gebraucht diese wie Untergeordnete und Mägde. [...] Und dass sie diese so gebraucht, geschieht nicht wegen eines Defektes oder eines Ungenügens auf ihrer Seite, sondern wegen eines Defektes unseres Verstandes, der aufgrund der Dinge, die er durch die natürliche Vernunft, aus der andere Wissenschaften hervorgehen, erkennt, leichter zu den Dingen geleitet wird, die über die Vernunft hinausgehen und die in dieser Wissenschaft [der Theologie] überliefert werden.[62]

Endlichkeit des menschlichen Verstandes: Der Rückgriff der Theologie auf die Philosophie ist nicht selbstverständlich, denn unzweifelhaft ist die Theologie eine übergeordnete Disziplin, weil sie wegen ihres Gegenstandes – Gott – und wegen der Herkunft ihrer Prinzipien aus der übernatürlichen Offenbarung der Philosophie überlegen und ihrer Dienstleistung nicht bedürftig sein sollte. Doch spielt ein dritter Faktor für dieses Dienstverhältnis eine wichtige Rolle, nämlich die Endlichkeit und Begrenztheit des menschlichen Verstandes. Dieser defizitäre Charakter des Verstandes verhindert es, dass die göttliche Offenbarung notwendig als unhinterfragtes Prinzip zur Grundlage der theologischen Wissenschaft wird. Räumt der endliche Verstand der göttlichen Offenbarung diesen Status nicht bereits ein, besteht keine Möglichkeit, innerhalb der Wissenschaft der Theologie argumentativ etwas dazu beizutragen, dass man diese Prinzipien als solche annehmen möge. Jedes Argument würde nämlich das bereits voraussetzen, was es erst zu begründen sucht. Dieser Zusammenhang gilt ebenso in der Theologie wie auch in den philosophischen Disziplinen, wo allein die übergeordnete Wissenschaft den untergeordneten Dienst zu leisten vermag – etwa wenn die Metaphysik der Naturphilosophie Grundbegriffe bereitstellt –, selbst aber ihre eigenen Prinzipien nur voraussetzen und nicht anderswoher entlehnen kann (vgl. Thomas von Aquin, Summa Theologiae I q. 1 a. 8).

Erforschung des Geglaubten: Dennoch bleiben zwei Felder, auf denen die Philosophie die Theologie, sofern sie von endlichen Menschen betrieben wird, zu unterstützen vermag. Nämlich zum einen als sie zur Erkenntnis und weiteren Erforschung des Geglaubten beiträgt. Denn wie bereits erwähnt geht jeder Glaubensakt auf die nicht erzwungene Zustimmung des Willens zu einem mehr oder weniger präzise erfassten Inhalt zurück (s. Kap. 2.4.1). Der Akt der Zustimmung erfolgt, ohne dass er durch das Erkannte selbst notwendig herbeigeführt wäre, denn das ist der Unterschied einer vom Willen abhängigen Glaubenshandlung und einer durch das Erkannte bedingten Zustimmung zu abgeleiteten Sätzen aufgrund ihrer Ableitung aus selbstevidenten Verstandesprinzipien. Aus dieser nicht erzwungenen Zustimmung resultiert schließlich allererst die Verdienstlichkeit des Glaubens, die aufgehoben würde, wenn die Glaubensartikel selbst durch die natürliche Vernunft beweisbar wären.

Die Heilige Lehre gebraucht zwar die menschliche Vernunft, nicht aber, um den Glauben zu beweisen, weil hierdurch die Verdienstlichkeit des Glaubens aufgehoben würde, sondern um andere Dinge zu verdeutlichen, die in dieser Lehre überliefert werden. Weil nämlich die Gnade [des Glaubens] die Natur [der Vernunft] nicht aufhebt, sondern vollendet, ist es notwendig, dass die natürliche Vernunft dem Glauben zu Diensten ist.[63]

Ebd., q. 1 a. 8 ad 2

Entlarvung von Scheinargumenten: Der zweite Aspekt, unter dem die Philosophie der Theologie unterstützend zur Seite steht, ist die Widerlegung von dem Glauben widersprechenden Behauptungen. Wer keine Annahme des Glaubens teilt und diesem widerspricht, ist mit keinem Argument von der Gültigkeit der Glaubensartikel zu überzeugen, denn es fehlt jegliche Grundlage, von der ein solches Argument anheben könnte. Ein positiver Beweis ist also ausgeschlossen. Allerdings bleibt die Möglichkeit, jegliche Behauptung, die dem als wahr angenommenen Glauben widerspricht, zu widerlegen, also ein negatives Beweisverfahren einzuleiten, das das dem Glauben Zuwiderlaufende als falsche Annahme überführt und als ein auflösbares Scheinargument entlarvt.

Ebd., q. 1 a. 8 co.

Wenn aber der Gegner keines von den Dingen glaubt, die göttlich offenbart werden, bleibt weiterhin kein Weg, um die Glaubensartikel durch die Vernunft zu beweisen, sondern um die Argumente aufzulösen, wenn er welche gegen den Glauben anführt. Weil sich nämlich der Glaube auf die unwiderlegbare Wahrheit stützt und es unmöglich ist, vom Wahren das Gegenteil zu beweisen, sind offensichtlich die Beweise, die gegen den Glauben angeführt werden, keine Beweisgründe, sondern auflösbare [Schein]argumente.[64]

2.4.3 | Die Autonomie der Vernunft

Man würde die These von der Philosophie als Magd der Theologie, wie Thomas sie vertritt, falsch verstehen, würde man mit dieser Unterordnung einen Verlust der Selbstständigkeit und des Eigenrechts der natürlichen Vernunft verbinden. Allerdings hat diese von Thomas selbst abgelehnte Deutung durchaus historische Wurzeln. Die Rede von der Philosophie als einer Magd der Theologie geht vermutlich auf eine Textstelle in einem Brief des Petrus Damiani zurück, wo er die menschliche Vernunft in die Schranken weist,

Petrus Damiani, Briefe Nr. 119

sich nicht das Recht des Lehramts anmaßen, sondern wie eine Magd ihrer Herrin in folgsamen Gehorsam zu dienen.[65]

Aus Sicht des Thomas gibt es sachliche Gründe, die gegen diese Unterordnung der Philosophie und für ein Eigenrecht ihrer genuinen Tätigkeit sprechen. Das Argument, das für die Autonomie der natürlichen Vernunft und damit der Philosophie spricht, ist denkbar einfach: Andernfalls könnte eine solche auf die Offenbarung verzichtende Wissenschaft gar nicht die Dienste leisten, die man von ihr erwartet und die sie nach ihrem Selbstverständnis auch zu leisten in der Lage ist. Ist die Theologie einerseits die übergeordnete Disziplin, kann ihr andererseits die menschliche Philosophie nur dann dienen und in gewisser Weise als Ausgangsort der göttlichen Weisheit geeignet sein, wenn beide ihrer je eigenen Ordnung treu bleiben. Diese Ordnung sieht vor, dass das menschliche Wissen der Philosophie eben nicht bei der ersten Ursache anhebt, sondern die entgegengesetzte Stoßrichtung verfolgt, nämlich indem sie von der Erkenntnis der sinnlich erfassbaren Einzelwesen zu einer ihr im direkten Zugriff entzogenen Hinordnung auf Gott aufsteigt. Dadurch ist nicht in Frage gestellt, dass das höhere Wissen der Theologie das Geschaffene in einer Nachordnung zur ersten Ursache betrachtet.

Thomas von Aquin, Summa contra Gentiles II c. 4

Wenn es auch dem Philosophen und dem Gläubigen gemeinsam ist, die geschaffenen Dinge zu betrachten, werden sie doch durch jeweils andere Prinzipien behandelt, denn der Philosoph nimmt die Argumentation aus den den Dingen eigentümlichen Ursachen, der Gläubige aber aus der ersten Ursache. [...] Aus diesem Grund dient der gleichsam grundlegenden [Lehre des christlichen Glaubens] die menschliche Philosophie. Und deshalb wiederum geht die göttliche Weisheit aus den Prinzi-

pien der menschlichen Philosophie hervor, denn auch bei den Philosophen gebraucht die Erste Philosophie die Lehrinhalte aller Wissenschaften, um das ihr Aufgegebene zu zeigen. Von daher kommt es auch, dass beide Wissenschaften nicht in derselben Ordnung vorgehen. Denn in der Lehre der Philosophie, die die geschaffenen Dinge an sich betrachtet und aus diesen zur Erkenntnis Gottes fortschreitet, findet zuerst die Betrachtung der geschaffenen Dinge statt und zum Schluss die von Gott. In der Glaubenslehre aber, die die geschaffenen Dinge nur in der Hinordnung auf Gott betrachtet, findet zuerst die Betrachtung Gottes statt und danach die der geschaffenen Dinge.[66]

Autonom kann die Philosophie insofern genannt werden, als sie ihren eigentümlichen Gegenstandsbereich und die dem natürlichen menschlichen Erkenntnisvermögen angemessene Verfahrensweise auch als die der Theologie dienende Disziplin bewahrt. Mehr noch: Gerade die Gegenüberstellung der Glaubenslehre und der natürlichen Philosophie zeigt den unterschiedlichen Charakter beider Disziplinen, wobei die hierdurch notwendig werdende erkenntniskritische Reflexion die Philosophie als die dem endlichen Verstand adäquate Wissensform ausweist. Zudem ist die Philosophie nach diesem Konzept nicht die Disziplin, die das Heil des Menschen zu verantworten hat. Auch in diesem Sinne kann sie als autonom verstanden werden.

Die explizite Gegenüberstellung von Glauben und natürlichem Wissen führt also keineswegs zu einer Vereinnahmung der in gewisser Hinsicht untergeordneten und dienenden Disziplin der Philosophie, sondern positioniert diese in kritischer Abgrenzung zur Glaubenslehre auf dem ihr eigentümlichen Gebiet des endlichen Verstandes. Das eingangs erwähnte Verhältnis von Magd und Herrin aufnehmend spricht auch Immanuel Kant mehr als 500 Jahre später in seiner Schrift *Der Streit der Fakultäten* der Theologie die Rolle der Herrin, der Philosophie aber die der Magd zu.

Auch kann man allenfalls der theologischen Facultät den stolzen Anspruch, daß die philosophische ihre Magd sei, einräumen (wobei doch noch immer die Frage bleibt: ob diese ihrer gnädigen Frau die Fackel vorträgt oder die Schleppe nachträgt) [...].

Kant, Immanuel: Der Streit der Fakultäten I,2 [AA 7] 28.

Seine sich anschließende rhetorische Frage, ob die Philosophie hierbei der Theologie die Schleppe hinterhertrage oder ihr mit der Fackel leuchtend den Weg weisend vorausgehe, lässt er zwar an dieser Stelle unbeantwortet, doch ist es letztlich die mittelalterliche Einsicht, dass die Philosophie nur als eigenständige Disziplin für die Theologie von Nutzen sein kann, die sie auch aus Kants Sicht der Theologie vorausgehen lässt, ohne dieser allerdings ihre ureigene Kompetenz streitig zu machen.

Quellen

Anselm von Canterbury: *Cur deus homo*, c. III.; *Monologion*, prol.; c. I; *Proslogion*, c. I–IV.
Bernhard von Clairvaux: *36. Predigt*: Von der Selbst- zur Gotteserkenntnis.
Bonaventura: *Itinerarium mentis ad deum*, c. 7.
Gilbert von Poitiers: *De Trinitate*, c. IV.
Johannes Duns Scotus: *Quaestiones Quodlibetales*, q. VII.
Petrus Abaelardus: *Sic et non*, prol.; *Tractatus de intellectibus*.

Thomas von Aquin: *Summa contra Gentiles II*, c. IV; *Summa theologiae I*, q. I; *Quaestiones disputatae de veritate*, q. 14.

Weiterführende Literatur

Ernst, Stephan: *Anselm von Canterbury*. Münster 2011 (Zugänge zum Denken des Mittelalters 6).
Ernst, Stephan: *Petrus Abaelardus*. Münster 2003 (Zugänge zum Denken des Mittelalters 2).
Holopainen, Toivo J.: *Dialectic and Theology in the Eleventh Century*. Leiden/New York/Köln 1996 (Studien und Texte zur Geistesgeschichte des Mittelalters 54).
Grant, Edward: *God and Reason in the Middle Ages*. Cambridge 2001.
Le Goff, Jacques: *Die Intellektuellen im Mittelalter*. Stuttgart [4]2001 (frz. 1957).
Marenbon, John: *Abelard in Four Dimensions. A Twelfth-Century Philosopher in His Context and Ours*. Notre Dame 2013.
Schrimpf, Gangolf: *Anselm von Canterbury, Proslogion II–IV. Gottesbeweis oder Widerlegung des Toren?* Frankfurt a. M. 1994.

3 Natur und Schöpfung

Zeittafel

Calcidius 4. – 5. Jhd.	ca. 400 lateinische Übersetzung des platonischen *Timaios*
Adelard von Bath ca. 1080–1152	1109 *De eodem et diverso* 1111–1116 *Quaestiones naturales*
Bernhard von Chartres † nach 1124	1100–1115 *Glosae super Platonem*
David von Dinant ca. 1160–1217	vor 1210 *Tractatus naturalis* 1210 Verurteilung wegen Häresie auf der Synode von Sens 1215 erneute Verurteilung
Albertus Magnus 1200–1280	1242 *De homine* 1242–1249 *Super libros sententiarum*
Boethius von Dacien † 1284	ca. 1270 *De summo bono* 1270–1277 *De aeternitate mundi* 1270 Verurteilung von 13 häretischen Thesen 1277 Verurteilung von 219 häretischen Thesen jeweils durch den Bischof von Paris Étienne Tempier

Die Stichworte Natur und Schöpfung scheinen auf den ersten Blick zwei unterschiedlichen Sphären anzugehören. Der Begriff der Natur betont den Aspekt der uns umgebenden Wirklichkeit, der zum Gegenstand einer wissenschaftlichen Darstellung geeignet ist und in diesem Sinne in die Zuständigkeit eines Teilgebietes der Philosophie, nämlich der Naturphilosophie gehört. Der Terminus Schöpfung hingegen hat theologische Konnotationen und bezeichnet die Wirklichkeit, insofern sie als von Gott hervorgebracht, eben als geschaffen gedacht wird. In dieser Bedeutung tritt uns die Schöpfung vor allem im ersten Buch der Bibel entgegen, wenn dort die Entstehung der Welt einschließlich der des Menschen als Schöpfungswerk des göttlichen Willens während der ersten sieben Tage beschrieben wird, wobei es – wie andere biblische Erzählungen zeigen – jederzeit in Gottes Macht steht, die vermeintlichen Gesetze seiner Schöpfung etwa durch das Wirken von Wundern außer Kraft zu setzen.

H. Möhle, *Philosophie des Mittelalters*, https://doi.org/10.1007/978-3-476-04747-2_3

Naturphilosophie und Schöpfungsbericht: Natur und Schöpfung stehen damit für zwei zu unterscheidende Bereiche, die jeweils durch unterschiedliche Zugangsweisen für uns zum Gegenstand werden: Die Natur als dasjenige, das der Sinneswahrnehmung und dem Vernunfturteil offensteht; die Schöpfung als das, was durch den von Gott offenbarten und in der Bibel überlieferten Bericht mitgeteilt wird. Diese Konstellation ist der Ausgangspunkt einer früh geführten Debatte zu Beginn des 12. Jahrhunderts um die Art und Weise und den Umfang, wie ein Studium der Natur betrieben werden kann und soll. Dass es neben dem biblischen Schöpfungsbericht einen vom christlichen Kontext losgelösten Blick auf die Natur gibt, der auf die inneren Prinzipien und Gesetzmäßigkeiten der wahrnehmbaren Phänomene gerichtet ist, tritt vor allem im Zusammenhang mit der Auseinandersetzung um eine platonisch geprägte Naturphilosophie und deren Rezeption im 12. Jahrhundert in den Vordergrund. Der Fokus des Folgenden soll deshalb dieser Auseinandersetzung gelten, in der die Frage nach der Natur in einer bis dahin nicht gegebenen Weise Form annimmt.

3.1 | Der Kampf des Adelard von Bath gegen das Halfter der Autorität

Kaum ein anderes Jahrhundert als das 12. wird in der Philosophiegeschichtsschreibung so einhellig durch die Angabe des Zeitraumes und so selten durch einzelne Repräsentanten dieser Zeit charakterisiert. Offensichtlich schreibt man diesem Jahrhundert eine weitgehende Geschlossenheit oder eine gemeinsam getragene Entwicklung zu, die die einzelnen Autoren dieser Zeit hinter die gemeinsame Signatur des Zeitraums zurücktreten lassen. Doch welche Impulse sind es, die ursprünglich als singuläre auftreten und dann doch zum Erklärungsmuster ganzer Zusammenhänge werden können?

3.1.1 | Der Verstand als alleiniger Richter: *Sola ratio iudex*

Der Aufbruch des 12. Jahrhunderts spiegelt sich nicht unwesentlich im Leben und Denken eines Mannes wider, der in besonderer Weise durch seine Neuartigkeit und seine Erfindungsgabe wirksam ist. Die Rede ist von Adelard von Bath, jenem Gelehrten, der vermutlich um 1080 im englischen Bath geboren wurde und bis ca. 1152 lebte. Als Philosoph, Übersetzer aus dem Arabischen und nicht zuletzt als Reisender, der durch einen ausgeprägten Wissensdurst getrieben intensive Bekanntschaft mit fremden Völkern sucht, ist Adelard einer der Wegbereiter einer neuartigen Wissenskultur geworden. Adelard bringt nicht nur neuartiges Wissen von seinen Reisen und seinen Studien mit, sondern er zeigt auch ein ausgeprägtes Bewusstsein von den Schwierigkeiten, dieses Wissen in die bestehende Wissenskultur zu integrieren. Damit wird ein Abstoßungspunkt deutlich, der das Bemühen des 12. Jahrhunderts auf seine Weise, nämlich mit Blick sowohl auf das Gewohnte wie das Neue, charakterisiert.

Arabische Naturphilosophie: Als Adelard von Bath von einer siebenjährigen Reise, die er vermutlich irgendwann zwischen den Jahren 1104 und 1116 unternommen hat, zurückgekehrt, trifft sich der Heimgekehrte bald darauf mit einer Reihe von Freunden und unter ihnen auch mit seinem eigenen Neffen. Nach allem was man weiß, hat diese Reise Adelard über Syrakus, Tarsus, Ministra schließlich nach Jerusalem und möglicherweise darüber hinaus geführt. Insbesondere durch die Neugierde seines Neffens wird Adelard ermuntert, von seiner Reise zu berichten. Was man wissen will, betrifft vor allem Neuigkeiten der wissenschaftlichen Studien arabischer Gelehrter: »*aliquid Arabicorum studiorum novum*«, wie es bei Adelard in den *Quaestiones naturales*, die eingangs von diesen Ereignissen berichten, wörtlich heißt. Offensichtlich wusste man, dass die zurückliegende Reise den gerade angekommenen Adelard entweder mit Gelehrten, die über entsprechendes Wissen verfügten, oder mit Schriften, die entsprechende Inhalte hatten, in Kontakt gebracht hat. Adelard entspricht schließlich den Bitten seines Neffen, nachdem die anderen Anwesenden ihre Zustimmung erteilt haben, und gibt einen entsprechenden Bericht, von dem er einerseits sicher ist, dass er den Zuhörern nützlich ist, von dem er aber andererseits nicht weiß, ob er ihnen angenehm sein wird.

Skepsis gegenüber Neuerungen: Die Begründung für seine Zweifel hinsichtlich der Aufnahme seines Berichtes verweist auf eine eigentümliche Stimmung in der Generation derer, denen er berichtet. Offensichtlich rechnet Adelard damit, dass seine Zuhörer, wie die gesamte Generation, der sie entstammen, eine tief verwurzelte Abneigung haben, Erkenntnisse anzunehmen, die von den sogenannten *moderni*, also den Neueren, den innovativen Geistern, vorgebracht werden könnten. Um dieser Skepsis zu entgehen, fasst Adelard den Entschluss, den Bericht solcher Neuigkeiten nur in der Rede der dritten Person und damit unter Verzicht auf eine Selbstzuschreibung des persönlich Entdeckten zu geben. Wörtlich heißt es zu Beginn der *Quaestiones naturales*:

Diese Generation hat nämlich einen eingeborenen Fehler, so dass sie nichts von dem, was die Modernen gefunden haben könnten, glaubt aufnehmen zu sollen. Von daher geschieht es, dass, wenn ich mal etwas, das ich selbst gefunden habe, öffentlich machen wollte, ich es einer fremden Person unterschiebe und sage: »Ein gewisser hat gesagt, nicht ich«. Deshalb, damit ich nicht ganz ungehört bleibe, findet ein gewisser Herr alle meine Aussagen, nicht ich.[67]

Adelard von Bath, Quaestiones naturales prol.

Dieser tief greifende Dissens zwischen Adelards eigenem Vorgehen und der vermeintlichen Haltung seiner Zeitgenossen, mit der er in der Heimat konfrontiert wird, zeigt sich noch deutlicher im weiteren Verlaufe der *Quaestiones naturales*. Insbesondere geschieht dies in einem Einwand, den Adelard seinem Neffen macht, als dieser ankündigt, seinem Onkel fortan argumentative Stolpersteine in den Weg legen zu wollen, so dass die Erklärungen, mit denen er bislang Phänomene der natürlichen Welt erklärt und Einwände seines Neffen als sophistische Scheinargumente entlarvt hat, zukünftig versagen werden. Dies werde im Folgenden geschehen, so kündigt der Neffe an, wenn man sich der Betrachtung der natürlichen Beschaffenheit von Mensch und Tier zuwendet.

Autoritäten: Adelard nimmt die Ankündigung seines Neffen auf und räumt die besonderen Schwierigkeiten in der Behandlung dieses Gegenstandes ein. Allerdings liegt es nicht an den zu behandelnden Objekten selbst, weshalb deren Untersuchung von besonderen Hindernissen bedroht ist. Vielmehr ist die seinem Neffen eigentümliche geistige Haltung und – so kann man mit Blick auf die bereits erwähnte Charakterisierung der gesamten Generation von Gelehrten hinzufügen – die Haltung der Zeitgenossen Adelards dafür verantwortlich, dass die sich anschließende Auseinandersetzung besondere Schwierigkeiten offenbart. Wörtlich heißt es aus dem Munde Adelards:

Ebd., c. 6

Meine Auseinandersetzung mit Dir über die Lebewesen ist schwierig. Ich habe nämlich das eine von den arabischen Lehrern unter Führung der Vernunft gelernt, Du aber etwas anderes; Du folgst [nämlich] einem Halfter als jemand, der durch das Bild der Autorität gefangen wurde. Wie kann die Autorität denn als etwas anderes als ein Halfter bezeichnet werden? So wie vernunftunbegabte Lebewesen durch ein Halfter an beliebige Orte geführt werden und weder wissen, wohin noch warum sie geführt werden, und nur dem Strick folgen, durch den sie gehalten werden, so führt die Autorität der Schriften nicht wenige von Euch, die Ihr durch eine vernunftlose Gutgläubigkeit gefangen und gebunden seid, in Gefahr. Deshalb haben auch gewisse Leute, indem sie für sich den Namen der Autorität in Anspruch nehmen, eine übergroße Erlaubnis zu schreiben genutzt, so dass sie nicht einmal gezögert haben, den wilden Tieren nahe stehenden Leuten statt des Wahren das Falsche nahe zu legen.[68]

In dieser Passage findet das bereits im Prolog erwähnte Versagen der derzeitigen Generation, wie Adelard sich ausdrückt, eine nähere Erklärung. Der Grundfehler, den Adelard anprangert, besteht in der spezifischen Autoritätsgläubigkeit seiner Zeitgenossen. Gemeint ist eine Berufung auf Autoritäten bzw. autoritative Schriften, denen man folgt, ohne dass ihr ein eigenes Urteil der Vernunft vorausgegangen wäre. *Auctoritas* und *ratio* stellen für Adelard die beiden Pole dar, die über den Erfolg oder Misserfolg von wissenschaftlichen Untersuchungen, wie sie im vorliegenden Text etwa bezogen auf Fragen der Naturphilosophie durchgeführt werden, entscheiden. Einer Autorität ist nach Adelard nicht der Autorität wegen zu folgen, sondern man folgt ihr aus keinem anderen Grund, als dass sie sich ursprünglich auf die Vernunft zurückführen lässt. Nur daher resultiert ihre Glaubwürdigkeit. Verzichtet man auf diese Rückbindung an die Vernunft, lässt sich unter Berufung auf vermeintliche Autoritäten beinahe Beliebiges behaupten.

Ebd., c. 6

Warum nämlich füllst Du nicht Seiten, warum schreibst Du nicht auch auf die Rückseite, wenn Du zurzeit meist solche Zuhörer hast, die keinen Grund für das Urteil fordern und allein schon aufgrund der Nennung eines alten Titels Vertrauen schenken? Sie verstehen nämlich nicht, dass die Vernunft dem Einzelnen deshalb gegeben wurde, damit zwischen dem Wahren und dem Falschen aufgrund dieser ersten als Richter unterschieden würde. Wenn nämlich die Vernunft nicht der allgemeine Richter sein müsste, wäre sie dem Einzelnen überflüssiger Weise gegeben. Es reichte nämlich aus, dass sie dem Schreiber der Vorschriften, einem einzigen, sage ich, oder

mehreren, gegeben wäre. Die übrigen wären in ihren Anweisungen und autoritativen Verlautbarungen enthalten. Ferner erhalten diejenigen, die man Autoritäten nennt, ihre erste Glaubwürdigkeit bei einfacheren Leuten nirgendwo anders her, als allein deshalb, weil sie der Vernunft gefolgt sind. Wer auch immer diese nicht kennt oder verachtet, ist zu Recht wie ein Blinder zu behandeln [69]

Anspruch der Vernunft: Adelard fordert aber nicht nur einen eigenen Bereich, in dem die Vernunft neben der Autorität ihre eigentümliche Kompetenz entfalten kann. Er geht vielmehr soweit, die Vernunft als allgemeine Richterin, als *iudex universalis*, zu postulieren. Auch wenn er sich ausdrücklich davon distanziert, die Autorität gänzlich zurückzuweisen, so besteht sie nicht neben der Vernunft als ein gleichrangiges Betätigungsfeld, sondern ist eindeutig dieser nachgeordnet. Hieraus resultiert die Konsequenz, die Autorität nur als zusätzliche Instanz der Erkenntnissicherung zuzulassen, nachdem zuvor ein vernunftbedingtes Urteil vorliegt, dem sich die *auctoritas* anschließt.

Ebd., c. 6

Gleichwohl vertrete ich dies nicht in aller Radikalität, dass nach meinem Urteil die Autorität zurückzuweisen sei. Das behaupte ich allerdings, dass zuerst das Vernunfturteil zu suchen ist, wenn dies gefunden wurde, die Autorität später hinzuzufügen ist, wenn sie dazu passt. [Die Autorität] allein kann beim Philosophen keine Glaubwürdigkeit hervorrufen und sie sollte zu diesem Zweck auch nicht angeführt werden. Deswegen halten auch die der Logik Kundigen ein Autoritätsargument einmütig nur für wahrscheinlich, nicht aber für notwendig.[70]

Adelard führt dieses Verfahren als Eigentümlichkeit der von ihm konsultierten arabischen Gelehrten ein, wird aber in der literarischen Stilisierung des Dialogs von seinem Neffen darauf verwiesen, dass diese Lehre, wenn sie denn ernst genommen wird, natürlich auch dazu führen müsse, die Autorität der Araber selbst nicht als Maßstab wissenschaftlicher Untersuchung gelten lassen zu können. Es bleibt also ausschließlich bei der Vernunft als der alleinigen Richterin (*sola ratio iudex*) bei der Wahrheitssuche:

Ebd., c. 7

Denn zwischen mir und Dir möge die Vernunft allein als Richter stehen.[71]

Ingenitum vitium: Von Interesse ist nicht allein die Deutung des Verhältnisses von Vernunft und Autorität, die Adelard von Bath gibt, als vielmehr auch seine Analyse der zeitgenössischen Geisteshaltung, die sich aus seinen Schriften ergibt. Das eingangs zitierte *ingenitum vitium*, der eingeborene Fehler der Generation, der er und sein Neffe angehören, besteht in nichts anderem als in der Missachtung der Vernunft als dem allein entscheidenden Instrument bei der Wahrheitssuche.

Mit einem durchaus sarkastischen Unterton scheut sich Adelard nicht, vom Halfter der Autorität zu sprechen, dem diese Generation zu ihrem eigenen Schaden folgt. Er geht schließlich sogar soweit ohne eine nähere Differenzierung alles Geschriebene – er spricht in verkürzter Form von jedem Buchstaben (*omnis littera*) – als Hure, als *meretrix*, zu bezeichnen, die für jede affektive Haltung offensteht und aus diesem Grund wechselhaft ist:

Ebd., c. 6

Deshalb, sofern Du Weiteres von mir hören möchtest, gib Vernunftgründe und nimm solche an. Ich bin nämlich nicht derjenige, den ein Bild der Haut zufrieden stellen kann. Jeder Buchstabe ist ja eine Hure, preisgegeben jetzt diesen, dann jenen Leidenschaften.[72]

Geschriebenes, das mit dem Anschein der Autorität versehen ist, zielt demnach auf die Affekte der Lesenden, die sich durch die oberflächliche Erscheinung beeinflussen lassen, wie die Freier sich durch den äußeren Reiz der käuflichen Liebe verführen lassen. Wer auf die Autorität hört, verlässt sich deshalb in keiner Weise auf eine verlässliche und unwandelbare Instanz. In dieser Weise äußerlich durch die Autorität herausgeputzte Texte sind gerade nicht auf die Beurteilung durch das einzige Vermögen angelegt, das hierfür zugelassen sein sollte, nämlich die Vernunft des Menschen.

3.1.2 | Adelard und das 12. Jahrhundert

Dieser kurze Blick auf die von Adelard geschilderte Begegnung mit seinem Neffen und dessen Freunden kennzeichnet paradigmatisch eine Ausgangssituation, die für das beginnende 12. Jahrhundert charakteristisch sein dürfte. Es stehen sich wissbegierige und nach Neuem strebende Gelehrte auf der einen Seite und eher auf Bewahrung des Bekannten bedachte Geister auf der anderen Seite gegenüber. Sind Erstere aus Sicht Letzterer die Modernen, die unter Missachtung autoritativ bewährter Ansichten nach Überflüssigem, wenn nicht sogar nach Schädlichem streben, so sind umgekehrt diese für jene diejenigen, die sich am Halfter der Autorität führen lassen und auf den Einsatz der allein maßgeblichen Instanz, nämlich der Vernunft, verzichten. Mit dieser Gegenüberstellung von Vernunft und Autorität ist die zugrundeliegende Frage danach aufgeworfen, wie weit die natürliche Vernunft des Menschen reicht und für welche Wissensbereiche sie die eigentliche Richterin ist. Das Problem, das mit dieser Frage angesprochen wird, entspricht der Diskussion darüber, wie weit die Philosophie mit der ihr eigentümlichen Beschränkung auf das Wissen der natürlichen Vernunft auch zuständig und kompetent ist, genuine Themen der Theologie zu behandeln.

3.2 | Platonisch-christliche Kosmologie

Die durch die Gegenüberstellung der zu Beginn genannten Stichworte Schöpfung und Natur suggerierte Trennung der religiösen und der wissenschaftlichen Perspektive ist im Mittelalter selbst verankert, wenn man etwa auf die berühmte Aussage Alberts des Großen blickt, den nach eigenem Bekunden die Wunder Gottes nicht interessieren, wenn er sich mit naturkundlichen Fragen beschäftigt (s. Kap. 5.3.2). So deutlich Albert sich in dieser Hinsicht äußert, so wenig gilt diese Haltung allerdings für das gesamte Mittelalter, was insbesondere der Blick auf die aufkommende Naturphilosophie des 12. Jahrhunderts, wie sie vor allem in der sogenannten Schule von Chartres vertreten wird, deutlich macht. Bei allem Bemühen die Natur und die ihr eigenen Gesetze innerhalb der Schöpfung aufzudecken, bleibt doch die methodologische Trennung einer wissenschaftlichen Naturbetrachtung von einem religiös-theologischen Kontext zunächst aus. Vielmehr wird die Schöpfungstat Gottes als das Wirken eines überdimensionalen Werkmeisters verstanden, der den Kosmos, »nach Maß, Zahl und Gewicht geordnet« (Weish 11,21) hervorgebracht und mit einer rational nachvollziehbaren Gesetzmäßigkeit ausgestattet hat (s. Kap. 5.1.2.1–2 und Kap. 5.2).

Bildbeschreibung: Dieses Bild aus dem Codex Wien, Österreichische Nationalbibliothek 2554, fol. 1v stellt den **Schöpfergott als Werkmeister** (*opifex/artifex*) dar, der der Welt eine durch Zahlenverhältnisse beschreibbare Ordnung verleiht. Die Schöpfung wird auf diese Weise als ein rational nachvollziehbarer Zusammenhang verstanden. Der biblische Referenztext ist Weish 11,21: »Du aber hast alles nach Maß, Zahl und Gewicht geordnet« (*Sed omnia mensura et numero et pondere disposuisti*).

Der göttliche Schöpfungsakt selbst lässt sich nach diesem Verständnis mit naturkundlichen Kategorien beschreiben. Genau diese Haltung wird zum Programm erhoben, wenn der biblische Text der Genesis entsprechend der Natur (*secundum physicam*) ausgelegt wird.

Naturphilosophie und Exegese: Für eine solche physikalische Deutung der Weltentstehung besitzt das Mittelalter eine, wenn auch nur zum Teil überlieferte, gleichwohl prominente und für das 12. Jahrhundert wirkmächtige Vorlage: den Dialog *Timaios* des Platon. Die unterstellte Konvergenz des biblischen Schöpfungsberichts und der platonischen Kosmologie des *Timaios* führt dazu, dass man einerseits die Genesis mit Hilfe der platonischen Naturphilosophie interpretiert und einen entsprechenden Genesiskommentar verfasst oder andererseits eine Deutung des platonischen *Timaios* unter Rückgriff auf christliche Interpretamente vornimmt. Beide Textgattungen, Genesis- wie Platonkommentar, stellen aus diesem Grund für das 12. Jahrhundert naheliegende Ausdrucksformen einer christlich-platonischen Naturphilosophie dar.

Auffallend ist in diesem Zusammenhang, dass die Anzahl der Genesiskommentare, die im 12. Jahrhundert verfasst werden, sprunghaft gegenüber der der vorausgehenden Jahrhunderte ansteigt, und das offenbar neue Interesse ein Vielfaches an Texten hervorbringt, das auch in den folgenden Jahrhunderten nicht mehr annähernd erreicht wird. So zählt das 11. Jahrhundert nur sechs während das 12. Jahrhundert 40 Kommentare zählt (vgl. Zahlten, A., Creatio mundi, 88 und 238). Parallel hierzu steigt auch die Anzahl der den Timaios überliefernden Handschriften im 12. Jahrhundert rasant an. Während von 775 bis 1125 insgesamt 36 Abschriften bekannt sind, entstehen von 1125 bis 1225 noch einmal 39 neue Textzeugen (vgl. Dutton, P. E., Material Remains of the Study of the Timaeus in the Later Middle Ages, 205).

3.2.1 | Bernhard von Chartres: Kommentar des platonischen Timaios

Timaios-Rezeption: Eine Schlüsselstellung innerhalb der platonisch geprägten Naturdeutung des 12. Jahrhunderts kommt dem Kommentar zu, den Bernhard von Chartres zum platonischen *Timaios*, offensichtlich zu Unterrichtszwecken an der Kathedralschule von Chartres, zwischen 1100 und 1115 verfasst. In der Übersetzung des Calcidius liegt nur ein Teil des platonischen *Timaios*, nämlich der die Kosmologie behandelnde (17 A–53C), in lateinischer Sprache vor, weshalb sich der Kommentar des Bernhard auf die Passagen und Fragestellungen, die im engeren Sinne von einem naturphilosophischen Interesse sind, konzentriert. Die Rahmenhandlung des Dialogs, die ethische Ausrichtung des Textes sowie einzelne Aspekte, die durch den parallel überlieferten Kommentar des Calcidius präsent waren, sind für Bernhard, der den Text primär als naturphilosophische und kosmologische Abhandlung liest, nur von einem untergeordneten Interesse.

3.2.1.1 | Die Ewigkeit der Welt

Der Ausgangspunkt von Bernhards Auseinandersetzung mit der platonischen Lehre der Welt – wobei der Ausdruck ›Welt‹ das gesamte Universum und damit die ganze sinnlich wahrnehmbare Wirklichkeit meint – ist eine innere Spannung, die aus zwei scheinbar widersprechenden Aussagen Platons resultiert. Zum einen behauptet Platon, die Welt sei geschaffen (*factus*), zum anderen hält er daran fest, sie sei ewig.

Bernhard von Chartres, Glosae super Platonem tr. 4

Da Platon zeigen will, dass die sinnliche Welt geschaffen worden ist, weil sie körperlich ist – weil alles, was geschaffen worden ist, seiner Natur nach auflöslich ist –, er aber auch sagen will, dass die Welt unauflöslich sei – was gegen die Meinung aller anderen verstößt – will er zuerst die Welt in die Ewigkeit verlängern. Das tut er in vierfacher Weise, nämlich indem er zeigt, durch wen die Welt geschaffen wurde, nach welchem Urbild, aus welchen Teilen und aus welcher Ursache.[73]

Schöpfung und Ewigkeit: Damit folgt Bernhard im Grunde der dominierenden Interpretation dieser Haltung des Platon durch seinen spätantiken Übersetzer und Kommentator Calcidius, der in dieser Frage explizit die Annahmen der Geschaffenheit und der Ewigkeit der Welt behauptet:

Calcidius, Commentarius in Timaeum 23

Die sinnliche Welt ist ein Werk Gottes; ihr Ursprung ist also ursächlich, nicht zeitlich. So ist die sinnliche Welt ewig, die, auch wenn sie körperlich ist, dennoch von Gott geschaffen und eingerichtet ist.[74]

Calcidius argumentiert in dieser kurzen Passage unter Rückgriff auf einen Unterschied, den er hinsichtlich des Ursprungs der Welt macht. Denn dieser sei zwar ursächlich (*causativa*), denn der Urheber der sinnlichen Welt ist Gott, aber er sei eben nicht zeitlich (*temporaria*) zu denken, sofern die Zeit, wie er an anderer Stelle ausführt, erst mit dem Wirken Gottes selbst anhebt. Da die Erschaffung der Welt in diesem Sinne der Zeit vorausliegt, kann man sie als ewig bezeichnen. Bernhard macht sich für seine Begründung der Ewigkeit der Welt diesen Unterschied zwischen einem zeitlichen und einem kausalen Ursprung der Welt zunutze und erklärt mit Hilfe dieser Gegenüberstellung einen dreifachen Unterschied, wie die Annahme des Geschaffen-Seins zu deuten ist.

[Platon] beweist durch den Urheber, dass die Welt ewig ist, indem er sagt, dass sie von Gott geschaffen sei. Alles nämlich, was gemacht worden ist, stammt entweder von Gott, von der Natur oder aber vom Menschen, der die Natur nachahmt. Die Natur ist die Kraft und das Prinzip des Entstehens. Es ist jedoch offensichtlich, dass die Welt weder das Werk des Menschen noch das der Natur ist. Die Werke der Natur sind diejenigen, die im Inneren der Erde Samen tragen, um Bäume, Früchte und ähnliches hervorzubringen. Oder diejenigen, die in ihren Eingeweiden Samen tragen, um junge Tiere hervorzubringen, die alle in der Zeit geboren werden und sterben und deshalb zeitlich genannt werden.[75]

Bernhard von Chartres, Glosae super Platonem tr. 4

Auf je andere Weise redet man nämlich von einem Geschaffen-Sein, wenn man als Urheber Gott, die Natur oder den Menschen annimmt. Das Geschaffen-Sein durch Gott wird verständlich, wenn man es von den anderen beiden Formen des Schaffens abgrenzt. Da das Schaffen durch den Menschen nur eine Nachahmung des der Natur eigenen Schaffensmodus ist, reicht es, diesen letzten zu betrachten. Alles, was die Natur hervorbringt, hat nach Bernhard einen vorausliegenden Ursprung in einer bestimmten Wirkkraft, die als Samen in der Erde oder in einem Lebewesen tätig ist und in einem zeitlichen Ablauf ein Ergebnis hervorbringt. Diese Art des Schaffens gilt für alle natürlichen Vorgänge in der Welt, aber eben nicht für die Welt im Ganzen. Diese muss also durch Gott bewirkt sein, da sie weder auf natürliche noch auf menschliche Weise bewirkt sein kann. Gottes Werke finden aber nicht in der Zeit statt.

Die Welt ist also das Werk Gottes. Die Werke Gottes sind nicht zeitlich, weil sie weder einen Anfang noch ein Ende in der Zeit haben. Man nennt sie ja verursacht, weil sie Ursachen haben, die vor der Zeit allein von Gott aber nicht von uns erkannt werden und die die Fundamente der Werke Gottes darstellen, so wie die Samen es für die natürlichen Werke sind. Deshalb erleiden sie nichts von dem, was die Zeit mit sich bringt, nämlich keine Krankheiten, keine Alterung und ähnliches, sondern sie bestehen ohne die Notwendigkeit des Unangenehmen.[76]

Ebd., tr. 5

Überzeitlichkeit des Archetyps: Gottes Werke bleiben von all dem unberührt, das erst als Prozess in der Zeit zustande kommt. So ergibt es keinen Sinn, die göttlichen Werke von Krankheit, Zerfall oder Alterung betroffen zu denken. Als göttliches Werk ist das Universum nicht in einem zeitlichen Ablauf vorzustellen, sondern allein aufgrund seiner Entsprechung zu einem ewigen Urbild, das als Archetyp bezeichnet wird. Dieser Archetyp ist, was er ist, ohne dass er dies geworden wäre, oder sich jemals verändern würde. Betrachtet man die Welt, die in ihren natürlichen Vorgängen tatsächlich veränderbar und damit zeitlich strukturiert ist, von ihrem Urbild, also dem Archetyp, her, dem sie ähnlich ist, kann auch sie als ewig bzw. als auf die Ewigkeit hin verlängert gedacht werden.

Ebd., tr. 4

So wird zum Beispiel die Welt in die Ewigkeit verlängert, weil ihr Archetyp, der ihr Urbild ist, ewig ist und sie ihre Ewigkeit aus der Ähnlichkeit mit dem Urbild zieht. So wie nämlich [dem Archetyp] Ewigkeit zukommt, insofern er immer verharrt, so der [Welt], insofern sie fließt. Jener ist immer; diese war, ist und wird immer sein.[77]

Im Ergebnis ist also an der Ewigkeit der Welt festzuhalten, allerdings mit dem Folgeproblem, die natürlichen Prozesse in der Welt nun nicht unmittelbar aus dem göttlichen Wirken, sondern vermittels der in der körperlichen Welt implementierten Samen und ihrer Wirkkräfte erklären zu müssen. Der Unterschied, der zwischen dem Wirken Gottes und dem der Natur besteht, geht darauf zurück, dass natürliche Wirkungen zwar Bestimmungsgründe haben, wie etwa den Samen, aus dem eine Pflanze oder ein anderes Lebewesen hervorgeht, aber Ursachen (*causae*) im Sinne von Fundamenten (*fundamenta*) nur den göttlichen Werken zukommen können.

3.2.1.2 | Bernhards Naturphilosophie: Die Lehre von den eingeborenen Formen

Gesetzmäßigkeit und Rationalität: Wie lässt sich auf der Grundlage dieser das Verständnis der Welt und ihrer Erschaffung betreffenden Lehre eine Naturphilosophie aufbauen, die mit den Mitteln der menschlichen Vernunft, wie Adelard von Bath dies programmatisch gefordert hat, die Phänomene der sinnlichen Welt erklären kann? Als Ausgangspunkt zur Beantwortung dieser Frage ist auf Bernhards für das Verständnis der Natur zentrale These zurückzugreifen, dass alles, was ist und einen Anfang hat, aufgrund einer Gesetzmäßigkeit besteht, die rational nachvollzogen werden kann.

Ebd., tr. 4

Alles was ist, ist entweder entstanden oder nicht entstanden; alles aber, was entsteht, besitzt eine gesetzmäßige, das heißt vernünftige Ursache.[78]

Natur und Vernunft: Mit dieser Formulierung wird einerseits eine Trennung zwischen dem markiert, was ewig ist, und dem, was aufgrund einer Ursache entstanden ist. Andererseits wird die für die Naturphilosophie grundlegende Voraussetzung zum Ausdruck gebracht, dass alle natürlichen Wirkungen grundsätzlich einer vernünftigen Erklärung unterliegen. So unproblematisch sich diese beiden Annahmen jeweils für sich betrachtet ausnehmen mögen, so schwierig ist es jedoch, beide in einer konsistenten Deutung der Welt zu vereinen. Diese Schwierigkeit beruht darauf, dass die rationale Ordnung der entstandenen, also nicht von Ewigkeit her bestehenden Welt ihren Grund nicht in sich haben kann, da sie grundsätzlich veränderbar ist. Ihre Gesetzmäßigkeit verweist vielmehr auf die selbst ungewordene Ursache, der sie ihr Dasein verdankt. Aus einer christlichen Sicht formuliert erklärt sich die Ordnung der sichtbaren Welt durch die Zurückführung auf den göttlichen Schöpfer, dem sie ihren Ursprung und ihre Gesetze verdankt; aus platonischer Perspektive betrachtet, geht die rationale Nachvollziehbarkeit natürlicher Vorgänge auf die unveränderliche Ordnung ewig existierender Ideen zurück.

Hyle: Dem von Bernhard zu kommentierenden Text des *Timaios* liegt dieses Problem in Form der Frage zugrunde, wie es sich erklären lässt, dass die den ewigen Ideen innewohnenden Strukturen und Gesetzmäßigkeiten die an sich ungeformte und unstrukturierte Urmaterie, die Platon *hyle* nennt, prägen können, so dass sie dadurch allererst rational zugänglich wird. Wie gelangt die ordnende Gesetzmäßigkeit in die für sich betrachtet vollständig unstrukturierte Materie? Für Platon handelt es sich bei diesem Vorgang um einen von einem Werkmeister – *opifex* – willentlich vollzogenen Prozess, durch den die sinnlich wahrnehmbare Welt ihm selbst, der die zugrundeliegende Ursache ist, möglichst ähnlich gestaltet wird. Dieser Werkmeister, der von Platon auch als Demiurg oder als Gott bezeichnet wird,

wollte alles als ihm selbst ähnlich hervorbringen, insofern er aus Ungeordnetem Geordnetes machte.[79]

Ebd., tr. 4

Werkmeister versus Schöpfer: Der Hervorbringer der sinnlich wahrnehmbaren Welt ist nicht im engeren Sinne als Schöpfer dieser Welt zu betrachten, sondern als derjenige, der Ordnung schafft, indem er einem zunächst Ungeordneten eine feste und einsichtige Struktur gibt. Das, was es zu ordnen gilt, liegt diesem Prozess eben als ein Ungeformtes und in diesem Sinne Ungeordnetes bereits zugrunde. Nach platonischem Verständnis handelt es sich um die von Ewigkeit an bestehende Urmaterie – *hyle* –, die zwar selbst ohne Ordnung ist, aber diese aufzunehmen vermag. Die Urmaterie an sich betrachtet hat keine feste Struktur und wandelt sich stets. Die Materie kann in diesem Sinne nicht mit den sinnlich wahrnehmbaren Körpern gleichgesetzt werden, denn diese weisen als Körper immer schon einen bestimmten Grad von Bestimmung und Struktur auf. Bernhard spricht deshalb von der *hyle* als von einem Nährboden bzw. einem Saatbeet, aus dem die Körper hervorgehen.

Dies sagt [Platon] deshalb, weil in die hyle, bevor sie geformt wurde, das Saatbeet der Körper geworfen wurde – nicht dass es bereits ein Körper wäre, sondern ein zu Formendes war und deshalb danach strebte, Formen anzunehmen. In der hyle selbst war Konfusion, gleichsam Wandel und unsichere Bewegungen. Jenes Saatbeet aber formte Gott durch die eingeborenen Formen, durch die die vier voneinander getrennten Elemente, die klar und rein sind, hervorgebracht wurden, [allerdings] noch nicht als durch die Sinneswahrnehmung erkennbare. Und deshalb sagten die Philosophen, Gott habe die Welt nicht aus dem Nichts gemacht, sondern habe sie nur ausgeschmückt.[80]

Ebd., tr. 4

Nativae formae: Sieht man sich den Vorgang der Hervorbringung bzw. Ordnung der sinnlich wahrnehmbaren Welt an, so setzt er nach diesem Modell zunächst zweierlei voraus: Zum einen Gott bzw. den Werkmeister, der als Ursache des Vorgangs fungiert, zum anderen die sich stets wandelnde und gänzlich der Ordnung entbehrende Urmaterie. Als ein drittes Element führt Bernhard von Chartres eine Zwischeninstanz ein, die er als eingeborene Formen – *nativae formae* – bezeichnet. Wie der Text deutlich macht, handelt es sich nicht um geformter Körper, sondern um die von Gott der Materie hinzugefügten Prägungen, die einen natürlichen Vorgang in Gang setzen, durch den konkrete Körper mit ganz bestimmten Eigenschaften hervorgebracht werden. In der Materie werden durch die *formae nativae* die Keimzellen angelegt, aus denen zunächst die vier Grundelemente Feuer, Luft, Wasser und Erde und dann in einem weiteren Schritt die sinnlich wahrnehmbaren Körper entstehen.

Die sinnlich wahrnehmbare Welt ist trotz ihrer materiellen Konstitution und trotz der damit einhergehenden Veränderbarkeit von sich her einsehbar (*intelligibilis*), weil sie eine Ähnlichkeit mit der unveränderlichen und deshalb als Urbild fungierenden archetypischen Welt (*mundus archetypus*) der Ideen aufweist. Diese archetypische, nicht mit dem Schöpfer identische, aber doch aufgrund ihrer Einzigartigkeit urbildhaft wirkende, ideelle Welt garantiert die rationale Zugänglichkeit der sinnlich wahrnehmbaren Welt.

Ebd., tr. 4

Weil [Gott] diese [sinnliche] Welt der intelligiblen, die eine einzige ist, ähnlich gemacht hat, hat er auch diese durch die Ähnlichkeit zu jener als eine einzige konstituiert. Und so wie jene die ihrer Natur angemessenen [Bestimmungen], nämlich die intelligiblen, enthält, so enthält auch diese die ihrer Natur angemessenen [Bestimmungen], nämlich die sichtbaren.[81]

Intelligibilität: Die Möglichkeit der naturphilosophischen Betrachtung geht nach Bernhard also auf eine von Gott im Schöpfungsakt verwirklichte Ähnlichkeitsbeziehung zurück. Insofern die sinnliche Welt ein Abbild der geistigen ist, hat sie eine Struktur, die die Materie überhaupt erst zum Gegenstand der Naturkunde werden lässt. So ergibt sich im Anschluss an die platonische Theorie eine Dreiteilung, die vom schöpferischen Prinzip Gottes über den Archetyp der Ideenwelt mit ihren ursprünglichen Formen schließlich zur sinnlich wahrnehmbaren Welt führt, die durch die materielle Konstitution der Körper bestimmt ist.

Ebd., tr. 4

Es ist festzuhalten, dass der Archetyp weder einen Anfang noch ein Ende hat und doch entsprechend den Philosophen von Gott verschieden und untergeordnet ist. Er ist verschieden, weil er in sich die Ideen aller Dinge versammelt, die eine der drei von Platon betrachteten Prinzipien sind: eines ist nämlich Gott, der Werkmeister von allem, das andere die Ideen, d. h. die ursprünglichen Formen von allem, die niemals den Geschöpfen beigemischt werden, und das dritte [Prinzip ist] die hyle, nämlich die Materie der Körper.[82]

Zu beachten ist, dass Bernhard die mittlere Ebene der Ideen zwar durch das Äquivalent der Formen erläutert, diese aber nicht die eingeborenen [*nativae*] sind, sondern als ursprüngliche (*originales*) Formen bezeichnet werden. Dass hier ein entscheidender Unterschied besteht, wird durch Bernhards anschließende Bemerkung offenkundig, dass diese niemals dem Geschaffenen, also den sinnlich wahrnehmbaren Einzelgegenständen, beigemischt werden können. Urbild und Abbild, Archetyp und Schöpfung, ideelle und sinnliche Welt bleiben in diesem Schema, das Bernhard ausdrücklich als das platonische bezeichnet, getrennt. Eine Vermittlung findet erst durch die eingeborenen Formen statt, von denen nicht mehr ausgeschlossen wird, dass sie eine Verbindung mit den Körpern eingehen.

Vermittlung von Archetyp und materieller Wirklichkeit: Die eingeborenen Formen gewährleisten aus Bernhards Sicht eine Brückenfunktion zwischen der geistig-ideellen Welt des *archetypus* und der materiell-abbildhaften Welt der sinnlichen Wirklichkeit. Sie gehören einerseits der ideellen Sphäre an, insofern sie für die Strukturiertheit verantwortlich sind, die etwa mit den vier Grundelementen Feuer, Luft, Wasser und Erde einhergeht, und sind andererseits auf eine materielle Konstitution angelegt, insofern die vier Grundelemente als solche in der Materie vorkommen. Die eingeborenen Formen sind aber keineswegs als eine vierte Instanz neben Gott, Ideen und *hyle* anzunehmen, denn allein die letzten drei können als gleichursprünglich gelten, weil man ihnen keine Entstehung zuspricht.

Auch wenn vor der Konstitution der Welt alle eingeborenen Formen, die später in die hyle gelangen, in der hyle nur potentiell existieren, bestehen doch jene [eingeborenen Formen], die die [hyle] zu den vier im Voraus zu schaffenden Elementen geformt haben, aktuell in der [hyle] vor der Ausschmückung der Welt, aber nicht so, dass sie eines Ursprungs ermangeln, damit es nicht mehr erste Prinzipien gibt als die drei, nämlich Gott, hyle und Ideen.[83]

Ebd., tr. 8

Bernhard definiert die *formae nativae* nicht über ihren ontologischen Status, sondern über ihre Vermittlung von ideeller und körperlicher Welt, die dadurch zum Ausdruck kommt, dass die materielle Welt eine für sich erkennbare Struktur und ihre Entwicklung eine rational nachvollziehbare Gesetzmäßigkeit besitzt. Er versucht auf diese Weise ein Problem zu lösen, das aus seiner Sicht durch die Vorgaben der platonischen Lehre zwar aufgeworfen, aber im Blick auf die Frage nach der Möglichkeit einer rationalen Theorie der natürlichen Dinge und Prozesse keineswegs beantwortet wird. Er steht einerseits auf dem Boden des platonischen *Timaios*, versucht aber andererseits Fragen, die sich für ihn aus dem Kontext des 12. Jahrhunderts ergeben, zu beantworten und modifiziert auf diese Weise die antike Lehre, im vorliegenden Fall durch Einführung des Lehrstücks von den eingeborenen Formen.

Die eingeborenen Formen leisten eine Vermittlung von geistig-ideeller und körperlich-konkreter Wirklichkeit, ohne dass die Differenz, die zwischen den archetypischen Ideen und den materiellen Dingen besteht, aufgehoben werden müsste, um die Interaktion zwischen beiden Sphären erklären zu können. Mit dieser Lösung wird eben auch die Differenz der materiellen Welt zu dem den Archetyp hervorbringenden Gott nicht nur aufrechterhalten, sondern insofern betont, als die Materie in keiner Weise mit den urbildhaften Ideen und ihrem Schöpfer vermischt wird. Die Ordnung, die sich innerhalb der materiellen Welt findet, geht nicht auf die Ideen selbst, sondern eben auf die *formae nativae* zurück. Das platonische Begriffsgerüst wird von Bernhard auf diese Weise angenommen und in einer für den christlichen Kontext naheliegenden Weise modifiziert.

Eigengesetzlichkeit: Eine bloß symbolische Naturbetrachtung, die die sinnlich wahrnehmbaren Dinge als Zeichen einer intelligiblen Wirklichkeit versteht, scheint mit dem Modell Bernhards aufgehoben. Denn die Lehre von den eingeborenen Formen zielt darauf, die Eigengesetzlichkeit der natürlichen Vorgänge hervorzuheben und diese als solche und nicht ihren Verweisungscharakter zum Gegenstand der Naturkunde zu machen. Bernhard baut auf der platonischen Lehre auf, entwickelt diese aber fort.

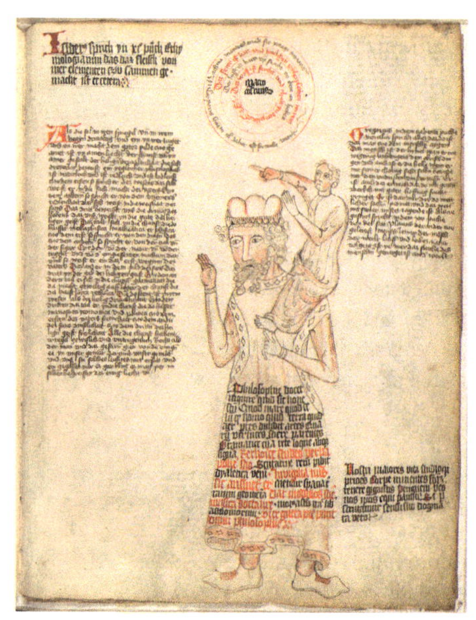

Bildbeschreibung: Das Bild stammt aus einem Codex der Library of Congress, Rosenwald 4, fol. 5r, der Anfang des 15. Jahrhunderts entstand. Ein Erkenntniszuwachs findet dadurch statt, dass der Mensch zu dem von Generationen angehäuften Wissen seinen eigenen, bescheidenen Beitrag hinzufügt. Auf diese Weise wächst das **Wissen des Zwerges** über das des Riesen hinaus.

Dieses Vorgehen einer Weiterentwicklung eines ursprünglich platonischen Modells entspricht ganz dem Selbstverständnis, das Bernhard der durchaus glaubwürdigen Schilderung des Johannes von Salisbury zufolge in wissenschaftstheoretischer Hinsicht vertritt. Demnach betrachtet er sich und seine Zeitgenossen als Zwerge auf den Schultern von Riesen, die aufgrund ihres erhöhten Standpunktes weiter als diese sehen können, aber wohl wissen, was sie der Leistung ihrer Vorgänger verdanken.

Johannes von Salisbury, Metalogicon 3,4

Bernhard von Chartres sagte, wir seien gleichsam Zwerge, die auf den Schultern von Riesen sitzen, um mehr und Entfernteres als diese sehen zu können – freilich nicht dank eigener scharfer Sehkraft oder Körpergröße, sondern weil wir durch die riesenhafte Größe in die Höhe hinaufgeführt und emporgehoben werden.[84]

Wissenschaftliche Entwicklung stellt nach diesem Modell eine Fortschrittsgeschichte dar, die zu einer kontinuierlichen Anhäufung unserer Erkenntnisse und zu einer steten Verbesserung unserer Erkenntnismethoden führt. Die Einführung etwa der Lehre von den eingeborenen Formen ist als Weiterentwicklung der ursprünglichen platonischen Lehre von den drei Prinzipien Gott, Ideen und *hyle* zu verstehen, um den Hervorgang der natürlichen Körper aus der Materie und deren gesetzmäßiges Wirken erklären zu können. Wie sich diese Prinzipiendiskussion Bernhards auf die Praxis einer Naturerklärung im Detail auswirkt, bleibt aufgrund seines *Timaios-Kommentars* weitgehend im Dunkeln, denn offensichtlich gilt sein Interesse der Betrachtung der zugrundeliegenden Prinzipien und weniger der Erörterung einzelner physikalischer Erscheinungen.

3.3 | Der Pantheismus des David von Dinant

Bernhards Adaptation des platonischen Modells ist allerdings keineswegs der einzige Versuch, sich die Lehren des *Timaios* anzueignen. Sofern es aus den spärlich überlieferten Texten des David von Dinant zu erkennen ist, legt dieser Autor um die Wende vom 12. zum 13. Jahrhundert eine Deutung der aus dem *Timaios* bekannten drei Prinzipien Gott, Ideen und Materie vor, die zu ganz anderen Konsequenzen führt.

David scheint mit seiner am platonischen Text orientierten Begrifflichkeit und seiner Prinzipienlehre eng der platonisch gefärbten Naturphilosophie des 12. Jahrhunderts verhaftet zu sein; darüber hinaus beschreitet er mit der Verhältnisbestimmung, die er für diese Prinzipien untereinander annimmt, einen Weg, der ihm persönlich 1210 auf der Synode von Sens die Verurteilung als Häretiker einbringt und möglicherweise mit dazu beiträgt, dass die auf den *Timaios* zurückgehende Naturphilosophie des 12. Jahrhunderts ohne eine erkennbare Wirkungsgeschichte im folgenden Jahrhundert bleibt. Für diese letzte Annahme scheint auf den ersten Blick zumindest die harsche Verurteilung der Position Davids zu sprechen, die durch den die aristotelisch ausgerichtete Naturphilosophie prägenden Denker Albertus Magnus erfolgt (s. Kap. 3.3.1).

Identifizierung von *hyle* und Gott: Anders als Bernhard und andere Interpreten des *Timaios* verwendet David zwar nicht die Begriffe der Ideen und des *archetypus* zur Bezeichnung der unveränderlichen und urbildhaften Vorlage der sinnlich wahrnehmbaren Dinge, doch mit dem Begriff Geist (*mens*) bedient er sich eines synonymen Terminus, mit dem er das gleiche mittlere Grundprinzip bezeichnet, das zwischen Gott und Urmaterie zu verorten ist. Gravierender als diese terminologische Variante ist allerdings die Systemumstellung, die David dadurch vornimmt, dass er in einem ersten Schritt Geist und *hyle* und dann in einem weiteren Gott und *hyle* identifiziert und so das Binnenverhältnis dieser Trias wie folgt beschreibt:

David von Dinant, Tractatus naturalis

Hieraus kann also entnommen werden, dass der Geist und die hyle dasselbe sind. Dem scheint Platon zuzustimmen, wo er sagt, dass die Welt der sinnlich wahrnehmbare »Gott« ist. Denn der Geist, von dem wir sprechen und von dem wir sagen, dass er einer und nicht leidensfähig ist, ist nichts anderes als Gott. Wenn die Welt also Gott selbst ist, insofern er außerhalb seiner selbst für das Sinnesvermögen wahrnehmbar ist, wie Platon, Zenon, Sokrates und viele andere sagten, ist die hyle der Welt Gott selbst. Die zur hyle hinzutretende Form aber ist nichts anderes als das, was Gott von sich selbst sinnlich wahrnehmbar macht.[85]

Die Konsequenz, die sich aus dieser Gleichstellung der drei Grundprinzipien ergibt, ist eine Identifizierung der ungeformten Materie mit Gott. Anders als Bernhard von Chartres, der in Einklang mit der platonischen Lehre die Ewigkeit der Materie konstatiert, nimmt David von Dinant eine aus christlicher Sicht nicht vorstellbare Gleichstellung des Schöpfergottes mit einem bestimmten Teil seiner Schöpfung vor. Aus dem vorzeitlichen Charakter der Materie bei Bernhard wird deren Göttlichkeit bei David. Hand in Hand mit dieser Umdeutung geht ein verändertes Verständnis der eingeborenen Formen einher, von denen David allerdings leicht abgewandelt als von solchen zur *hyle* hinzutretenden Formen (*formae advenientes yle*) spricht. Aus der bloßen Vermittlerfunktion dieser Formen mit der Betonung ihrer Eigengesetzlichkeit, wie sie sie bei Bernhard besaßen, ist eine Selbstmanifestation Gottes im Sinnlichen geworden.

Problem des Pantheismus: Mit dieser Verschiebung sind alle Grenzen überschritten, die durch ein christliches Gottesverständnis gezogen sind. Man hat die These des David von Dinant einen Pantheismus genannt, der Gott nicht als schöpferischen Ursprung der Materie versteht, sondern jenen mit dieser identifiziert. Das Problem, das die christlichen Autoren des 12. Jahrhunderts mit der platonischen Annahme der Ewigkeit der Materie ohnehin hatten, wird auf diese Weise zur drohenden Gefahr einer pantheistischen Weltdeutung zugespitzt. Dies ist offensichtlich der Grund für die Verurteilungen des David zu Beginn des 13. Jahrhunderts. Aber ist es auch der Grund für die feindselige Haltung, die Albertus Magnus diesem Denken entgegenbringt, und vor allem ist es auch der Grund, der dazu führt, dass David fortan keine nennenswerte Rezeption in den folgenden Jahrzehnten erfährt?

3.3.1 | Die Kritik des Albertus Magnus an Davids Wissenschaftsmonismus

Albert der Große hat sich an zwei Stellen seines Werkes mit der Lehre des David von Dinant auseinandergesetzt und diese jeweils scharf verurteilt. Er fasst die Lehre des David, ohne mit seiner scharfen Polemik hinter dem Berg zu halten, dahingehend zusammen, dass dieser »Dummkopf« (*stultissimus*) die Gleichsetzung der dem Timaios entnommenen Prinzipien, die er zum Teil mit leicht abweichenden Namen versieht, gelehrt habe:

Albertus Magnus, In II Sent. d. 1 a. 5

Also scheint, dass der Werkmeister und die Materie auf dasselbe zurückgeführt werden, und dies räumte jener Dummkopf, der niemals etwas wahrhaft und gut begriffen hat, ein und daher behauptete, dass die erste Materie, Gott und der Nous bzw. der Geist dasselbe wären und es kein anderes Prinzip des Universums gäbe außer jenem.[86]

Zusammenhang von Differenz und Bestimmung: Albert führt verschiedene Begründungen an, mit denen David seine These von der Identität Gottes und der Materie stützt. Im Wesentlichen beruhen diese Argumente auf der Grundannahme, dass eine Unterscheidung jeglicher Art immer aufgrund eines Bestimmungsmomentes erfolgt, das das eine gegenüber dem anderen auszeichnet. Abgrenzung setzt Bestimmung voraus, sowie man etwa eine rote Wand nur von einer blauen unterscheiden kann, wenn man beide durch Farbe bestimmt denkt, allerdings in je unterschiedlicher Weise. Ohne die Bestimmung durch die Farbe wären die Wände eben nicht zu differenzieren. Im weitesten Sinne ist eine solche Bestimmung eine Form, die zu etwas hinzutritt und dieses dadurch von anderem unterscheidbar macht. Diesen Gedanken, dass Differenz nur unter der Annahme einer Bestimmung durch die Form möglich ist, hat David ausdrücklich in seinen *Quaternuli*, also in den Heften, die die einzigen erhaltenen Exzerpte aus seinen Schriften überliefern, zum Ausdruck gebracht, wenn es dort heißt:

Alles, was sich unterscheidet, unterscheidet sich durch die Formen. Wenn es sich also nicht durch die Formen unterscheidet, unterscheidet es sich nicht, also ist es dasselbe.[87]

David von Dinant, Tractatus Averrois de generatione animalium

Dieses Bestimmt-Sein durch eine hinzutretende Form ist aus Sicht Alberts genau das, was David von den drei Prinzipien Gott, Geist und Materie in Abrede stellt, weshalb er dann aufgrund seiner Prämissen zu dem Ergebnis kommen muss, dass alle drei identisch sind, weil sie der Formen entbehren, durch die sie unterscheidbar würden. So referiert Albert etwa das folgende Argument Davids:

Alles, was sich von etwas anderem unterscheidet, unterscheidet sich durch einen Unterschied; was sich also durch keinen Unterschied von etwas anderem unterscheidet, wird also für jenes dasselbe sein. Desgleichen kommt ein jeder Unterschied von der Form, was also keine Form hat, hat keinen Unterschied; die ersten einfachen [Prinzipien] aber, die Gott, nous und hyle sind, haben keine Form; also haben sie keinen Unterschied; und »dasselbe ist, wovon es sich nicht durch einen Unterschied unterscheidet«; also sind [Gott, nous und hyle] ganz und gar dasselbe.[88]

Albertus Magnus, De homine

Einwand Alberts: Albert widerspricht der Schlussfolgerung des David von Dinant und hält es für dumm und lächerlich, ausgerechnet Gott und die erste Materie identifizieren zu wollen. Sie unterscheiden sich gerade nicht aufgrund der Formen, die in ihnen einen Unterschied konstituieren würden. Vielmehr unterscheiden sie sich auf eine Weise, durch die sich eben nur die ersten Prinzipien unterscheiden.

Hinsichtlich des anderen, was wegen des Irrtums des David von Dinant entgegengehalten wird, ist zu sagen, dass es das aller Dümmste und lächerlich ist, weil sich nichts so von etwas unterscheidet wie Gott und die erste Materie, weil beide auf ihre Weise einfach sind, da ihre [jeweilige] Einfachheit nicht einem einzigen Begriff entspricht und sie sich voneinander unterscheiden, wie sich alle ersten [Bestimmungen] voneinander unterscheiden.[89]

Albertus Magnus, In II Sent. d. 1 a. 5

Die grundlegende Prämisse des David, dass es ausschließlich eine Unterscheidung durch die Bestimmung unterschiedlicher Formen gibt, lehnt Albert deshalb als falsch ab. Mag dies für den Bereich der aus Form und

Materie zusammengesetzten Gegenstände zutreffen, also gleichsam als ein Fundament innerhalb der Naturphilosophie gelten, so trifft es doch dann nicht zu, wenn man die Prinzipien selbst in den Blick nimmt, die der Naturphilosophie zugrunde liegen. Dies gilt also auch für die Prinzipien, die man als Form und Materie bezeichnet, selbst. Form an sich und Materie an sich müssen sich auf eine andere Weise unterscheiden, als geformte Materie oder materialisierte Formen, also konkrete Einzelgegenstände, sich unterscheiden, weshalb Albert folgende These vertritt:

Albertus Magnus, De homine

Es ist falsch, dass jeder Unterschied von der Form herkommt, die eine sich unterscheidende Sache haben mag. Die Form hat nämlich keine Form und die hyle, sofern sie hyle ist, hat keine Form und dennoch unterscheidet sich die Form von der Materie. Ähnlich ist dieser Satz falsch, dass alles, was sich von einem anderen unterscheidet, sich durch einen Unterschied, den es hat, unterscheiden soll, weil ein Unterschied sich von einem anderen Unterschied unterscheidet und dennoch keinen Unterschied hat, durch den er sich von jenem unterscheiden würde. Denn wenn er ihn hätte, würde es bis ins Unendliche so fortgehen. Von daher ist offensichtlich, dass sich vieles durch sich selbst unterscheidet.[90]

Methodologisches Versagen: Was Albert beklagt, ist also die Ausdehnung einer Denk- und Sprechweise, die in Bezug auf die Gegenstände der äußeren Natur zwar angemessen ist, die aber versagt, wenn man versucht, mit den gleichen Kategorien die Prinzipien zu beschreiben, die jedem Naturphänomen zugrunde liegen, aber deshalb nicht selbst Naturphänomene sein können. Anders formuliert hält Albert es für falsch, wenn man Gegebenheiten, die auf unterschiedlichen Ebenen zu verorten sind, wie dies bei sinnlich wahrnehmbaren Phänomenen und deren Prinzipien der Fall ist, nach einem identischen Erklärungsmodell zu behandeln versucht. Betrachtet man die Pointen von Alberts eigener Lösung, die er in der Auseinandersetzung mit David gewinnt, und die abschließenden Bemerkungen des gesamten Artikels, in dem er sich mit David befasst, dann wird deutlich, dass Albert ein gänzlich anderes Wissenschaftsmodell der Naturphilosophie zugrunde legt als er es für David unterstellt.

Ebd.

Die Lösung ist: Wir sagen in Einklang mit dem katholischen Glauben und mit der Bestätigung aller, die auf die richtige Weise philosophieren, dass Gott, die Seele und die hyle nicht dasselbe sind.[91]

Philosophieren heißt also in diesem Kontext, Lösungen dadurch zu finden, dass man genau darauf achtet, auf welcher Ebene und in welchem Wissensbereich ein Problem verortet ist. Die Frage nach der Identität Gottes und der Materie naturphilosophisch beantworten zu wollen, muss scheitern, weil es sich bei den behandelten Gegenständen nicht um Naturphänomene handelt. Eine diesen Unterschied reflektierende Haltung, die den Prinzipiencharakter von Gott und Materie berücksichtigt, wird dann auch eine Lösung finden, die – so Albert – im Einklang mit dem Glauben steht. Ein scheinbarer Widerspruch zum Glauben wird nur dadurch erzeugt, indem eine einheitliche naturphilosophische Argumentation und damit eine undifferenzierte Begrifflichkeit auf alle möglichen

Phänomene und Fragestellungen angewandt werden. Eine solche Differenz besteht etwa zwischen dem, was Albert in diesem Kontext ein materielles und ein kausales Sein nennt. Gott ist eben nicht auf die Weise der Materie in den Dingen enthalten, aber ist in gewisser Weise in diesen als deren Ursache, also kausal. Als diese Ursache ist Gott in den Dingen allerdings nicht in dem, was er an sich ist, erkennbar, sondern nur als Spur – wie sich Albert ausdrückt –, die er als Entstehungsgrund der Dinge in diesen hinterlässt. Jedes weitergehende Wissen über Gott kann also nicht aus den Dingen unter Rückgriff auf eine alles umfassende Naturphilosophie gewonnen werden, sondern ist dem Glauben als einem völlig anders gearteten Wissensmodus vorbehalten.

Albertus Magnus, De homine

Auf ähnliche Weise sollten wir sagen, dass die ältesten der Alten sich darin geirrt haben, dass sie Gott Palladis genannt haben, aber nicht darin geirrt haben, dass sie sagten, Gott war und ist in allem, was ist, war und sein wird, und Gott das Sein der Dinge ist, nicht materiell, sondern kausal. Wir werden dann behaupten, dass das Gewand das eigentümliche Sein der Dinge bezeichnet hat, was sie von den eigentümlichen Formen her besitzen, weil die Dinge, in denen Gott wie durch ein Bild und eine Spur erkannt wird, ihn verdecken, insofern sie ihn nicht vollkommen für eine Erkenntnis repräsentieren und keiner der Weisen dieses Gewand durch den Verstand enthüllen kann, weil niemand durch eine Untersuchung der natürlichen Dinge Gott vollkommen erkennen kann. Und deshalb ist der Glaube notwendig, der ein Erkenntnismittel ist, das die göttlichen Dinge, die für den Verstand nicht offenliegen, erkennen lässt.[92]

Kritik am Wissenschaftsmonismus: Aus diesem Argument gegen die Lehre Davids ableiten zu wollen, Albert habe ihn, wie die Synode von Sens 1210 oder das Dekret der Pariser Universität von 1215, in erster Linie wegen seiner dem Glauben widersprechenden Haltung verurteilt, scheint nicht angemessen. Albert verurteilt David nicht wegen Häresie, sondern weil er ihn für einen Dummkopf hält, wie er mehrfach betont und wie es Thomas von Aquin später übernehmen wird (vgl. Thomas von Aquin, Summa theologiae I q. 3 a. 8). Was bedeutet es aber in diesem Fall, ein Dummkopf zu sein? Das zentrale Versagen Davids und damit der Grund für Alberts Polemik gegen ihn dürfte nicht allein in einer falschen Identifizierung Gottes mit der Materie bestehen; dieser Einwand wäre auch aus Sicht Alberts mit dem Verweis auf die entsprechende Häresie erledigt gewesen. Vielmehr geht David grundsätzlich und d. h. methodisch in die Irre, wenn er Gegenstände unterschiedlicher Wissensbereiche auf eine undifferenziert gleichmachende Weise behandelt. Dies macht die Erwiderung deutlich, die Albert auf ein erstes Argument des David gibt, worin dieser die Einheit von Gott und *hyle* behauptet, weil man beide einsehen könne und dies nur aufgrund einer substanziellen Ähnlichkeit möglich sei, die letztlich zu einer Identität von Gott und *hyle* führe. Alberts Einwand gegen dieses Argument des David ist erkenntnistheoretischer Natur:

Ebd.

Gegen das erste Argument des David ist zu sagen, dass die Dinge, die auf unterschiedliche Weise existieren, auf unterschiedliche Weise verstanden werden. Man-

che versteht man nämlich an sich, wie die ersten Ursachen, manche aber aufgrund von etwas Früherem, manche schließlich aufgrund von etwas Späterem, manche durch ein vollständiges und manche durch ein unvollständiges Verständnis. Die Dinge, die durch ein unvollständiges Verständnis erfasst werden, werden aus zweierlei Gründen so erfasst, nämlich wegen der Überhöhung ihres Seins über unseren Verstand – auf diese Weise wird Gott unvollständig eingesehen, wie Boethius und Avicenna sagen – oder wegen eines Mangels ihres Seins wie bei der Materie, der Zeit und der Bewegung. [...] Und dies hat David nicht gewusst, als er sagte, dass alles eingesehen würde aufgrund einer Ähnlichkeit der eigentümlichen Form bzw. aufgrund von Identität.[93]

David ist ein Dummkopf (*stultissimus*), nicht weil er blasphemisch ist, sondern weil er nichtwissend ist und ungleiche Erkenntnisgegenstände gleich behandelt; er kennt nur eine auf natürliche Gegenstände anwendbare Begrifflichkeit und Argumentation und überträgt diese auf Gegenstände, die keine Naturdinge sind. Die unreflektierte Ausweitung naturwissenschaftlicher Kategorien auf dadurch nicht zu erfassende Gegenstände führt aus Alberts Sicht zu einem Wissenschaftsmonismus, der durch ein differenziertes und jeweils den Gegenständen angepasstes Modell einer Pluralität der Wissenschaften zu ersetzen ist.

Wirkungsgeschichte: Wenn man Alberts umfassendes naturwissenschaftliches Forschungsprogramm vor Augen hat und sein Bemühen kennt, möglichst alle vorhandenen Quellen zu rezipieren und zu verarbeiten, ist es erstaunlich, dass sich in seinem Werk außer den wenigen Bemerkungen zu David von Dinant keine nennenswerte Rezeption der platonisch geprägten Naturphilosophie des 12. Jahrhunderts findet. Ein Grund, so könnte man spekulieren, mag darin bestehen, dass die zugrundeliegende Methodologie, wie sie ihm aus dem beschriebenen Monismus des David von Dinant bekannt war, keinen Anknüpfungspunkt bot, um sein geändertes Konzept von Wissenschaft und damit auch von Naturwissenschaft daran anschließen zu können. Dieser Befund ist umso gravierender, als Alberts Desinteresse an diesem platonischen Konzept der Naturphilosophie für das gesamte 13. Jahrhundert, das den *Timaios* fortan als Werk der praktischen Philosophie versteht, prägend zu sein scheint. Der Vorwurf der Häresie allein kann diesen Bruch keineswegs erklären, wie das Aufblühen einer Auseinandersetzung mit den naturkundlichen Schriften des Aristoteles trotz wiederholter Verbote deutlich macht.

3.4 | Boethius von Dacien: Zwischen Häresie und Dummheit

Frage nach der Ewigkeit der Welt: Auch eine Generation nach Alberts Kritik an der Auffassung des David von Dinant bleibt das Verhältnis der geschaffenen Natur zu Gott ein brisanter Streitfall, der nicht nur naturkundliche oder theologische Detailfragen betrifft, sondern der von grundlegender philosophischer, theologischer und politischer Bedeutung ist.

Hatte David die Diskussion seinerzeit dadurch zugespitzt, dass er nicht nur die Ewigkeit der Materie, sondern auch deren Zusammenfall mit Gott behauptete, so bleibt doch allein die Frage nach der Ewigkeit der Materie und damit die Frage nach der Ewigkeit der Welt ein gravierendes Problem. Zunächst scheint die Schwierigkeit weniger in der Antwort zu bestehen, die man hierauf zu geben hat: Mit der ganzen Autorität seines Amtes stellt der Bischof von Paris, Étienne Tempier, ohne sachlich etwas Neues zu sagen am 10. Dezember 1270 in einem Dekret der Pariser Universität fest, dass die Behauptung, die Welt sei ewig, als häretisch zu betrachten sei. Jedem, der diese oder eine der anderen zwölf Thesen, die im Pariser Dokument aufgelistet sind, behauptet, droht der Bischof mit der Exkommunikation.

Brisant bleibt die Frage vor allem deshalb, weil die vom Pariser Bischof veröffentlichte Antwort Folgeprobleme aufwirft, die ihre mögliche Begründung betreffen. Nach Veröffentlichung des Pariser Dokumentes verfasst der an der Artistenfakultät der Universität tätige Boethius von Dacien einen eigenständigen Traktat, der exakt der Frage nach der Ewigkeit der Welt gewidmet ist. Als Mitglied der Artistenfakultät unterrichtet der dänische Gelehrte Boethius nicht selbst als Theologe, sondern ist institutionell dem philosophischen Propädeutikum zugeordnet, in dem die jungen Studenten auf eine weitere Laufbahn an den höheren Fakultäten, vor allem der der Theologie, vorbereitet werden. Bevor er in seinem Traktat zur eigentlichen Antwort auf die aufgeworfene Frage kommt, schickt er einen kunstvoll stilisierten Prolog voraus, der in erster Linie einen methodologischen Charakter hat und zunächst den Bereich abgrenzt, in dem der Glaube das angemessene Instrument darstellt:

Wie es bei dem, was kraft Gesetzes geglaubt werden muß und was dennoch keinen Grund für sich hat, dumm ist, nach einem Grund zu fragen – denn wer das tut, sucht, was unmöglich zu finden ist – und ohne Grund nicht daran glauben zu wollen, häretisch ist, so ist es bei dem, was nicht von sich her offenkundig ist, aber dennoch einen Grund für sich hat, nicht philosophisch, ohne Grund daran glauben zu wollen.[94]

Boethius von Dacien, De aeternitate mundi (Ed. Schönberger) 105 (mod.)

Problem der Methodologie: Ebenso wie bereits bei der rund vier Jahrzehnte zurückliegenden Auseinandersetzung Alberts des Großen mit David von Dinant macht auch Boethius neben der Verurteilung der Häresie vom Vorwurf der Dummheit Gebrauch. Dumm ist demnach derjenige, der für eine Annahme, für die es keine Gründe gibt, nach solchen verlangt. Dieser Vorwurf setzt natürlich voraus, dass man nur nach solchen Gründen fragen kann, die unserem Erkenntnisvermögen zugänglich sind. Ohne diese erkenntniskritische Zusatzannahme ist es sinnlos, zwischen begründbaren und unbegründbaren Thesen unterscheiden zu wollen. Das Wissen des endlichen Verstandes kann es nur von den Dingen geben, deren Gründe und deren Beweisbarkeit in unserer Macht liegen. Die Alternative besteht in einem Fürwahrhalten, das sich nicht aus der Kraft unseres Verstandes speist, sondern in einem durch das Wunderwirken Gottes bekräftigten Glauben besteht. Wer nicht glaubt, was des Glaubens ist, ist häretisch; wer nach rationalen Gründen fragt, wo es diese nicht geben kann, ist dumm. Glaube und Wissen schließen sich für Boethius insofern aus, als das, was geglaubt wird, nicht gleichzeitig gewusst werden kann:

Ebd., 105

[D]ie Lehre der Philosophen stützt sich nämlich auf Beweise und andere mögliche Gründe in den Dingen, über die sie reden; der Glaube aber stützt sich in vielem auf Wunder und nicht auf Gründe; denn was für wahr gehalten wird, weil es durch Vernunftgründe erschlossen ist, ist nicht Glaube, sondern Wissen.[95]

Ausgehend von dieser grundsätzlichen Unterscheidung zwischen einem begründbaren Wissen des endlichen Verstandes einerseits und einem nur dem Glauben zugänglichen, deshalb aber nicht als grundlos zu bezeichnenden, Fürwahrhalten andererseits entwickelt Boethius das weitere Programm des vorliegenden Traktates. Vermeidet man die Dummheit einer methodologischen Vermischung von Glauben und Wissen, vermeidet man gleichzeitig die Häresie, die nur im Glauben erfahrbare Nicht-Ewigkeit der Welt zu leugnen. Diejenigen, die die Ewigkeit der Welt gegen den Glauben mit rationalen Gründen verteidigen wollen, werden ebenso der Häresie überführt, wie als positives Ergebnis der Untersuchung die Nichtwidersprüchlichkeit von Glaube und Philosophie hervortritt, die allerdings nicht deren Koexistenz einschließt.

Ebd., 105–107

[D]amit wir keine Dummheit begehen, indem wir einen Beweis verlangen, wo keiner möglich ist, und damit wir auch keine Häresie begehen, indem wir nicht glauben wollen, woran aus Glauben festgehalten werden muß, da es keinen Beweis für sich hat [...] und damit deutlich werde, daß Glaube und Philosophie sich hinsichtlich der Ewigkeit der Welt nicht widersprechen, und damit auch klar werde, daß die Argumente, mit denen einige Häretiker gegen den christlichen Glauben dafürhalten, daß die Welt ewig sei, keine Durchschlagskraft haben – [darum also] wollen wir am Leitfaden der Vernunft untersuchen, ob die Welt ewig ist.[96]

Die mögliche Koexistenz der geglaubten Lehre von der Neuheit, also der Nichtewigkeit der Welt, und die dem endlichen Verstand angemessene Lehre von der Ewigkeit derselben lässt sich damit begründen, dass der endliche Verstand nur solche Schlussfolgerungen zieht, die sich aus den ihm zugänglichen Prinzipien ergeben. Auf dieser Grundlage sind die Schlüsse berechtigt, auch wenn der Glaube in ebenso berechtigter Weise eine diesem widersprechende Annahme vertritt.

Ebd., 137–139 (mod.)

Wendest du aber – weil das die Wahrheit des christlichen Glaubens und auch die Wahrheit schlechthin ist – ein, daß die Welt neu und nicht ewig ist und daß Schöpfung möglich ist [...], so braucht der Naturphilosoph diese Wahrheiten dennoch nicht zu leugnen; obwohl er sie weder begründen noch wissen kann, weil die Prinzipien seiner Wissenschaft sich nicht auf so hohe und so verborgene Werke der göttlichen Weisheit erstrecken.[97]

Frage nach der doppelten Wahrheit: Werden hier eine Wahrheit des Glaubens und eine Wahrheit der Naturphilosophie gegenübergestellt, folgt aus dieser Abgrenzung allerdings keineswegs eine Lehre von der doppelten

Wahrheit im Sinne einer beliebigen Relativierung der Forderung nach objektiver Geltung. Trotz der Gegenüberstellung von Philosophie und Glauben ist damit nicht im Mindesten der Verzicht des eigentlichen Wahrheitsanspruchs verknüpft. Die Differenz einer religiösen und einer philosophischen Wahrheit erfolgt nämlich ausschließlich unter dem Blickwinkel einer möglichen Begründung der jeweiligen Wahrheitsansprüche. Die Wahrheiten unterscheiden sich demnach nur dadurch, dass für die Behauptung der einen andere Beweisverfahren zur Verfügung stehen als für die der anderen. ›Wahr‹ heißt deshalb in diesem Kontext dasjenige, das sich aufgrund der Prinzipien des jeweiligen Erkenntnismodus, sei es die natürliche Vernunft, sei es der übernatürliche Glaube, rechtfertigen lässt.

Ablehnung einer Einheitswissenschaft: Die Koexistenz von Glaube und Naturphilosophie beruht also auf der Beschränktheit der Prinzipien einer Wissenschaft der Natur. Diese Beschränkung steckt aber auf der anderen Seite den Bereich ab, auf dem der Philosoph seine eigentliche Kompetenz besitzt und wo er diese auch in vollem Umfang nutzen muss, um seine – in diesem Fall – naturkundliche Aufgabe erfüllen zu können.

[Denn es] ist hier sorgfältig zu bedenken, daß es keine Frage geben kann, die sich argumentativ erörtern läßt, die der Philosoph nicht erörtern und [in der er nicht] beurteilen sollte, wie sich die Wahrheit in ihr verhält, soweit das durch die menschliche Vernunft begriffen werden kann.[98]

Ebd., 129

Der Anspruch, der hier zum Ausdruck kommt, läuft darauf hinaus, der Wissenschaft der Philosophie den gesamten Bereich dessen, was mit der menschlichen Vernunft zu erörtern ist, als Gegenstand zuzuweisen. Allerdings dient Boethius von Dacien der Begriff der Philosophie nicht zur Bezeichnung einer alles umfassenden Einheitswissenschaft, sondern untergliedert sich in eine Vielzahl von Disziplinen, die sich jeweils aufgrund bestimmter Eigenschaften ihrer Gegenstände differenzieren lassen. Da die behandelten Gegenstände real sind und nicht vom Verstand erfunden werden, prägen deren sachliche Unterschiede auch die unterschiedlichen Disziplinen der Philosophie.

Und die Erklärung dafür ist, daß alle Argumente, mit denen der Disput geführt wird, von den Dingen [selbst] genommen sind – sonst wären sie ja eine Fiktion des Verstandes. Der Philosoph aber lehrt die Naturen/das Wesen aller Dinge. Denn wie die Philosophie das Seiende lehrt, so lehren die Teile der Philosophie die Teile des Seienden, wie im 4. Buch der *Metaphysik* steht und an sich klar ist. Also hat der Philosoph jede Frage, die rationaler Erörterung zugänglich ist, zu beurteilen; denn jede Frage, die [überhaupt] durch Vernunftgründe erörtert werden kann, fällt in irgendeinen Teil des Seienden; der Philosoph aber betrachtet alles Seiende: das Natürliche, das Mathematische und das Göttliche. Folglich hat der Philosoph jede Frage, die sich argumentativ erörtern läßt, zu beurteilen. Und wer das Gegenteil sagt, soll wissen, daß er seine eigne Rede nicht versteht.[99]

Ebd., 129

Kausalität natürlicher Prozesse: Da die natürlichen Dinge eine Teilmenge dessen sind, was überhaupt ist, können sie nur durch eine wissenschaftliche Betrachtung erfasst werden, die ihrem Wesen entspricht, die also diejenigen Prinzipien zugrunde legt, mit denen natürliche Prozesse beschrieben werden können. Worin besteht aber nun das Wesen der Naturdinge, bzw. der Natur selbst? Die Antwort, die Boethius gibt, betrifft die Art und Weise, wie sich natürliche Dinge verändern. Ausschlaggebend ist, dass eine natürliche Veränderung immer nur dadurch zustande kommt, dass sie durch eine andere Veränderung – Boethius spricht von Bewegung – angeregt bzw. verursacht wird. Eine Veränderung, der in diesem Sinne keine Ursache vorhergeht, kann also keine natürliche sein und sie fällt aus diesem Grund aus dem Bereich der Naturphilosophie heraus.

Ebd., 131

Die Natur kann nicht irgendeine neue Bewegung verursachen, wenn dieser nicht eine andere Bewegung vorausgeht, die deren Ursache ist. Der ersten Bewegung aber kann keine andere Bewegung vorausgehen, weil sie sonst nicht die erste Bewegung wäre. Folglich kann der Naturphilosoph, dessen erstes Prinzip die Natur ist, nach seinen Prinzipien nicht behaupten, daß die erste Bewegung neu ist.[100]

Diese Feststellung definiert natürliche Prozesse durch einen durchgängigen kausalen Zusammenhang, wobei als Ursachen nur solche Ereignisse in Frage kommen, die eben selbst als natürliche beschreibbar sind. Aus diesem Grund kann es keine Bewegung oder Veränderung geben, die man im strengen Sinne als neu bezeichnen könnte, was allerdings genau die Annahme derer ist, die die Ewigkeit der Welt bestreiten und damit einen radikalen Neuanfang im kausalen Gefüge fordern. Der an seine Prinzipien gebundene Naturphilosoph hingegen ist nicht in der Lage, die Schöpfung der Welt als einen radikalen Bruch in der Kausalkette zu verstehen, so dass er die Bestreitung der Annahme der Ewigkeit der Welt nicht nachvollziehen kann.

Ebd., 129–131

Daß es aber der Naturphilosoph nicht zeigen kann, wird deutlich, sobald man zwei unmittelbar einleuchtende Annahmen akzeptiert. Deren erste ist: Ein Meister in einer Kunst kann nur aus den Prinzipien seiner Kunst etwas begründen, einräumen oder leugnen. Die zweite Annahme ist: Obwohl die Natur nicht das erste Prinzip schlechthin ist, ist sie dennoch das erste Prinzip in der Gattung der natürlichen Dinge und das erste Prinzip, das der Naturphilosoph in Betracht ziehen kann.[101]

Sowohl der Prinzipienfundus, der dem Naturphilosophen zur Verfügung steht, ist begrenzt, wie auch die Natur als Prinzip der natürlichen Prozesse nicht ein schlechthin erstes Prinzip ist – das bleibt Gott vorbehalten –, sondern die Dinge nur insofern prägt, als sie natürliche sind. Damit wird die Natur zwar als ein begrenzter Gegenstandsbereich und die Naturphilosophie als eine begrenzt kompetente Wissenschaft verstanden, aber gerade hieraus resultiert die Eigenständigkeit der Natur als solcher und die spezifische Leistungsfähigkeit einer entsprechenden Disziplin.

Methodische Differenzierung: Hiermit wird deutlich, dass unterschiedliche Zugangsbedingungen unseres Erkennens, wie diese etwa im Fall des Glaubens und des naturkundlichen Wissens vorliegen, jeweils eigene Wahrheitsansprüche haben, die man in Bezug zu den jeweils zugrunde gelegten Prinzipien für gültig halten muss. Auf diese Weise kann es auch zu gegensätzlichen Aussagen auf der einen und der anderen Seite kommen, ohne dass es sich dabei um eine doppelte Wahrheit handeln würde. Auch wenn die These von der doppelten Wahrheit, soweit ersichtlich, in diesem Kontext von niemanden affirmativ vertreten wurde, findet sich der damit verbundene Vorwurf doch an prominenter Stelle in den einleitenden Bemerkungen des Pariser Bischofs, Étienne Tempier, die er der berühmten Verurteilung der 219 für häretisch gehaltenen Thesen 1277 voranschickt. Die, die er zu verurteilen gedenkt,

sagen nämlich, dass [ihre Behauptungen] wahr seien der Philosophie entsprechend und nicht dem katholischen Glauben entsprechend, gleichsam als gäbe es zwei gegensätzliche Wahrheiten und als wäre die Wahrheit in den Aussagen der verdammungswürdigen Heiden, von denen es heißt: »Ich werde die Weisheit der Weisen vernichten«, weil die wahre Weisheit die falsche Weisheit vernichtet, gegen die Wahrheit der Heiligen Schrift.[102]

Enquête sur les 219 articles (Ed. Hissette) 13

Der Pariser Bischof und sein Beratergremium schließen die Möglichkeit aus, dass es außerhalb des Glaubens eine sinnvolle Option gibt, Geltungsansprüche für Behauptungen zu erheben, die eben nur in Hinblick auf die spezifischen Begründungsbedingungen eines begrenzten Wissensgebietes erhoben werden. Eine Pluralität epistemischer Zugangsweisen wird auf diese Weise durch die Behauptung eines entsprechenden Wahrheitsmonopols ausgeschlossen. Jeder anders geartete Geltungsanspruch wird dadurch zur doppelten Wahrheit stilisiert, weil es für diese den Glauben verabsolutierende Auffassung keine Abstufungen im Begründungsprozess je nach Gegenstandsbereich geben kann.

Differenzierung der Wahrheitsansprüche: Dieser vom Pariser Gremium erhobene Vorwurf, eine doppelte Wahrheit bzw. zwei sich widersprechende Wahrheiten behauptet zu haben, trifft bei näherem Zusehen auf die Lehre des Boethius von Dacien nicht zu. Denn ein Widerspruch kann nur da entstehen, wo aus gemeinsamen Prinzipien kontradiktorische Schlüsse abgeleitet werden. Das für die Argumentation erforderliche gemeinsame Fundament ist aber nach Boethius gerade hinsichtlich von Glaube und Naturphilosophie nicht gegeben. Denn die Wahrheitsansprüche, die Boethius für den Glauben und die Naturkunde reklamiert, lassen sich nur unter Rückgriff auf die je unterschiedlichen Prinzipien sinnvoll verstehen, so dass es keine gemeinsame Grundlage gibt, auf der es zu einem wirklichen Widerspruch kommen könnte.

So sagt der Christ die Wahrheit, wenn er sagt, die Welt und die erste Bewegung seien neu. [...] Die Wahrheit sagt aber auch der Naturphilosoph, der sagt, das sei auf Grund natürlicher Ursachen und Prinzipien nicht möglich, denn der Naturphilosoph gibt nichts zu noch leugnet er etwas, es sei denn auf Grund natürlicher Prinzipien und Ursachen.[103]

Boethius von Dacien, De aeternitate mundi (Ed. Schönberger) 143

Die Rückbindung des jeweiligen Wahrheitsanspruchs an die als Fundament dienenden Prinzipien lässt die Rede von Geltungsansprüchen anstelle von Wahrheitsansprüchen geeigneter erscheinen. Im Ergebnis wird deutlich, dass es von Seiten der Naturphilosophie keinen Widerspruch gegen die nur im Glauben zu erfassende These vom Neuanfang der Welt, also deren Schöpfung, geben kann. Die Kehrseite dieser Einsicht besteht dann aber darin, dass man von Seiten der sich selbst kritisch reflektierenden Naturphilosophie keinen Beweis erwarten kann, der die Annahme der Schöpfung begründen könnte.

Ebd., 143

Also ist zweierlei klar: zum einen, daß der Naturphilosoph dem christlichen Glauben betreffs der Ewigkeit der Welt nicht widerspricht, und zum anderen, daß durch natürliche Beweisgründe nicht gezeigt werden kann, daß die Welt und die erste Bewegung neu sind.[104]

3.5 | Natur und Methode

Rückblickend wird eine Kritik erkennbar, die die Autoren des 13. Jahrhunderts wie Albert der Große oder Boethius von Dacien – viele andere wäre zu nennen – an dem ausschweifenden Naturbegriff des 12. Jahrhunderts üben. Für das 12. Jahrhundert ist die zentrale naturphilosophische Frage die nach der Materie bzw. nach dem, was in der platonischen Tradition *hyle* heißt bzw. mit dem lateinischen Ausdruck *silva* übersetzt wird. Gemeint ist die Frage, wie es möglich ist, dass eine gänzlich unstrukturierte und ungesetzliche Urmaterie, der man ewige Existenz zuspricht, zum Träger bestimmter Eigenschaften und Gesetzmäßigkeiten werden kann, so dass eine Betrachtung der materiellen Welt als eines möglichen Untersuchungsfeldes der Philosophie in Frage kommt. Damit wird die Natur in den Status eines ersten Prinzips gerückt und neben Gott und Ideen behandelt.

Das 13. Jahrhundert versteht die Natur nicht als ein erstes Prinzip, sondern als etwas, das selbst durch ein Prinzip konstituiert wurde und naturphilosophisch nur insofern in den Blick gerät, als es mit einer bestimmten Eigengesetzlichkeit bereits vorliegt. Die Frage nach dem Grund der Natur ist keine naturphilosophische Frage. Diese Einsicht ergibt sich aus der methodologischen Kritik an der naturphilosophischen Vorgehensweise. Dies zeigt Albert, aber auch Boethius von Dacien. Wer auf dem Gebiet der Theologie falsche Thesen vertritt, ist ein Häretiker, wer sich der falschen Methodologie bedient und die Grenzen von Philosophie, Theologie und Glauben nicht erkennt, ist ein Dummkopf.

Quellen

Adelard von Bath: *Conversations with his Nephew. On the Same and the Different, Questions on Natural Science and On Birds*, prol., c. 6–7.
Albertus Magnus: *Commentarii in II Sententiarum*, d. 1 a. 5.
Bernhard von Chartres: *Glosae super Platonem; Tractatus de constitutione mundi; De anima mundi; De primordiali materia.*
Boethius von Dacien: *Tractatus de aeternitate mundi.*
David von Dinant: *Tractatus Averrois de generatione animalium; Tractatus naturalis.*

Weiterführende Literatur

Beierwaltes, Werner (Hg.): *Platonismus in der Philosophie des Mittelalters*. (Wege der Forschung 197). Darmstadt 1969.

Grant, Edward: *Das physikalische Weltbild des Mittelalters*. Zürich/München 1980 (eng. 1977).

Speer, Andreas: *Die entdeckte Natur. Untersuchungen zu Begründungsversuchen einer ›scientia naturalis‹ im 12. Jahrhundert*. Leiden/New York/Köln 1995 (Studien und Texte zur Geistesgeschichte des Mittelalters 45).

Thorndike, Lynn: *A history of magic and experimental science*. Bd. 1–4. New York 1923.

Zahlten, Johannes: *Creatio mundi. Darstellungen der sechs Schöpfungstage und naturwissenschaftliches Weltbild im Mittelalter*. Stuttgart 1979 (Stuttgarter Beiträge zur Geschichte und Politik 13).

4 Wahrheit: Grenzen und Voraussetzungen menschlichen Erkennens

Zeittafel

Augustinus 354–430	388–396 *De diversis quaestionibus octoginta tribus* 413–427 *De civitate Dei*
Bonaventura 1221–1274	1253–1254 *Quaestiones de scientia Christi*
Thomas von Aquin 1225–1274	1265–1272 *Summa theologiae*
Johannes Duns Scotus 1265/6–1308	nach 1290 *Quaestiones de anima*

Wahrheit und Veränderbarkeit: Die Frage nach der Wahrheit ist die Frage danach, woran zu bemessen ist, ob das, was man erkennt oder zu erkennen glaubt, sich tatsächlich so verhält, wie es sich für den Erkennenden darstellt. In einem ersten Zugriff betrifft die Wahrheit also das Verhältnis einer Erkenntnis, die z. B. in einem Satz sprachlich zum Ausdruck gebracht werden kann, zu ihrem Gegenstand. Verschärft wird das Problem der Wahrheit allerdings dadurch, dass man auch in Bezug auf den Gegenstand selbst, der dem Erkenntnisvermögen gegenübersteht, fragen kann, inwiefern diesem überhaupt Wahrheit zukommt. Dieser zweite Teilaspekt der Frage wird schnell deutlich, wenn man sich klar macht, dass das, was man unmittelbar zu erkennen glaubt – etwa weil man es direkt beobachten kann – mit dem wirklichen oder dem wahren Gegenstand, der eigentlich im Fokus des Erkennens stehen sollte, nichts zu tun hat. Damit betrifft die Frage nach der Wahrheit nicht nur das Verhältnis von Erkenntnis und Erkenntnisgegenstand, sondern auch den Erkenntnisgegenstand als solchen. Inwiefern lässt sich überhaupt zwischen einem wahren und einem nur scheinbaren Gegenstand des Erkennens unterscheiden?

Wenn wir von Erkennen sprechen, meinen wir natürlich das Erkennen des Menschen, und dieses zeichnet sich vor allem dadurch aus, dass es durch die sinnliche Wahrnehmung bedingt ist und sich aus diesem Grund zunächst auf die sinnlich erfassbaren Gegenstände richtet. Die Frage

H. Möhle, *Philosophie des Mittelalters*, https://doi.org/10.1007/978-3-476-04747-2_4

nach der Wahrheit wird somit zunächst zu der Frage danach, inwiefern die sinnlich wahrnehmbaren Dinge, also die materiellen Körper, Gegenstände wahrer Erkenntnis sein können.

4.1 | Augustinus' Deutung der platonischen Ideenlehre

Die Antwort Platons auf diese Frage lautet, dass es unmöglich ist, etwas wahrhaft zu erkennen, das sich verändert. Hiermit sind alle körperlichen Gegenstände aus dem Bereich wahrer Erkenntnis ausgeschlossen. Auch ohne eine direkte Kenntnis der meisten Schriften Platons ist den mittelalterlichen Denkern diese zentrale These der platonischen Erkenntnislehre bekannt und durch die Vermittlung des das antike Wissen vermittelnden und aus dem nordafrikanischen Hippo stammenden Kirchenlehrers, des Heiligen Augustinus (354–430) zudem mit einer besonderen Autorität ausgestattet. Der klassische Text des Augustinus, der diese Lehre prägnant zum Ausdruck bringt und auf den die mittelalterlichen Autoren immer wieder als Belegstelle verweisen, ist die Frage 9 aus der augustinischen Schrift *De diversis quaestionibus octoginta tribus* (*Über die 83 verschiedenen Fragen*).

4.1.1 | Das Problem der sinnlichen Wahrnehmung

Körperlichkeit und Veränderbarkeit: Der Ausgangspunkt für die an Platon angelehnte Position des Augustinus ist die These, dass nur das erfasst (*percipi*) werden kann, was auch durch Wissen begriffen werden kann (*scientia comprehendi*). In dieser Weise begreifen kann man aber nur das, was sich nicht verändert, also das, was bleibt. Sinnlich erfassbar ist aber nur das, was körperlich ist und was sich damit auch verändert, wie es bei den von Augustinus beispielhaft angeführten täglich wachsenden Haaren auf unserem Kopf der Fall ist.

Augustinus, De diversis quaestionibus octoginta tribus q. 9 (Ed. Perl) 13

Alles, was auf die leiblichen Sinne einwirkt, was man auch »sinnlich wahrnehmbar« nennt, verändert sich ununterbrochen. So wie die Haare unseres Kopfes wachsen, wie der Leib in der Jugend erblüht, um sich im Alter zu verbrauchen: das ergibt einen dauernden Vorgang, der sich niemals unterbricht. Was aber nicht bleibt, lässt sich nicht erfassen, denn nur das wird erfasst, was durch Wissen begriffen wird; begriffen werden kann aber nicht, was sich ununterbrochen verändert. Daher darf man von den leiblichen Sinnen keine echte Wahrheit erwarten.[105]

»*Quod autem non manet, percipi non potest*« – »was nicht bleibt, kann nicht erfasst werden« – dieses Diktum zieht eine zweifache Grenzlinie, einmal durch den Bereich der Wirklichkeit und einmal durch die Sphäre des Erkennens. Die Wirklichkeit, die Gegenstand des Erkennens sein kann, wird unterteilt in die Bereiche des sich Verändernden und des Gleichbleibenden. Das Veränderbare wird zudem gleichgesetzt mit dem

Körperlichen und das Unveränderliche mit dem noch nicht näher spezifizierten Unkörperlichen. Das Erkennen selbst wird differenziert in die sinnliche Wahrnehmung, die auf den Bereich des Körperlichen beschränkt ist, und in ein Begreifen durch Wissen, das ganz ohne sinnliche Wahrnehmung auskommt.

Was ist der Grund für diese Skepsis, die Augustinus der leiblichen Welt und ihrer über die Sinne vermittelten Wahrnehmung entgegenbringt? Wie die weiteren Argumente deutlich machen, liegt der tiefere Grund für diesen Vorbehalt dem Körperlichen gegenüber nicht unmittelbar in dessen Veränderbarkeit, die allerdings als solche keineswegs in Zweifel zu ziehen ist, sondern beruht auf der damit verbundenen Nähe zum Falschen.

Ebd., q. 9, 13

Soll doch nicht einer kommen und sagen, es gebe unter den sinnlich wahrnehmbaren Objekten solche, die stets im gleichen Zustand bleiben, wobei er auf die Sonne und die Sterne hinweisen möchte, über die man ja gar nichts Bestimmtes aussagen kann. Jedenfalls gibt es niemand, der nicht zugeben müsste, dass es kein sinnlich wahrnehmbares Objekt gibt ohne ein ihm ähnliches Falschbild, das sich von ihm kaum unterscheidet. Denn, um anderes zu übergehen: alles, was wir durch den Leib empfinden, auch wenn es sich gegenwärtig nicht an die Sinne wendet, erfahren wir trotzdem in seinem Bild, so als ob es durchaus vorhanden wäre, sei es im Traum oder im Wahn. Bei einer solchen Erfahrung vermögen wir nicht zu unterscheiden, ob wir sie überhaupt durch unsere Sinne empfinden, oder ob es sich bloß um Bilder wahrnehmbarer Dinge handelt. Wenn es daher falsche Bilder solcher Dinge gibt, die zu unterscheiden unseren Sinnen nicht möglich ist, und wir nur erfassen können, was sich von falschen unterscheidet, gibt es von Seiten der Sinne kein Urteil über die Wahrheit.[106]

Unveränderbarkeit des Ideellen: Das, was sich ständig verändert und nur sinnlich wahrgenommen werden kann, hat für Augustinus immer eine gewisse Nähe zum Trugbild und eine Ähnlichkeit mit dem Falschen. Was wir sinnlich wahrnehmen, ist immer nur ein Abbild dessen, was selbst eben kein Abbild ist und worauf sich ein für sich Wahrheit beanspruchendes Urteil beziehen müsste. Augustinus charakterisiert diesen eigentlichen Gegenstand des Erkennens, der allein Wahrheit beanspruchen kann, zunächst durch die negativen Prädikate der Körperlosigkeit, der Nichtwahrnehmbarkeit, der Unveränderbarkeit und der Nichtabbildhaftigkeit.

Ebd., q. 9, 13

Deshalb werden wir auf das heilsamste ermahnt, uns von dieser Welt, die fraglos körperlich und sinnlich wahrnehmbar ist, abzuwenden und uns mit ganzem Eifer Gott zuzuwenden, das heißt der Wahrheit, die durch Einsicht und inneren Verstand erfasst wird; sie bleibt immerzu, ist von der gleichen Art und bringt kein fälschliches Bild ins Spiel, von dem sie nicht zu unterscheiden wäre.[107]

Wenn die Gegenstände dieser Welt so sind, wie Augustinus sie kennzeichnet, lässt sich die Wahrheit, die an dieser Stelle mit Gott gleichgesetzt wird, nur in der Abkehr von allem sinnlich Wahrnehmbaren gewinnen. Damit verbunden ist ein Verzicht auf alles, was uns die Sinne vermitteln, zugunsten einer Konzentration auf die Einsichten, die uns der Intellekt und die innere Seite unseres Geistes (*intellectu et interiore mente*) gewähren.

Aber was heißt es, dass wir aufgefordert werden, unser Erkenntnisstreben auf die Wahrheit und damit auf Gott zu richten? Soll das bedeuten, dass wir von den Dingen der uns umgebenden Welt, in der wir als sinnlich verfasste Wesen leben, absehen sollen, so dass wir letztlich keinerlei Wissen von dem erhalten, womit wir tagtäglich zu tun haben? Droht nicht auf diese Weise ein Skeptizismus, der kontraintuitiv und in dieser Radikalität kaum zu rechtfertigen ist? Auf diese Fragen geht Augustinus in der vorliegenden Quaestio nicht mehr ein, tut dies aber im selben Werk an späterer Stelle.

4.1.2 | Die Ideen im Geiste Gottes

Umdeutung der Ideenlehre Platons: Auch die 46. Frage seiner Quaestionensammlung kann für das Mittelalter als *locus classicus* gelten. Es ist nämlich der Textabschnitt, in dem Augustinus seine wiederum in Anschluss an Platon gewonnene Antwort auf diesen Skeptizismusvorwurf gibt, indem er eine Deutung der platonischen Ideenlehre formuliert, die mit grundlegenden christlichen Vorstellungen in Übereinstimmung gebracht werden kann. Was Augustinus von Platon übernimmt, ist zunächst die Vorstellung, dass sich das wahre Wissen nicht auf die sinnlichen Abbilder zu konzentrieren hat, sondern deren Urbildern, nämlich den ewigen und unveränderlichen Ideen, gelten muss.

Ebd., q. 46, 67

Die Ideen sind tatsächlich Urformen oder feststehende, unverrückbare Sachverhalte, die an sich nicht geformt und daher in ihrer Seinsart — so wie sie sind — ewig und verbleibend im göttlichen Verstand begründet sind. Da die Ideen weder entstehen noch vergehen, erklärt man sie mit vollem Recht als Urbilder für die Formung alles dessen, was entstehen und vergehen kann, sowie für alles, was tatsächlich entsteht und vergeht.[108]

Die Ideen, wie sie Augustinus hier beschreibt, sind genau durch die Eigenschaften geprägt, die er in Quaestio 9 als Voraussetzungen für die Gegenstände eingeführt hat, von denen es ein Wissen geben kann, das Wahrheit beanspruchen kann. Sie sind nicht nur unveränderbar, sondern sind dies auch immer schon gewesen, da sie als ewig bezeichnet werden. Als ewige Urbilder sind sie nicht selbst entstanden und können auch nicht vergehen. Alles was vergänglich ist, ist seinerseits nach diesen sich gleichbleibenden Urbildern gestaltet.

Für die christliche Vorstellung einer von Gott aus dem Nichts geschaffenen Welt resultiert aus dieser Annahme ewiger Ideen, wie sie auch bei Platon entwickelt wird, zunächst ein Problem. Denn anders als bei Platon wird im Christentum die Entstehung der Welt nicht nur als ein Vorgang der Ordnung ewig vorhandener Bestandteile durch einen Demiurgen gedacht (s. Kap. 3.2.1.1), sondern als die Hervorbringung durch einen Schöpfergott, der allein aus sich heraus schöpferisch tätig wird. Schöpfung ist mehr als die Beseitigung eines bestehenden Chaos auf der Grundlage vorhandenen Materials. Augustinus muss also eine Lösung finden, ewige Ideen annehmen zu können, ohne die Ursprünglichkeit der göttlichen Schöpfung in Frage zu stellen. Seine Lösung in der Adaptation der platonischen Ideenlehre besteht darin, die Ideen im göttlichen Verstand enthalten sein zu lassen, so dass sie zwar als unverrückbare und ewige Vorbilder gelten können, ohne allerdings der göttlichen Schöpfungstat Vorgaben zu machen, die die Freiheit des Schöpfers einschränken würden. Die Ideen sind Gott nicht vorgegeben, gleichwohl können sie als der Schöpfung zugrundeliegende Ordnungsmomente der Vielheit der Dinge gelten.

So stellen wir auch fest, daß alles mit Vernunft erschaffen ist. Der Mensch hat nicht den gleichen Daseinsgrund wie das Pferd; es wäre abwegig, daran zu zweifeln. Alle Wesen sind nach ihren eigenen Begründungen erschaffen, und zwar jedes für sich. Wo aber sind diese Begründungen anzunehmen, wenn nicht im Verstand des Schöpfers?[109]

Ebd., q. 46, 67

Die Verlagerung der Ideen in den Verstand oder den Geist Gottes – Augustinus spricht sowohl von der *intelligentia* als auch der *mens divina* – löst das Problem, die Ideen sowohl als ewige Urbedingungen der geschaffenen Welt annehmen und gleichzeitig jede von außen die göttliche Freiheit in Frage stellende Vorgabe ausschließen zu können.

Für ihn gab es doch nichts außerhalb seiner selbst, nach dem er, was er erschuf, erschaffen hätte; so etwas zu denken, wäre reine Blasphemie. Wenn also diese Begründungen aller erschaffenen oder zu erschaffenden Dinge im göttlichen Verstand enthalten sind und in diesem göttlichen Verstand nur Ewiges und Unveränderliches sein kann, und wenn Plato diese Urgründe der Dinge »Ideen« nennt, so sind es doch nicht nur Ideen schlechthin, sondern wahre Urbedingungen, die ewig sind und in gleicher Weise unveränderlich bleiben.[110]

Ebd., q. 46, 67–69

4.1.3 | Die Illuminationslehre

Folgeproblem der Erkennbarkeit: Lässt sich auf diese Weise jeder Gegenstand der Wirklichkeit, auch wenn er körperlicher Natur und von sich verändernder Seinsart ist, auf ein ewiges und gleichbleibendes Urbild zurückführen, ist damit die Ausgangsfrage nach dem Erkenntnisgrund der Wahrheit noch keineswegs beantwortet. Denn dass den sinnlich wahrnehmbaren Dingen unkörperliche Urbilder zugrunde liegen, bedeutet ja noch keineswegs, eine hinreichende Antwort auf die Frage zu geben, wie der auf die Sinne angewiesene Mensch die im Unkörperlichen angesiedelten Ideen und damit die wahren Gründe der Wirklichkeit erkennen kann. Dieses Problem wird zudem dadurch zugespitzt, dass Augustinus die Ideen selbst in den göttlichen Verstand verlegt, was die Frage nach sich zieht, wie denn der Mensch in der Lage sein soll, diese Inhalte im Denken Gottes zu erfassen. Die Lösung, die Augustinus zu Vermeidung einer Beschränkung der göttlichen Schöpfermacht vorschlägt, führt also zu einem Folgeproblem, das die Erkenntnismöglichkeiten auf Seiten des endlichen Menschen betrifft.

Göttliche Erleuchtung: Die Antwort, die Augustinus auf dieses Folgeproblem gibt, beruft sich auf die besondere Eignung der vernunftbegabten Seele des Menschen, mit der es möglich ist, Erkenntnisse jenseits des sinnlich Wahrnehmbaren zu gewinnen. Möglich wird diese Leistung der menschlichen Vernunft allerdings nur durch die Unterstützung, die die göttliche Erleuchtung dem Menschen widerfahren lässt. Die Voraussetzung dieser Deutung ist die christliche Annahme der Ebenbildlichkeit des Menschen, die in seiner Vernunftbegabtheit begründet liegt.

Ebd., q. 46, 69

Letztlich überragt unter den Dingen, die Gott gegründet hat, die vernunftbegabte Seele alle anderen. Sofern sie rein ist, ist sie Gott am nächsten, und um so mehr heftet sie sich in Liebe an Gott, je mehr sie von ihm mit jenem geistigen Licht erfüllt ist; so erleuchtet – nicht durch körperliche Augen, sondern durch ihren eigenen Vorzug, der sie erhöht, das heißt also durch ihre Einsicht –, sieht sie die Urgründe, deren Anblick sie beseligt.[111]

Augustinus versteht die menschliche Vernunft als den Teil der Seele, mit dem der Mensch Gott so nahe kommen kann, dass er für die göttliche Erleuchtung aufnahmebereit ist. Vom intelligiblen göttlichen Licht durchflutet und erleuchtet, wie es bei Augustinus heißt, ist der Mensch in der Lage, die Urgründe der Dinge zu erfassen und – so lässt sich rückblickend auf die Ausgangsfrage ergänzen – die unveränderliche Wahrheit erkennen, die die sinnlich erfassbaren Gegenstände nicht bieten können.

Illuminations- statt Wiedererinnerungslehre: Die Lösung, die Augustinus durch Adaptation der platonischen Ideenlehre vorschlägt, kann nicht – wie es Platon tun konnte – auf die Frage nach der Erkennbarkeit der Ideen mit einer Wiedererinnerungslehre antworten, da dieser Ansatz eine frühere Existenz der Seele vor ihrer Vereinigung mit dem Körper voraussetzt. Vielmehr muss die Antwort des Augustinus im Kontext des christlichen Menschenbildes mit einer von der endlichen Konstitution des Menschen aus in den Blick genommenen externen Erkenntnisquelle operieren. Nicht ein früheres Dasein, an das sich der Mensch erinnern kann, liefert ein Wissen von den Ideen, so wie Platon das Problem löst, sondern ein Tätigwerden durch Gott, das der Mensch nicht selbst hervorbringen, sondern nur passiv aufnehmen kann, ist aus augustinischer Sicht der Erklärungsgrund für die Erkenntnismöglichkeit des Wahren. Diese eine Illuminationslehre zu nennende Theorie des Augustinus ist die Folge des Versuchs, eine platonische Ideenlehre als Lösung des Erkenntnisproblems in den christlichen Kontext einer Schöpfungs- und Gnadenlehre zu transferieren.

Aufgrund der ontologischen Deutung der sinnlich wahrnehmbaren Dinge als einer sich stets verändernden und nur Abbildcharakter besitzenden Wirklichkeit ist Augustinus gezwungen, die unveränderliche Wahrheit in die den Dingen zugrundeliegenden Ideen zu verlagern. Diese können aber nicht durch die dem Menschen aktiv zur Verfügung stehenden Erkenntnismittel, vor allem nicht durch die Sinneswahrnehmung, erfasst werden. Die Illuminationslehre löst diese Aporie dadurch, dass Gott durch seine Erleuchtung zur aktiven Quelle und die menschliche Seele zu dem diese aufnehmenden Vermögen des Erkennens wird. Diese drei Elemente – die ontologische Wandelbarkeit des Körperlichen, die Ideenlehre und die Theorie von der göttlichen Illumination der menschlichen Seele – gehören für Augustinus unmittelbar zusammen.

4.2 | Bonaventura und die aristotelisch-augustinische Deutung des Erkennens

An diese augustinische Ideenlehre knüpft im 13. Jahrhundert auch der dem Orden der Franziskaner angehörende Bonaventura an und entwickelt sein Konzept menschlicher Erkenntnis in Anlehnung an dieses Theoriestück. Allerdings hält er es aus noch zu erläuternden Gründen für notwendig, daran gewisse Modifikationen vorzunehmen. In konzentrierter Form entwickelt er seine eigene Lehre in den sogenannten *Quaestiones de scientia Christi*. Diese *Fragen über das Wissen Christi* gehen auf eine an der theologischen Fakultät der Pariser Universität durchgeführte Disputation zurück, die Bonaventura zwischen November 1253 und Frühjahr 1254 als Magister der Theologie vermutlich vor einem großen öffentlichen Publikum gehalten hat.

Definition

Disputationen (*disputationes*) kommen im mittelalterlichen Lehrbetrieb in unterschiedlicher Form vor. Das Grundmodell besteht darin, dass eine im Prinzip mit Ja oder Nein zu beantwortende Frage zunächst durch einen Verteidiger (*defensor*) mit eine Bejahung unterstützenden Argumenten beantwortet wird, woraufhin ein Gegner (*opponens*) diese Antwort mit entgegengesetzten Gründen in Zweifel zieht. Dem Lehrer, der in der Universität als Professor (*magister*) tätig ist, obliegt es, die Frage unter Abwägung der genannten Argumente aufgrund eigener Gründe einer Entscheidung (*determinatio*) zuzuführen.
Dieser Lehrform entspricht die literarische Gattung der Frage (*quaestio*), die ebenfalls eine zunächst hypothetische Antwort mit Pro- und Contra-Argumenten beleuchtet, um sie dann mit der klassischen Eingangsformel »Ich antworte« (*respondeo*) oder »Es ist zu sagen« (*dicendum est*) zu entscheiden. Die Eingangsargumente, werden dann im Anschluss an die eigentliche Antwort noch einmal aufgegriffen und im Lichte der getroffenen Entscheidung diskutiert.

Für die Auseinandersetzung mit der augustinischen Lehre ist vor allem die in Bonaventuras *Fragen über das Wissen Christi* behandelte vierte Frage von einem besonderen Interesse.

4.2.1 | Die Gewissheit der ewigen Ideen

Diese Frage zielt darauf, ob alles, was mit Gewissheit gewusst wird, in den ewigen Ideen gewusst wird, also dadurch mit Sicherheit erkannt wird, dass man die Ideen erkennt, die alle Gegenstände in ihrem Sein begründen. Der Hintergrund für diese Frage ist der von Augustinus hergestellte Zusammenhang, der zwischen dem durch den Schöpfungsakt begründeten Sein der Dinge und deren Erkennbarkeit aufgrund der zugrundeliegenden Urbilder besteht: Gott schafft die Dinge aufgrund der in seinem Verstand gegebenen Ideen und deshalb sind die Dinge auch nur unter Bezugnahme auf diese ursprünglichen Ideen erkennbar.

Bildbeschreibung: Die ausgemalte Initiale zu Beginn des aristotelischen Textes der *Topik* in Codex Balliol MS 253 fol. 92r stellt eine mittelalterliche **Disputation** dar. Mehrere Magister, die sich äußerlich nicht voneinander abheben, sind beteiligt und diskutieren das Für und Wider einer entsprechenden Sachfrage.

Erkennbarkeit durch den Menschen: Die Pointe der von Bonaventura gestellten Frage besteht darin, dass sie auf die Gewissheit einer jeden Erkenntnis zielt, also auch die Erkenntnis einschließt, die dem Menschen zukommt. Denn dass Gott diese Ideen erkennt, ist nicht weiter problematisch, da diese aufgrund der von Bonaventura gemachten Voraussetzungen im göttlichen Geist selbst ihren Ort haben. Auf den Menschen bezogen ist diese Frage hingegen alles andere als harmlos, denn sie enthält das Problem, wie das endliche Erkenntnisvermögen des Menschen diese im göttlichen Geist gegebenen Urgründe der Dinge erfassen soll. Ausdrücklich präzisiert Bonaventura deshalb die erste Formulierung seiner Frage und stellt die menschliche Erkenntnis in den Vordergrund:

Bonaventura, De scientia Christi q. 4 (Ed. Speer) 85

Das aber heißt zu fragen, ob das, was von uns mit Gewißheit erkannt wird, in den ewigen Ideen selbst erkannt wird.[112]

Die augustinische Strategie, auf dieses Problem zu reagieren, besteht in seinem Entwurf der Illuminationslehre. Kann Bonaventura ihm in dieser Lösung der Schwierigkeit folgen oder entwickelt er eine modifizierte oder gar völlig neue Antwort?

Fokussierung auf das natürliche Erkenntnisvermögen: Die Voraussetzungen Mitte des 13. Jahrhunderts haben sich geändert. Vor allem die Auseinandersetzung mit der aristotelischen Theorie menschlichen Erkennens rückt die natürlichen Fähigkeiten des Menschen, also die Beschränkung auf seine begrenzten Fähigkeiten und die Angewiesenheit auf die sinnlich vermittelte Wahrnehmung als Ausgangspunkt des Erkennens in den Vordergrund. In der mittelalterlichen Diskussion kollidiert diese Beschränkung auf die natürlichen Fähigkeiten des Menschen mit den Möglichkeiten, die dem Menschen nach christlicher Auffassung dadurch eröffnet werden, dass er durch die Gnade Gottes, also auf übernatürliche Weise, diese Begrenzung der ursprünglichen Natur überwinden kann. Der derzeitige Zustand des Menschen ist seine durch die Erbsünde begrenzte Verfassung, die ihm zukommt, sofern er unter den Bedingungen des Hier und Jetzt auf Erden lebt. In der mittelalterlichen Diktion wird der Mensch in dieser Verfassung als Erdenpilger – als *homo viator* – bezeichnet. Durch den göttlichen Gnadenakt wird der Mensch in den Status unmittelbarer Gottesschau erhoben und befindet sich dann im Zustand der Glückseligkeit, *in statu beatitudinis*, was mit der Überwindung der ursprünglichen Begrenzung einhergeht.

Die augustinische Illuminationslehre betont das Wirken Gottes, das letztlich die in Frage stehende Erkenntnis der Wahrheit hervorbringt. Wie verträgt sich dieses Lehrstück aus Sicht des Bonaventura mit den entsprechenden Rahmenbedingungen, die durch die aristotelische Theorie der natürlichen Erkenntnis gegeben sind und deren Herausforderung Bonaventura – wie seine Argumente im Einzelnen zeigen – durchaus bewusst war? Um die Stoßrichtung von Bonaventuras Antwort zu verdeutlichen, sei zunächst auf seine Auseinandersetzung mit der von Aristoteles vertretenen Auffassung verwiesen, wie sie beispielhaft in der Diskussion einiger Gegenargumente, die Bonaventura aufgreift, deutlich wird.

Aristoteles-Rezeption: Explizit verweist Bonaventura in der Behandlung der Frage mehrfach auf Aristoteles und insbesondere auch auf dessen Deutung der natürlichen Erkenntnisfähigkeiten des Menschen, die diesem *in statu viatorum*, also in der hiesigen Welt ohne ein übernatürliches göttliches Zutun, entsprechen. Gegen eine nur durch die göttliche Erleuchtung mit Blick auf die ewigen Ideen zu verwirklichende Erkenntnis lautet der Einwand, den Bonaventura unter Berufung auf Aristoteles formuliert:

Daher kommt die sichere und gewisse Erkenntnis im gegenwärtigen Zustand von unten, die Erkenntnis in den ewigen Ideen aber von oben. Solange wir aber auf dem Wege sind, kommt uns die Erkenntnis nicht infolge des Lichtes der ewigen Ideen zu.[113]

Ebd., q. 4, 107

Menschliche Erkenntnis – so der Einwand – kann nicht davon abhängen, dass man Zugang zu den ewigen Ideen hat, die in dem Sinne »oben« sind, als sie ihren Ort im Geiste Gottes und nicht in der sich ändernden Wirklichkeit der körperlichen Welt haben. »Auf dem Wege«, also in der diesseitigen Welt, erkennen wir »von unten«, also ohne Zuhilfenahme übernatürlicher Erkenntnisquellen und deshalb ohne ein uns von Gott geschenktes Licht, durch das wir die ewigen Ideen erkennen könnten. Bonaventura gibt die augustinische Lehre keineswegs auf, schränkt sie aber offensichtlich angesichts der aristotelischen Vorbehalte ein, wenn er beide Möglichkeiten einräumt: sowohl eine Erkenntnis im Licht der ewigen als auch eine im Licht und nach Maßgabe der geschaffenen und endlichen Wahrheit:

Ebd., q. 4, 125

Aristoteles behauptet, daß zu unserem Verstehen das Licht und die Maßgabe der geschaffenen Wahrheit zusammenkommen. Wie aber aus den voraufgehenden Ausführungen deutlich wird, wird dadurch das Licht und die Maßgabe der ewigen Wahrheit nicht ausgeschlossen, da es nämlich möglich ist, daß die Seele gemäß ihrem niederen Teil erkennt, was unten ist, während desungeachtet der höhere Teil erkennt, was oben ist.[114]

Zweiteilung der Seele: Die Lösung, die Bonaventura anstrebt, verzichtet also auf den Ausschließlichkeitsanspruch einer Erkenntnis im Lichte ewiger Ideen und räumt im Sinne des Aristoteles auch ein Erkennen auf natürliche Weise ein. Die Voraussetzung für diese Lösung ist eine Zweiteilung der Seele, die mit ihrem höheren Teil dem Ewigen und mit ihrem niederen Teil dem Endlichen zugewandt ist. Vergegenwärtigt man sich diese Antwort des Pariser Gelehrten, könnte man den Eindruck haben, als befürworte er ein bloßes Nebeneinander der beiden Erkenntnismodi, die sich nicht gegenseitig ausschließen, aber doch getrennt voneinander zu sehen sind.

Diesen Eindruck muss man aber korrigieren, macht man sich die Antwort klar, die Bonaventura auf einen weiteren Einwand gibt, der die Erkennbarkeit singulärer und von anderen Dingen unterschiedener Gegenstände betrifft und diese in ihrer jeweiligen Eigentümlichkeit erfasst. Denn sollen solche Gegenstände erfasst werden, bedarf es auch jeweils einer eigentümlichen und nur von diesem Gegenstand geltenden Regel bzw. Maßgabe (*ratio cognoscendi*), was der folgende Einwand feststellt:

Ebd., q. 4, 109

Gleichfalls entspricht einem jeden Erkenntnisgegenstand eine eigene Maßgabe des Erkennens, um von ihm selbst eine gewisse Erkenntnis erhalten zu können. Jene Maßgaben des Erkennens jedoch werden von einem noch nicht vollendeten Intellekt nicht verschieden aufgefaßt. Es gibt daher in jenen nichts, was für sich allein und abgegrenzt erkannt werden kann.[115]

Was in der vorliegenden Übersetzung als »noch nicht vollendete[r] Intellekt« bezeichnet wird, bezieht sich wiederum auf den Verstand des Erdenpilgers, also die natürliche Ausstattung des *homo viator*, von der schon die Rede war. Der Einwand bezweifelt also, dass der Rekurs auf die ewigen Ideen zu erklären vermag, wie ein endlicher Verstand etwas von den Eigentümlichkeiten der weltlichen Dinge erkennen kann. Denn selbst wenn man eine ungefähre und allgemeine Vorstellung davon hätte, was die ewige Idee eines bestimmten Typs von Gegenstand, also etwa des Menschen, im Allgemeinen sein soll, so reicht dieses Wissen nicht aus, zu erklären, wer oder was dieser oder jener Mensch im Besonderen ist.

Zusammenwirken mehrerer Faktoren: Die Lösung, die Bonaventura vorschlägt, verbindet deshalb die Bezugnahme auf die ewigen, aber nicht in allen Einzelheiten erfassbaren Ideen mit der Bezugnahme auf die individuellen Charakteristika, die wir durch ein geschaffenes Licht, also durch unser natürliches Erkennen, das die sinnliche Wahrnehmung einschließt, erhalten:

Ebd., q. 4, 127–129 (mod.)

Auf das Argument, daß einem jeden Erkenntnisgegenstand eine eigene Maßgabe des Erkennens entspricht, ist zu erwidern: Weil wir jene Ideen nicht gänzlich bestimmt se-

hen, wie sie in sich sind, deswegen bilden sie nicht die ganze Erkenntnismaßgabe. Vielmehr sind zusammen mit jenen ein geschaffenes Licht der Prinzipien sowie Ähnlichkeitsbilder der erkannten Dinge erforderlich, aus denen man die je eigene Erkenntnismaßgabe in Rücksicht auf einen jeden Erkenntnisgegenstand erhält.[116]

Bonaventura lässt also nicht nur neben der auf die ewigen Ideen abzielenden Erkenntnis auch eine solche zu, die sich an den Grenzen der natürlichen Vernunftausstattung des Menschen orientiert, sondern verbindet beide Zugangsweisen so miteinander, dass sie sich mit Blick auf die Erkenntnis der innerweltlichen Gegenstände ergänzen. Das Hauptargument, das in dieser Diskussion deutlich wird, ist der erkenntniskritische Vorbehalt, dass die ewigen Ideen, auch wenn sie alle endlichen Dinge adäquat abbilden, für den menschlichen Verstand nicht alleine hinreichend sein können, weil sie eben nicht in allen Einzelheiten erkannt werden. Aus diesem Grund ist für den Menschen das »geschaffene Licht«, also die ihm als Mensch zukommende sinnliche Erkenntnis der weltlichen Dinge notwendig, um Singuläres als Singuläres erkennen zu können.

4.2.2 | Der dreifache Maßstab des Erkennens

Gewissheit im Licht der ewigen Ideen? Macht man sich die Stoßrichtung der bislang deutlich gewordenen Argumente Bonaventuras deutlich, kann es nicht verwundern, wenn die zur Diskussion stehende Frage, ob alles, was mit Gewissheit erkannt wird, im Licht der ewigen Ideen erkannt wird, nicht mit einem eindeutigen Ja beantwortet wird. Die Strategie Bonaventuras sieht vor, dass zunächst drei Bedeutungen unterschieden werden, in denen die zu diskutierende These verstanden werden kann. Nach einer ersten Deutung liegt eine sichere Erkenntnis nur dann vor, wenn der Maßstab bzw. die Maßgabe des Erkennens, die *ratio cognoscendi*, ausschließlich – *tota et sola* – dadurch gegeben ist, dass das ewige Licht die Evidenz des Gewussten vermittelt:

Die erste Interpretation besagt, daß bei einer sicheren und gewissen Erkenntnis die evidente Klarheit des ewigen Lichtes sich als die ganze und alleinige Maßgabe des Erkennens einfindet.[117]

Ebd., q. 4, 113

Diese These besagt, dass das, was gewusst wird, nur dadurch wirklich gewusst wird, dass es durch die göttliche Erleuchtung dem Erkennenden vermittelt wird.

Der zweiten Interpretation zufolge spielen die ewigen Ideen für die Gewissheit einer Erkenntnis gar keine Rolle; stattdessen geht diese allein auf den Erkennenden, also für den vorliegenden Fall auf den Menschen und damit seine endlichen Fähigkeiten zurück:

Nach der zweiten Interpretation macht sich bei einer sicheren und gewissen Erkenntnis die ewige Maßgabe gemäß ihrem Einfluß geltend, so daß der Erkennende im Erkennen nicht an die ewige Maßgabe selbst heranreicht, sondern allein auf ihren Einfluß trifft.[118]

Ebd., q. 4, 115

Der mittlere Weg: Beide Varianten vertreten Extrempositionen, die durch eine dritte Interpretation vermieden werden soll, weshalb Bonaventura ausdrücklich von einem *medium*, also einem mittleren Weg spricht, der die beiden vorausgehenden Interpretationen zusammenführt:

Ebd., q. 4, 117

Deshalb gibt es eine dritte Interpretation, die gleichsam die Mitte zwischen den beiden bisherigen Lösungswegen hält: um mit Notwendigkeit zu einer Gewißheit beanspruchenden Erkenntnis zu gelangen, wird eine ewige Maßgabe gesucht, die leitet und antreibt, nicht alleine und in ihrer vollkommenen Klarheit, sondern zusammen mit einer geschaffenen Maßgabe, und so, daß sie zum Teil von uns auch im Zustand der Unvollkommenheit erblickt wird.[119]

Diese Interpretation verbindet die beiden extremen Auffassungen, indem sie sowohl der *ratio aeterna*, also dem Bezug zu den ewigen Ideen, der nur durch Gott auf dem Wege der Erleuchtung zu gewinnen ist, Rechnung trägt, als auch einen Maßstab des Erkennens für notwendig hält, der dem Zustand der Unvollkommenheit der menschlichen Natur angemessen ist, also unseren Status als Erdenpilger berücksichtigt, wie Bonaventura durch den Verweis auf den *status viae* andeutet.

Problem des Begriffs ›ratio‹: Wie hat man sich aber diese Verbindung der beiden Anforderungen der göttlichen Erleuchtung und der ewigen Ideen auf der einen und der Unvollkommenheit des Erdenpilgers auf der anderen Seite vorzustellen? Sind diese beiden Momente überhaupt kompatibel und wie können sie ein und denselben Erkenntnisvorgang gleichzeitig bestimmen? Die Beantwortung dieser Frage wird dann auch einen Begriff erklären müssen, der bislang stillschweigend mitgeführt, aber keineswegs ausreichend erläutert wurde, nämlich den der *ratio cognoscendi*, der mitunter als *ratio aeterna*, als ewige *ratio*, und mitunter als *ratio creata*, als geschaffene *ratio*, spezifiziert wird. Im Deutschen wurde dieser Begriff bislang als ›Maßgabe‹ oder ›Maßstab‹ des Erkennens übersetzt.

Wie die weitere Diskussion deutlich macht, kann für Bonaventura offensichtlich etwas in zweifacher Hinsicht Maßstab des Erkennens sein, nämlich zum einen mit Blick auf das Erkenntnisobjekt, also den Gegenstand, der erkannt wird, und zum anderen mit Blick auf das Erkenntnissubjekt, also denjenigen, der die Erkenntnis durch seine Tätigkeit hervorbringt. Damit es sich um eine sichere Erkenntnis handelt, müssen nämlich zwei Faktoren gegeben sein: Zum einen muss das, was erkannt wird, also der Gegenstand, unwandelbar sein, so dass das, was man über ihn feststellt, nicht zu einem Zeitpunkt zutrifft und im nächsten Augenblick diesen verfehlt. Zum anderen muss aber auch derjenige, der eine Erkenntnis hervorbringt, die Eignung haben, das richtige Urteil von einem Gegenstand zu fällen. Bonaventura fasst diese beiden Aspekte unter den Forderungen der Vortrefflichkeit der Erkenntnis, also des Gegenstandes, und der Würde des Erkennenden zusammen und führt diese beiden Momente explizit als Kriterien einer sicheren Erkenntnis an, die unserem Geist, also dem endlichen Menschen, entspricht:

Daß aber unser Geist bei einer gewissen und sicheren Erkenntnis auf irgendeine Weise jene Regeln und unveränderlichen Ideen berührt, verlangt notwendigerweise die Vortrefflichkeit der Erkenntnis und die Würde des Erkennenden.[120]

Ebd., q. 4, 117 (mod.)

Nur durch die Verbindung beider Momente ist die Gewissheit einer Erkenntnis zu gewährleisten. In diesem Sinne berührt (*attingat*) eine solche Erkenntnis die unveränderlichen Ideen, wie es im Text heißt. Gegenüber der augustinischen Ideenlehre kann man in dieser Formulierung bereits eine gewisse Abschwächung erkennen, insofern hier nicht die Präsenz der ewigen Ideen und damit letztlich die Notwendigkeit einer übernatürlichen Erleuchtung betont werden, sondern stattdessen das bloße Heranreichen an die Ideen durch das abgeschwächte Berühren, wie es für »unseren Geist« möglich ist, im Vordergrund steht.

Im Weiteren erläutert Bonaventura, was er unter der Vortrefflichkeit des Erkenntnisgegenstandes und der Würde des Erkennenden im Einzelnen versteht:

Von der Vortrefflichkeit der Erkenntnis spreche ich, weil es keine Gewißheit beanspruchende Erkenntnis geben kann, wenn sie nicht auf Seiten des Erkenntnisobjekts Unveränderlichkeit und auf Seiten des Erkenntnissubjekts Unfehlbarkeit besitzt.[121]

Ebd., q. 4, 117

Erkenntnissubjekt und -objekt: Mit Gewissheit gewusst werden kann also nur das, was sich nicht verändert und von dem der Erkennende ein Urteil fällen kann, das nicht der Gefahr der Täuschung unterliegt. Auf beiden Seiten, objektiv wie subjektiv, bestehen allerdings Einschränkungen, die eine wirklich sichere Erkenntnis verhindern. Zum einen können nur die Gegenstände mit Gewissheit gewusst werden, die nicht nur so erfasst werden, wie sie dem erkennenden Verstand gegeben sind oder wie sie sich als Exemplare einer bestimmten Gattung von Gegenständen darstellen. Vielmehr kann im engeren Sinne nur das gewusst werden, was in der Weise erfasst wird, wie es in der schöpferischen Kunst, also im Geiste des die Welt schaffenden Gottes gegeben ist. Zum anderen kann nur derjenige ein sicheres Wissen besitzen, der als Erkenntnissubjekt nicht nur Spur (*vestigium*) oder Ähnlichkeitsbild (*similitudo*) Gottes ist, also einen geringen Grad der Annäherung an Gott besitzt, sondern der Abbild (*imago*) Gottes ist, also mit Gott als treibender Kraft (*per modum rationis moventis*) handelt und erkennt.

Spätestens mit diesem Hinweis auf die notwendige Gottebenbildlichkeit zur Erlangung sicherer Erkenntnis scheint Bonaventura sich wieder der augustinischen Position angenähert zu haben und die aristotelischen Hinweise auf die natürlichen Erkenntnisbedingungen des Menschen in den Hintergrund zu rücken. Doch wie die weitere Diskussion zeigt, versteht Bonaventura offensichtlich die augustinischen Forderungen nur noch als Maximalbedingungen des Erkennens, die, um auf den Menschen im gegenwärtigen Leben anwendbar zu sein, der Modifizierung bedürfen. Denn eine solche Korrektur nimmt er vor, wenn er diese mit der Abbildhaftigkeit verbundenen Ansprüche mit Blick auf die Endlichkeit der menschlichen Seele relativiert, indem er den Menschen *in statu viae*, also im Hier und Jetzt, mit seinen Unvollkommenheiten in den Vordergrund rückt:

Ebd., q. 4, 121

Weil hinwiederum aber nicht die ganze Seele von sich aus Abbild ist, erkennt sie mit den ewigen Ideen die von den Erscheinungen abstrahierten Ähnlichkeitsbilder wie die eigentlichen und bestimmten Maßgaben des Erkennens, ohne die ihr zur Erkenntnis das Licht der ewigen Maßgabe nicht genügt, solange sie noch im Stande der Unvollkommenheit weilt, es sei denn sie würde zufällig durch eine spezielle Offenbarung diesen Stand überschreiten, wie bei solchen, die ergriffen und zu Gott hin entrückt werden, und bei den Offenbarungen einiger Propheten.[122]

Der Rekurs auf »die von den Erscheinungen abstrahierten Ähnlichkeitsbilder« entspricht exakt der aristotelischen Lösung des Erkenntnisproblems und wird von Bonaventura mit der platonisch-augustinischen Lehre von den ewigen Ideen verbunden. Weil der Mensch nicht auf die Erkenntnis der sinnlichen Gegenstände verzichten kann, also auf seine Wahrnehmung als Ausgangspunkt des Erkennens angewiesen ist, muss er die Inhalte – Bonaventura nennt sie Ähnlichkeitsbilder (*similitudines*) — von den Erscheinungen, die ihm gegeben sind, abstrahieren. Erkennen bedeutet deshalb kein unmittelbares Gegenwärtigwerden ewiger Ideen, sondern nimmt seinen Ausgang bei der Sinneswahrnehmung und den im Vorstellungsvermögen gewonnenen Inhalten, die über die Vorstellung hinaus in abstrakte Inhalte und schließlich begriffliche Repräsentationen transformiert werden können. Das unmittelbare Gegenwärtigwerden der ewigen Ideen wird zum Ausnahmefall, der durch die göttliche Offenbarung zwar geschehen kann, der aber nicht die Regel bedeutet, sondern allenfalls Beispiele bei den biblischen Propheten hat.

4.3 | Thomas von Aquin und die Erkenntnis der materiellen Washeiten

Die fortschreitende Auseinandersetzung mit der aristotelischen Lehre trägt dazu bei, dass die genaue Zuordnung der beiden Erkenntnismodelle – des platonisch-augustinischen auf der Grundlage der ewigen Ideen und des aristotelischen durch Bezugnahme auf die natürlichen Erkenntnismöglichkeiten im Ausgang von der sinnlichen Wahrnehmung – näherhin zu hinterfragen ist.

4.3.1 | Die Kritik an der Ideenlehre

Kritik Platons: Für den bedeutenden Dominikanergelehrten Thomas von Aquin, der möglicherweise anwesend war, als Bonaventura seine einschlägigen Disputationen abhielt, da er zur gleichen Zeit in Paris lehrte, ist diese erkenntnistheoretische Frage zunächst mit einem ontologischen Problem verbunden, das sich zudem auch mit Blick auf den christlichen Glauben als Herausforderung erweist. Die ursprünglich von Platon gelehrte Auffassung, dass alle körperlichen Gegenstände nur dadurch das sind, was sie sind, indem sie an den ursprünglichen Ideen teilhaben, während diese als vollständig von der körperlichen Welt separierten Urbilder eine eigenständige Form der Existenz besitzen, hält Thomas mit Blick auf die göttliche Schöpfung für einen fremdartigen Gedanken. Aus diesem Grund übernimmt er, ebenso wie Bonaventura, die augustinische Variante dieser Lehre, die die Ideen nicht als an sich existierende Entitäten versteht, sondern sie in den göttlichen Geist verlegt.

Thomas von Aquin, Summa theologiae I q. 84 a. 5

Platon aber nahm an, wie oben gesagt wurde, dass die Formen der Dinge getrennt von der Materie durch sich subsistieren. Diese hat er Ideen genannt, durch deren Teilhabe unser Verstand, wie er behauptet, alles erkennt. Und wie die körperliche Materie durch Teilhabe an der Idee des Steines ein Stein wird, so erkennt unser Verstand durch Teilhabe an eben dieser Idee den Stein. Aber weil es vom Glauben her ein fremder Gedanke zu sein scheint, dass die Formen der Dinge außerhalb der Dinge ohne Materie durch sich subsistieren, wie die Platoniker annehmen, sagen sie, dass das Leben an sich und die Weisheit an sich schaffende Substanzen seien, wie Dionysius im elften Buch Von den göttlichen Namen sagt. Deshalb nimmt Augustinus im Buch Von den 83 Fragen an, dass der Ort dieser Ideen, die Platon annimt, die Urgründe aller geschaffenen Dinge im Geiste Gottes sind, entsprechend denen alles geformt wird und entsprechend denen auch die menschliche Seele alles erkennt.[123]

Damit ist für Thomas die Frage nach dem Wesen des menschlichen Erkennens zwar mit der Frage nach der Erkennbarkeit Gottes verbunden, allerdings ohne dass beide Fragen zusammenfallen würden.

Thomas beantwortet die Frage, ob der Mensch alles, was er erkennt, durch den Rückgriff auf die ewigen Ideen *in mente divina* erkennt, dadurch differenziert, dass er in seinem zentralen Argument zwei Möglichkeiten unterscheidet, wie etwas in etwas anderem, bzw. durch Rückgriff auf etwas anderes, erkannt werden kann. Die erste Weise entspricht einer unmittelbaren Übertragung der zu erkennenden Inhalte aus den ewigen Ideen, so wie dies bei der unmittelbaren Reflexion eines Bildes in einem Spiegel der Fall ist.

Ebd., q. 84 a. 5

Wenn man also fragt, ob die menschliche Seele alles in den ewigen Urbildern erkennt, ist festzustellen, dass man auf zweifache Weise sagt, dass etwas in etwas erkannt wird. Zum einen wie in einem erkannten Gegenstand; sowie jemand in einem Spiegel die Dinge sieht, deren Abbilder im Spiegel zurückgeworfen werden. Auf diese Weise kann die Seele im Zustand des gegenwärtigen Lebens nicht alles in den ewigen Urbildern sehen. Vielmehr erkennen die Seligen, die Gott und alles in ihm sehen, auf diese Weise alles in den ewigen Urbildern.[124]

Natürliche versus gnadenhafte Erkenntnis: Dieses Modell der Erkenntnis scheidet nach Thomas für den Menschen in seinem endlichen Zustand aus, denn die natürlichen Fähigkeiten des Menschen reichen nicht aus, auf diese Weise Gott und alles, was in ihm ist, zu erfassen. Diese Art des Erkennens ›von etwas in etwas‹ entspricht nur einem idealisierten Typ von Menschen, der im Zustand gnadenhafter Beseligung die Grenzen seiner gegenwärtigen Natur übersteigen kann, und bleibt damit einem zukünftigen Zustand des Menschen vorbehalten. Seine ihn auf Erden charakterisierenden Fähigkeiten sind begrenzt und können nicht aus eigener Kraft, sondern nur durch das gnadenhafte Eingreifen Gottes, also auf dem Wege einer durch Gott bewirkten Erleuchtung (*illuminatio*), zu einer Erkenntnis des Wesens Gottes geführt werden.

Ebd., q. 12 a. 5

Alles, was zu etwas emporgehoben wird, das seine Natur übersteigt, muss durch eine Disposition disponiert werden, die über seine Natur hinausgeht, wie es notwendig ist, wenn Luft die Form des Feuers annehmen soll, dass sie durch eine Disposition zu einer solchen Form disponiert wird. Wenn also ein geschaffener Intellekt Gott seinem Wesen nach sieht, wird das Wesen Gottes selbst die intelligible Form des Intellekts. Deshalb ist es notwendig, dass ihm eine übernatürliche Disposition hinzugefügt wird, damit er zu einer so großen Erhabenheit emporgehoben wird. Weil also die natürliche Kraft des geschaffenen Intellekts nicht ausreicht, um das Wesen Gottes zu sehen, wie gezeigt wurde, ist es notwendig, dass ihm darüber hinaus aus der göttlichen Gnade eine Erkenntniskraft zuwächst. Und diese Verstärkung der Erkenntniskraft nennen wir eine Erleuchtung des Intellekts; wie auch das Einsehbare selbst Leuchten oder Licht genannt wird. Und das ist das Leuchten, von dem Offb 21 sagt, dass die Helle Gottes diese, nämlich die Gemeinschaft der Seligen, die Gott sehen, erleuchten wird. Und entsprechend diesem Leuchten werden sie zu Gottförmigen gemacht, d. h. zu Gott Ähnlichen, entsprechend I Joh 3 »Wenn er erschienen sein wird, werden wir ihm ähnlich sein und ihn sehen, wie er ist.«[125]

Die These des Augustinus kann also nur in einer anderen Interpretation zutreffen, nämlich dann, wenn mit der Formulierung »in etwas« der Grund gemeint ist, durch den diese Erkenntnis letztlich verursacht ist. »Etwas in etwas erkennen« meint dann, etwas durch den Ursprung zu erkennen, der in letzter Konsequenz die Ursache oder die Voraussetzung des Erkennens ist, ohne dass dieser Ursprung unmittelbar die nächstliegende Ursache eines konkreten Erkenntnisaktes sein muss. In diesem Sinne sind die ewigen Urbilder eine ungeschaffene Quelle des Erkennens, an der jedes geschaffene Erkenntnisvermögen in einer je eigentümlichen Weise teilhat.

Ebd., q. 84 a. 5

Auf eine andere Weise sagt man, dass etwas in etwas erkannt wird wie im Anfangsgrund des Erkennens, so wie, wenn wir sagten, dass man in der Sonne die Dinge sieht, die man durch die Sonne sieht. Und so muss man notwendigerweise sagen, dass die menschliche Seele alles in den ewigen Urbildern erkennt, an denen teilhabend wir alles erkennen. Das geistige Licht selbst nämlich, das in uns ist, ist nichts anderes als eine Ähnlichkeit zu dem die ewigen Urbilder enthaltenden ungeschaffenen Licht, die wir durch Teilhabe besitzen.[126]

Species intelligibiles: Die Pointe dieser Deutung scheint darin zu liegen, dass die Ideen nicht der unmittelbare Zielpunkt sind, auf den sich unser Erkennen richtet. Wir haben an den ewigen Ideen nur teil, und deshalb – so zeigt die weitere Diskussion – reicht das geistige Licht, das wir von Natur aus besitzen, nicht aus, alles zu erkennen. Blicken wir auf die endliche Verfassung des Menschen, bedarf es weiterer Hilfsmittel, um zur

Erkenntnis der innerweltlichen Dinge zu gelangen. Diese Hilfsmittel sind die geistigen Erkenntnisbilder – *species intelligibiles* –, die wir durch einen Abstraktionsprozess im Ausgang von den sinnlich wahrnehmbaren Gegenständen gewinnen können. Die platonische Ideenlehre scheitert nach Thomas gerade daran, dass sie nicht erklären kann, wie man von den materiellen Gegenständen in der Welt Kenntnis gewinnen kann. Die Teilhabe an den Ideen kann nicht begründen, wie wir als endliche Wesen, die keinen unmittelbaren Zugang zu Gott und dem, was im Geiste Gottes ist, haben, die singulären Dinge der äußeren Wirklichkeit erfassen können.

Ebd., q. 84 a. 5

Weil aber außer dem geistigen Licht in uns die geistigen Erkenntnisbilder, die von den Dingen hergenommen werden, für ein Wissen, das man von den materiellen Dingen hat, nötig ist, haben wir deshalb nicht allein durch die Teilhabe an den ewigen Urbildern Kenntnis von den materiellen Dingen, wie die Platoniker behaupten, dass allein die Teilhabe an den Ideen ausreicht, um Wissen zu besitzen.[127]

Die von Thomas vertretene Deutung menschlichen Erkennens orientiert sich nicht primär an einer Idealgestalt von Wissen, die auf die ewigen Urbilder zielen würde, weil diese die größte Gewissheit gewährten, sondern berücksichtigt in erster Linie die natürlichen Gegebenheiten, die den Menschen als endliches Wesen auszeichnen. Diese Richtung der thomanischen Interpretation wird vor allem dann deutlich, wenn man fragt, worin denn der eigentliche Gegenstand menschlicher Erkenntnis besteht, und damit nach der Angemessenheit von Erkenntnissubjekt und -objekt fragt.

4.3.2 | Der Gegenstand des menschlichen Erkennens

Angemessener Erkenntnisgegenstand: Welcher Gegenstand entspricht dem menschlichen Erkenntnisvermögen? Thomas diskutiert diese Frage, indem er als formales Prinzip die ›Proportioniertheit‹ von Erkenntnisgegenstand und Erkenntnisvermögen voraussetzt, um dann von der Angemessenheit dieses Verhältnisses ausgehend die möglichen Relationsglieder, also die möglichen Gegenstände und die möglichen Vermögen, die der Erkenntnis zugrunde liegen, in den Blick zu nehmen. Explizit beruft sich Thomas, bevor er die Relationsglieder selbst untersucht, auf die Prämisse, dass das Verhältnis von Erkenntnisvermögen und -gegenstand angemessen sein muss, wie er selbst bereits festgestellt hat. Wenn Thomas davon spricht, dass das Vermögen, durch das erkannt wird, dem Gegenstand, der erkannt wird, »proportioniert wird« (*proportionatur*), ist dies weder als ein einseitiger Vorgang, den das Vermögen erleidet und der den Gegenstand unberührt lässt, zu verstehen, noch handelt es sich um ein unbestimmtes Verhältnis, das hier zum Ausdruck gebracht wird. Der Kern dieser These besteht vielmehr darin, dass das Verhältnis von Gegenstand und Vermögen als ein angemessenes verstanden wird, also ein Kriterium der Adäquatheit darstellt, das zu erfüllen ist. Vom Vermögen her betrachtet folgt aus dieser Annahme, dass nicht alles Gegenstand des

Erkennens sein kann; vom Gegenstand aus gesehen ergibt sich, dass dieser nicht durch jedes Vermögen zu erfassen ist. Die Adäquatheitsthese hat also Konsequenzen für beide Relationsglieder, betrifft somit das Objekt wie das Subjekt des Erkenntnisvorgangs.

In einem ersten Schritt ist die Seite des Erkenntnissubjektes und der ihm zukommenden Vermögen zu betrachten. Insgesamt unterscheidet Thomas in diesem Zusammenhang drei verschiedene Vermögen bzw. Ausprägungen des Vermögens, die dem Erkennen dienen:

Ebd., q. 85 a. 1

Wie oben gesagt wurde, steht der Erkenntnisgegenstand in einem angemessenen Verhältnis zum Erkenntnisvermögen. Es gibt aber eine dreifache Abstufung des Erkenntnisvermögens. Ein Erkenntnisvermögen nämlich ist die Verwirklichung eines körperlichen Organs, nämlich der Sinn. Und deshalb ist der Gegenstand eines jeden sinnlichen Vermögens die Form, sowie sie in der körperlichen Materie existiert. Und weil eine solche Materie das Prinzip der Individuation ist, kann jedes Vermögen des sinnlichen Teils [der Seele] nur partikuläre Dinge erkennen.[128]

Singuläres Erkenntnisobjekt: Legt man die These der Proportioniertheit von Gegenstand und Vermögen zugrunde und betrachtet zunächst dasjenige Erkenntnisvermögen, dessen Wirken an die körperlichen Organe des Menschen geknüpft ist, nämlich das Wahrnehmungsvermögen, das jeweils mit einem sinnlichen Organ, etwa dem Auge oder dem Ohr, verbunden ist, dann erweist sich der individuelle Einzelgegenstand der materiellen Welt als das angemessene Objekt des Erkennens. Dieser Zusammenhang von Sinnlichkeit und Partikularität kommt aufgrund der besonderen Rolle der Materie zustande. Der Hintergrund hierfür ist die thomanische Individuationslehre, wonach eine allgemeine Artnatur durch die jeweils zugrundeliegende Materie zu einem Individuum ›zusammengezogen‹ wird, also die allgemeine Natur des Menschen durch die materielle Verwirklichung zu einem ganz bestimmten Menschen wird. Da das Sinnesvermögen immer auf materielle Gegenstände gerichtet ist, und nur solche Gegenstände aufgrund ihrer Materialität als singuläre Vorkommnisse in Frage kommen, richtet sich das sinnliche Erkennen eben primär auf singuläre Dinge. Erkannt wird hierbei nicht die Materie als solche, sondern die jeweils konkrete Form, die diesen materiellen Gegenstand prägt und insofern nicht losgelöst von der Materie gedacht werden kann.

Diese Anbindung der erkannten Form an die Materie ist bei dem in einem zweiten Schritt in den Blick genommenen Erkenntnisvermögen, das keinerlei Verbindung mit einem körperlichen Organ hat, nicht mehr gegeben.

Ebd., q. 85 a. 1

Ein anderes Erkenntnisvermögen ist aber das, das weder die Verwirklichung eines körperlichen Organs ist noch in irgendeiner Weise mit der körperlichen Materie verbunden ist, wie dies beim Verstand der Engel der Fall ist. Und deshalb ist der Gegenstand dieses Erkenntnisvermögens die Form, die ohne Materie besteht; auch wenn [die Engel] materielle Dinge erkennen, so betrachten sie diese nur in den immateriellen, nämlich entweder in sich selbst oder in Gott.[129]

Dieser zweite Fall übersteigt die tatsächlichen Bedingungen menschlichen Erkennens, wie Thomas durch die kontrastierende Bezugnahme auf den Verstand der Engel deutlich macht. Die Beschreibung, die Thomas hier vornimmt, ist idealtypisch zu verstehen und spiegelt keinesfalls die tatsächlichen Verhältnisse menschlichen Erkennens in der hiesigen Welt wider. Formen, die ohne jede Anbindung an Materielles bestehen, kommen für den Menschen als Erkenntnisgegenstände nicht in Betracht. Weshalb Thomas sie anführt, hat vor allem seinen Grund darin, auf diese Weise die Extremfälle beschrieben zu haben: auf der einen Seite Formen, die nur mit Materie denkbar sind, und auf der anderen Seite Formen, die nur dadurch erkannt werden, dass sie durch Immaterielles erkannt werden. Menschen erkennen das, was die Form, also die wesentliche Beschaffenheit, z. B. des Menschen selbst ausmacht, nur durch Abstraktion von den sinnlich erkennbaren Menschen, deren Form jeweils mit individuellen Körpern verbunden ist. Die Engel als rein geistige Wesen hingegen erfassen das Wesen des Menschen, also seine Form, unmittelbar ohne die Vermittlung eines Abstraktionsvorgangs, der das Formhafte vom Materiellen absondert.

Abstraktion der Form: Macht man sich diese Extremfälle klar, wird deutlich, dass der Fall der menschlichen Erkenntnis und damit die Frage nach dem angemessenen Gegenstand eines endlichen Erkenntnisvermögens nur als Mittleres zwischen diesen Extremen zu begreifen ist. Thomas kennt also einen dritten Fall, wie sich das Erkenntnisvermögen darstellt.

Der menschliche Verstand verhält sich auf eine mittlere Art und Weise. Er ist nämlich nicht die Verwirklichung irgendeines Organs, sondern ist ein Vermögen der Seele, die die Form des Körpers ist, wie aus dem oben Gesagten deutlich hervorgeht. Und deshalb ist es [dem Verstand] eigentümlich, die Form zu erkennen, die zwar in der körperlichen Materie auf individuelle Weise existiert, aber sie gleichwohl nicht zu erkennen, wie sie in einer solchen Materie ist. Dasjenige aber zu erkennen, das in der individuellen Materie ist, aber nicht, wie es in einer solchen Materie ist, bedeutet die Form von der individuellen Materie, die die Vorstellungsbilder repräsentieren, zu abstrahieren.[130]

Ebd., q. 85 a. 1

Die Formen, die Gegenstand der menschlichen Erkenntnis sind, sind also solche, die einerseits mit der Materie verbunden, aber andererseits von dieser abstrahierbar sind. Im Ergebnis kann man demnach festhalten, dass der Mensch die individuellen Einzelgegenstände, die mit der Materie behaftet und nur durch diese singulär sind, dadurch erfasst, dass er einen Prozess der Abstraktion durchläuft, der von der Materie zu den immateriellen Gegenständen führen kann.

Und deshalb ist es notwendig zu sagen, dass unser Verstand die materiellen Dinge einsieht, indem er von den Vorstellungsbildern abstrahiert. Wir gelangen durch die materiellen Dinge, die auf diese Weise betrachtet werden, zu einer Erkenntnis der immateriellen, sowie umgekehrt die Engel die materiellen Dinge durch die immateriellen erkennen.[131]

Ebd., q. 85 a. 1

Die Möglichkeit eines solchen Prozesses, an dessen Ende der Mensch die materiefreien Formen erfasst, sollte nicht darüber hinwegtäuschen, dass das eigentliche Objekt der menschlichen Erkenntnis im Hier und Jetzt die mit der Materie behafteten Formen sind, oder, wie es an anderer Stelle heißt, die Naturen, die nur ein Sein in der individuellen Materie haben und die nur durch einen Abstraktionsprozess im Erkenntnisvorgang von dieser abgelöst werden können.

Ebd., q. 12 a. 4

Deshalb ist es für uns durch den Verstand etwas Natürliches, die Geschöpfe, die zwar nur ein Sein in der individuellen Materie haben, dennoch nicht insofern zu erkennen, dass sie in der individuellen Materie sind, sondern insofern sie durch die Betrachtung des Verstandes von [der Materie] abstrahiert werden.[132]

Unerkennbarkeit der Ideen: Ideen, die als solche losgelöst von der Materie sind und in diesem Sinne als separat gelten können, entziehen sich dem menschlichen Erkennen, weshalb sich Thomas von der Lösung der platonischen Ideenlehre und der damit verbundenen These hinsichtlich des dem endlichen Verstand angemessenen Objektes distanziert.

Ebd., q. 85 a. 1

Platon aber, der nur auf die Immaterialität des menschlichen Verstandes blickte, nicht aber darauf, dass dieser in gewisser Weise mit dem Körper vereinigt ist, nahm an, dass die losgelösten Ideen der Gegenstand des Verstandes sind und dass wir einsehen, nicht indem wir abstrahieren, sondern eher indem wir am Abstrakten teilhaben, wie oben gesagt wurde.[133]

Im Ergebnis steht für deshalb Thomas fest, dass eine Betrachtung des menschlichen Erkenntnisvermögens die Körperlichkeit des Menschen zu berücksichtigen hat, und Erkenntnis deshalb für den Menschen nicht in einer unmittelbaren Schau abgetrennter Ideen bestehen kann.

Ebd., q. 84 a. 7

[D]er eigentliche Gegenstand des menschlichen Verstandes, der mit dem Körper verbunden ist, ist die Washeit bzw. die Natur, die in der körperlichen Materie existiert.[134]

Nur in Form einer Synthese von Körperlichkeit und Immaterialität, die nach Thomas im Erkenntnisvorgang hergestellt wird, ist es möglich, zu erklären, was der eigentliche Gegenstand des menschlichen Erkennens ist.

4.4 | Johannes Duns Scotus und die Lehre vom adäquaten Objekt menschlicher Erkenntnis

Kritik der thomanischen Lehre: Eine Generation später wird diese Lehre des Thomas von Aquin einer deutlichen Kritik unterzogen, nicht nur, weil sie als erkenntnistheoretische Position nicht überzeugen kann, sondern auch, weil sie in theologischer und metaphysischer Hinsicht zu gravierenden Folgeproblemen führt. Es ist vor allem Johannes Duns Scotus, der bei allen Unterschieden die direkte Auseinandersetzung mit Thomas eher selten sucht, in dieser Frage aber an verschiedenen Stellen seiner Werke ganz deutlich die Thesen des Thomas kritisiert. Die Grundzüge der scotischen Kritik und der Hintergrund, vor dem sie formuliert wird, lässt sich bereits an einer sehr früheren Auseinandersetzung erkennen, die Scotus in seinem Kommentar zur aristotelischen Schrift *Über die Seele* vermutlich zu Beginn der 1290er Jahre führt. Der scotische *De anima-Kommentar* hat die literarische Form von in sich geschlossenen Sachfragen, die auf Teilaspekte der aristotelischen Lehre bezogen sind.

4.4.1 | Die Auseinandersetzung mit Thomas von Aquin

Eine dieser Fragen behandelt das Problem, ob nur die sinnlich wahrnehmbare Washeit der Gegenstand unseres Verstandes ist. Im Kern beantwortet Scotus diese Frage, indem er zunächst die Auffassung des Thomas von Aquin darstellt, dann seine Einwände gegen diese Lehre formuliert und im Anschluss seine eigene Deutung vorlegt. Auch wenn die explizite Nennung des Namens des Thomas in den Handschriften nicht einheitlich und zudem nicht von den besten Textzeugen überliefert ist, kann es als unstrittig gelten, dass die von Scotus kritisierte Auffassung sachlich und weitgehend auch im Wortlaut der des Thomas entspricht. Diese Auffassung besagt,

dass die Washeit des sinnlich wahrnehmbaren Dinges der angemessene Gegenstand unseres Verstandes ist.[135]

Johannes Duns Scotus, De anima q. 19 n. 5

Zum Beleg dieser These führt Scotus genau die Argumente an, die Thomas in den Ausführungen seiner *Summa theologiae* (vgl. Thomas von Aquin, Summa theologiae I q. 85 a. 1) entwickelt hat: die dreifache Einteilung der Erkenntniskraft, wobei das dem Menschen angemessene Vermögen, das seinen Erkenntnissen zugrunde liegt, die Washeiten der Dinge erfasst, die zwar real als materielle existieren, aber vermittels eines Abstraktionsprozesses als losgelöst von jeglichem Stoff betrachtet werden.

Keine Beschränkung auf die materiellen Gegenstände: Der Hauptgrund, warum Scotus der thomanischen Auffassung nicht folgt und sie im Weiteren kritisiert, besteht darin, dass er bei Thomas eine Beschränkung der menschlichen Erkenntnisleistung auf den Bereich der materiellen Gegenstände, also der stofflichen Washeiten, vertreten sieht. Dieser Beschränkung kann Scotus nicht zustimmen. Die scotische Ablehnung hängt damit zusammen, dass die Position des Thomas durch die Hinzufügung des Wortes *sola*, also ›ausschließlich‹, von Scotus in der zentralen These dahingehend verschärft wird, dass ausschließlich die materiellen Washeiten Objekt des menschlichen Erkennens sind. Die ursprüngliche Annahme, dass die menschliche Erkenntnis grundsätzlich bei den sinnlichen Dingen ihren Anfang nimmt und in diesem Sinne ihren eigentlichen Gegenstand hat, wird von Scotus zugespitzt, indem er – Thomas durchaus einseitig interpretierend – festhält:

allein die materielle Washeit ist Gegenstand unseres Verstandes.[136]

Ebd., q. 19 n. 6

Missversteht Scotus also die Lehre des Thomas oder – was noch gravierender wäre – entstellt er sie in ihren Details mit der Absicht, um sie umso leichter widerlegen zu können? Auf den ersten Blick könnte man tatsächlich diesen Eindruck haben, aber bei näherem Zusehen zeigt sich, dass die scotische Absicht eine andere ist. Sein Einwand gegen Thomas lautet im Grunde genommen nicht, dass Thomas das Erkennen auf die sinnlichen Gegenstände beschränkt, denn auch er lässt eine gewisse Form der Erkenntnis des Göttlichen und der von der Materie unabhängigen Substanzen zu, auch wenn das für Thomas nur nach dem Tod des Körpers durch den Eingriff der göttlichen Gnade geschieht. Was Scotus zu kritisieren scheint, ist, dass Thomas diese Erkenntnismöglichkeit aufgrund seiner Deutung des Ursprungs aller Erkenntnis bei den materiellen Dingen und damit in der sinnlichen Wahrnehmung nicht wirklich erklären kann, ohne eine gravierende Veränderung in der Natur des Menschen bzw. in der natürlichen Handlungsweise der menschlichen Seele anzunehmen.

Thomas räumt zwar ein, dass auch der Mensch die göttliche Wesenheit erfassen kann, allerdings nicht unter den endlichen Bedingungen, also unter Berücksichtigung der vor allem von Aristoteles beschriebenen natürlichen Gegebenheiten menschlichen Erkennens. Erkennen kann der Mensch Gott aber aufgrund eines gnadenhaften Eingriffs, nämlich durch das Licht der Herrlichkeit, das sogenannte *lumen gloriae*. Allerdings ist dies erst nach dem Tod des Menschen also postmortal der Fall. Scotus hat insofern mit dieser Deutung des Thomas recht, als dieser die Erkenntnis Gottes tatsächlich von einem göttlichen Gnadenakt abhängig macht, der durch einen die menschliche Natur übersteigenden Eingriff das ursprüngliche Erkenntnisvermögen des Menschen stärkt. Allerdings betrifft dieses Verständnis des Erkenntnisvorgangs nach Thomas nur den Fall, dass es sich um eine Erkenntnis des göttlichen Wesens handelt. Welche Möglichkeiten einer natürlichen Gotteserkenntnis Thomas annimmt, die zwar kein Erkennen des Wesens Gottes darstellt, sondern Gott durch allgemeine Begriffe in einer eingeschränkten Weise zu erfassen sucht – was Thomas durchaus für möglich hält –, diskutiert Scotus an dieser Stelle nicht.

Einwand des Scotus: Wenn man diese Möglichkeit, die auch Scotus selbstverständlich einräumt, annehmen will – so lautet ein erster Einwand gegen Thomas –, darf Gott als Gegenstand des menschlichen Erkennens nicht grundsätzlich das Verstandesvermögen, das wir besitzen, übersteigen. Denn Gott ist in diesem Fall der Gegenstand des *lumen gloriae* und damit der Gegenstand einer bestimmten Disposition unseres Verstandes, der, insofern unser Intellekt diese Disposition aufnehmen kann, nicht grundsätzlich durch das entsprechende Objekt überfordert sein darf.

Adäquatheit von Objekt und Subjekt: Auch der thomanische Hinweis darauf, dass wir Gott nicht mit unserem Verstand erkennen können, solange dieser mit dem Körper verbunden ist, dies aber sehr wohl mittels des vom Körper getrennten Verstandes möglich ist, lässt Scotus nicht gelten und beruft sich für seine Zurückweisung dieses Argumentes wiederum auf Prämissen, die Thomas selbst formuliert hat. Im Zentrum steht hierbei für Scotus der Begriff der Natur, bzw. der des Natürlichen. Wenn sich das, was Gegenstand unseres Erkennens ist, daran orientieren muss, was unser Verstand von Natur aus ist, und unser Verstand natürlicher Weise mit dem Körper verbunden ist, dann muss man aus scotischer Sicht daran festhalten, dass auch das natürliche Objekt unseres Erkennens auf die natürliche Verfasstheit des Verstandes abgestimmt ist. Scotus geht also von der Notwendigkeit eines adäquaten Verhältnisses von Objekt und Subjekt auf der Ebene der Natur aus. Gegenstand unserer Erkenntnis bliebe demnach aufgrund der thomanischen Prämissen das, was mit der Materie verbunden ist, auch wenn man begrifflich von dieser Verbindung absehen kann.

Ebd., q. 19 n. 11–12

Jener Gelehrte [Thomas von Aquin] würde sagen, dass [Gott] durch den losgelösten Verstand erkannt werden kann, nicht aber durch den mit dem Körper verbundenen. Aber das hat entsprechend seiner eigenen Auffassung keine Bedeutung, denn sein Weg geht von unserem Verstand, der entsprechend seiner Natur bzw. entsprechend seiner natürlichen Seinsweise verstanden wird, aus, wie er auch von der natürlichen Seins- und Erkenntnisweise des Engels und des sinnlichen Vermögens ausgeht. Auf diese Weise ist es so, dass er nicht von Natur dazu bestimmt ist, immer losgelöst zu sein, sondern von Natur danach strebt, mit dem Körper vereinigt zu werden. Deshalb wird nach seiner Auffassung sein natürlicher Gegenstand – egal in welchem Zustand er sich befindet – die Washeit sein, die mit der Materie dem Sein nach verbunden ist, auch wenn sie dem Begriff nach losgelöst sein sollte, was widerlegt wurde.[137]

Natürliche Erkenntnisweise des Menschen: Ob Scotus der thomanischen Position in allen Details und vor allem in der Abwägung der verschiedenen Aspekte gerecht wird, mag dahingestellt sein. Feststeht, dass Thomas selbst durchaus einräumt, dass hier eine Schwierigkeit, bzw. eine Kette von Schwierigkeiten, vorliegt, die mit der Frage zusammenhängen, worin die natürliche Erkenntnisweise des Menschen besteht: Ist es die, die dem mit dem Körper vereinten oder die, die dem vom Körper getrennten Verstand zukommt? Die thomanische Antwort, dass beide Erkenntnisweisen der Natur der menschlichen Seele entsprechen, wird dadurch möglich, dass Thomas die Differenz beider Aspekte nicht in die Natur, sondern in die jeweilige Seinsweise der Seele verlegt, die nach thomanischer Auffassung immer die Handlungsweise, also in diesem Fall die jeweilige Art des Erkennens, bestimmt. Nach Thomas gilt: Wenn die Seinsweise die Einheit von Körper und Seele vorsieht, erkennt der Mensch durch Hinwendung zu den Sinnendingen, wenn die Seinsweise die Trennung der Seele vom Körper ist, wird die Hinwendung auf das sinnliche Erscheinungsbild hinfällig. In beiden Fällen handelt es sich aber nach Thomas um eine der menschlichen Natur entsprechende Erkenntnisweise, was Scotus offensichtlich bestreitet, weil er Thomas die These unterstellt, die natürliche Erkenntnisweise des Menschen sei allein die, die auf die sinnlichen Erscheinungsbilder bezogen sei. Der scotische Einwand gegen Thomas beruht also auf der Annahme, dass die Einheit der Natur prinzipiell eine Einheit der Handlungsweise nach sich ziehen müsse. Thomas nimmt als natürliche Existenzweise des Menschen die Verbindung von

Leib und Seele an, weshalb Scotus darauf beharrt, dass der natürliche Gegenstand des menschlichen Erkenntnisvermögens sich aus der Tätigkeitsweise eines mit dem Körper verbundenen Verstandes ergeben muss.

Für Scotus bleibt es im Ergebnis unerklärlich, wie Thomas die Erkenntnis von Gegenständen, die ihrer Existenzweise nach von der Materie losgelöst sind, für unseren endlichen Verstand zulassen kann, wenn dieser seiner Natur nach auf das Materielle festgelegt und beschränkt ist.

4.4.2 | Die scotische Lehre vom angemessenen Erkenntnisgegenstand

Aber ist diese Argumentationsstrategie des Duns Scotus, die davon ausgeht, dass Gott dem natürlichen Erkenntnisvermögen des Menschen in einer gewissen Weise zugänglich sein muss, überhaupt philosophisch relevant oder versucht sie nur Forderungen der biblischen Überlieferung zu erfüllen, ohne der Reflexion der natürlichen Grenzen des Menschlichen, wie sie für Thomas zentral ist, Rechnung zu tragen? Gibt es für Scotus ein anderes Argument gegen die zu eng gesteckten Grenzen des Erkennens, wie sie die thomanische Lehre aus Sicht des Duns Scotus zieht?

Fokussierung auf die menschliche Natur: Wie sich zeigen wird, verfolgt Scotus ganz im Gegenteil die Absicht, ausschließlich die natürlichen Fähigkeiten des menschlichen Erkennens auszuloten und diese in den Grenzen, aber auch in den Möglichkeiten zu vergegenwärtigen, ohne dass er aufgrund anderer Seinsweisen der erkennenden Seele dieser unterschiedliche Handlungsweisen und damit Fähigkeiten zuspricht. Ein erster Schritt in diese Richtung erfolgt gleich mit dem sich anschließenden Argument, mit dem Scotus in wenigen Worten eine kohärente Theorie des natürlichen Erkenntnisgegenstandes des Menschen zu entwerfen versucht. Die Pointe, die sich gegen Thomas richtet, besteht darin, dass Scotus auf der Möglichkeit einer natürlichen Erkenntnis eines nicht sinnlichen Gegenstandes beharrt. Dieser Gegenstand ist der Begriff des Seienden, der nicht ein konkretes Seiendes meint, sondern auf jedwedes Seiende anwendbar ist und deshalb auch alle nicht-sinnlichen Gegenstände und damit auch Gott umfasst. Wenn diese These zutrifft, so die Schlussfolgerung, die Scotus zieht, dann kann der menschliche Verstand nicht auf die sinnliche Washeit in seinem Erkennen eingeschränkt sein. Denn was er mit diesem allgemeinsten Begriff erfasst, ist eben mehr als nur das sinnlich erfassbare Seiende. Folglich kann die wahrnehmbare Washeit auch nicht der uns angemessene Gegenstand sein.

Ebd., q. 19 n. 13

Auch unser Verstand im diesseitigen Leben kann das Seiende unter dem Begriff des Seienden, der allgemeiner ist als der Begriff der sinnlich wahrnehmbaren Washeit, erkennen. Also ist die sinnlich wahrnehmbare Washeit nicht der angemessene Gegenstand unseres Verstandes.[138]

In einem weiteren Schritt begründet Scotus nun zunächst die Prämisse und dann die Schlussfolgerung.

Der Untersatz leuchtet ein, weil es ein menschliches Wissen vom Seienden, insofern es Seiendes ist, gibt. Der Beweis der Schlussfolgerung [lautet]: Weil kein Vermögen etwas erkennen kann, das allgemeiner ist als der ihm angemessene Gegenstand; denn dann wäre ihm der Gegestand nicht angemessen. [Das zeigt] das Beispiel vom Gesichtssinn, der nicht etwas Allgemeineres erkennen kann als die Farbe und das Licht.[139]

Ebd., q. 19 n. 13

Erkennen als intentionaler Akt: Die Voraussetzung, die Scotus seinem Argument zugrunde legt, besteht in zwei Annahmen: zum einen darin, dass der Mensch überhaupt etwas erkennt, und zum anderen darin, dass jede Erkenntnis jeweils auf einen Gegenstand gerichtet ist. Erkennen hat immer eine intentionale Struktur, zielt also immer auf ein Etwas, von dem etwas erkannt wird, was man dann in einem Satz von diesem Objekt aussagen könnte. Sieht man von jedem besonderen Erkenntnisgegenstand ab und blickt allein auf diese Struktur jeder Erkenntnis, kann man festhalten, dass der Mensch immer etwas erkennt, wenn er überhaupt erkennt. Dieses ›etwas‹ bezeichnet Scotus als Seiendes, womit gesagt sein soll, dass es nicht ein konkreter, so oder anders beschaffener Gegenstand ist, sondern der Bezugspunkt jeder Erkenntnis, sofern jeder konkrete Gegenstand, welcher auch immer es sei, stets ein Seiendes in diesem weiten Sinne von ›etwas‹ ist.

Seiendes als Seiendes: Selbstverständlich ist jeder Erkenntnisakt immer konkret, indem er diesem oder jenem Gegenstand gilt. Gleichwohl kann man sich aber vorstellen, dass man fortschreitend von allen besonderen Eigenschaften, die diesen Gegenstand kennzeichnen, absehen kann, indem man von der konkreten Größe, der vorliegenden Farbe und schließlich von der materiellen Beschaffenheit im Ganzen abstrahiert. Was dann am Ende bleibt, ist ein bloßes Etwas oder eben ein Seiendes, das nur noch als Seiendes überhaupt und nicht mehr als dieses besondere Seiende betrachtet wird. Die scotische Prämisse lautet also: Wenn wir überhaupt etwas erkennen, dann erkennen wir auch immer ein Seiendes als Seiendes (*ens inquantum ens*), weil jeder Gegenstand immer auch ein solches Seiendes ist.

Adäquater Erkenntnisgegenstand: Die scotische Schlussfolgerung operiert zentral mit dem Begriff eines einem Vermögen angemessenen Gegenstandes. Die zentrale Vorstellung, von der Scotus hier Gebrauch macht, besteht darin, dass Adäquatheit verstanden wird als das angemessene Verhältnis, in dem das Erkenntnisvermögen und der Erkenntnisgegenstand, bezogen auf ihre Reichweite, zueinander stehen. Angemessen ist dieses Verhältnis dann, wenn man unter einem Gegenstand in diesem Sinne alles das versteht, was überhaupt von einem Vermögen erfasst werden kann, also nicht nur, was hier und jetzt konkret erkannt wird, sondern überhaupt aufgrund der Art des Vermögens erkennbar ist. In diesem Sinne – so das Beispiel, das Scotus nennt, – kann das Sehvermögen nicht nur diese Gestalt mit dieser speziellen Farbe sehen, sondern kann eben prinzipiell alles erkennen, was farbig und erleuchtet ist. Nach diesem Verständnis ist der allgemeinste und damit adäquate Gegenstand des Gesichtssinnes die Farbe bzw. das Licht. Überträgt man diesen Gedanken auf den menschlichen Verstand, dann ist der adäquate Gegenstand dieses Vermögens das Seiende als solches, weil dieser Begriff des Seienden der allgemeinste ist, der auf alles anwendbar ist, wie die Farbe und das Licht auf alles zutreffen, was überhaupt gesehen werden kann.

Die Pointe dieses Argumentes in der Widerlegung der These des Thomas von Aquin besteht darin, dass Scotus die Beschränkung des Gegenstandes der menschlichen Erkenntnis auf die sinnliche Washeit für zu eng hält, weil wir in der Lage sind, auch anderes, was nicht materiell ist, etwa die allgemeinste Bestimmung des Seienden als solchen, zu erfassen. Scotus bestreitet nicht, dass wir Sinnliches erkennen und als sinnlich verfasste Wesen unser Erkennen in der Regel auch im Bereich der materiellen Washeiten beginnt. Er bestreitet allerdings, dass das Sinnliche der adäquate Gegenstand unseres Erkennens ist, eben weil wir auch in der Lage sind, vom Sinnlichen abzusehen, und dass jede Erkenntnis von etwas Sinnlichem auch immer – wenn auch ohne dies ausdrücklich sein zu müssen – eine Erkenntnis des Seienden als Seienden ist. Die scotische These, dass alles, was erkannt wird, auch immer ein Seiendes ist, wird nicht dadurch widerlegt, dass dies erst durch einen nachträglichen Abstraktionsvorgang zu Tage tritt. Wenn wir nach dem angemessenen Gegenstand der menschlichen Erkenntnis fragen, dürfen wir deshalb nicht – wie Thomas von Aquin – allein darauf achten, womit unser Erkennen beginnt, sondern wir müssen auf die allgemeinste Bestimmung blicken, die in jeder konkreten oder möglichen Erkenntnis implizit enthalten ist.

Größte Allgemeinheit: Diese allgemeinste Bestimmung umfasst dann einerseits alles, was sinnlich erkennbar ist, andererseits aber auch grundsätzlich das, was nicht mit Materie behaftet ist. Aus diesem Grund können prinzipiell auch Gott und andere nicht materiell verfasste Gegenstände erkannt werden, auch wenn eine solche Erkenntnis natürlich aufgrund der Endlichkeit des Menschen nicht unmittelbar und in der dem Gegenstand angemessenen Deutlichkeit erfolgen kann. Scotus gelangt also zu folgender Antwort, mit der er die thomanische Beschränkung der menschlichen Erkenntnis auf die sinnlich wahrnehmbare Washeit in Frage stellt:

Ebd., q. 19 n. 18

Zur Frage ist also zu sagen, dass wir bei der Hervorbringung oder beim Erwerb von Wissen zuerst die Washeiten des Sinnlichen erfassen, weil wir im Zustand der Natur nach dem Sündenfall nur etwas mit Hilfe der sinnlich wahrnehmbaren Dinge erkennen. Dennoch sind diese nicht der eigentliche und adäquate Gegenstand unseres Verstandes, denn wir können auch die [von der Materie] losgelösten Substanzen erkennen. Und ein solcher Gegenstand hat der Vollkommenheit nach und schlechthin betrachtet Vorrang, weil durch eine solche Erkenntnis der vollkommenste Gegenstand, wie es Gott und die anderen losgelösten Substanzen sind, auch im Zustand des diesseitigen Lebens erfasst wird. Auch wenn eine solche Erkenntnis geheimnisvoll ist, ist sie doch vollkommener als jede andere Erkenntnis von uns, die der untergeordneten Kreatur gilt.[140]

Mit dieser These geht Scotus augenscheinlich über das hinaus, was er bislang im Detail begründet hat. Denn auch wenn man zustimmt, dass der menschliche Verstand in seiner Erkenntnis nicht auf das Sinnliche beschränkt ist, da sein adäquater Gegenstand durch den allgemeinsten

Begriff, den er bilden kann, gekennzeichnet ist, weil dieser wiederum in jeder anderen Erkenntnis miterkannt wird, so ist deshalb keineswegs die Möglichkeit der Gotteserkenntnis nachgewiesen. Auf diese beruft sich Scotus aber in seiner eigenen Antwort.

Erkennbarkeit Gottes: Scotus ist sich dieses Defizites durchaus bewusst und er sieht die Schwierigkeiten, die mit einer solchen Annahme verbunden sind. Aus diesem Grund diskutiert er einen doppelten kritischen Einwand, der zum einen darauf zielt, dass eine solche Erkenntnis Gottes erst einem zukünftigen Leben im Status der Gnade vorbehalten sei und zum anderen, so sie denn jetzt schon möglich sein soll, dann sehr unvollkommen sein müsse und gegenüber der Erkenntnis des Geschaffenen nur als konfuse, nicht aber als distinkte Erkenntnis möglich sei.

Die scotische Antwort geht zunächst davon aus, dass man etwas auf vierfache Weise erkennen kann: erstens durch einen Vergleich mit etwas anderem, was man zuvor erkannt hat, zweitens, indem man etwas durch eine Eigenschaft erkennt, die nicht sein Wesen ausdrückt, drittens, wenn man etwas durch einen allgemeinen Begriff erfasst, der auch auf anderes anwendbar ist. Die vierte Möglichkeit, die Scotus nennt, ist die, dass etwas durch einen washeitlichen Begriff erkannt wird und damit in seinem Wesen begreifbar wird. Dieser letzte Fall ist der, der für die vorliegende Frage, ob der Mensch Gott erkennen kann, ausschlaggebend ist. Denn eine solche washeitliche Erkenntnis ist genau die, die für die Frage nach der Reichweite des menschlichen Verstandes relevant ist. Allerdings ist für diesen letzten Fall der washeitlichen Erkenntnis noch einmal zu unterscheiden, ob etwas durch einen einheitlichen und nicht in andere Begriffe weiter auflösbaren Begriff erkannt wird, oder ob eine solche Erkenntnis nur in einem Begriff gegeben ist, der zwar die Sache washeitlich erfasst, dies aber nicht in einem einfachen und nicht weiter zerlegbaren Begriff geschieht.

Einfacher Gottesbegriff: Eine Erkenntnis Gottes im ersten Sinne scheidet für den Menschen aus. Denn das Wesen Gottes ist für uns nicht in einem einzigen Begriff erfassbar. Als endliche Wesen sind wir darauf angewiesen, unsere Erkenntnis im Ausgang von den geschaffenen Dingen, die mit den äußeren Sinnen erkennbar sind, zu gewinnen. In dieser Annahme gibt es keinen Unterschied zwischen der scotischen Position und der des Thomas von Aquin. Der Grund, warum wir Gott auf diese Weise nicht erkennen können, besteht darin,

dass wir von Gott natürlicher Weise keine Erkenntnis haben, außer durch die geschaffenen Dinge; nichts Geschaffenes aber und auch nicht alle geschaffenen Dinge zusammen können das göttliche Wesen ausreichend washeitlich d. h. als diese Natur oder [als dieses] Wesen repräsentieren.[141]

Ebd., q. 19 n. 23

Zusammengesetzter Gottesbegriff: Eine Erkenntnis Gottes im zweiten Sinne, also in einem zusammengesetzten Begriff, hält Scotus hingegen für möglich. Er erläutert im Weiteren die Art der Erkenntnis, die hierfür in Frage kommt, indem er den Prozess beschreibt, in dem dieser zusammengesetzte Begriff gebildet wird. Scotus führt diesen Prozess vor, nimmt aber zunächst nicht die Gotteserkenntnis in den Blick, sondern betrachtet zuerst die Möglichkeit, einen zusammengesetzten Begriff von unserer eigenen Seele und dann, um dies zu erläutern, von einem Dreieck zu gewinnen. Diesen letzten Fall gilt es näher zu betrachten. Entscheidend ist die Voraussetzung, die er in der Durchführung dieses Beispiels macht, nämlich dass es möglich ist, einen solchen Begriff eines Dreieckes zu bilden, auch wenn man niemals ein Dreieck mit eigenen Augen gesehen hat. Man wird dann kein Wissen erwerben können, das unmittelbar Einsicht in das Wesen eines Dreieckes gibt, aber ein Begriff, der insofern zusammengesetzt ist, als er in einem Prozess mehrere Begriffsgehalte kombiniert, ist auf diese Weise durchaus zu erreichen.

Ebd., q. 19 n. 25

Als Beispiel hierfür sei angeführt: Man nehme an, dass ich niemals ein Dreieck gesehen habe – ein Viereck aber und ein Fünfeck etc. habe ich gesehen – dann kann ich von allen derartigen Dingen abstrahieren, was eine [geometrische] Figur ist; schließlich kann ich wissen, dass es keinen Fortgang ins Unendliche beim Herabschreiten [der Anzahl der Ecken] gibt, wie es auch nicht bei den Zahlen der Fall ist. Aufgrund dieses Zusammenhangs kann ich wissen, dass es eine erste [geometrischen] Figur gibt. Indem ich ferner die [geometrische] Figur einteile in runde und geradlinige und die geradlinige mit [der Vorstellung] einer ersten [geometrische] Figur zusammenfüge, sehe ich die Washeit eines Dreieckes ein, die nur so dem Dreieck und nicht einer anderen [Figur] zukommt; dennoch kann ich durch diesen zusammengesetzten Begriff nicht das Dreieck unter der eigentümlichen Form an sich und auf eine intuitive Weise einsehen, so wie es als Dreieck ist.[142]

Verbindung der Begriffsgehalte: Dieses Beispiel soll deutlich machen, dass ein Gegenstand, von dem es keine unmittelbare sinnliche Erkenntnis gibt, in einem gewissen Sinne begrifflich erfasst werden kann, nämlich so, dass man ihn durch eine Kombination von Begriffsgehalten beschreibt, die man aufgrund vorhandener Kenntnisse besitzt. Selbstverständlich ist dieses Wissen von einer unmittelbaren Einsicht – Scotus spricht in diesem Fall von Intuition – zu unterscheiden, aber es belegt die Fähigkeit unseres Verstandes, durch eine aktive Kombination zuvor durch Abstraktion gewonnener Begriffsgehalte Gegenstände zu erfassen, die durch unser Sinnesvermögen nicht erkennbar sind. Aus scotischer Sicht würde man also die menschliche Erkenntnisfähigkeit unterschätzen, räumte man nicht diese Fähigkeit einer nicht-intuitiven Einsicht nicht sinnlich wahrnehmbarer Objekte ein.

Natürliche Erkennbarkeit Gottes: Auf der Grundlage einer solchen Theorie menschlichen Erkennens hält Scotus auch ein natürliches Wissen von Gott für möglich. Denn auch Gott kann man in einer gewissen Weise durch einen solchen zusammengesetzten Begriff erfassen, ohne ihn im engeren Sinne intuitiv in seinem Wesensgehalt vollständig erkennen zu können. Dieses Wissen ist möglich, wenn wir – so das Argument des Scotus – die Begriffsgehalte des Seienden und des Guten miteinander verbinden. In einem ersten Schritt ist ein ganz allgemeiner, nicht durch weitere Elemente bestimmter Begriff des Seienden zu bilden und mit dem durch maximale Steigerung entwickelten Begriff eines höchsten Guten zu kombinieren. Im Ergebnis wird ein zusammengesetzter Begriff eines Seienden als höchstem Guten gebildet, der ausschließlich von Gott aussagbar ist und auf diese Weise eine gewisse Kenntnis Gottes vermittelt.

Ähnlich können wir von mehreren Seienden das abstrahieren, was das Seiende in einem absoluten Sinne ist; und von mehreren Guten [können wir] das, was das Gute selbst ist, [abstrahieren]. Und weil die Seienden und die Guten geordnet sind, können wir schließlich dahin gelangen, dass ich das höchste Gute einsehe, weil es bei diesen Dingen keinen Fortgang ins Unendliche gibt. So kann ich also jene [Bestimmungen] durch den Verstand miteinander kombinieren und sagen, dass ein Seiendes das höchste Gute ist. Dieser so kombinierte Begriff [des höchsten Guten] kommt nur Gott zu.[143]

Ebd., q. 19 n. 26

Konzediert man dieses Ergebnis, muss man einräumen, dass eine Erkenntnis von Gott möglich ist, die keineswegs die natürlichen Fähigkeiten des menschlichen Verstandes übersteigt.

Und deshalb können wir von Gott natürlicherweise einen washeitlichen Begriff haben, wenn der auch zusammengesetzt ist. Aber durch einen solchen Begriff erkennen wir ihn nicht in sich selbst, wie er eine solche bestimmte Natur hat. Dennoch ist ihn so zu erkennen schlechthin vollkommener als alles andere, was von Gott [verschieden ist], zu erkennen, wie oben gesagt wurde.[144]

Ebd., q. 19 n. 26

Obiectum adaequatum: Wenn ein solches natürliches und zugegebenermaßen eingeschränktes Wissen von Gott möglich ist, kann der eigentliche Gegenstand des menschlichen Erkennens nicht die materielle Washeit sein, weil das ausgezeichnete Objekt des Verstandes alles das umfassen soll, dessen Erkenntnis möglich ist, woraus sich für Scotus folgende Schlussfolgerung ergibt:

So ist offensichtlich, dass der unserem Verstand adäquate Gegenstand nicht die materielle Washeit ist, weil wir wie gesagt Gott und die geistigen Substanzen in einer gewissen Weise erkennen können.[145]

Ebd., q. 19 n. 26

Für Scotus ist der ausgezeichnete Gegenstand nicht dasjenige, mit dem die Erkenntnis beginnt – in diesem Fall hätte Thomas recht. Vielmehr beschreibt das *obiectum adaequatum* die Grenzen menschlicher Erkenntnis, indem es alles das umfasst, von dem es Wissen geben kann. In diesem Sinne erweist sich die diskutierte Frage für Scotus als eine Grenzbestimmung der Reichweite der menschlichen Vernunft, die deutlich zwischen dem zu unterscheiden hat, was auf natürliche und was auf übernatürlich-gnadenhafte Weise erfasst werden kann.

4.5 | Erkenntniskritik und Metaphysik

Betrachtet man den geschilderten Zusammenhang dieser erkenntnistheoretischen Positionen, der von der augustinischen Adaptation der platonischen Ideenlehre über die bedingt oder auch radikal aristotelisch geprägten Entwürfe des Bonaventura und des Thomas von Aquin bis zur scotischen Theorie vom angemessen Gegenstand des menschlichen Erkennens führt, könnte man bei einer oberflächlichen Betrachtung den

Eindruck haben, als sei den mittelalterlichen Autoren vor allem an der Wahrung einer Erkenntnis des Transzendenten gelegen gewesen. Die für das Mittelalter prägende Vorstellung, dass eine Erkenntnis des Wahren für den Menschen allein durch eine Vergegenwärtigung der im Geiste Gottes bestehenden ewigen Ideen realisiert werden könne, und die von Scotus vertretene Lehre von der Erkennbarkeit Gottes scheinen einer einheitlichen Grundintention zu entsprechen, die sich in den genannten Ausprägungen zwar über rund 900 Jahre erstreckt, doch keine wesentliche Akzentverschiebung erfahren musste. Dieser Eindruck könnte dadurch bestärkt werden, dass Augustinus ebenso wie Scotus ein Wissen von Gott als möglich und zur Vollendung des menschlichen Verstandes als notwendig erachtet, auch wenn aristotelische Motive bei Bonaventura und Thomas in dieser Hinsicht eher zu einer gewissen Skepsis führen.

In diesem Sinne könnte man die scotische Kritik an der von Thomas von Aquin vertretenen Fokussierung des menschlichen Erkennens auf die materiellen Washeiten und die scheinbar in dieser Kritik enthaltene Infragestellung der aristotelischen Erkenntnistheorie verstehen. Aristoteles wäre nach dieser Deutung nur ein vorübergehendes Intermezzo gewesen, das sich mit seiner Akzentuierung der natürlichen Begrenztheit des Menschen gegen die christlichen Motive einer Ebenbildhaftigkeit des menschlichen Geistes und der damit verbundenen Aneignung transzendenter Inhalte nicht hat durchsetzen können. Selbst der von Bonaventura vertretene Mittelweg, der das menschliche Erkennen sowohl nach den Vorgaben einer ewigen wie aber auch nach denen einer natürlichen Maßgabe eingerichtet sieht und damit die endlichen Erkenntnisbedingungen des Menschen reflektiert, scheint durch die scotische Lehre von einem dem Menschen zugänglichen Gottesbegriff infrage gestellt zu sein.

Metaphysische Perspektiven: Dieser Eindruck wäre allerdings nur dann berechtigt, wenn Scotus tatsächlich eine Erkenntnis Gottes, also des Transzendenten, für möglich hielte, die mit den kritischen und ursprünglich von der aristotelischen Lehre herstammenden Vorgaben unvereinbar wäre. In gewisser Weise trifft dieser Einwand auch in der Tat zu, denn Scotus vertritt tatsächlich Lehrstücke, die mit der aristotelischen Position und ihrer Rezeption im Mittelalter nicht in Übereinstimmung zu bringen sind. Zudem handelt es ich hierbei um Aspekte, die mit der Diskussion um den dem Menschen angemessenen Erkenntnisgegenstand unmittelbar verbunden sind, doch wird man die scotische Position keineswegs als unkritisch, oder, um es mit Kants Worten zu sagen, als überschwänglich, interpretieren können.

Vielmehr lässt sich zeigen, dass Scotus weder in seiner Kritik an Thomas noch durch seine Umdeutung bestimmter aristotelischer Prinzipien den Boden einer Philosophie verlässt, die an den natürlichen Bedingungen menschlicher Erkenntnis orientiert ist. Allerdings nimmt Scotus in verschiedenen Fragen eine grundlegende Neuinterpretation vor, die nur in einem größeren Kontext verständlich wird. Der umfassende Zusammenhang, in dem die scotische Neuinterpretation in vollem Umfang deutlich wird, ist durch die von Scotus vorgelegte Deutung der Metaphysik als Transzendentalwissenschaft gegeben (s. Kap. 6.2.2–6.2.2.8).

Quellen

Augustinus: *De diversis quaestionibus octoginta tribus,* q. 9. u. q. 46.
Bonaventura: *De scientia Christi,* q. 4.
Johannes Duns Scotus: *Quaestiones super secundum et tertium de anima,* q. 19.
Thomas von Aquin: *Summa theologiae I,* q. 12 a. 4; q. 84 a. 5–7; q. 85 a. 4.

Weiterführende Literatur

Cross, Richard: *Duns Scotus's Theory of Cognition.* Oxford 2014.
De Libera, Alain: *La querelle des universaux. De Platon à la fin du Moyen Âge.* Paris 1996.
Pasnau, Robert: *Theories of Cognition in the Later Middle Ages.* Cambridge 1997.
Perler, Dominik: *Theorien der Intentionalität im Mittelalter.* Frankfurt a. M. 2002.
Perler, Dominik: *Zweifel und Gewissheit. Skeptische Debatten im Mittelalter.* Frankfurt a. M. 2006.
Rode, Christian: *Zugänge zum Selbst. Innere Erfahrung in Spätmittelalter und früher Neuzeit.* Münster 2015 (Beiträge zur Geschichte der Philosophie und Theologie des Mittelalters. Neue Folge 79).
Speer, Andreas: *Triplex veritas. Wahrheitsverständnis und philosophische Denkform Bonaventuras.* Werl 1987 (Franziskanische Forschungen 32).
Tachau, Katherine H.: *Vision and certitude in the age of Ockham. Optics, epistemology and the foundations of semantics 1250–1345.* Leiden/New York/Kopenhagen/Köln 1988 (Studien und Texte zur Geistesgeschichte des Mittelalters 22).
Tellkamp, Jörg A.: *Sinne, Gegenstände und Sensibilia: Zur Wahrnehmungslehre des Thomas von Aquin.* Leiden/Boston/Köln 1999 (Studien und Texte zur Geistesgeschichte des Mittelalters 66).

5 Wissenschaft

Zeittafel

A. M. S. Boethius ca. 480–526	523–525 *Consolatio philosophiae*
Hugo von St. Viktor 1096/7–1141	1127 *Didascalicon* 1130–1135 *De sacramentis*
Albertus Magnus 1200–1280	1251–1254 *Physica* 1254–1257 *Analytica posteriora*
Wilhelm von Ockham ca. 1285–1347	1321–1324 *In libros physicorum* 1321–1324 *Summa logicae* ab 1324 Prozess wegen Häresie am päpstlichen Hof in Avignon 1328 Flucht von Avignon nach München
Nicolaus von Autrecourt ca. 1300–1369	1329–1340 *Epistulae* nach 1340 *Articuli in cedula* ab 1340 Prozess wegen Häresie am päpstlichen Hof in Avignon

Nicht nur der äußere Rahmen, in dem Wissen erworben, gesammelt und weitergegeben wird, also die bevorzugten Lehrinstitutionen und die Formen des Unterrichts, sondern auch das Verständnis dessen, was als wissenswert gilt und vor allem was im engeren Sinne als gewusst anzusehen ist, ist im Mittelalter einem Wandel unterworfen. Wissen, das nicht nur in der Kenntnis eines singulären Tatbestands besteht, sondern auf einen systematischen Zusammenhang – ob in einer differenzierenden oder in einer vereinigenden Absicht – ausgelegt ist, bedarf einer Reflexion, die es durch methodologische Kennzeichnungen bestimmten Standards, aufgrund des beabsichtigten Erkenntnisgegenstandes bestimmten Disziplinen und wegen der jeweiligen Zielsetzung bestimmten Aufgaben zuordnet. Solches Wissen bzw. solche systematisierten Zusammenhänge von Wissen machen das aus, was in der spätantiken Tradition *ars*, also Fachwissen, oder in der späteren Rezeption der aristotelischen Ausdrucksweise *scientia*, also Wissenschaft, genannt wird.

H. Möhle, *Philosophie des Mittelalters*, https://doi.org/10.1007/978-3-476-04747-2_5

5.1 | Hugo von St. Victor: Monastische versus scholastische Theologie

Nicht zuletzt um die Neuerung begreifen zu können, die sich im 13. Jahrhundert in Bezug auf das Verständnis von Wissen und Wissenschaft vollzieht, ist es notwendig die Ausgangslage zu kennen, von der her diese Veränderungen ihren Ausgang nehmen. Selbstverständlich gibt es auch in der ersten Hälfte des 12. Jahrhunderts unterschiedliche Konzeptionen von Rationalität und abweichende Beurteilungen ihrer Bedeutung für das menschliche Leben, doch kann man mit einigem Recht die Interpretation dieses Zusammenhangs, wie sie sich bei Hugo von St. Victor findet, als einschlägig begreifen.

Monastische Theologie: Allerdings unterscheidet sich die in St. Victor vertretene Auffassung von Lehre und Wissenschaft durchaus von Formen des Wissens, wie sie an anderen Stellen in Paris oder auch außerhalb der Stadt zur gleichen Zeit praktiziert werden. Neben einer zunehmenden Betonung von Rationalitätsansprüchen, wie sie etwa Petrus Abaelardus mit seiner dialektischen Methode erhebt (s. Kap. 2.2.2), und neben einer aufblühenden Naturphilosophie, wie sie die Schule von Chartres betreibt (s. Kap. 3.2), findet sich in der Schule von St. Victor eine andere Konzeption von Wissen, die man mitunter als monastische Theologie bezeichnet hat. Diese durch den Lehrbetrieb im Kloster geprägte Ausrichtung des Wissens- und Lehrbetriebs wird auch Mönchstheologie genannt, um sie von den neu entstandenen Schulen, die den großen Kathedralen angegliedert und nicht mehr auf Bewohner eines geschlossenen Klosters beschränkt sind, zu unterscheiden. Tatsächlich verfolgt die monastische Theologie ein Schulkonzept, das sich beträchtlich von dem Vorgehen an den Kathedralschulen oder bei den zahlreichen Wanderlehren, die sich in und um Paris ansiedeln, unterscheidet. In dem Maße, in dem man die nicht-monastische Wissenschaft aufgrund ihrer Neuausrichtung als rational-dialektisch versteht, leistet man dem Eindruck Vorschub, die monastische Theologie selbst sei nicht- oder sogar anti-rationalistisch bzw. anti-dialektisch. Eine solche Kennzeichnung würde aber auf jeden Fall zu kurz greifen und der Sache nicht gerecht.

Definition

Dialektik ist ursprünglich die Bezeichnung für eine Teildisziplin der Sieben Freien Künste, näherhin ein Teilgebiet des Trivium (s. Kap. 5.1.2.1). Neben der Grammatik und der Rhetorik befasst sich die Dialektik innerhalb der drei sprachorientieren Disziplinen der Freien Künste mit den Regeln der Argumentation und entspricht in diesem Sinne dem, was wir heute Logik nennen. Als Lehre von der geregelten sprachlichen Argumentation ist die Dialektik Ausdruck des rationalen Diskurses und damit die Disziplin, die in besonderer Weise den Geltungsanspruch der Vernunft vertritt und aus diesem Grund mitunter der Philosophie gleichgestellt wird. Die Auseinandersetzung um die Reichweite und den Geltungsanspruch der Vernunft wird deshalb auch als ein Konflikt von Dialektikern und Anti-Dialektikern bezeichnet.

Bildbeschreibung: Die **personifizierte Dialektik** wird in ihrem zwiespältigen Charakter durch unterschiedliche Attribute gekennzeichnet, etwa wenn sie mit Schlüssel und Drachen in einer um 1200 entstandenen Handschrift der Bayerischen Staatsbibliothek (Clm. 2599, fol. 104r) dem Philosophen Aristoteles ein Spruchband mit der Aufschrift reicht: »Durch mich wird das Wahre bekräftigt und das Falsche erwiesen.« (*Per me firmatur verum falsumque probatur.*)

Hugo wird um 1096 wahrscheinlich in Sachsen geboren. 1113 oder 1114 kommt er in das am linken Ufer der Seine, abseits des Zentrums von Paris gelegene Stift St. Victor. Als Ort klösterlichen Zusammenlebens gibt es das Stift St. Victor erst seit wenigen Jahren. Von seinem Ursprung her dient es als Refugium vor der Metropole Paris und dem regen intellektuellen Treiben, das man als Einschränkung der kontemplativen Zurückgezogenheit empfindet. Der nicht zuletzt durch die großen Erfolge seines berühmtesten Schülers, Petrus Abaelard, aus Paris vertriebene Gelehrte Wilhelm von Champeaux hat sich zusammen mit wenigen Schülern, die ihm aus Paris folgten, 1108 bei der Kapelle, die dem Heiligen Victor geweiht war, niedergelassen, um hier in der Abgeschiedenheit außerhalb der Stadtmauer von Paris ein klösterliches Leben zu führen. Fünf Jahre später macht der französische König Ludwig VI., Ludwig der Dicke, das Stift zu einer königlichen Abtei, die mit weitreichenden Privilegien und beachtlichen Gütern ausgestattet wird. Unterstützt werden sollte ein einfaches, den kirchlichen Reformabsichten entsprechendes Klosterleben, das selbstverständlich auch über einen entsprechenden Lehrbetrieb zu verfügen hatte.

Hugo hat als Lehrer der Schule von St. Victor ein Lehrbuch verfasst, das eine außerordentlich große Verbreitung gefunden hat und für eine bestimmte Richtung des Philosophierens als klassisch gelten kann. Die Rede ist von seinem um 1127 verfassten Werk *Didascalicon*. Diese Schrift ist dem Untertitel *De studio legendi* zufolge eine Anleitung zum Lesen, wobei es nicht um beliebiges, sondern um solches Lesen geht, durch das Wissen vermittelt und der nicht-wissende Mensch zum wissenden gemacht wird. Durch diese Art Lesen und den daraus folgenden Wissenserwerb erhebt sich der kundige Leser aber nicht nur über die aus welchen Gründen auch immer unwissend Gebliebenen, sondern vor allen über die moralisch verwerflichen Menschen, die aufgrund ihres bösen Willens erst gar nicht wissen wollen. Hugo eröffnet mit diesen Hinweisen auf die selbstverschuldete Unwissenheit bestimmter Leute im Prolog seiner Schrift von vorneherein eine moralische Perspektive, die bei seinen folgenden Erörterungen nicht aus den Augen zu verlieren ist.

5.1.1 | Das Wesen der Philosophie

Gegenstand des Wissens: Die erste Frage, die sich in Bezug auf den Gegenstand von Hugos Schrift stellt, lautet natürlich, was man lesen, und damit, was man wissen soll. Hugo behandelt in seinem in sechs Bücher gegliederten Werk diese Frage in den ersten drei Büchern mit Blick auf die Wissenschaften, in den folgenden drei mit Blick auf die Heilige Schrift. Das deutsche Wort ›Wissenschaft‹ steht hier für den lateinischen Ausdruck *ars*, der von seiner Grundbedeutung her die Kunstfertigkeit oder das Fachwissen meint, das ein regelgeleitetes Vorgehen auf verschiedenen, zum Teil eben auch sehr praxisnahen Betätigungsfeldern erlaubt. In diesem Sinne ist das abstrakte Wissen der Mathematik ebenso eine *ars* wie das praxisbezogene Wissen des Architekten, der ein Haus baut. Diese Beispiele machen deutlich, dass die unterschiedlichen Wissensbereiche mehr oder weniger nah beieinanderliegen und sich zum Teil überschneiden, etwa wenn der Architekt beim Bau eines Hauses, der Astronom bei der Darstellung der Planetenbahnen oder der Handwerker bei der Berechnung seines Materialbedarfs von einem mathematischen Wissen Gebrauch machen. Diese verschiedenen Formen der Wissenschaften sind jeweils Teilbereiche eines Wissens, das Hugo als Ganzes mit dem Ausdruck ›Philosophie‹ bezeichnet. Auf diese Weise wird die Frage nach dem, was man lesen soll, zu der Frage nach den Teilbereichen eines übergeordneten Wissens, das die Philosophie darstellt.

Philosophie: Was ist aber nun Philosophie? Hugo beantwortet diese Frage, indem er sich an zentraler Stelle seines Werkes eng an das Verständnis von Philosophie anschließt, das der spätantike Gelehrte Boethius zu Beginn des 6. Jahrhunderts formuliert. Hugo zitiert eine längere Passage aus dem ersten Kommentar, den Boethius zu der Einleitung verfasst hat, die der Neuplatoniker Porphyrius in der 2. Hälfte des 3. Jahrhunderts n. Chr. zur Kategorienschrift des Aristoteles geschrieben hat (Boethius, In Isagogen Porphyrii, editio prima I, 3 (ed. Brandt), 7):

Hugo von St. Victor, Didascalicon I, 2 (Ed. Offergeld) 119

Philosophie ist also die Liebe zur Weisheit, das Streben nach Weisheit und gewissermaßen die Freundschaft mit der Weisheit. Gemeint ist allerdings nicht jene Weisheit, die sich mit irgendwelchen Werkzeugen und mit handwerklichem Wissen und Können beschäftigt, sondern die Weisheit, die in jeder Beziehung vollkommen ist, die ein lebendiger Geist und die alleinige Grundursache der Dinge ist. Diese Liebe zur Weisheit aber ist eine Erleuchtung des verständigen Geistes durch jene reine Weisheit und, gewissermaßen, ein Rückzug und ein Rückrufen des menschlichen Geistes zu sich selbst, so daß das Streben nach Weisheit als eine Freundschaft mit diesem Göttlichen, diesem reinen Geist erscheint. Diese Weisheit überträgt die Würde ihrer eigenen Göttlichkeit auf alle Seelen und führt diese zurück zu der Kraft und Reinheit, die ihrer Natur eigen ist. Und daraus entstehen die Wahrheit des Forschens und Denkens und die reine und heilige Sittlichkeit des Handelns.[146]

Streben nach dem Wahren: Philosophie als Liebe oder als Streben zur Weisheit zu begreifen, scheint auf den ersten Blick aufgrund des Wortbestandes des griechischen Ausdrucks nicht weiter bemerkenswert. Allerdings deutet Boethius in der von Hugo zitierten Passage den dynamischen

Verlauf und den Prozesscharakter, den die Philosophie mit dieser Betonung erhält, in einer eigentümlichen Weise, die richtungsweisend wird. Denn das angestrebte Ziel, eben die Weisheit, wird in einem Maße idealisiert und entrückt, wenn sie als gänzlich vollkommen, identisch mit dem lebendigen Geist und als Urgrund aller Dinge bezeichnet wird, so dass sie schließlich mit dem Göttlichen selbst gleichgesetzt werden kann, was im Text gleich zweimal geschieht. Das Streben wird auf diese Weise nicht mehr in erster Linie als vom Menschen selbst bestimmtes Voranschreiten verstanden, sondern als eine Rückkehr des Menschen, die sich als Rückzug und Angerufenwerden (*retractio atque advocatio*), also vom ursprünglichen Ausgangspunkt her vollzieht. Das Erkennen selbst ist dann nicht mehr vom Menschen verursacht, sondern geschieht als Erleuchtung (*illuminatio*), die dem Menschen widerfährt, aber ihre Kraft vom Ziel bezieht, das es zu erreichen gilt. Die Vereinigung mit der Weisheit – und damit das Gegenwärtigwerden des göttlichen Prinzips – überträgt die Würde des Göttlichen auf den Erkennenden, so dass am Ende nicht nur die Erfassung des Wahren (*veritas*), sondern eben auch die moralische Auszeichnung des Erkennenden steht, die Boethius als heilige und reine Sittlichkeit (*sancta puraque castimonia*) bezeichnet.

Ein entsprechendes Verständnis von Wissen und Weisheit bringt das dritte Gedicht im fünften Buch von Boethius berühmtem Werk über die Tröstung der Philosophie, *Consolatio philosophiae*, zum Ausdruck:

Boethius, De Consolatione I. 5 c. 3 (Ed. Gegenschatz/Gigon) 245

Welcher Zwiespalt löste der Dinge
Festes Bündnis? Und welch ein Gott nur
Führet zum Krieg die Doppelwahrheit,
Daß, was einzeln stückweis Bestand hat,
Sich, einander gemischt, nicht verbindet?
Oder ist kein Zwiespalt der Wahrheit?
Hängt das Sichere dauernd zusammen?
Schaut nur der Geist, in die blinden Glieder
Eingebettet, erloschenen Blickes
Nicht der Dinge zarte Verknüpfung?
Doch, was glüht er voll Eifer, zu finden
Die verdeckten Zeichen der Wahrheit?
Weiß er, was ängstlich er strebt zu wissen?
Doch wer sucht wohl bekannte Kenntnis?
Weiß er nicht? Wer strebt wohl nach Dunklem,
Wer wird Ungewußtes sich wünschen,
Wer vermag Unbekanntem zu folgen,
Und wer kann, auch wenn er gefunden,
Unbekannte Gestalt erkennen?
Hat vordem, als den Geist er schaute,
Er das Ganze gekannt samt den Teilen?
Jetzt, gehüllt in der Glieder Wolke,
Hat er nicht völlig seiner vergessen,
Er hält das Ganze, verlor nur die Teile.
So schwankt ein jeder, suchend die Wahrheit,
Keinem gehört sie ganz, weiß nicht alles,

Dennoch nicht völlig getrennt vom Wissen.
Aber gedenkt er des bleibenden Ganzen,
Fragt er nach dem, was er droben gesehen,
Daß die vergessenen Teile er wieder
Füge zum Ganzen.[147]

Für das Verständnis, das Hugo hier unter Rückgriff auf Boethius formuliert, ergibt sich, dass es sich bei der Philosophie um einen Prozess des Wissenserwerbs handelt, der zum einen weder abgeschlossen, noch allein vom philosophierenden Subjekt her zu bestreiten ist, und der zum anderen eine praktische, d. h. das menschliche Heil betreffende Ausrichtung besitzt. Das Ziel des Philosophierens ist die Erlangung der Weisheit, die mit dem Urgrund alles Seienden, nämlich dem Göttlichen, identifiziert wird, das dem erfolgreich Philosophierenden mit der Wahrheit auch die sittliche Würde verleiht.

Philosophie und Geschichte: Der Hintergrund für diese Deutung der Philosophie ist ein Verständnis der Wirklichkeit und des geschichtlichen Prozesses, der im Anschluss an die Schöpfungstat Gottes für den Menschen zunächst einen Verlust seiner ursprünglichen Integrität und dann anschließend einen Heilsweg vorsieht, auf dem er durch die Philosophie seine Unversehrtheit wiedererlangen kann. Die geschichtliche Wirklichkeit des Menschen umfasst demnach zwei Vorgänge: die ursprüngliche Schöpfung des Menschen und die Wiederherstellung seiner verlorenen Vollkommenheit (s. Kap. 2.3.4). In seiner Schrift *Über die Sakramente* drückt Hugo diesen Gedanken aus, indem er zwei Werke unterscheidet, die die gesamte geschichtliche Wirklichkeit umfassen:

Hugo von St. Victor, De sacramentis I prol.

Es gibt zwei Werke, in denen alles enthalten ist, was geschehen ist. Das erste ist das Werk der Gründung, das zweite ist das der Wiederherstellung. Das Werk der Gründung ist das, durch das geschehen ist, dass die Dinge sind, die nicht waren. Das Werk der Wiederherstellung ist das, durch das geschehen ist, dass die Dinge besser werden, die untergegangen sind. Also ist das Werk der Gründung die Schöpfung der Welt mit allen ihren Elementen. Das Werk der Wiederherstellung ist die Inkarnation des Wortes mit allen seinen Sakramenten, sei es mit denen, die von Anbeginn der Zeit vorausgingen, sei es mit denen, die bis ans Ende der Welt folgen werden.[148]

Die geschichtliche Realität des Menschen ist demnach von einer ursprünglichen Vollkommenheit geprägt, die aufgrund der Verfehlungen des Menschen verloren ging und die nur durch ein Wirken Gottes wiederhergestellt werden kann. Näherhin beschreibt Hugo dieses Wirken Gottes als die »Inkarnation des Wortes« und gibt damit einen ersten Hinweis auf einen vom Menschen zu erbringenden Erkenntnis- oder Verständnisakt, durch den er sich dem Wort Gottes annähert. Menschliches Erkennen geschieht für Hugo von St. Victor nicht im geschichtslosen Raum, sondern im Kontext eines heilsgeschichtlich verfassten Aneignungsprozesses, in dem der Erkennende nicht nur Wissen, sondern auch sein Heil erlangen kann.

5.1.2 | Einheit der Philosophie

Heilsgeschichtliche Vereinheitlichung: Blickt man auf die Vielfalt der Bereiche des Wissens, die unter dem Namen der Philosophie vereinigt sind, stellt sich die Frage nach dem Zusammenhang dieser Mannigfaltigkeit und die Frage nach dem Grund, der diese Vielfalt von Disziplinen miteinander verbindet. Zudem muss der Einigungsgrund die heilsgeschichtliche Perspektive, in der die Philosophie steht, bewahren, also eine Antwort auf die Frage geben, weshalb und in welcher Weise diese Mannigfaltigkeit der Wissenschaften zu einer übergeordneten, heilsgeschichtlichen Einheit, als die Hugo mit Boethius die Philosophie betrachtet, verbunden sind.

In einen heilsgeschichtlichen Rahmen eingebettet werden alle Formen des Wissens und alle Entwicklungsstufen, in denen es sich mehr oder weniger entfaltet, einem vereinheitlichenden Ziel zugeordnet. Der Wert des jeweiligen Wissens bemisst sich dann durch die ihm eigene Ausrichtung auf das übergeordnete Ziel des Heils, je nachdem ob das Wissen diesem dient, davon ablenkt oder auch nur überflüssig, weil neutral, ist. Neben dieser aufgrund der Zweckdienlichkeit bestehenden Vereinheitlichungstendenz gibt es einen anderen Grund, der dazu beiträgt, unterschiedliche Wissensgebiete und -methoden auf einen gemeinsamen Grundtyp zurückzuführen.

Symbolistische Vereinheitlichung: Dieser zweite Grund hängt mit der vereinheitlichenden Deutung der möglichen Erkenntnisgegenstände zusammen. Wenn alles das, was erkannt werden kann, in gewisser Weise nur eine Erscheinungsform eines einzigen Erkenntnisgegenstandes darstellt, gibt es keinen wirklichen Grund mehr, zwischen verschiedenen Wissensgebieten und damit zwischen einer Vielfalt von Wissensdisziplinen zu unterscheiden. Eine solche Tendenz, die möglichen Gegenstände, auf die sich Wissen beziehen kann, zusammenzufassen, basiert auf der Annahme einer grundlegenden Ähnlichkeitsbeziehung des zu Erkennenden.

Was ist mit dieser Rede von einer Ähnlichkeitsbeziehung gemeint und was hat das mit dem, was man eine Einheitswissenschaft nennen könnte, zu tun? Wenn alles das, was in der Welt vorkommt und erkannt werden kann, untereinander dadurch ähnlich ist, dass es das Abbild eines transzendenten Urbildes darstellt, dann bedarf es letztlich nur einer Erkenntnis dieses ursprünglichen Exemplars, um die mannigfaltige Wirklichkeit in ihrem Kernbestand zu erfassen. Entsprechend bedarf es dann im eigentlichen Sinne auch nur einer einzigen Wissenschaft, nämlich der, die sich mit dem Vorbild des Vielen und nicht mit allen Einzelheiten, die darin enthalten sind, beschäftigt. Alle anderen Disziplinen sind bestenfalls Teilbereiche, die auf diese Fundamentaldisziplin zurückzuführen sind. Die vielfältige Wirklichkeit wird in dieser Deutung als Symbolzusammenhang verstanden, in dem das jeweils Andere nur eine Variation oder abbildhafte Erscheinungsform des Ursprünglichen, aber nicht wirklich etwas Einzigartiges ist. Beziehungen innerhalb der Welt werden dann als untereinander analog und somit als ähnlich und nicht wirklich singulär gedeutet. Wissenschaftliche Disziplinen, die einzelne Bereiche betrachten, erscheinen dann konsequenter Weise als Variationen eines übergeordneten Grundtyps von Wissen.

Das *Didascalicon* Hugos entwirft das Netz der Wissenschaften eben in diesem Sinne als eine Entfaltung von Disziplinen, die streng auf den vereinenden Ursprung hin geordnet sind, der in diesem Sinne, wenn nicht als Einheitswissenschaft, so doch zumindest als die vereinheitlichende Grundwissenschaft der Philosophie verstanden wird. Um dies an einem konkreten Beispiel zu zeigen, sei ein Blick auf die Musik geworfen, die in der klassischen Wissenschaftstradition der Sieben Freien Künste eine Teildisziplin des Quadriviums, also der vier mathematischen Fächer darstellt.

5.1.2.1 | Das Wissenschaftssystem der Sieben Freien Künste

Propädetikum: Das aus der Spätantike stammende Modell der Sieben Freien Künste, der *septem artes liberales*, bildet über Jahrhunderte hinweg den allgemein anerkannten Kanon für Bildung und Wissenschaft. Er umfasst alle die Gegenstände und Disziplinen, mit denen man sich befasst haben musste, bevor man sich in einer wissenschaftlich qualifizierten Weise mit den biblischen Texten reflektiert auseinandersetzen konnte, so dass dieser Umgang mit der Heiligen Schrift über den des ungebildeten Laien mit der bibilischen Offenbarung hinausführt. Im Kontext des christlich geprägten Mittelalters nimmt der Kanon der Sieben Freien Künste die Form eines Propädeutikums ein, das man durchlaufen musste, um sich den in jeder Hinsicht bedeutenderen Fragen der Theologie widmen zu können. Subsummiert man diese sieben Fächer unter den Titel einer weltlichen Philosophie, hatte man sich dieses philosopische Wissen vor Beginn einer qualifizierten Begegnung mit der Theologie anzueignen. Im Rahmen der im 13. Jahrhundert entstehenden Universitäten bildet der Fächerkanon der Sieben Freien Künste dann die sogenannte *artes*-Fakultät, die man heute als philosophische Fakultät bezeichnen würde und die in der mittelalterlichen Universität den höheren Fakultäten der Medizin, der Jurisprudenz und der Theologie untergeordnet und im Aufbau des Studiums vorgeschaltet ist.

Auf den ersten Blick scheint nach diesem Modell der Sieben Freien Künste die Zuordnung von Theologie und Philosophie klar zu sein: Die Philosophie stellt der Theologie als der eigentlichen Wissensdisziplin das Instrumentarium zur Verfügung, mit dessen Hilfe der Lernende wie auf einer Leiter zum Studium der Theologie aufzusteigen vermag. Diese Vorstellung der *artes liberales* als Leiter zum Aufstieg zur Heiligen Schrift ist sinnbildlich in das Gewand der den im Kerker sitzenden Boethius tröstenden und die Philosophie verkörpernden Frauengestalt eingewoben.

Die Sieben Freien Künste (*septem artes liberales*)

Quadrivium:
- Arithmetik
- Geometrie
- Musik
- Astronomie

Trivium:
- Grammatik
- Dialektik
- Rhetorik

Bildbeschreibung: Eine Abbildung einer Handschrift aus der ersten Hälfte des 13. Jahrhunderts aus der Universitätsbibliothek Leipzig Ms 1253, fol. 3r zeigt die personifizierte **Philosophie in Frauengestalt**. In ihr Gewand ist eine Leiter eingewoben, deren Stufen jeweils eine Disziplin der Sieben Freien Künste darstellen. Am Ende der Leiter symbolisiert das Buch in Händen der Frauengestalt das Wissen der Theologie.

In dieses Wissensgefüge der *artes liberales* lässt sich das bis dahin bekannte Instrumentarium der aristotelischen Philosophie, vor allem die bekannten logischen Schriften, problemlos integrieren. Die philosophischen Disziplinen haben den Charakter einer propädeutischen Grundausbildung, die auf den eigentlichen Zweck menschlichen Wissens, nämlich die allein seligmachende Annäherung an Gott, ausgerichtet ist.

Trivium und *quadrivium:* Die Sieben Freien Künste zerfallen in zwei Teilgruppen, von denen die erste vier und die zweite drei Disziplinen umfasst. Entsprechend werden sie *trivium* bzw. *quadrivium*, also Dreifach- bzw. Vierfachweg genannt. Im Einzelnen gehören zunächst die vier mathematischen Disziplinen zusammen. Sie haben ihren theologischen Anknüpfungspunkt in der Schöpfung, die durch den als ordnungsgebend verstandenen Schöpfergott, »der alles nach Maß, Zahl und Gewicht geordnet hat« (Weish 11,21), begründet wird.

Bildbeschreibung: Der untere Teil der Leiter zeigt die drei Wissenschaften des *trivium* Grammatik, Dialektik und Rhetorik als unterste Stufen eines hierarchisch geordneten Zusammenhangs von wissenschaftlichen Disziplinen.

Das *trivium* umfasst drei auf die Sprache bezogene Disziplinen, die zunächst die Struktur und die Wirkung von sprachlichen Äußerungen betreffen, nämlich in den Fächern von Grammatik und Rhetorik. Zudem untersucht die Dialektik die argumentative Verbindung von einzelnen Sätzen und beschäftigt sich auf diese Weise mit der Frage nach der durch Sprache ausgedrückten Begründung von Aussagen und Sachverhalten. Den Umgang mit der Sprache erfordert im engeren Sinne auch das Verständnis der in der Bibel zum Ausdruck gebrachten göttlichen Offenbarung, wie insbesondere der Anfang des Evangelium des Johannes deutlich macht, wenn dort das Wort, der Logos, in seiner Bedeutung als Urgrund von allem hervorgehoben wird, wo es heißt: »Im Anfang war das Wort, und das Wort war bei Gott, und Gott war das Wort« (Joh 1,1). In einem abgeleiteten Sinne sind die Fächer des *trivium* also auch Grundlage für den Umgang mit der natürlichen Welt, insofern das »Buch der Natur« den göttlichen Schöpfungsplan und damit im übertragenen Sinne das Wort Gottes enthält.

5.1.2.2 | Hugos Lehre von der Musik

Hugo von St. Victor gliedert in seinen Ausführungen zur Musik diese dem *quadrivium* angehörende Disziplin ein weiteres Mal in drei Teilbereiche, die darin übereinkommen, dass sie eine Ähnlichkeit hinsichtlich der inneren Verhältnisse aufweisen, die ihre jeweiligen Elemente untereinander besitzen. Diese Dreiteilung weist die Zuordnung auf, die dem spiegelbildlichen Verhältnis von Mikro- und Makrokosmos entspricht. In einem ersten Schritt benennt Hugo die drei Bereiche, in denen die Musik verortet ist:

Es gibt drei Arten von Musik: die Musik des Universums, die des Menschen und die der Instrumente.[149]

Hugo von St. Victor, Didascalicon II, 12 (Ed. Offergeld) 177

Mit dieser Dreiteilung wird der heute übliche Begriff der Musik, den man nur auf die Instrumentalmusik, die *musica instrumentalis*, beziehen würde, überschritten. Der zuerst genannte Bereich der Musik des Universums, der *musica mundana*, wird dann im nächsten Schritt dadurch erläutert, dass auf die Ordnung der Elemente des Universums abgehoben wird und deren Harmonie hinsichtlich Gewicht, Zahl und Maß aufgezeigt wird.

Die Musik des Universums existiert in den Elementen, in den Planeten und in den Zeiten; bei den Elementen besteht sie in deren Gewicht, Zahl und Maß, bei den Planeten in deren Stellung, Bewegung und Beschaffenheit, bei den Zeiten in Tagen, durch den Wechsel von Licht und Nacht, in Monaten, durch das Zu- und Abnehmen des Mondes, und in den Jahren, durch die Folge von Frühling, Sommer, Herbst und Winter.[150]

Ebd., 12, 177

Die Rede von der Musik in dieser ausgeweiteten Bedeutung ist also aus Hugos Sicht deshalb berechtigt, weil das Universum eine innere Harmonie seiner Bestandteile und Abläufe aufweist. Dieser Harmonie liegt eine Ordnung zugrunde, die nach Gewicht, Zahl und Maß besteht. Mit diesem Prinzip rekurriert Hugo auf die allen seinen Lesern bekannte Stelle aus dem elften Kapitel des alttestamentarischen Buchs der Weisheit. Die von Gott bei der Schöpfung der Welt zugrunde gelegte Ordnung der Einzelelemente, die in der Ausdrucksweise im Buch der Weisheit durch Gewicht, Zahl und Maß versinnbildlicht ist, verkörpert eine Harmonie der Teile und der Abläufe in der Welt, die für Hugo in Analogie zu der Harmonie der Töne innerhalb der Musik steht.

Eine vergleichbare Analogie lässt sich aufgrund der unterstellten Entsprechung von Mikro- und Makrokosmos auch hinsichtlich des Menschen ausmachen. Auch in Bezug auf diese kann man in verschiedenen Hinsichten von harmonischen Beziehungen sprechen, die für Hugo die Grundlage einer *musica humana* sind. Zunächst trifft das unmittelbar auf den Körper des Menschen zu, dessen Lebensaktivität auf einer Harmonie der körperlichen Bestandteile beruht.

Die Musik des Menschen existiert im Körper, in der Seele und in der Verbindung von beiden. Die Musik des Körpers besteht zum einen in der Lebensaktivität, durch welche der Körper wächst und die allen Lebewesen eigen ist, zum anderen in den Säften, durch deren Mischung der menschliche Körper fortbesteht und die allen sinnesbegabten Wesen zukommt, und sie besteht schließlich in den Tätigkeiten, die den vernunftbegabten Wesen zu eigen sind und die von der Mechanik geleitet werden.[151]

Ebd., 12, 177

Analogie und Einheit: Hugo führt dieses Analogiedenken fort, wenn er ebenfalls harmonisch aufeinander abgestimmte Beziehungen innerhalb der Seele des Menschen sowie zwischen dessen Seele und dessen Körper annimmt. Diese Perspektive ist deshalb besonders interessant, weil sie wieder eine Brücke zu der eingangs dargestellten heilsgeschichtlichen Deutung menschlichen Wissens schlägt. Die Harmonie innerhalb der Seelenkräfte und zwischen den seelischen und den körperlichen Vermögen führt zu einer Herausbildung von Tugenden, also in ihrer Intensität und Ausrichtung reflektierten und ausgewogenen Strebungen im Menschen, die über Gelingen und Versagen der menschlichen Handlungen entscheiden. Das Wissen um die Harmonien in und mit der Seele ist der Bestimmungsgrund für die moralische Dignität des Erkennenden und entscheidet schließlich darüber, ob das angestrebte Ziel, dem alles Wissen untergeordnet ist, erreicht werden kann oder nicht. Auf diese Weise ist das Wissen um diese Harmonien heilsrelevant und führt zur Ausrichtung auf das übergeordnete Ziel, das jede Form von Wissen zu erreichen sucht.

Ebd., 12, 179

Die Musik der Seele besteht zum einen in ihren Tugenden, wie Gerechtigkeit, Frömmigkeit, Mäßigkeit, zum anderen in ihren Kräften, wie Vernunft, Zorn und Verlangen. Die Musik zwischen Körper und Seele ist jene natürliche Freundschaft, durch welche die Seele mit dem Körper verbunden ist, nicht durch körperliche Bande, sondern durch gewisse Gefühle der Zuneigung, und zu dem Zweck, dem Körper Bewegung und Sinneswahrnehmung zu verleihen. Diese Freundschaft ist es, aufgrund deren »niemand sein eigenes Fleisch hasst« (Eph 5,29). Diese Musik besteht darin, sein Fleisch zu lieben, noch mehr aber seinen Geist, damit der Körper versorgt werde, aber die Tugend nicht zugrunde gehe.[152]

Der Gegenstand desjenigen Wissens, das die Wissenschaft der Musik vermittelt, wird auf diese Weise selbst zur Tugend und damit zum Leitfaden, dem der Mensch auf dem Weg zur Wiederherstellung seiner ursprünglichen Vollkommenheit zu folgen hat.

Als Spiegelbilder einer ursprünglich vollkommenen Harmonie gehören die unterschiedlichen Gegenstände einer so interpretierten Musik zum Gesamtzusammenhang dessen, was die Teildisziplinen einer als Einheit verstandenen Philosophie überhaupt beinhalten können. Das auf den Begriff der Harmonie rekurrierende Analogiedenken schafft auf diese Weise eine Einheitlichkeit dessen, was überhaupt gewusst werden kann. Die im Kosmos, im menschlichen Körper oder in der menschlichen Seele zu entdeckenden Harmonieverhältnisse sind für Hugo Abbilder einer geordneten göttlichen Schöpfung. Der ursprüngliche Schöpfungsplan setzt sich sogar bis in die menschlichen Kunstfertigkeiten fort, wie es deutlich wird, wenn Hugo als letzten Teilbereich der Musik die *musica instrumentalis* nennt, die eben aufgrund der menschlichen Fähigkeit zustande kommt, mit Hilfe von Musikinstrumenten harmonische Tonfolgen zu erzeugen. So heißt es zum Abschluss des Kapitels über die Musik:

Ebd., 12, 179

Die Instrumentalmusik besteht teils im Schlagen, wie auf Trommeln und Saiten, teils im Blasen, wie von Flöten und Orgeln, und teils in der Stimme, wie bei Gesängen und Liedern. »Es gibt auch drei Arten von Musikern: Die einen erfinden Lieder, andere spielen die Instrumente, und wieder andere beurteilen Lied und instrumentale Ausführung.«[153]

5.1.3 | Heilsgeschichte und Symbolismus

Einheit des Wissens: Wie lässt sich dieses Verständnis von Wissen und Wissenschaft, das Hugo von St. Victor in seiner Schrift *Didascalicon* entwirft und das dem Grundmodell der monastischen Theologie des 12. Jahrhunderts entspricht, zusammenfassend charakterisieren? Trotz der Vielfalt der Teildisziplinen der Philosophie sind diese einem einheitlichen Wissenskonzept und einem einheitlichen Erkenntnisgegenstand zugeordnet. Die Einheit des menschlichen Erkennens in Gestalt der Wissenschaft der Philosophie besteht in der heilsgeschichtlichen Ausrichtung alles Wissens. Die Einheit des Gegenstandes konstituiert sich aufgrund einer Urbild-Abbild-Relation, wonach die Mannigfaltigkeit der Betätigungsfelder menschlichen Wissens letztlich auf den allen weltlichen Abbildern zugrundeliegenden göttlichen Urtyp verweist.

Ziel allen Wissens ist die Wiederherstellung der Natur, die sich als ein Verähnlichungsprozess von menschlicher und göttlicher Natur vollzieht, indem die Nähe zu Gott dem Grad der Inbesitznahme der Weisheit entspricht. Behält man im Blick, dass das Wesen der Philosophie mit dem Streben nach Weisheit identifiziert wird, konvergieren die heilsgeschichtliche Vereinigung mit Gott und die Erlangung von Wissen, insofern die gewussten Gegenstände als Abbilder eines ursprünglichen Urbildes begriffen werden.

Dies aber ist, womit alle Wissenschaften sich beschäftigen, und dies ist, was sie anstreben: daß die göttliche Ähnlichkeit in uns wiederhergestellt werde, die Ähnlichkeit, die für uns eine Form, für Gott aber seine Natur ist. Je ähnlicher wir der göttlichen Natur werden, um so mehr Anteil haben wir an der Weisheit.[154]

Ebd., 1, 155

Der göttlichen Natur nahe zu kommen und ihr ähnlich zu werden gelingt uns, indem wir die Dinge als Abbilder Gottes selbst erkennen. Jedes Ding ist ein Ähnlichkeitsbild der göttlichen Vernunft bzw. des« von Gott Gedachten: *Res divinae rationis est simulacrum* heißt es deshalb bei Hugo: »Das Ding ist ein Abbild der göttlichen Idee« (Didascalicon V, 3 (Ed. Offergeld) 322–323).

Einheit und Heil: Das Wissenschaftskonzept, das Hugo von St. Victor in seinen Schriften entwirft, zielt darauf ab, Wissenschaft als Weg zur Wiederherstellung der menschlichen Vollkommenheit zu verstehen und sie als Mittel zu begreifen, sich – die Ähnlichkeitsbilder erkennend – Gott selbst zu verähnlichen. Alle Einzeldisziplinen sind damit von dem Anspruch betroffen, das, was ihr jeweiliger Gegenstand ist, auf die Perspektive hin zu überschreiten, die die Bedeutung des Erkannten angesichts seiner Abbildlichkeit gegenüber Gott erschließt. Deshalb heißt es in einem Anhang zum *Didascalicon*:

Und so ist das, was in der Wirklichkeit existiert, ein Abbild dessen, was im menschlichen Geist existiert, und was im menschlichen Geist existiert, ist ein Abbild dessen, was im göttlichen Geist existiert.[155]

Ebd., Appendix, 411

Das von Hugo vertretene Konzept der Einheitswissenschaft geht auf ein Verständnis von Wissen zurück, das praktisch ausgelegt und im engeren Sinne heilsgeschichtlich geprägt ist. Insofern alle Einzeldisziplinen den Menschen dem Heil näherbringen können, sind sie dem Wissen überhaupt, also der übergeordneten Wissenschaft der Philosophie zuzurechnen. Weil Philosophie ein Streben zur Weisheit hin ist, und Weisheit die notwendige Bedingung darstellt, unter der der im Sündenfall des Heils verlustig gegangene Mensch sein Heil zurückerlangen kann, kann es außerhalb der Philosophie kein wirkliches Wissen geben.

Der Streit darüber, wie viel Wissen zuträglich ist, wird damit zum Streit darüber, wodurch Wahrheit und Heil jeweils definiert werden: Ist nur das wahr, was heilsbringend ist, wie etwa Augustinus und Bernhard von Clairvaux sagen würden, oder kann nur wahres Wissen heilsrelevant werden, was auch ein Autor wie Petrus Abaelardus zugeben würde, was aber auch bedeutet, dass nicht jedes wahre Wissen unmittelbar heilsrelevant sein muss?

Wenn die Ausrichtung auf das Heil nicht bereits in die Begriffsbestimmung des wahren Wissens integriert ist – so der Umkehrschluss –, kann es verschiedene Bereiche der Wissenschaft geben, die nicht schon über das gemeinsame Kriterium der Wahrheitssuche auf eine übergeordnete Wissensform, die Einheitswissenschaft, ausgerichtet sein müssen. Es ergibt sich dann eine Vielheit von Wissenschaften, die eben aufgrund der unterschiedlichen Wissensgegenstände unterschieden sind und die sich in ihrer Methode jeweils nach diesen Gegenständen zu richten haben. Eine solche Konzeption von Wissenschaft sprengt notwendig das auf Vereinheitlichung abzielende Modell der *artes liberales* und zieht eine Reihe von Folgeproblemen nach sich, die sich erst im Kontext dieses neuen Wissenschaftsmodells ergeben.

Aristoteles-Rezeption: Historisch betrachtet ist für die Entwicklung eines solchen Alternativmodells von Wissenschaft im Mittelalter das Bekanntwerden des vollständigen Werks des Aristoteles und die in einer zeitlichen Verzögerung daran anschließende Auseinandersetzung mit dessen Wissenschaftskonzeption ein entscheidender Faktor (s. Kap. 5.3.1.1–5.3.2.2). Allerdings ist das Vorliegen der aristotelischen Texte und die beginnende Auseinandersetzung mit diesen noch keineswegs hinreichend, um ein ganz bestimmtes Wissenschaftskonzept zu entwickeln. Dies wird in zugespitzter Weise deutlich, wenn man die gegensätzlichen Zugangsweisen betrachtet, die zur gleichen Zeit – Mitte des 13. Jahrhunderts –, am gleichen Ort – in Paris – und im gleichen Kontext – der Universität – auftreten, wie dies bei Bonaventura und Albertus Magnus der Fall ist.

5.2 | Symbolistische Wissenschaft bei Bonaventura

Zugespitzt wird das in Anlehnung an Hugo von St. Victor diskutierte Konzept von Wissenschaft im 13. Jahrhundert von Bonaventura. Betrachtet man Bonaventuras Werk *Itinerarium mentis ad Deum*, stellt man fest, dass der Symbolismus nicht nur Gegenstand der Darstellung ist, sondern dieser auch die Form gibt. Gleich in seiner Vorrede zu diesem Text berichtet der Autor, wie er nicht aus eigener Eingebung, sondern veranlasst durch eine göttliche Inspiration den Berg Alverna besteigt. Dies geschieht 33 Jahre – entsprechend dem Lebensalter Christi – nach dem Tod des Franz von Assisi, der bereits zwei Jahre nach seinem Tod heiliggesprochen wird. Er ist der Gründer des Ordens, dem Bonaventura inzwischen als Generalminister vorsteht. Auf eben diesem Berg in der Nähe von Arezzo erschien nach Aussage der Biographen dem Heiligen Franziskus Christus in Gestalt eines Seraph, also eines Engels mit sechs Flügeln. Franziskus wandte sich dieser Erscheinung in solcher Intensität zu, dass sich die Wunden Christi den Berichten zufolge als die ihn fortan auszeichnenden Stigmata einprägten. Bonaventura stellt nicht nur die Parallele zum Berg Alverna her, sondern bezieht die Erscheinung Christi in Gestalt des sechsflügligen Engels unmittelbar auf sein Buch, in dem er den Aufstieg des Geistes zu Gott in seinem Werk als ein Fortschreiten über sechs Grade der Erkenntnis hinweg beschreibt und hierin eine Entsprechung zur Engelerscheinung des Heiligen Franziskus erblickt.

Unter jenen sechs Flügeln kann man nämlich recht gut sechs Erleuchtungsgrade verstehen, durch welche die Seele gleichsam wie auf Stufen oder Wegen befähigt wird, durch die ekstatischen Entrückungen christlicher Weisheit zum Frieden zu gelangen. [...] Das Bild der sechs Seraphsflügel deutet also auf sechs stufenweise fortschreitende Erleuchtungen hin.[156]

Bonaventura, Itinerarium mentis ad Deum prol. 3 (Ed. Kaup) 47

Strukturprinzip der Analogie: Mit dieser Verortung des vorliegenden Werkes im Parallelgeschehen der Stigmatisierung des Franz von Assisi und der über die Zahl sechs vermittelten Analogie der Engelsflügel mit den im Weiteren zu schildernden Stufen des Aufstiegs wird der damit verbundene Symbolgehalt zum Strukturprinzip nicht nur des Buches, sondern, wie sich zeigt, auch jeglichen Erkenntnisstrebens. Denn im Einzelnen werden es in Bonaventuras Schilderung sechs Seelenvermögen sein, durch die der Mensch zu Gott aufsteigt, um dort sein Seelenheil zu finden:

Diesen sechs Stufen des Aufstiegs zu Gott entsprechen sechs stufenweise geordnete Seelenkräfte, durch die wir vom Niedersten zum Höchsten, vom Äußeren zum Inneren, vom Zeitlichen zum Ewigen emporsteigen. Es sind: das Sinnesvermögen, die Einbildungskraft, der Verstand, die Vernunft, die Einsicht, die Seelenspitze oder der Funke der Synderesis.[157]

Ebd., c. 1, 6, 59–61

Dass es sich bei dieser Aufzählung von *sensus*, *imaginatio*, *ratio*, *intellectus*, *intelligentia* und *apex mentis* bzw. *synderesis scintilla* keineswegs um eine naturkundliche Betrachtung dessen handelt, was die menschliche Seele ausmacht und was sie dem entsprechend leisten kann, wird deutlich, wenn Bonaventura unmittelbar fortfährt, diese Vermögen in eine heilsgeschichtliche Rahmenhandlung, gekennzeichnet durch die göttliche Schöpfungshandlung und den menschlichen Sündenfall, einzuordnen.

Diese Stufen sind uns eingepflanzt durch die Natur; sie sind in uns verunstaltet durch die Schuld und wiederhergestellt durch die Gnade; sie müssen durch Gerechtigkeit gereinigt, durch Wissenschaft ausgebildet und durch Weisheit vollendet werden.[158]

Ebd., c. 1, 6, 61

Mit dieser Einbettung geht eine moralische Deutung einher, wonach es dem Menschen aufgegeben ist, den avisierten Aufstieg zu realisieren, insofern nur auf diese Weise die Wiederherstellung des selbstverschuldeten Verlustes verwirklicht werden kann.

Symbolcharakter der Welt: Auf diese Weise wird alles, was von uns auf einer der sechs Stufen erkannt werden kann, zum Mittel, den Aufstieg zu Gott zu verwirklichen. Die für uns erkennbare Wirklichkeit selbst wird zur Leiter, auf der wir emporsteigen, um schließlich der göttlichen Dreieinigkeit ansichtig zu werden. Die Wirklichkeit, die wir erkennen können, ist demnach gegliedert abhängig von der Symbolleistung, die die unterschiedlichen Bereiche der uns umgebenden Welt für die Vergegenwärtigung des Göttlichen leisten.

Ebd., c. 1, 2, 55–57

Indem wir auf diese Weise inbrünstig beten, werden wir erleuchtet, die Stufen des Aufstieges zu Gott zu erkennen. Für uns Menschen im Pilgerstande ist nämlich die Gesamtheit der Dinge eine Leiter, die uns zu Gott emporführt. Von den Geschöpfen sind nun aber die einen Spur, die anderen Bild, die einen körperlich, die anderen geistig, die einen zeitlich, die anderen von ewiger Dauer; und somit die einen außer uns, die anderen in uns. Um nun zur Betrachtung des Urgrundes zu gelangen, der ganz geistig, ewig und über uns erhaben ist, müssen wir der Spur nachgehen, die körperlich, zeitlich und außer uns ist; und das heißt: geführt werden auf dem Wege Gottes. Wir müssen in unsere Seele eintreten, die ein Bild Gottes ist, von ewiger Dauer, geistig und in uns; und das heißt: wandeln in der Wahrheit Gottes. Wir müssen endlich zum Ewigen, ganz Geistigen hinaufsteigen; und das heißt: sich freuen in der Erkenntnis Gottes und der Ehrfurcht vor seiner Majestät.[159]

Um die Mannigfaltigkeit der Welt zu strukturieren, bezieht sich Bonaventura nicht auf die Eigentümlichkeiten der Dinge und ihre Unterschiede, sondern allein auf die Art und Weise, wie sie für uns Zeichen des Göttlichen sein können, als körperliche, geistige, zeitliche oder ewige. Insgesamt sieht er eine Dreiteilung der möglichen Erkenntnisgegenstände vor, nämlich solche, die sich außerhalb von uns befinden, wie die körperlichen Dinge, solche, die in uns sind, nämlich die geistigen, wie etwa unsere Seele, oder solche, die über uns hinausgehen und die wir nur durch einen Überstieg, ein Transzendieren (*transcendere*), zu erreichen vermögen, wie das erste Prinzip, also Gott selbst.

Diese symbolhafte Hinordnung auf Gott sieht Bonaventura also nicht nur in der Sphäre geistiger Gegenstände und Vermögen verwirklicht, sondern auch dort, wo es um die einfachsten natürlichen Sachverhalte geht. Hierfür beruft er sich auf das bereits für die Naturphilosophie des 12. Jahrhunderts so wichtige Bibelwort, wonach alles in der äußeren Welt nach Gewicht, Maß und Zahl geordnet ist (s. Kap. 3.2). Diese von Gott in der Natur verankerte Ordnung gibt dem erkennenden Menschen, der in der Lage ist, diese Zeichen zu deuten, die Spur, die ihn letztlich bis zum Schöpfer führen kann.

Ebd., c. 1, 11, 65

Auf die erste Weise erkennt der Blick des Betrachtenden die Dinge in sich selbst und findet in ihnen Gewicht, Zahl und Maß: Gewicht bezüglich der Lage, die sie erstreben; Zahl, wodurch sie unterschieden; und Maß, wodurch sie begrenzt werden. Und

so gewahrt er in ihnen Seinsweise, Schönheit und Ordnung wie auch Substanz, Kraft und Wirksamkeit. Hieraus kann man sich wie aus einer Spur zur Erkenntnis der Macht, Weisheit und unermeßlichen Güte des Schöpfers erheben.[160]

Einheitswissenschaft: Wenn die für den Menschen auf den unterschiedlichen Stufen seiner Geisteskräfte zugänglichen Gegenstände in letzter Konsequenz aufgrund ihres Symbolgehaltes zugänglich und nur aufgrund des ihnen inhärenten Verweisungscharakters erkennenswert sind und die unterschiedlichen Erkenntnisstufen letztlich dem affektiven Überstieg (*transcensus*) untergeordnet bleiben, ergibt sich kein Bedarf einer differenzierenden und auf Vielfalt ausgerichteten Wissenschaft. Heilsgeschichtliche Relevanz und ein auf den Schöpfergott fokussierter Symbolismus führen nicht zu einer Pluralität der Disziplinen, sondern zielen eher auf eine Einheitswissenschaft, die ein einheitliches Ziel und einen nur durch den jeweiligen Symbolgehalt differenzierten einheitlichen Gegenstand hat.

5.3 | Albertus Magnus und die Vielheit der Wissenschaften

Die prägende Gestalt, die die Auseinandersetzung mit der Philosophie des Aristoteles zunächst gegen Widerstände betreibt, verteidigt und vor allem in ein tragfähiges Zuordnungsmodell überführt, ist Albert der Große. Albert integriert die aristotelische Philosophie, ohne andere philosophische Ansätze, vor allem den Neuplatonismus, aufzugeben und ohne die Autorität und den Geltungsanspruch des Christentums zu missachten.

5.3.1 | Aristoteles-Projekt

Nachdem Albert bereits eine Reihe von Werken, vor allem seine *Summe über die Geschöpfe*, seinen *Sentenzenkommentar* und seine Kommentare zu den Schriften des Neuplatonikers Dionysius Pseudo-Areopagita weitgehend beendet hat, wendet er sich, nachdem er von der Pariser Universität zum Aufbau eines neuen Generalstudiums des Dominikanerordens nach Köln kommt, einem weiteren Großprojekt zu, das ihn über rund fünfzehn Jahre beschäftigen wird: die Kommentierung aller zwischenzeitlich in lateinischer Sprache vorliegenden Werke des Aristoteles einschließlich der Schließung der von Aristoteles hinterlassenen Lücken im Wissenschaftssystem durch eigene Traktate.

5.3.1.1 | Die Aristoteles-Rezeption

Zeittafel

Die Aristoteles-Übersetzungen ins Lateinische (Auswahl)

A. M. S. Boethius	
510–522	*Praedicamenta*
	De Interpretatione
	Analytica priora
	Topica
	Sophistici Elenchi
Hauptübersetzungstätigkeit	
1125–1150	*Analytica posteriora*
	De anima
	Physica
	Parva naturalia
	Metaphysica
spätere Übersetzungen	
bis 1220	*De animalibus*
1220–1235	*Metaphysikkommentar des Averroes*
1246–1247	*Nikomachische Ethik*
ab 1260	*Politik*
pseudo-aristotelisch	
510–522	*Isagoge*
1187	*Liber de causis*

Herausforderung der aristotelischen Philosophie: Der Hintergrund für dieses Projekt ist folgender: Nachdem wichtige Werke des Aristoteles im 12. und dann zu Beginn des 13. Jahrhunderts in lateinischer Übersetzung vorliegen, beginnt zunächst nur vereinzelt und oberflächlich eine Auseinandersetzung mit diesen Texten, die ein sehr viel umfassenderes Bild der aristotelischen Lehre ermöglichen, als das auf der Grundlage der bereits früher, vor allem durch Boethius angefertigten Übersetzungen der Fall sein konnte. Herausgefordert vor allem auch durch die ebenfalls in lateinischer Sprache bekannt werdenden Kommentare des Averroes und die an Aristoteles orientierten Werke des Avicenna beginnt etwa ab 1230/40 eine verstärkte Diskussion um und mit den aristotelischen Texten. In der zweiten Hälfte des 13. Jahrhunderts spitzt sich die Auseinandersetzung mit der Philosophie des Aristoteles noch einmal entscheidend zu: Lässt sich auf der einen Seite die grundsätzliche Bereitschaft für die Auseinandersetzung mit der heidnischen Philosophie und damit insbesondere dem Denken des Aristoteles erkennen, so muss man doch auf der anderen Seite auch die Abgrenzungsbemühungen derer in Rechnung stellen, die vor allem aus Sorge um die adäquate Behandlung der Theologie dieser gleichsam einen Ort außerhalb des aristotelischen Wissenschaftsuniversums geben wollen.

Verbote: Diese zuletzt genannte Form der Skepsis lässt zwar einerseits die Rezeption des Aristoteles zu, untersagt aber andererseits die öffentliche Lektüre bestimmter Werke etwa in Paris durch wiederholte Verbote in den Jahren 1210, 1215, 1231 und 1245. So heißt es beispielsweise im Statut der Pariser Universität von 1215, dass

Chartularium Universitatis Parisiensis I n. 20

die Bücher des Aristoteles über die Metaphysik und die Naturphilosophie nicht gelesen werden sollen.[161]

Auf jeden Fall bleibt ein entscheidender Vorbehalt in der Anwendung des aristotelischen Wissenschaftsverständnisses auf die Theologie bestehen. Die Weigerung, die mit dieser Haltung einhergeht, betrifft die Anerkennung eines für alle Disziplinen verbindlichen Wissenschaftsverständnisses. Gemeint ist ein allgemein verbindlicher Standard von Rationalität und methodologischer Reflexion, der als universell anerkannte Norm letztlich zur Ablehnung einer alles umfassenden Einheitswissenschaft und zur Anerkennung einer Pluralität von wissenschaftlichen Disziplinen führt. Ein solcher methodologischer Standard des Wissenschaftlichen und damit einhergehend eine eingehende Reflexion auf die Grenzen möglicher Erkenntnisse, die nicht die natürlichen Fähigkeiten des Menschen überschreiten, tritt dem lateinischen Mittelalter in Gestalt der zentralen Lehren der *Zweiten Analytiken* des Aristoteles gegenüber.

5.3.1.2 | Das Aristotelische Modell der Wissenschaft (*Analytica posteriora, Zweite Analytiken*)

Aristotelisches Wissenschaftsverständnis: Wissenschaft im engeren Sinne hat nach Aristoteles drei Bedingungen zu erfüllen, nämlich die Allgemeinheit des Gewussten, die Notwendigkeit der Gegenstände, von denen etwas gewusst wird, und der Begründungszusammenhang, in dem Gewusstes jeweils auf seine Ursachen zurückgeführt wird, so dass die das Gewusste beschreibenden Sätze in einem syllogistischen Schlussverfahren darstellbar sind. Die Charakteristika von Universalität, Notwendigkeit und Kausalität unterscheiden wissenschaftliches von anderem Wissen.

Bedingungen von Wissenschaft

1. **Universalität** (Allgemeinheit des Gewussten)
2. **Notwendigkeit** (Notwendigkeit der Gegenstände, von denen etwas gewusst wird)
3. **Kausalität** (Begründungszusammenhang, in dem Gewusstes auf seine Ursachen zurückgeführt wird)

Nur in einer kritischen Selbstbeschränkung und in einer daraus resultierenden wechselseitigen Abgrenzung können die Einzelwissenschaften jeweils die Kriterien erfüllen, die sie als Wissenschaften gegenüber den weniger streng organisierten Wissensformen auszeichnen. Wissen in diesem Sinne geht auf die Kenntnis spezifischer Prinzipien zurück, die je nach Gegenstand jeweils andere sind, weshalb sich voneinander abgegrenzte Gegenstandsbereiche ergeben, die nur in einer Pluralität von Wissenschaften adäquat betrachtet werden können.

Der gewaltige Anspruch der Theologen, sich mit ihrem Gegenstand, nämlich der göttlichen Offenbarung, vor allen anderen Wissensformen auszuzeichnen, wird nun mit der ebenso gewaltigen Last konfrontiert, rechtfertigen zu müssen, auf welchem Wege sie ein begründbares und nur so als Wissenschaft anzuerkennendes Wissen von den göttlichen Dingen erwerben können.

5.3.2 | Das Wissenschaftsverständnis Alberts des Großen

Ungeteilter Wahrheitsanspruch: Albertus Magnus nimmt in diesem Prozess der sich neu verortenden Wissenschaften eine zentrale Rolle ein. Um die Perspektive anzudeuten, in der Albert vorgeht, ist zunächst festzuhalten, dass eine vermeintliche Lösung für die Verhältnisbestimmung von christlicher Lehre und den anderen Wissenschaften ganz sicher nicht in Frage kommt: Einen Relativismus hinsichtlich des Wahrheitsanspruches unterschiedlicher wissenschaftlicher Disziplinen kann es auf keinen Fall geben. In diesem Zusammenhang heißt es ganz lapidar:

Albertus Magnus, Super Ethica I lec. 13

Keine Wahrheit weicht von der anderen ab.[162]

Was in der einen Wissenschaft wahr ist, kann nicht in einer anderen falsch sein. Das heißt allerdings nicht, dass sich alle Disziplinen der gleichen Vorgehensweise bedienen und die gleichen Gegenstände behandeln, so dass man am Ende doch wieder zu einer umfassenden Einheitswissenschaft gelangte. Am prägnantesten spricht Albert seine Überzeugung von den distinkten wissenschaftlichen Methoden aus, wenn er sich nicht scheut, göttliche Offenbarungen ausdrücklich als irrelevant für das Vorgehen in anderen Wissenschaften zu erklären. Das gilt vornehmlich im Bereich der Naturwissenschaften. In einem seiner Aristoteleskommentare heißt es deshalb:

Albertus Magnus, De gen. et corr. I tr. 1 c. 22

Ich sage, dass mich die Wunder Gottes nichts angehen, wenn ich von den natürlichen Begebenheiten handle.[163]

Eigengesetzlichkeit: Der Grund für diese Annahme besteht für Albert darin, dass er die Dinge nur insofern in der Naturwissenschaft betrachtet, als sie natürliche Gegebenheiten darstellen. Nur als durch ihre eigene Natur in ihrer Wirkweise bestimmte sind sie für den Naturwissenschaftler von Interesse. Was wiederum hinter dieser Natur steht, also der Grund für die Existenz natürlicher Dinge ist, gehört nicht mehr selbst zum Fragehorizont der Naturwissenschaft. Für den Wissenschaftler reicht es aus zu wissen, dass das, was in der Natur geschieht, nicht beliebig ist, also nicht unmittelbar durch Willkür oder Zufall bestimmt ist, sondern aufgrund einer inneren Bestimmtheit und einer entsprechenden Eigengesetzlichkeit ein von außen verlässlich beobachtbares Verhalten zeigt. Eine inhaltliche Begrenzung der Untersuchungsgegenstände und nicht eine Relativierung der Wahrheit ist aus Alberts Sicht die Voraussetzung für eine Pluralität der Wissenschaften.

Die natürlichen Gegenstände sind weder durch Zufall noch durch einen Willen, sondern durch eine handelnde Ursache, die sie vollendet. Auch haben wir nicht bei den natürlichen Dingen zu untersuchen, wie Gott als Werkmeister entsprechend seinem vollkommen freien Willen die von ihm geschaffenen Dinge für ein Wunder, durch das er seine Macht verkündet, nutzt. Vielmehr [haben wir zu untersuchen], was bei den natürlichen Dingen aufgrund der der Natur eingepflanzten Ursachen auf natürliche Weise geschehen kann.[164]

Albertus Magnus, De caelo et mundo l. 1 tr. 4 c. 10

Systematik: Albert ist der erste Denker des lateinischen Westens, der die Aufgabe auf sich nimmt, das im 13. Jahrhundert erstmals in lateinischer Sprache weitestgehend vollständig vorliegende Werk des Aristoteles und damit auch dessen Naturphilosophie ganz zu kommentieren und in einen durchgehenden systematischen Zusammenhang zu stellen. Hierbei geht Albert über die aristotelischen Vorlagen insofern hinaus, als er die Bereiche philosophischen Wissens, die Aristoteles nicht selbst in seinen Schriften behandelt hat, durch eigene Werke ergänzt und auf diese Weise ein Wissenschaftsgebäude errichtet, das ein bis dahin unbekanntes Ausmaß und eine nie erreichte Vollständigkeit besitzt. Diese Kommentierung findet zudem in Auseinandersetzung mit der gesamten Albert bekannten spätantiken und vor allem arabischen Philosophie statt.

Der mit diesem Unterfangen Alberts verbundene Aneignungsprozess steht natürlich von Anfang an vor der zentralen Schwierigkeit, das sich scheinbar Ausschließende der antiken Philosophie mit der christlichen Weltdeutung in einer tragfähigen Synthese zu vereinigen. Es ist aber nicht die Synthese allein, die die weitere Geistesgeschichte bestimmt, sondern es sind vor allem die Eigenreflexion von Philosophie und Theologie und das daraus erwachsende kritische Bewusstsein beider Teildisziplinen, die sich als dauerhaft prägend erweisen werden. Daher scheint es geboten, die Grundzüge dieses einzigartigen Prozesses am Beispiel Alberts des Großen zu vergegenwärtigen.

Von einem Aristoteles-Projekt zu sprechen, das Albert verfolgt und in die Tat umsetzt, ist insofern erlaubt, als mit der Arbeit am *Physikkommentar*, also um 1251, ein kohärenter Plan vorliegt, der Ziel, Umfang und Methode dessen angibt, was Albert an verschiedenen Orten und betraut mit diversen anderen Aufgaben während der kommenden rund fünfzehn Jahre verwirklicht. Am Ende werden es über dreißig Werke sein, die er als tatsächliche oder vermeintliche Schriften des Aristoteles oder bekanntermaßen eines anderen Autors, der eine Lücke im aristotelischen Werk schließt, kommentiert oder gar als eigene Werke in Ergänzung des zu kommentierenden *Corpus* verfasst. Mit Blick auf den Gegenstand seines ersten Werkes, nämlich den der aristotelischen *Physik*, entwirft Albert in einem ersten Traktat seines Kommentars das Ziel und die Vorgehensweise, die er im Weiteren verfolgen will.

Unsere Vorgehensweise in diesem Werk wird aber sein, der Ordnung des Aristoteles und seinem Gedanken zu folgen und zu dessen Erklärung und dessen Beweis zu sagen, was uns als notwendig erscheinen wird, in der Weise jedoch, dass sein Text keine Erwähnung findet. Und außerdem werden wir Exkurse machen, die aufkommende Zweifel erklären und das ergänzen, was auch immer in den knapp gefassten

Albertus Magnus, Physica I tr. 1 c. 1, in: (System der Wissenschaften) 103

Gedanken des Philosophen manchen Verständnisprobleme bereitet hat. […] Und wir werden auch bald unvollendete Teile der Bücher, bald abgebrochene oder ausgelassene Bücher hinzufügen, die Aristoteles entweder nicht verfasste oder – wenn er sie vielleicht verfasste – die bis zu uns nicht gekommen sind.[165]

Wie diese wenigen Sätze deutlich machen, geht es für Albert nicht primär um eine Auseinandersetzung mit Aristoteles. Vielmehr steht für ihn die Diskussion der Sache, zu der sich Aristoteles wie kein anderer Autor je zuvor geäußert hat, im Vordergrund. Deshalb sieht Albert seine Aufgabe darin, wenn notwendig über den aristotelischen Text hinauszugehen, um für die erforderlichen Erklärungen und Begründungen zu sorgen und hierbei eigenständige und von der Sache her gebotenen Exkurse (*digressiones*) einzuflechten, die sich von der zu kommentierenden Vorlage lösen. Noch dazu kündigt er an, unvollendete, nicht überlieferte oder von Aristoteles gar nicht verfasste Bücher zu ergänzen. Gleichwohl hält Albert es für notwendig, die Philosophie des Aristoteles, von der er zu Beginn der *Physik* vor allem die Realphilosophie, also die Naturkunde, die Metaphysik und die Mathematik im Blick hat, verständlich zu machen.

Ebd., tr. 1 c. 1, 103

Da es aber drei wesentliche Teile der Realphilosophie gibt, der Philosophie, sage ich, die in uns nicht durch unser Tun verursacht wird, so wie die Moralwissenschaft verursacht wird, sondern die vielmehr in uns vom Naturwerk verursacht wird – diese Teile sind die Naturwissenschaft oder die Physik, die Metaphysik und die Mathematik –, ist es unsere Absicht, alle die genannten Teile den Lateinern verständlich zu machen.[166]

Einheit durch Differenzierung: Um begreifen zu können, was mit diesem »verständlich machen« gemeint ist, muss man sich über die Adressaten dieser erläuternden Tätigkeit klar werden. Albert nennt die *latini* als diejenigen, denen er sich mit seiner Arbeit zuwendet. Wer sind aber diese *latini*? Gemeint sind nicht bloß diejenigen, die der lateinischen Sprache mächtig sind, sondern es sind die in der Wissenschaft tätigen Christen, denen sich die aristotelischen Texte insofern kundtun, als sie inzwischen in lateinischer Sprache vorliegen. Es sind zu einem großen Teil diejenigen, die entweder selbst entsprechende Verbote für die öffentliche Lektüre des Aristoteles erlassen haben oder zumindest indirekt von diesen Verboten betroffen waren, insofern ihr Forschergeist mit solchermaßen inkriminiertem Material konfrontiert wurde. Aristoteles verständlich zu machen, heißt deshalb, ihn vor dem Hintergrund der für die Christen geltenden Annahmen so darzustellen, dass Differenzen beseitigt werden bzw. in ihren unterschiedlichen Perspektiven einer gemeinsamen Sachordnung zugewiesen werden können.

Für Albert mag es ein kleiner Schritt gewesen sein, für die Geistesgeschichte ist es unzweifelhaft ein ganz bedeutender, dass mit dem Versuch des Verständlichmachens des Aristoteles ein argumentativer Boden betreten wird, auf dem jetzt die zum Teil konträren Wahrheitsansprüche der christlichen und der nicht-christlichen Gelehrten und ihrer Schriften ausgefochten werden. Dieses Vorgehen Alberts ist völlig anders, als sich der Autorität des Aristoteles zu ergeben, um dessen Werke zu einer Enzyklopädie des Wissens zusammenzustellen und paraphrasierend zu erläutern.

Antike und Christentum, arabisch-, hebräisch-, griechisch- oder lateinischsprachige Wissenschaft, natürliche Vernunft und göttliche Offenbarung begegnen sich – so die entscheidende Prämisse Alberts – unter der Voraussetzung, dass in allen Bereichen Wahrheitsansprüche erhoben werden, die nur noch im inneren Dialog zu bewerten sind. Wenn »keine Wahrheit von der anderen abweicht«, wie es bei Albert heißt, dann können auch widerstreitende Wahrheitsansprüche nicht mehr durch Ausschluss aus dem Bereich des Relevanten beseitigt werden. Heilsgeschichtliche Unbedeutsamkeit oder vorchristliche Unwissenheit können keine Argumente für wissenschaftliche Bedeutungslosigkeit sein.

5.3.2.1 | Die Wissenschaftstheorie des Aristoteles: Die *Zweiten Analytiken*

Worin besteht die für das Mittelalter brisante Ausrichtung der aristotelischen Wissenschaftstheorie und was macht die Auseinandersetzung mit dem der Wissenschaftslehre gewidmeten Werk des Aristoteles einerseits so schwierig und andererseits so bedeutsam?

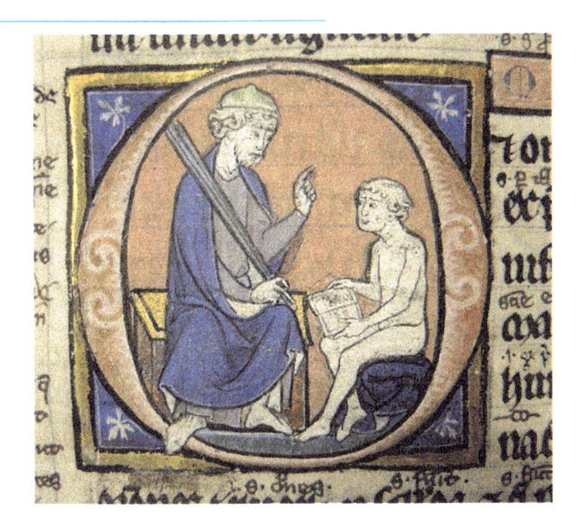

Bildbeschreibung: Die ausgemalte Initiale zu Beginn der lateinischen Übersetzung der *Zweiten Analytiken* in Balliol MS 253 fol. 211v zeigt den **Lehrer** mit Mantel und Hut, erhobenem Zeigefinger und Rute gegenüber seinem entkleidet und wesentlich kleiner dargestellten **Schüler** sitzen, der ein Heft in den Händen hält. Dieses ungewöhnliche Motiv geht offensichtlich auf zeitnah entstandene bildliche Darstellungen zu Beginn des biblischen Buches »Sprüche Salomos« zurück. Dieses Motiv, wie es sich etwa in zwei Codices der British Library (Royal 3 E IV, fol. 1r und YT 41, fol. 278v) findet, zeigt den König als Lehrer seines ebenfalls kleiderlos dargestellten Sohnes Rehabeam. Das verbindende Element zwischen dem biblischen Text und der aristotelischen Schrift scheint die Nennung der Stichwörter *disciplina* und *doctrina* zu sein, die jeweils zu Beginn beider Texte vorkommt.

Wissenschaftskonzept: Da nicht alles, was man weiß, deshalb gleich im engeren Sinne als Wissenschaft gelten kann, untersucht Aristoteles im Rahmen seiner der Logik gewidmeten Werke in der Schrift mit dem Titel *Zweite Analytiken* die Bedingungen, die ein Zusammenhang von gewussten Inhalten erfüllen muss, um im strengen Sinne Wissenschaft sein zu können. Diese Schrift ist Ende des ersten Viertels des 12. Jahrhunderts auch in lateinischer Übersetzung zugänglich und sollte die Gelehrten, die gerade ein Aufblühen auf allen Gebieten menschlichen Wissens erleben und mit einer Flut neuer Texte konfrontiert werden, in besonderer Weise interessieren. Denn eine Systematisierung der unterschiedlichen Gegenstandsbereiche, wie sie etwa in der partikulären Alltagserfahrung, den Freien Künsten, den neu erschlossenen Texten der antiken Gelehrsamkeit oder auch in den Offenbarungen der Heiligen Schrift vorliegen, scheint auf eine methodologische Reflexion über die Bedingungen von Wissenschaft und die Abgrenzung ihrer Inhalte, wie sie die *Zweiten Analytiken* bieten, kaum verzichten zu können.

Doch allem Anschein nach passiert zunächst das Gegenteil. Das aristotelische Werk wird bestenfalls für schwierig und unverständlich gehalten oder einfach ganz ignoriert. Dies ist der Fall, wie Johannes von Salisbury Mitte des 12. Jahrhunderts berichtet, weil es den schwierigsten Weg des Vernunftgebrauchs beschreitet, eine Fertigkeit zum Thema hat, die keine Anwendung mehr findet und bestenfalls noch von wenigen Mathematikern ausgeübt wird, die in fernen Ländern tätig sind. Der Grund liegt nicht nur beim Gegenstand dieses Werkes allein, sondern wohl auch an der Überlieferung, wie Johannes feststellt, die den Text verderbt und unverständlich, noch dazu in einer fehlerhaften Übersetzung vermittelt.

Problem der Aneignung: Dies alles mag der Fall sein, aber erklären die genannten Schwierigkeiten wirklich die solange ausbleibende Rezeption der Schrift oder gibt es weitergehende Gründe für die Zurückhaltung der mittelalterlichen Autoren im Umgang mit diesem Text? Warum beginnt eine konstruktive Auseinandersetzung erst hundert Jahre nach Bekanntsein der lateinischen Übersetzung und weshalb kommt sie auch dann zunächst nur zögerlich in Gang? Neben der Schwierigkeit der Schrift selbst mag ein Grund darin liegen, dass Aristoteles in diesem Werk einen Typ von Wissenschaft skizziert, der nur schwer auf die Wissensbereiche übertragbar ist, die die Autoren des 12. und zu Beginn des 13. Jahrhunderts tatsächlich interessieren. Blickt man auf die Beispiele, die Aristoteles selbst in den *Zweiten Analytiken* immer wieder anführt, wird klar, dass es sich hierbei um einen Idealtyp von Wissenschaft handelt, der nur schwer in ein Verhältnis zur Theologie und den naturwissenschaftlichen Fächern zu setzen ist. Am ehesten entspricht die aristotelische Konzeption, das hat auch Johannes von Salisbury so gesehen, einem Werk, wie es mit den *Elementen* des Euklid, also mit dessen grundlegender Schrift zur antiken Geometrie, vorliegt.

5.3.2.2 | Das Ideal der Geometrie

Geometrie als Idealwissenschaft: Die Geometrie des Euklid nimmt ihren Ausgang bei der Definition von Grundbegriffen wie Punkt, Linie, Fläche, Dreieck und ähnlichen Termini. Es schließt sich die Festlegung bestimmter Grundprinzipien an, die als Postulate oder Axiome bezeichnet werden und z. B. festhalten, dass Gleiches zu Gleichem hinzugefügt jeweils Gleiches ergibt. Auf dieser Grundlage ist Euklid anschließend in der Lage, weitergehende Aussagen über bestimmte geometrische Figuren und ihre

Eigenschaften zu machen und diese durch zunehmend komplexere Beweise zu begründen. So lässt sich etwa die Winkelsumme eines beliebigen Vierecks bestimmen, wenn zuvor die Winkelsumme des Dreiecks bewiesen wurde und man zudem zeigen kann, wie sich jedes Viereck aus zwei Dreiecken mit einer entsprechenden Summe der Innenwinkel zusammensetzt. In diesem Sinne ist die Geometrie eine streng deduktive Wissenschaft, die aus allgemeinen Prinzipien konkrete Anwendungsfälle ableiten kann. Eine Idealwissenschaft stellt sie insofern dar, als dass jede Aussage, die sie macht, bis in die grundlegendsten Voraussetzungen hinein bewiesen werden kann.

Albert hat nach eigenem Bekunden einen Kommentar zur Geometrie des Euklid verfasst. Dieser Kommentar enthält ein kurzes *Prooemium*, das in wenigen Abschnitten den besonderen Status der Geometrie als Wissenschaft entfaltet. Die idealtypische Charakteristik einer deduktiv verfahrenden Disziplin kommt demnach dadurch zustande, dass die Geometrie auf wenige Grundbegriffe zurückzuführen ist, die zudem untereinander in einem bestimmten Ableitungsverhältnis stehen. Der Gegenstand der Geometrie ist nach diesem Text die unbewegliche Quantität (*quantitas immobilis*). In dieser Wissenschaft werden also nicht konkrete Körper, die alle eine bestimmte Größe oder Ausdehnung haben, betrachtet, sondern die abstrakten Bedingungen, unter denen Quantität überhaupt vorkommen kann. Es gibt insgesamt drei Erscheinungsformen oder Arten von Quantität, nämlich die Linie, die Oberfläche und den Körper. Sind einerseits Flächen durch eine Bewegung der Linie konstruierbar – nämlich dann, wenn die Linie nicht bloß gerade im Sinne ihrer Verlängerung bewegt wird –, und sind andererseits Körper durch eine entsprechende Bewegung der Flächen konstruierbar – nämlich indem Flächen in den dreidimensionalen Raum verschoben werden –, so geht die Konstruktion der Linie auf das eigentliche Grundelement der Geometrie, den Punkt, zurück. Auch wenn der Punkt selbst, weil er ausdehnungslos ist, noch keine Quantität im engeren Sinne darstellt, ist er doch das konstitutive Moment, auf das jede Form von Ausdehnung – zuerst die der Länge, dann die der Fläche und schließlich die des Körperhaften – zurückgeführt werden kann.

In wissenschaftstheoretischer Hinsicht ergibt sich daraus eine klare Hierarchie der Elemente der Geometrie mit Blick auf ihren Prinzipiencharakter. Für die vorliegende Fragestellung ist von besonderem Interesse, dass in der Geometrie nicht nur irgendwelche Prinzipien angenommen werden, sondern dass es möglich ist, diese über ein entsprechendes Ableitungsverhältnis bis auf ein erstes Urprinzip, nämlich den Punkt, zurückzuführen:

Albertus Magnus, Super Euclidem prooem.

Hieraus kann man herleiten, dass der Punkt das schlechthinnige Prinzip des Kontinuums ist, aber die Linie, wenn man sie mit dem Punkt vergleicht, das vom Prinzip Bewirkte ist, und wenn man sie im Verhältnis zur Oberfläche betrachtet, das Prinzip ist. Der Körper aber existiert nur als etwas vom Prinzip Bewirktes. Der Grund hierfür ist, dass das einfache Prinzip alles und unteilbar ist durch die Unterteilung des von ihm Bewirkten. Der Punkt also, der schlechthin unteilbar ist, ist schlechthin das Prinzip des Kontinuums. Die Linie ist insofern Prinzip, als sie unteilbar ist, nämlich

hinsichtlich ihrer Breite, und sie ist vom Prinzip Bewirktes, insofern sie als teilbar existiert, nämlich hinsichtlich ihrer Länge. Ähnlich verhält es sich bei der Oberfläche, wenn man sie mit der Linie und mit dem Körper vergleicht.[167]

Wissenschaft und Konstruktion: Der Sonderfall der Geometrie besteht darin, dass sie nicht aufgrund von Beobachtung Aussagen über Einzelfälle und deren Zusammenhang macht, sondern als fortschreitende Entfaltung eines ursprünglichen Grundprinzips konstruktiv vorgeht. Der Text von Alberts Einleitung in diese Wissenschaft verwendet fortlaufend den Terminus *constituere*, also ›konstituieren‹, um diesen konstruktiven Charakter der Geometrie zu betonen. Hierbei ist nicht an einen Herstellungsprozess realer Flächen oder Körper zu denken, sondern an die idealtypische Entfaltung dessen, was im Begriffsgehalt der Grundprinzipien zum Ausdruck kommt: Es entspricht z. B. der Bedeutung dessen, was eine Linie ist, dass sie durch eine gerade Bewegung eines Punktes, der selbst keine Ausdehnung hat, beschrieben und zur Konstruktion komplexer geometrischer Figuren verwendet werden kann. In diesem Sinne ist der Punkt nicht nur die einfachste geometrische Größe, sondern die Definition des Punktes ist der Ausgangspunkt für die Begriffsbestimmung jeder anderen geometrischen Figur. Aus diesem Grund ist der Begriff des Punktes aus der Sicht Alberts der Ausgangspunkt für die gesamte Geometrie, die, Euklid folgend, mit den Definitionen der wichtigsten Begriffe zu beginnen hat. So heißt es am Ende der Einleitung:

Ebd., prooem.

Weil aber der Punkt das Prinzip aller dieser [geometrischen Figuren] ist, müssen wir von ihm den Ausgangspunkt für die Definitionen nehmen, die in einem bestimmten Sinne die Prinzipien der Beweise sind.[168]

Der Punkt ist das erste Prinzip der Geometrie, weil er in der Definition aller anderen geometrischen Figuren als grundlegender Begriffsgehalt enthalten ist und auf diese Weise alle folgenden Beweise dieser Wissenschaft untermauert. Die Geometrie zeichnet sich als Wissenschaft also dadurch aus, dass sie ihre Grundprinzipien nicht durch die Rekonstruktion der einer Vielheit von Einzelfällen gemeinsamen Erscheinungen, also durch Induktion, gewinnt. Vielmehr bringt sie ihre Erkenntnisse durch Konstruktion oder durch Ableitung aus ersten Prinzipien hervor, die letztlich in einem einzigen münden.

5.3.3 | Alberts kausale Deutung des Wissenschaftssubjektes

Was in der Diskussion der Geometrie und ihrem grundlegenden Prinzip, dem Punkt, zum Ausdruck kommt, kann als Idealtyp einer Wissenschaft beschrieben werden, die Aristoteles in den *Zweiten Analytiken* skizziert. Das Idealtypische gerät in der aristotelischen Wissenschaftstheorie allerdings in einer etwas veränderten Perspektive in den Blick, nämlich durch die Diskussion der Frage, worin die Einheit einer Wissenschaft besteht und wodurch sie sich von anderen Wissenschaften unterscheidet. Die aristotelische Antwort lautet, dass dies durch das Subjekt – heute würde man sagen, den Gegenstand oder das Objekt – einer Wissenschaft geschieht. Wie die *Zweiten Analytiken* darlegen, besteht das für eine Wissenschaft eigentümliche Subjekt idealerweise in einem ersten Prinzip oder einem grundlegenden Begriff, der in allen von der Wissenschaft getätigten Aussagen, wenn nicht ausdrücklich, so doch implizit immer mitgedacht werden muss. Wie Alberts Einleitung zur Geometrie des Euklid zeigt, lässt sich der Begriff des Punktes in diesem Sinne beispielhaft als ein solches Wissenschaftssubjekt anführen. Das ist der Fall, weil dieser Begriff der implizite Grundbestandteil jedes in dieser Disziplin geführten Beweises und damit der Ausgangspunkt von allem ist, was im Sinne dieser Wissenschaft gewusst wird. Albert kann deshalb in der Einleitung von *Super Euclidem* grundsätzlich der aristotelischen Perspektive folgen. Doch gilt dies auch für jede andere wissenschaftliche Disziplin, oder behält Johannes von Salisbury recht, dass Aristoteles hier nur den Sonderfall einer Wissenschaft, die zudem aus der Mode gekommen ist, beschreibt?

Umdeutung der Wissenschaft: Virulent wird diese Frage vor allem, sobald Albert darangeht, den einschlägigen Text des Aristoteles, die solange vernachlässigten *Zweiten Analytiken* selbst zu kommentieren. Paradigmatisch zeigt sich Alberts Haltung, wenn er im Anschluss an Aristoteles die zentrale Frage diskutiert, was die Gattung (*genus*), nämlich der einer Wissenschaft die Einheit verleihende Gegenstandsbereich eigentlich ist. Der Begriff der Gattung wird in diesem Zusammenhang gleichbedeutend mit dem des Wissenschaftssubjektes verwendet, so dass Albert folgende überraschende Antwort gibt:

Gattung nennen wir hier aber nicht ein einziges Aussagbares oder ein Erstes entsprechend der Ordnung des Prädikates.[169]

Albertus Magnus, Analytica posteriora I tr. 2 c. 16

Was Albert in diesem scheinbar unspektakulären Satz ausschließt, ist eine Deutung des Wissenschaftssubjektes, wie er sie selbst für die Geometrie offensichtlich befürwortet. Der ausgezeichnete Gegenstand einer Wissenschaft ist nicht ein erster Begriff, wie dies nach Alberts Ausführungen im Fall der Geometrie hinsichtlich deren grundlegenden Prinzips, nämlich des Begriffs des Punktes, durchaus zutrifft. Die Einheit der Geometrie lässt sich tatsächlich durch das Erste in der Ordnung der Prädikate begründen, nämlich durch den Begriff, der allen anderen einen wesentlichen Teil ihrer Bedeutung verleiht: Linien lassen sich nicht ohne Punkt und Flächen nicht ohne Linien denken etc.

Dies ist aber eher ein Sonderfall und gilt nach Alberts Aussage in seinem Kommentar zu den *Zweiten Analytiken* keineswegs grundsätzlich. Vielmehr betont er offensichtlich als erster der Kommentatoren dieses grundlegenden Textes des Aristoteles, dass das Wissenschaftssubjekt nicht als Begriff zu interpretieren ist. Vielmehr muss man die einheitsstiftende Gattung, also den eigentlichen Gegenstand einer Wissenschaft mit einem produktiven Prinzip oder einer Ursache gleichsetzen, denn bei ihm heißt es:

Aber Gattung nennen wir dasjenige, das Prinzip der Hervorbringung ist, wie die Ursache.[170]

Ebd., tr. 2 c. 16

Ursachen statt Begriffe: Zwar verwendet Albert auch hier den Ausdruck des Prinzips, doch ist damit etwas ganz anderes gemeint als ein allgemeinster Begriff, von dem ein deduktiver Prozess seinen Ausgang nehmen könnte. Vielmehr betont Albert, es handle sich um ein Erstes in einem Hervorbringungsprozess, also um eine erste Ursache in einer Kausalkette. Die Pointe der beiden zitierten Sätze besteht also darin, dass eine Wissenschaft nicht Hierarchien von Begriffen zu verfolgen hat und in diesem Sinne deduktiv verfährt. Vielmehr ist es die Aufgabe des Wissenschaftlers, Kausalketten nachzuzeichnen, die ihren beobachtbaren Anfang bei den Wirkungen haben und in diesem Sinne den umgekehrten Weg von der Vielheit der Phänomene zu den zugrundeliegenden Ursachen nehmen. Albert versteht diesen Paradigmenwechsel von einem ersten Begriff zu einer grundlegenden Ursache als einen tatsächlichen Gegensatz, den er durch die adversative Konjunktion ›aber‹ deutlich zum Ausdruck bringt.

Das, was ›Ursache‹ in Alberts Wissenschaftstheorie meint, bedarf allerdings der näheren Bestimmung, um das konkrete Vorgehen in den Wissenschaften verständlich machen zu können. Hinsichtlich der naturkundlichen Untersuchungen Alberts ist festzuhalten, dass es sich bei den Kausalketten, die es dort zu verfolgen gilt, um solche handelt, die der Natur »eingepflanzt« sind. Die vom Naturwissenschaftler zu betrachtenden Phänomene kommen also nur als natürliche in Betracht, auch wenn man die gesamte Natur selbst, in einem anderen Sinne von Ursache, auf einen ersten Werkmeister, nämlich Gott, zurückführen kann:

Albertus Magnus, De caelo et mundo I tr. 4 c. 10

Die natürlichen Gegenstände sind weder durch Zufall noch durch einen Willen, sondern durch eine handelnde Ursache, die sie vollendet. Auch haben wir nicht bei den natürlichen Dingen zu untersuchen, wie Gott als Werkmeister entsprechend seinem vollkommen freien Willen die von ihm geschaffenen Dinge für ein Wunder, durch das er seine Macht verkündet, nutzt. Vielmehr haben wir zu untersuchen, was bei den natürlichen Dingen aufgrund der der Natur eingepflanzten Ursachen auf natürliche Weise geschehen kann.[171]

Kausalbeziehungen: Albert gelingt es mit seiner offensichtlich bis dahin singulären Deutung dieses zentralen Gedankens der *Zweiten Analytiken*, der in vielen Schriften geübten Praxis seiner naturkundlichen Forschung ein wissenschaftstheoretisches Fundament zu geben, dass das Vorgehen in der Geometrie als Ausnahme und die von ihm durchweg angewandte naturphilosophische Methode als Regelfall erscheinen lässt. In diesem Sinne hat Wissenschaft nicht mit abstrakten Begriffsverhältnissen, sondern mit realen Kausalbeziehungen zu tun. Da diese Ursachenketten auf jeweils verschiedene Ursachen bzw. Ursachentypen zurückgeführt werden, wie etwa bei der Unterscheidung von natürlichen und übernatürlichen Ursachen offenkundig wird, lassen sich somit auch verschiedene Wissenschaftssubjekte und dadurch auch eine Vielheit von wissenschaftlichen Disziplinen unterscheiden.

5.3.4 | Die Mehrschichtigkeit des wissenschaftlichen Prozesses

Die kausale Erklärung vollendet einen wissenschaftlichen Prozess, der bei der Beobachtung der Phänomene beginnt und damit der Angewiesenheit des menschlichen Erkennens auf die Sinnlichkeit Rechnung trägt und so bei der Erfahrung des Singulären seinen Ausgang nimmt. Allerdings bedarf die Mannigfaltigkeit der beobachteten Phänomene einer weitergehenden Reflexion auf die verbindenden Ursachen, die die diversen Erscheinungen als Exemplare einer bestimmten Klasse von Vorkommnissen erklärbar macht. Nur als Fall eines bestimmten Typs von Ereignis sind die Einzelphänomene wissenschaftlich von Interesse. Nur wenn wir verstehen, was die zugrundeliegenden Ursachen der beobachtbaren Erscheinungen sind, verstehen wir überhaupt, was das eigentlich ist, was wir mit den Sinnen als eine Vielheit singulärer Vorkommnisse wahrnehmen. Naturkunde muss also als eine mehrschichtige Wissenschaft verstanden werden, die Beobachtung und kausale Erklärungen verbindet.

Beobachten und Erklären: Diese Mehrschichtigkeit im wissenschaftlichen Prozess kommt in besonderer Weise in den Methodenreflexionen des elften Buches von Alberts Werk zur Tierkunde – *De animalibus* – zum Ausdruck, wenn er dort eine deutliche Zäsur in der wissenschaftlichen Verfahrensweise formuliert, die das Vorgehen innerhalb der ersten zehn Bücher von *De animalibus* gegenüber den folgenden trennt. Programmatisch stellt er fest,

dass eine andere Form des Wissens einzuführen sei, die den Einzelgegenständen in ihren Eigentümlichkeiten angemessen ist. Denn sonst kann von uns die Lehre über die Naturen nicht in vollkommener Weise weitergegeben werden.[172]

Albertus Magnus, De animalibus XI tr. 1 c. 1 n. 9

Dieser Methode zufolge schreitet der Wissenschaftler nicht von dem der Natur nach Früheren, sondern von dem in Bezug zu uns Früheren zu dem jeweils Späteren fort. Doch wirft dieses Vorgehen, so hebt Albert an dieser Stelle über die aristotelische Vorlage hinausgehend hervor, ein erhebliches Problem auf. Denn auf diese Weise ist über die natürlichen Gegenstände nichts Bestimmtes und tatsächlich Bekanntes mit Sicherheit festzustellen. Der Grund hierfür ist, dass die Vielfältigkeit und die Unendlichkeit, die es in diesen Dingen gibt, unser Wissen übersteigen.

Wir müssen also untersuchen, ob wir von dem der Natur nach Früheren fortschreiten und die Akzidenzien der den Lebewesen gemeinsamen Gattungen zuerst zu betrachten sind, [und] aus jenen [fortschreitend] die jeder Gattung eigentümlichen [Eigenschaften] zu betrachten sind, oder ob wir umgekehrt von dem in Bezug zu uns Früheren fortschreiten und beginnen müssen, die Naturen und Dispositionen von den eigentümlichen Akzidenzien, die jedem Lebewesen entsprechend seiner eigentümlichen Natur zukommen, aufzuzählen. Auf diese Weise aber [ist] nicht Bestimmtes und Bekanntes über diese festzustellen, weil sich dies unserem Wissen entzieht wegen der Vielheit und Unendlichkeit, die es in solchen Dingen gibt.[173]

Ebd., tr. 1 c. 2 n. 12

Was also jetzt notwendig ist, nachdem die ersten zehn Bücher von *De animalibus* der Aufzählung der von den verschiedenen Arten geteilten und der jeweils artspezifischen Eigenschaften gewidmet waren, ist eine Untersuchung der Ursachen, die man für diese Verhaltensweisen und diese Eigenschaften der verschiedenen Sinnenwesen anführen kann.

Ebd., tr. 1 c. 2 n. 13

So muss man also untersuchen, ob der Naturforscher, der über das den Lebewesen Gemeinsame spricht, die natürlichen Dinge, die offensichtlichen Handlungen und die Eigenschaften der gemeinsamen Klassen von Arten der Lebewesen betrachten und danach ihre Ursachen benennen muss, oder ob er im Gegenteil bei den Dingen fortschreiten soll, die wir aufgezählt haben. Lasst uns aber aus all den angeführten [Argumenten] annehmen, dass zuerst jenes aufzuzählen ist, das zu den offensichtlichen Handlungen und den Eigenschaften der Lebewesen gehört, sowie wir es in allen zehn bereits zuvor angeführten Büchern getan haben. Und nun haben wir die Ursachen dessen anzuführen, was wir aufgelistet und von dem wir gesagt haben, es komme den Gattungen der Lebewesen zu.[174]

5.3.4.1 | Die Theorie der Induktion

Albert kann mit dieser Deutung des mehrschichtigen wissenschaftlichen Arbeitens an die Aussagen am Ende der *Zweiten Analytiken* anschließen, in denen Aristoteles das induktive Vorgehen eines ursprünglich auf die Sinnlichkeit festgelegten Erkenntnisvermögens aufzeigt. Um befriedigend erklären zu können, wie man Wissenschaft auf dem Wege einer Ableitung die Schlusssätze aus bekannten Prämissen gewinnen kann, muss auch die Frage nach den Prinzipien eines solchen syllogistischen Verfahrens gestellt werden.

Definition

Ein **Syllogismus** ist ein durch formale Regeln bestimmtes Schlussverfahren, durch das aus als geltend angenommenen Sätzen, den Prämissen, eine Folgerung, die *conclusio*, abgeleitet wird. Das grundlegendste Schlussverfahren leitet aus der Bejahung zweier allgemeiner durch einen gemeinsamen Mittelterminus (›Lebewesen‹) verbundenen Aussagen die *conclusio* ab, die den Subjektterminus (›Mensch‹) der einen und den Prädikatterminus (›sterblich‹) der anderen Prämisse verbindet.
Beispiel:
1. Prämisse: Alle Menschen sind Lebewesen.
2. Prämisse: Alle Lebewesen sind sterblich.
Conclusio: Alle Menschen sind sterblich.

Prinzipienwissen: Das Ableitungsverfahren der Wissenschaft basiert darauf, dass Prinzipien vorausgesetzt werden können, die selbst nicht ableitbar sind. Woher stammt aber das Wissen um diese nicht ableitbaren Prinzipien? Neben dem Verweis auf selbstevidente Prinzipien, um die man unmittelbar weiß, ist es vor allem die aristotelische Theorie der Induktion, die zur Lösung des genannten Problems beiträgt. Nur durch die Annahme eines solchen induktiven Verfahrens kann man, wie Albert in Zuspitzung der aristotelischen Deutung hervorhebt, die Unterstellung anderer Erkenntnishabitus vermeiden, die als präexistente Erkenntnisquelle fungieren können, womit etwa die von Platon befürwortete Möglichkeit angeborener Ideen, auf die der Mensch sich erinnernd rückbesinnen kann, ausgeschlossen wird.

Erkenntniskritik: Die *Zweiten Analytiken* des Aristoteles mögen zumindest in weiten Teilen die Wissenschaftstheorie einer idealen Wissenschaft entwerfen, doch ist dies sicher nicht die einzige Möglichkeit, diesen wirkungsgeschichtlich so bedeutsamen Text zu lesen. Die Idealisierung der Begründungsstandards, die Aristoteles vornimmt, führt nämlich auch zu einer erkenntniskritischen Verschärfung hinsichtlich eines auf natürliche Quellen beschränkten menschlichen Erkenntnisvermögens. Dies zeigt sich eben in Bezug auf die Möglichkeit, dass der Mensch die Prinzipien erkennt, die er für das von Aristoteles gekennzeichnete wissenschaftliche Vorgehen benötigt.

Wissenschaft, die den Bedingungen der *Zweiten Analytiken* angemessen sein soll, muss die Prinzipien, auf denen das Beweisverfahren beruht, bereits voraussetzen und ist dann auf ein induktives Verfahren angewiesen, sollen die natürlichen Grenzen des menschlichen Erkennens nicht überstiegen werden. Ist die Induktion in logischer Hinsicht der Vorgang, der im Untersatz eines Syllogismus geschieht, nämlich in Gestalt der Einführung eines partikulären Gegenstandes, der unter den Mittelbegriff fällt, der die Prämissen des Schlussverfahrens verbindet, so verweist sie in epistemologischer Perspektive auf das menschliche Vermögen der sinnlichen Erkenntnis. In diesem Sinne ist eine vorhergehende und durch Induktion zu gewinnende Erkenntnis erforderlich, weil wir als endliche Wesen kein erfahrungsunabhängiges Wissen über allgemeine Gesetzmäßigkeiten der Natur besitzen.

Sinneswahrnehmung: Die notwendige Erkenntnis kann nur unmittelbar der sinnlichen Wahrnehmung und der reflexiven Verarbeitung der Sinnesdaten entnommen werden; sie kommt nicht durch den auf sich selbst gestellten Verstand zustande, der ohne die Vermittlung der Sinne Zugang zu rein geistigen Erkenntnisinhalten hätte. Aus diesem Grund ist die Rede von der vorausliegenden Erkenntnis, die man für jedes auf Ableitung beruhende Wissen unterstellen muss, nur im uneigentlichen Sinne zutreffend, da es sich nicht um eine geistige Erkenntnis handelt (*cognitio intellectiva*), wie es die von Albert kommentierte lateinische Übersetzung der *Zweiten Analytiken* unterstellt. Vielmehr ist es angemessen, dieses präexistente Wissen als ein auf der Sinnlichkeit beruhendes zu verstehen.

[J]edes geistige Wissen beruht auf einer vorausliegenden Erkenntnis. Aber man redet nicht von einem geistigen Wissen, weil es ein [anderes] sinnliches Wissen gibt, sondern deshalb, weil es eine auf Erfahrung beruhende Erkenntnis gibt, die nicht aus einer vorausliegenden Erkenntnis stammt, sondern eher durch eine unmittelbare Aufnahme sinnlicher Inhalte oder durch einen Vergleich sinnlicher Inhalte durch den auf die Sinnlichkeit reflektierten Verstand und nicht durch den Verstand an sich in seiner reinen Gestalt zustande kommt.[175]

Albertus Magnus, Analytica posteriora I tr. 1 c. 3

Eine durch Ableitung oder durch Induktion verfahrende Wissenschaft bringt zwar erst ein Wissen im eigentlichen Sinne hervor, doch widerstreitet dies eben keineswegs der Annahme eines vorhergehenden Wissens, das zwar keine Wissenschaft im strengen Sinne darstellt, aber gleichwohl die notwendige Voraussetzung dieser ist und für sich betrachtet in einem eingeschränkten Sinne eben doch als Wissen gelten kann. Dies ist die Konsequenz, die Albert mit Aristoteles aus dem »Zweifelsgrund des Menon«, also der von Platon formulierten Schwierigkeit, dass jede Suche nach Wissen bereits ein Wissen um das Gesuchte voraussetzt, zieht und die in den *Zweiten Analytiken* wissenschaftstheoretisch zugespitzt aufgegriffen wird.

Ebd., tr. 1 c. 5

Dies ist die wahre Lösung der Schwierigkeit, dass das, was im Syllogismus oder durch Induktion schlechthin gelernt wird, in seinen Prinzipien in einem eingeschränkten Sinne vorausgewusst werden kann.[176]

Albert weist den Charakter des eingeschränkten Wissens, das man von etwas haben kann und das noch kein schlechthinniges Wissen bedeutet, ausdrücklich auf die Prinzipien der Wissenschaft an. Damit betont er das erkenntniskritische Moment in der aristotelischen Wissenschaftstheorie, indem er es auf die Prinzipien des wissenschaftlichen Beweisverfahrens bezieht.

5.3.4.2 | Wissenschaft als Ursachenforschung

Funktionale Deutung der Sinnesdaten: Das induktive Vorgehen, das seinen Ausgang bei der Beobachtung der Vielheit der Gegenstände hat und zunächst deren erster Beschreibung gilt, leitet zur notwendigen Untersuchung der Ursachen der zu betrachtenden Einzelphänomene über. Der ausschlaggebende Blickwinkel der wissenschaftlichen Forschung ist hierbei die zielursächliche Verfasstheit der Phänomene und damit tendentiell deren Ausrichtung auf übergreifende Funktionszusammenhänge, die das je eigentümliche Wirken des Einzelnen erst erklärbar machen. Die Zielursache ist das, was sich als Ergebnis eines Vorgangs ergibt und was in diesem Sinne den Vorgang selbst erst verständlich macht, wie das Bebrüten von Eiern erst dann, wenn die Küken geschlüpft sind, als natürliche Form der Fortpflanzung bestimmter Tierarten begreifbar ist. Der Begriff der Ursache rekurriert dadurch auf eine Eigengesetzlichkeit des Einzelnen, die sich in den zielursächlich ausgeprägten Gemeinsamkeiten der in einer Art oder einer Gattung zusammengefassten Einzelphänomene widerspiegelt. Hierdurch kommen nicht nur die Gemeinsamkeiten, die innerhalb einer Art vorkommen, also etwa allen Nadelbäumen zu eigen sind, in den Blick, sondern auch Gemeinsamkeiten, die eine bestimmte Funktionsweise über verschiedenen Arten hinweg kennzeichnet, also etwa die Atmung oder das Bebrüten von Eiern bei einer Vielzahl von Lebewesen unterschiedlicher Art. In diesem Sinne machen kausale Zusammenhänge allgemeine Eigenschaften über die Verschiedenheit der sinnlich wahrnehmbaren Einzelfälle hinaus erkennbar.

Singularität und Allgemeinheit: Der Gegenstand der Wissenschaft ist zunächst das Einzelne, das aber nur dadurch wirklich erfasst wird, dass es aufgrund seiner Natur als Exemplar einer ganzen Art oder Gattung begriffen wird. Die jeweilige Natur ergibt sich aus der Art und Weise, wie sich das Einzelne entsprechend seiner kausalen Verfasstheit verhält. Die kausale Bestimmtheit kommt dem Einzelnen aber nicht an sich, sondern eben aufgrund seiner Zugehörigkeit zu einer bestimmten Klasse von Gegenständen zu. – Nicht nur dieser Baum wächst, wenn die entsprechenden Umstände vorliegen, sondern jeder Baum dieser Art wird sich entsprechend verhalten, sofern es eben zur Natur dieser Art gehört, kausal in der gleichen Weise bestimmt zu sein.

Zielursache: Albert identifiziert die Zielursache mit der Form der natürlichen Gegenstände. Das, was ein natürlicher Gegenstand, etwa ein Tier, in dem ihm eigentümlichen Wachstums- und Entwicklungsprozess anstrebt, entspricht der Natur dieses Tieres. Nur unter Bezugnahme auf diese in der Natur ins Werk gesetzte Zielstruktur, die für Albert mit den natürlichen Formen zusammenfällt, lässt sich überhaupt von einer Naturbetrachtung sprechen, die nicht nur Singuläres, sondern auch Klassen von Gegenständen und damit Allgemeines in den Blick nimmt, insofern diese Zielausrichtung jeweils Arten und Gattungen natürlicher Dinge gemeinsam ist. Die Funktion einzelner Bestandteile eines natürlichen Dinges, etwa das Herz eines Lebewesens im System des Blutkreislaufs, ergibt sich ebenfalls aus der zielursächlichen Ausrichtung des Lebewesens im Ganzen. Was nur in der materiellen Ausprägung des Einzelnen und damit behaftet mit der Kontingenz der sublunaren d. h. der unterhalb der Mondsphäre befindlichen Welt zu entdecken ist, wird letztlich durch die übergreifenden Funktionszusammenhänge verstehbar, die sich in den gemeinsamen Formen widerspiegeln, die charakteristische Gruppen, oder genauer, abgrenzbare Gattungen von Ursachen bilden.

Das Eigentümliche der geschaffenen Dinge ist nur in der Materie und in der fortlaufenden Ereigniskette, die das Kontingente einschließt, gegeben. Von der ersten Ursache, also von Gott her betrachtet sind die Vorgänge in der materiellen Welt notwendig, insofern der göttliche Schöpfungsplan keiner zeitlichen Veränderung unterliegt. Betrachtet man die Dinge aber in ihrer materiellen Gegebenheit, so wie wir als Menschen sie betrachten müssen, erweisen sie sich als abhängig von den veränderlichen Bedingungen, denen sie in der geschaffenen Welt unterliegen. Diese Bedingungen sind einerseits kontingent, also veränderlich, andererseits aber der kausalen Bestimmtheit der Welt im Ganzen und der jeweils spezifischen Charakteristik im Einzelnen unterworfen. Das Einzelne unterliegt damit zwar einer ersten Ursache, ist aber eben auch durch vermittelnde Ursachen, die Albert mittlere nennt, bestimmt und über diese in seiner Eigenheit erkennbar. Vom Menschen betriebene Wissenschaft hat je nach Perspektive auf die eigentümlichen, nicht auf die erste Ursache zu blicken. Albert bringt diesen Gedanken zum Ausdruck, wenn er alles innerweltliche Geschehen nicht nach Maßgabe der ersten Ursache, nämlich Gott, sondern nach Maßgabe der vermittelnden Ursachen und der Gegebenheitsweise der Materie bestimmt sieht. Wörtlich heißt es:

Albertus Magnus, Metaphysica VI tr. 2 c. 6

Und wenn Dinge geschehen, dann sind sie in den mittleren Ursachen und der Materie und sie geschehen entsprechend den Vermögen von diesen und nicht entsprechend dem Vermögen der ersten Ursache.[177]

Pluralität der Wissenschaften: Alberts Verständnis des Gegenstandes und der Einheit einer Wissenschaft scheint also weniger das Konzept einer Einheitswissenschaft zu verfolgen, als vielmehr die dem begrenzten Erkenntnisvermögen geschuldete Vielheit der wissenschaftlichen Disziplinen zu betonen. Allerdings sind die von Albert so genannten mittleren Ursachen in den Blick zu nehmen und nicht das unmittelbare Ereignis, das den partikulären Einzelvorgang bestimmt. Für die Wissenschaft bleibt zwar der sinnlich wahrnehmbare Einzelfall der Ausgangspunkt, aber erkannt haben wir im Sinne der Wissenschaften erst dann etwas, wenn das Singuläre im Lichte der mittleren Ursachen als ein Fall mit einer allgemeinen, kausal bestimmten Prägung verstanden wird.

5.4 | Das Wissenschaftsverständnis Wilhelms von Ockham

Auf den ersten Blick verfolgt Wilhelm von Ockham ein ganz ähnliches Projekt, wie Albert der Große es mit seiner Aristoteles-Kommentierung unternommen hat. Seine Absicht besteht offensichtlich in der Auseinandersetzung zwar nicht mit allen aristotelischen Schriften, aber immerhin mit allen seiner naturkundlichen Texte, sowie der *Metaphysik*, auf deren Kommentar Ockham innerhalb seines Werkes verweist, auch wenn er diesen tatsächlich niemals verfasst. Ähnlich wie Albert beginnt er mit der Kommentierung der *Physik*. Wiederum in Analogie zu Alberts Vorgehen schickt auch Ockham einen Prolog voraus, in dem er eingehend seine Vorgehensweise und die wissenschaftstheoretischen Grundlagen erörtert. Ebenfalls wie Albert, den die Wunder Gottes nicht interessieren, wenn er über Naturphänomene handelt (s. Kap. 5.3.2), will auch Ockham nicht entsprechend der katholische Wahrheit (*iuxta veritatem catholicam*), sondern gemäß der Auffassung des Aristoteles und der von ihm zugrunde gelegten Prinzipien von der Natur handeln. Mag dies auch die Möglichkeit des Irrtums bergen, so nimmt Ockham dies ausdrücklich in Kauf und besteht auf einem freien Urteil, das nicht als moralisches Vergehen zu betrachten ist.

Wilhelm von Ockham, In libros physicorum prol.

Denn einem jeden soll in der Durchführung dieses [Unternehmens] ohne Gefahr [für die Seele] ein freies Urteil vorbehalten sein.[178]

5.4.1 | Die Versprachlichung der Wissenschaft

Ganz anders aber als Albert – und wohl auch anders als alle anderen Autoren, die sich der aristotelischen Konzeption von Wissenschaft verpflichtet sehen – bestimmt Ockham den Gegenstand, von dem eine Wissenschaft jeweils handelt und der die inhaltliche Einheit einer wissenschaftlichen Disziplin konstituiert. Einigkeit besteht zwar auch bei Ockham darüber, dass das Subjekt die Einheit einer Wissenschaft bestimmt; allerdings versteht er unter diesem Begriff *subiectum* etwas anderes, als man bislang hierunter verstanden hat. Ein *subiectum* ist für Ockham letztlich nicht das, wovon eine Wissenschaft handelt, sondern das, von dem in einem Satz ein Prädikat ausgesagt wird. Diese Bedeutung des Begriffs *subiectum* ist für Ockham zwar nicht die einzige, aber die, die für die Frage nach der Einheit einer Wissenschaft die maßgebliche ist.

Subjekt als Träger: Insgesamt unterscheidet Ockham zu Beginn seines *Physikkommentars* zunächst zwei Bedeutungen, in denen man den in Frage stehenden Terminus verwenden kann. Zum einen bezeichnet er den Träger, der eine Eigenschaft, die nicht für sich allein besteht, aufnehmen kann, wie dies etwa der Fall ist, wenn ein Körper als Subjekt eine weiße Färbung annimmt, die eben nur an einem Körper vorkommen kann. In diesem Sinne verstanden meint das Subjekt einer Wissenschaft den Verstand als den Träger, der diese Wissensdisposition aufnimmt. Wissenschaft kommt nur als eine bestimmte Fähigkeit vor, Erkenntnisse, also einzelne Wissensakte, hervorzubringen, und diese Fähigkeit existiert nicht für sich, sondern als Disposition des Verstandes.

Ebd., prol.

So muss man wissen, dass »Subjekt einer Wissenschaft« auf eine zweifache Weise verstanden wird. Zum einen als jenes, das die Wissenschaft aufnimmt und die Wissenschaft subjektiv in sich enthält, wie man sagt, dass der Körper oder die Oberfläche das Subjekt der Weiße oder das Feuer das Subjekt der Wärme sind. Und auf diese Weise ist das Subjekt der Wissenschaft der Verstand selbst, weil jede Wissenschaft ein solches Akzidens des Verstandes selbst ist.[179]

Grammatisches Subjekt: Die andere Bedeutung, die der Begriff ›Subjekt‹ haben kann, ist die für den Wissenschaftscharakter ausschlaggebende. Nach dieser an Aristoteles angelehnten Interpretation fallen nämlich das Subjekt einer Wissenschaft und das im grammatischen Sinne verstandene Subjekt, von dem etwas ausgesagt wird, zusammen.

Ebd., prol.

Auf eine andere Weise nennt man Subjekt einer Wissenschaft das, von dem etwas gewusst wird. Und so versteht Aristoteles »Subjekt« im Buch der Zweiten Analytiken. Und so ist das Subjekt der Schlussfolgerung und das der Wissenschaft dasselbe. Und ein Subjekt wird [etwas] nur genannt, weil es Subjekt der Schlussfolgerung ist.[180]

Das Subjekt der Wissenschaft ist dann in letzter Konsequenz der sprachliche Ausdruck, von dem in der auf syllogistischem Wege abgeleiteten Schlussfolgerung ein Prädikat ausgesagt wird. Damit wird Wissenschaft nicht mehr als ein geordneter Zusammenhang einer Mehrzahl von Sätzen verstanden, die über eine bestimmte Klasse von Gegenständen ausgesagt werden. Vielmehr wird das Subjekt jedem einzelnen Satz, der eine Folgerung zum Ausdruck bringt, direkt zugeordnet. Auf diese Weise begreift Ockham das Subjekt vom einzelnen Satz und nicht vom Gegenstand eines umfassenderen Zusammenhangs gewusster Inhalte her. Hieraus resultiert die Konsequenz, dass es dann ebenso viele Subjekte wie Schlussfolgerungen gibt, bzw. so viele Subjekte, wie es in einer Ansammlung von Schlussfolgerungen verschiedene Subjekttermini gibt. Demnach kann es dann keine Wissenschaft mehr geben, in der von verschiedenen Subjekten etwas prädiziert wird.

Ebd., prol.

Und wenn verschiedene Schlussfolgerung vorliegen, die verschiedene Subjekte haben – in dem Sinn, wie der Logiker den Ausdruck »Subjekt« verwendet –, hat jene Wissenschaft, die aus all dem Wissen jener Schlussfolgerungen zusammengesetzt ist, nicht [nur] ein einziges Subjekt, sondern die verschiedenen Teile [der Wissenschaft] haben verschiedene Subjekte. Wenn aber alle Schlussfolgerungen dasselbe Subjekt haben, hat das ganze Zusammengesetzte [nur] ein einziges Subjekt, nämlich jenes, das Subjekt all jener Schlussfolgerungen ist.[181]

In jedem Fall handelt es sich für Ockham beim Gegenstand der Wissenschaft nicht um Dinge, die außerhalb des Verstandes oder außerhalb des sprachlichen Ausdruckes existieren können, sondern um etwas, was nur in Gestalt der Sprache auftreten kann. Je nachdem kann man vom Gegenstand der Wissenschaft sprechen, so dass man den ganzen Satz, also das komplexe Gebilde aus Subjekt- und Prädikatsterminus meint, – in diesem Sinne handelt es sich um das Objekt der Wissenschaft – oder man bezieht sich allein auf den Ausdruck, von dem etwas anderes ausgesagt wird, so dass man den nicht zusammengesetzten Subjektterminus, also das Wissenschaftssubjekt im engeren Sinne meint.

Ebd., prol.

Und man muss wissen, dass es zwischen dem Objekt und dem Subjekt einer Wissenschaft einen Unterschied gibt. Denn das Objekt der Wissenschaft ist der ganze Satz, der gewusst wird, und das Subjekt ist ein Teil jenes Satzes, nämlich der Subjektterminus. Wie das Objekt der Wissenschaft, durch die ich weiß, dass jeder Mensch lernfähig ist, der ganze Satz ist, so ist [ihr] Subjekt dieser Terminus »Mensch«.[182]

Für die Naturwissenschaft bedeutet das, dass ihr Gegenstand keineswegs mit den empirisch erfahrbaren Phänomenen der extramentalen Wirklichkeit zusammenfällt. Vielmehr sind allein die Inhalte unseres Verstandes, die wir in den Aussagen unserer Sprache zusammensetzen, um über die in der äußeren Wirklichkeit vorkommenden Eigenschaften zu reden, Gegenstand dieser Wissenschaft.

Ebd., prol.

[...] Jede Wissenschaft bezieht sich auf [ein] Zusammengesetztes oder [mehrere] Zusammengesetzte. Und wie die Zusammengesetzten aufgrund der Wissenschaft gewusst werden, so sind die Unzusammengesetzten, aus denen die Zusammengesetzten zusammengesetzt sind, jene, die jene Wissenschaft betrachtet. Nun ist es aber so, dass die Zusammengesetzten, die aufgrund der Naturwissenschaft gewusst werden, nicht aus sinnlich wahrnehmbaren Dingen oder Substanzen zusammengesetzt sind, sondern aus Intentionen und Begriffen der Seele, die solchen Dingen gemeinsam sind.[183]

Versprachlichung der Wissenschaft: Wilhelm von Ockham bestreitet also, dass das, was gewusst wird, die extramentale Wirklichkeit selbst ist. Der

Inhalt des Wissens und damit der Gegenstand von Wissenschaft bleibt ein sprachliches Phänomen. In letzter Konsequenz sind es die Begriffe und die Intentionen der Seele, die den eigentlichen Gegenstand unseres Wissens ausmachen. Dies gilt auch für jene Wissenschaft, die es auf den ersten Blick mit der sich verändernden und von uns sinnlich zu erfahrenden Wirklichkeit der äußeren Natur zu tun hat.

Im eigentlichen Sinne handelt die Naturwissenschaft nicht von vergänglichen und entstehenden Dingen, weder von natürlichen Substanzen noch von veränderbaren Dingen, weil solche Dinge in keiner durch die Naturwissenschaft gewussten Schlussfolgerung an Subjekt- oder Prädikatstelle vorkommen. Im eigentlichen Sinne handelt die Naturwissenschaft von den Intentionen der Seele, die solchen Dingen gemeinsam sind, und in vielen Sätzen in einer präzisen Weise für solche Dinge supponieren.[184]

Ebd., prol.

Sprache ist nicht nur das Medium, das Wissen transportiert und vermittelt, sondern Sprache ist auch das, was gewusst wird, nämlich der einzelne Satz und die in ihm enthaltenen Begriffe. Begriffe sind aber keine extramentalen Wirklichkeiten, sondern Weisen, wie sich der Verstand – oder in Ockhams Worten: die Seele – auf die Wirklichkeit richtet, weshalb der Text von Intentionen der Seele (*intentiones animae*), also Ausrichtungen des Verstandes auf die äußere Wirklichkeit spricht.

Doch was folgt daraus, dass unser Wissen Sätze und nicht eigentlich die Welt zum Gegenstand hat? Verliert damit jede wissenschaftliche Betätigung zwangsläufig den Bezug zu einer unabhängig von unserer Sprache existierenden Wirklichkeit? Was meint Ockham genau, wenn er von den Intentionen und Begriffen unserer Seele spricht und diese streng von den Dingen der Wirklichkeit selbst unterscheidet?

5.4.2 | Das Verhältnis von Sprache und Wirklichkeit

Theorie der Supposition: Einen ersten Hinweis gibt der gerade zitierte Wortlaut Ockhams selbst, denn die Rede ist von solchen Begriffen, die den Dingen der Wirklichkeit gemeinsam sind und – so fügt Ockham gleichsam zur Erläuterung hinzu – in einer präzisen Weise (*praecise*) für diese supponieren. Die Ausrichtung auf die Wirklichkeit kommt also dadurch zustande, dass mentale Phänomene für die Wirklichkeit *supponieren*, also etwas darunterlegen, bzw. an die Stelle setzten. Gemeint ist, dass ein sprachlicher Ausdruck etwas, nämlich einen Begriff, an die Stelle von etwas anderem, also etwa an die Stelle eines extramentalen Dinges oder einer Eigenschaft, die diesem zukommt, setzt. Dieses an die Stelle Setzen kann sich einerseits auf geistige, andererseits auf reale Phänomene beziehen, d. h. Begriffe können für andere Begriffe oder für die extramentale Wirklichkeit supponieren. Diesen Unterschied führt Ockham ins Feld, um die Differenz zwischen einer Wissenschaft, die von den Begriffen, und einer solchen, die von Dingen handelt, zu begründen. Exakt hierin besteht nämlich der Unterschied zwischen der Begriffswissenschaft der Logik und der Realwissenschaft etwa in Gestalt der Naturkunde. Zu beachten bleibt dennoch, dass beide Formen der Wissenschaft von Begriffen handeln, allerdings die Logik von Begriffen, die für Begriffe supponieren, die Realwissenschaft von Begriffen, die für Dinge supponieren.

Ebd., prol.

Die Logik unterscheidet sich dadurch von den Realwissenschaften, dass die Realwissenschaften von Intentionen handeln, weil sie von allgemeinen [Bestimmungen handeln], die für Dinge supponieren, da die Termini der Realwissenschaften, obwohl sie Intentionen sind, dennoch für Dinge supponieren. Die Logik hingegen handelt von Intentionen, die für Intentionen supponieren.[185]

Problem der Willkür: Offensichtlich räumt Ockham die Möglichkeit ein, dass es eine Form der Supposition gibt, die einen berechtigten Unterschied ermöglicht zwischen einem Wissen von Begriffen, die für Begriffe stehen, und einem Wissen, das von Begriffen handelt, die selbst an die Stelle extramentaler Gegenstände treten. Wenn man danach fragt, ob wir entsprechend dem von Ockham entworfenen Konzept von Wissenschaft einen Zugriff auf die Welt selbst haben, wird man deshalb zu untersuchen haben, ob und, wenn ja, in welcher Weise sprachliche Zeichen etwas an die Stelle der Wirklichkeit setzten, so dass diese selbst für unser Wissen zugänglich wird. Der gravierendste Einwand in diese Richtung würde darin bestehen, wenn man das Verhältnis, das durch einen solchen Vorgang der Supposition zustande kommt, als willkürlich betrachten würde. Auf den ersten Blick liegt dieser Verdacht nahe, denn offensichtlich sind die sprachlichen Zeichen, die wir verwenden, tatsächlich ein Stück weit beliebig, wie ein Blick auf die Verschiedenheit der von Menschen gesprochenen Sprachen oder anderer Mittel der Verständigung zu belegen scheint. Doch gibt es für Ockham nicht nur die tatsächlich gesprochene oder geschriebene Sprache des Menschen, sondern eben auch eine innere Sprache, die von den Zufälligkeiten der äußeren Sprachzeichen unabhängig ist.

Wilhelm von Ockham, Summa logicae I c. 12

Wenn jemand einen gesprochenen Satz äußert, formt er zuerst im Innern einen mentalen Satz, der zu keiner bestimmten Sprache gehört. [Das geht] soweit, dass viele häufig im Inneren Sätze formen, die sie aufgrund eines Mangels einer bestimmten Sprache gleichwohl nicht auszusprechen vermögen. Die Teile solcher mentalen Sätze nennt man Begriffe, Intentionen, Ähnlichkeiten, Verstandenes.[186]

Mentale Sprache: Die Antwort, die Ockham auf diesen Einwand der Beliebigkeit der sprachlichen Zeichen gibt, besteht in einem Verweis auf die eine Sprache, die sich nicht willkürlicher Zeichen bedient, sondern als eine Art nicht-beliebiges Grundmuster im Verstand selbst der jeweils gesprochenen oder geschriebenen Sprache vorausgeht. Innerhalb dieser mentalen Sprache verortet Ockham nicht die äußeren Zeichen der Sprache, sondern das, was ihnen jeweils als nichtsinnliches Korrelat zugrunde liegt.

Die naheliegende Frage, die sich aus dieser Annahme Ockhams ergibt, besteht nun darin, ob durch diesen Verweis auf die mentale Sprache das Problem nicht nur um eine Stufe verschoben wird, nämlich von der Ebene der sinnlichen auf die der mentalen Zeichen. Denn mit Recht kann man fragen, auf welche Weise diese Zeichen der mentalen Sprache – Ockham gebraucht hierfür auch den Begriff eines Zeichens der Seele – einen verlässlichen Zugang zu der uns umgebenden äußeren Welt darstellen. Offensichtlich ist die Antwort auf diese Frage nicht einfach und in der philosophischen Tradition keineswegs einhellig ausgefallen, wie Ockham feststellt.

Aber was ist in der Seele ein solches Zeichen? Man muss sagen, dass es diesbezüglich verschiedene Auffassungen gibt: Die einen sagen, es handle sich nur um etwas, was die Seele fiktiv hervorgebracht hat; die anderen sagen, es handle sich um eine subjektiv in der Seele existierende Qualität, die vom Erkenntnisakt unterschieden sei; schließlich sagen noch andere, es sei der Erkenntnisakt [selbst].[187]

Ebd., c. 12

Fiktumtheorie: Insbesondere die erste Deutung mentaler Zeichen als fiktive Produkte unseres Verstandes stellt für Ockham eine ernsthaft zu diskutierende Lösung des Problems dar, denn es ist die Theorie, die er selbst zu Beginn seiner wissenschaftlichen Karriere vertreten hat. Die Attraktivität dieser Fiktumtheorie besteht vor allem darin, dass sie konsequent jede Abbildhaftigkeit der von uns genutzten Sprache mit einer uns eigentlich nicht zugänglichen Wirklichkeit vermeidet und das aktive Wirken unseres Verstandes beim Zustandekommen unserer Erkenntnisse und der von uns verwandten Begrifflichkeit in den Vordergrund stellt. Auf diese Weise kann Ockham auf weitreichende ontologische Annahmen, etwa die reale Existenz allgemeiner Ideen, verzichten.

Ohne dass er die Details der von ihm angeführten Vorschläge im vorliegenden Kontext erörtern möchte, wird doch deutlich, dass diese Entwürfe – seine eigene früher vertretene Auffassung eingeschlossen – nicht hinreichend sind, das Phänomen der Zeichenfunktion verständlich zu machen. Der Grund wird wohl darin liegen, dass diese Lösungsvorschläge trotz oder vielleicht auch wegen des Verzichtes auf weitreichende ontologische Annahmen nicht das erklären können, was zur Erklärung ansteht, nämlich die Nichtbeliebigkeit des Zuordnungsverhältnisses der von uns verwandten Zeichen auf die extramentale Wirklichkeit.

Diese Auffassungen sind weiter unten zu untersuchen, für jetzt reicht es, dass die Intention etwas in der Seele ist, das ein Zeichen ist, das auf natürliche Weise etwas bezeichnet, für das es supponieren kann bzw. das der Teil eines mentalen Satzes sein kann.[188]

Ebd., c. 12

Theorie der natürlichen Bedeutung: Der zentrale Begriff, den Ockhams Lösungsvorschlag enthält, scheint der einer natürlichen Zeichenfunktion unserer geistigen Begriffe zu sein. Die Rede ist von einem Zeichen, das natürlicherweise etwas bedeutet (*signum naturaliter significans aliquid*), so dass es für etwas anderes stehen kann (*pro quo potest supponere*). Die Vorgehensweise Ockhams besteht demnach darin, auf der einen Seite weitreichende Annahmen, wie die Existenz allgemeiner Entitäten, also etwa von Ideen, zu vermeiden, auf der anderen Seite aber eine ebenfalls nicht selbstverständliche Unterstellung wie die einer von Natur gegebenen und in diesem Sinne zuverlässigen Zeichenfunktion anzunehmen.

Keine reale Existenz des Allgemeinen: Weshalb Ockham diese Interpretation des die Bedeutung erzeugenden Vorgangs als eines von Natur gegebenen für weniger voraussetzungsreich hält, bleibt an dieser Stelle der Argumentation eine offene Frage. Offensichtlich ist für ihn in dieser Diskussion das Entscheidende, die Annahme zu vermeiden, Zeichen bzw. das, worauf Zeichen verweisen, könnten etwas Allgemeines und in diesem Sinne ein Universale sein. Allgemeinheit – so die zentrale These Ockhams – ist nichts, was in der Wirklichkeit existiert, sondern ist eine Funktion von Zeichen, die für sich betrachtet immer singulär sind.

Ebd., c. 14

Jedes Universale ist wahrhaft und tatsächlich singulär, weil [gilt]: Wie jeder Laut – so allgemein auch immer er aufgrund einer Einsetzung ist – wahrhaft und tatsächlich singulär und der Zahl nach ein einziger ist (da nur einer und nicht mehrere), so ist auch die Intention der Seele, die mehrere Dinge außerhalb [der Seele] bezeichnet, wahrhaft und tatsächlich singulär und der Zahl nach eine (da nur eine und nicht mehrere), obwohl sie mehrere Dinge bezeichnet.[189]

Es ist daher gleichgültig ob die Zeichenfunktion dem äußeren Wort oder, da diese grundlegender ist, der Intention der Seele zugesprochen wird. In jedem Fall kommt die Allgemeinheit nur als Ergebnis der Wirkung eines Zeichens und nicht als ontologische Bestimmung des Zeichens oder des Bezeichneten selbst vor.

Ebd., c. 14

Ein Universales ist eine singuläre Intention der Seele selbst, die geeignet ist von mehreren ausgesagt zu werden, so dass sie selbst deswegen, weil sie geeignet ist von mehreren ausgesagt zu werden – nicht wegen ihr selbst, sondern wegen dieser mehreren – universell genannt wird.[190]

Propositionalisierung der Wissenschaft: Für Ockham besteht die Wirklichkeit aus singulären Substanzen, also Einzelwesen mit ebenfalls nur singulär vorkommenden qualitativen Bestimmungen. Soll es ein Wissen über diese Wirklichkeit geben, so der von Ockham geteilte Ausgangspunkt in der aristotelischen Wissenschaftstheorie, kann die für Wissenschaft konstitutive Allgemeinheit des Gewussten und die notwendige Gültigkeit einzelner Tatbestände und im Schlussverfahren abgeleiteter Zusammenhänge nur auf der Ebene der Sprache, also mentaler und gesprochener Sätze, zustande kommen. Das, worauf sich diese Sätze beziehen, ist immer singulär und deshalb nicht geeignet, den gemeinsamen Gegenstandsbereich einer Wissenschaft zu konstituieren.

Der Zusammenhang und das Ableitungsverhältnis von den in einer wissenschaftlichen Argumentation verbundenen Sätzen geht auf die Befolgung entsprechender Ableitungsregeln, die natürliche Zeichenfunktion mentaler Begriffe und die den Einzelfall erfassende unmittelbare Erkenntnis singulärer Vorkommnisse zurück. Wissenschaft kommt für Ockham in einem weiteren Sinne deshalb nur als Ansammlung (*collectio*) von Einzelsätzen oder im engeren Sinne als das in einem einzelnen Satz zum Ausdruck gebrachte Wissen vor. In diesem Sinne kann man bei Ockham von einer Propositionalisierung des Wissens und der Wissenschaft sprechen, wobei der Wirklichkeitsbezug des Satzwissens von der auf natürliche Weise bestimmten Zeichenfunktion unserer Begriffe abhängt.

5.5 | Der Skeptizismus des Nicolaus von Autrecourt

Folgt man der von Ockham gezeichneten Linie, hat man Wissenschaft als ein Wissen zu verstehen, das sich ausschließlich in Sätzen artikuliert und das nur das zum Gegenstand hat, was in diesen Sätzen durch die bedeutungstragenden Begriffe bezeichnet wird. Wissenschaftliches Wissen beschränkt sich dann entweder auf das, was ein einzelner Satz zum Ausdruck bringt, wie es Ockham selbst vertritt, wenn man einer strikten Interpretation der Versprachlichung von Wissenschaft folgt. Eine Möglichkeit, den Wissenschaftsbegriff weiter auszudehnen und ihn wieder den aristotelischen Ausgangsbedingungen anzunähern bestünde darin, zusätzlich zu dem Wissen einzelner Sätze auch dasjenige als wissenschaftlich erkennbar zuzulassen, das aus einer Kombination von Sätzen ableitbar ist. Das hierzu notwendige Instrumentarium besteht dann in der Annahme von logischen Regeln, die den Ableitungsvorgang so bestimmen, dass es möglich ist, zwischen gültigen und ungültigen Schlüssen aus einer Kombination von Sätzen zu unterscheiden.

5.5.1 | Die Kriterien sicheren Wissens

Ohne dass man aufgrund der spärlichen Quellen über die Absicht, den Kontext und die Details der verfolgten Lösung Genaueres weiß, kann man die wenigen überlieferten Schriften des Nicolaus von Autrecourt als den Versuch interpretieren, die Möglichkeiten und damit die Grenzen eines solchen Satz- und Ableitungswissens zu eruieren. Ausgangspunkt jeglichen Wissens ist zunächst das, was mit den äußeren Sinnen wahrgenommen werden kann, und das, was durch die inneren Handlungen des Menschen unmittelbar bekannt ist. Die Möglichkeit dieser Erkenntnis der äußeren Gegenstände durch die Sinneswahrnehmung und der inneren Akte durch die Selbstwahrnehmung hat Nicolaus nach eigenen Bekunden in verschiedenen Disputationen an der Pariser Universität zur Vermeidung absurder Schlussfolgerungen vertreten.

Und deshalb habe ich im Vorlesungssaal der Sorbonne zur Vermeidung solcher Absurditäten in den Disputationen daran festgehalten, dass ich hinsichtlich der Gegenstände der fünf Sinne und meiner Akte auf evidente Weise Gewissheit habe.[191]

Nicolaus de Autrecourt, Epistula ad Bernhardum I n. 15

Primat der Sinneswahrnehmung: Doch was ist mit dieser von Nicolaus zugestandenen Gewissheit gemeint, d. h. worauf bezieht sich diese Form der Wahrnehmung? Blickt man auf die Gegenstände der sinnlichen Wahrnehmung, die uns Kenntnis von der extramentalen Wirklichkeit gibt, ist dies allein das, was die Sinne als solche erfassen können, d. h. allein das äußere Erscheinungsbild, das durch die akzidentellen Eigenschaften wie Farbe, Geruch, äußere Gestalt und Ähnliches vermittelt ist. Was wahrgenommen wird, ist jeweils ein bestimmter Aspekt eines Sachverhaltes, der einem uns zur Verfügung stehenden Sinnesorgan korrespondiert. In jedem Fall handelt es sich um ein singuläres Erscheinungsbild, auf das zu einem bestimmten Zeitpunkt mit den Sinnen Bezug genommen wird. Etwas Substanzhaftes, das durch einen allgemeinen Begriff erfasst werden könnte, liegt jenseits dieser singulären Erscheinung und ein etwaiger Schluss, dass eine bestimmte Substanz vorliegt, weil bestimmte akzidentelle Bestimmungen erfasst werden, ist aus Nicolaus Perspektive allein unter Rückgriff auf die erfahrbare Erscheinung nicht möglich.

Verborgenheit der Substanz: Ein solcher Schluss wäre nur unter bestimmten Voraussetzungen gültig. Aus dem Satz, dass ein Akzidenz vorliegt, zu folgern, dass auch eine Substanz vorliegt, ist nämlich nur insofern gültig, als man die Zusatzannahme macht, dass der Begriff des Akzidenz immer etwas bezeichnet, das zusammen mit einer Substanz vorkommt. Eine solche Definition kann man treffen, aber damit verlässt man den Boden des Beobachtbaren, denn eine solche Definition basiert keinesfalls auf einer Sinneswahrnehmung, sondern auf einer Festsetzung, die man – so wird man Nicolaus interpretieren müssen – willkürlich trifft. Letztlich würde nach Ansicht des Nicolaus eine solche arbiträr zu treffende Begriffsbestimmung die Ableitung beliebiger Schlussfolgerungen ermöglichen. So könnte man auch das Wort ›Mensch‹ in der Weise definieren, dass damit ein Mensch zusammen mit einem Esel gemeint sei. In diesem Fall, so das Beispiel, das Nicolaus anführt, würde aus der Annahme, dass ein Mensch existiert, folgen, dass auch ein Esel existiert.

Nicolaus de Autrecourt, Epistula ad Egidium n. 13

Und nach dieser Methode [der willkürlichen Definition] würde – so scheint es – wohl alles Beliebige bewiesen. Denn unterstellt, dieses Wort »Mensch« hätte die Bedeutung, dass ein Mensch zusammen mit einem Esel existiert, ist offensichtlich, dass dann folgen würde: »Ein Mensch ist, also ist ein Esel«.[192]

Nicht-Widerspruchsprinzip: Evidenz wie bei der Sinneswahrnehmung kann es bei einer solchen willkürlichen Setzung auf keinen Fall geben. Neben der Gewissheit sinnlicher Erfahrung kann nach Auffassung von Nicolaus nur das formale Prinzip vom ausgeschlossenen Widerspruch Gewissheit in diesem strengen Sinne beanspruchen. Lässt sich ein Schluss ohne Zuhilfenahme anderer Prinzipien, also allein aufgrund des Satzes vom ausgeschlossenen Widerspruch, aus einer vorliegenden Annahme ableiten, kann dieser uneingeschränkte Evidenz beanspruchen. Die Gültigkeit einer solchen Ableitung hängt dann davon ab, ob in der Prämisse und dem daraus abgeleiteten Folgesatz das, was in diesen Sätzen bezeichnet wird, tatsächlich identisch ist. Diese Identität muss durch alle Sätze hindurch gewahrt werden, die in einem – unter Umständen über mehrere Sätze hinweg erfolgenden – Schluss miteinander verknüpft werden.

Nicolaus de Autrecourt, Epistula ad Bernhardum II n. 10

[Denn] von der ersten bis zur letzten [Ableitung] gilt, dass bei diesen geordneten Ableitungen die letzte Folgerung real identisch sein wird mit der ersten Voraussetzung bzw. mit einem Teil des durch die erste Voraussetzung Bezeichneten.[193]

Gemeint ist damit, dass die Sätze, die in einem Schlussverfahren verbunden sind, mit den darin enthaltenen Subjekt- und Prädikattermini jeweils dasselbe bezeichnen. Bezogen auf den gerade diskutierten Fall bedeutet das: Wenn die Aussage »Ein Esel existiert« ein Teil der Aussage »Ein Mensch existiert« ist, wenn also der Begriff Mensch den Begriff des Esels enthält, dann ist der Schluss von der Existenz eines Menschen auf die eines Esels korrekt. Da es sich hierbei aber eher um eine willkürliche Begriffsdefinition als um den Inhalt einer Sinneswahrnehmung handelt, vertritt Nicolaus die für seine Lehre zentrale These, dass von einem Wissen hinsichtlich eines Dinges nicht auf ein Wissen hinsichtlich eines anderen geschlossen werden kann. So kann man eben nicht, weil man um die Existenz des einen weiß, auf die Existenz eines anderen schließen.

Daraus, dass erkannt wurde, dass eine Sache ist, kann nicht evident, d. h. durch die Evidenz, die auf das erste Prinzip oder die Gewissheit des ersten Prinzips zurückgeführt wurde, geschlossen werden, dass eine andere Sache ist.[194]

Ebd., n. 11

Problem der Ableitung: Die Pointe dieser These liegt in der Gegenüberstellung der einen Sache, von der man etwas weiß, und der anderen Sache, die eben nicht die ist, von der man etwas weiß. – Wobei der deutsche Ausdruck ›Sache‹ für den lateinischen Terminus *res* steht, der in diesem Kontext bei Nicolaus nicht nur im Sinne von Ding, sondern auch im Sinne von Sachverhalt zu verstehen ist. Es handelt sich eben um unterschiedliche Sachen bzw. Sachverhalte, die in der Prämisse und im Schlusssatz der Ableitung bezeichnet werden. Nur für den Fall, dass eine tatsächliche Identität vorliegt, kann ein solches Schlussverfahren Gültigkeit beanspruchen. Eine solche Identität ist aber nur durch eine willkürliche Definition der im Schlussverfahren benutzten Termini herzustellen und basiert nicht auf einer durch die Sinne zu gewinnenden Erkenntnis.

Damit scheint Wissenschaft, insofern sie den strengen Regeln der deduktiven Ableitung von Sätzen und damit der Forderung nach Eindeutigkeit der verwandten Begriffe unterworfen wird, kaum möglich zu sein. Alles, was gewusst werden kann, sind singuläre Einzelfälle, die sich nicht miteinander verbinden lassen, weil die Identität der in den Sätzen verwendeten Termini über die Einzelfälle hinweg nicht aufrecht zu erhalten ist. Lediglich analytische Urteile oder auf willkürlicher Definition beruhende Aussagen scheinen möglich und in einem Schlussverfahren gemäß dem Satz vom ausgeschlossenen Widerspruch als Grundlage einer Ableitung zulässig. Eine Erkenntnis der extramentalen Wirklichkeit ergibt sich hieraus allerdings nicht.

5.5.2 | Die Aufhebung natürlicher Kausalität

Doch ist dieses Bild nicht kontraintuitiv? Macht die Wissenschaft nicht doch, auch wenn sie empirisch betrieben wird, eine Fülle als gültig anzusehender Aussagen? Ein solcher Einwand kann sich vor allem darauf berufen, dass unser Wissen von der sinnlich wahrnehmbaren Wirklichkeit in erster Linie darauf beruht, dass wir Dinge bzw. Ereignisse als kausal verknüpft interpretieren. Dass wir von einem Ding auf ein anderes schließen, liegt eben daran, dass wir das eine als Ursache des anderen verstehen. Die von Nicolaus von Autrecourt herausgestellte Nicht-Identität, die bei einem solchen Schluss vorliegt, würde dadurch kompensiert – so könnte man argumentieren –, dass man gleichsam als Bindeglied zwischen den Sachverhalten ein Kausalverhältnis unterstellt, das den einen mit dem anderen verbindet.

Problem der Kausalität: Offensichtlich ist Nicolaus mit solchen Einwänden konfrontiert worden, denn tatsächlich hat er seine Lehre vor solchen Gegenargumenten, die auf den Kausalitätsbegriff rekurrieren, verteidigt. Dies geht aus einer Zusammenstellung von Thesen des Nicolaus von Autrecourt hervor, die in einem am päpstlichen Hof in Avignon geführten Prozess als häretisch verurteilt wurden, die der Autor zu widerrufen hatte und die schließlich zur öffentlichen Verbrennung seiner Werke führten. Diese Aussagen können jeweils bestimmten Schriften des Nicolaus zugeordnet werden und damit in der Substanz als authentisch gelten. In diesem Kontext sind vor allem die Thesen des Nicolaus von Interesse, die seinem fünften, ansonsten nicht überlieferten Brief an Bernhard von Arezzo entstammen.

Nichtwahrnehmbarkeit des Kausalzusammenhangs: Überblickt man diese Thesen im Ganzen, ist zusammenfassend festzustellen, dass Nicolaus den Rekurs auf ein Kausalverhältnis, das zwischen den Dingen und den Ereignissen der uns umgebenden Natur besteht, für verfehlt hält, weil die Annahme einer solchen natürlichen Kausalität mit den uns zur Verfügung stehenden Mitteln nicht zu belegen ist. Sinnlich wahrnehmbar ist der Zusammenhang von Ursache und Wirkung nicht. Die einzige Form von Kausalität, derer wir sicher sein können, ist die Gottes, allerdings nicht, weil wir diese als solche wahrnähmen, sondern weil wir in der Offenbarung hiervon Gewissheit erlangt haben, ohne dass unser natürliches Erkenntnisvermögen dazu in der Lage gewesen wäre.

Nicolaus de Autrecourt, Articuli in cedula »Ve Michi« contenti n. 15–16

Evidenter Weise wissen wir nicht, ob eine andere Sache als Gott die Ursache einer Wirkung sein könnte [... und] ob eine Ursache wirksam verursacht, die nicht Gott ist.[195]

Um die Aussage des Nicolaus richtig einzuordnen, ist es wichtig, die erkenntniskritische Stoßrichtung seiner Argumentation im Auge zu behalten. Seine Behauptung hinsichtlich der göttlichen Kausalkraft impliziert keineswegs, dass jede andere Form von Verursachung ausgeschlossen wäre, so dass jede Wirksamkeit von Zweitursachen abzulehnen ist. Das Argument des Nicolaus behauptet lediglich, dass uns jedes sichere Wissen von einer nicht-göttlichen Verursachung fehlt, wohingegen wir von der göttlichen der Offenbarung wegen Kenntnis haben. Möglicherweise gibt es eine natürliche Ordnung, die aus sich heraus verlässliche Zusammenhänge von Ursache und Wirkung hervorbringt, aber dies entzieht sich für uns der Erkennbarkeit, weil es in jedem Einzelfall möglich ist, dass die scheinbar natürliche Ordnung durch das Wirken Gottes unterbrochen wird. Denn Gott verfügt als Urheber und Erhalter der Welt jederzeit über die Macht, die faktische Weltordnung durch eine andere zu ersetzen. Damit hört jede Ordnung auf, im herkömmlichen Sinne eine natürliche zu sein, da sie ihre Berechenbarkeit nur vom Wirken Gottes oder auch vom Ausbleiben göttlicher Intervention erhält, wobei beide Fälle für den Menschen nicht zu unterscheiden sind.

Der Gegenbegriff zu einer göttlichen Ursache, den Nicolaus in diesem Zusammenhang diskutiert, ist demnach der der natürlichen Ursache. Konsequenterweise schließt Nicolaus die Möglichkeit eines Wissens von solchen natürlichen Ursachen aus.

Evidenter Weise wissen wir nicht, ob es eine natürlich wirksame Ursache gibt oder geben könnte.[196]

Ebd., n. 17

Wenn wir kein Wissen von natürlichen Ursachen haben, ist es folgerichtig, auch ein Wissen von natürlich hervorgebrachten Wirkungen auszuschließen, weshalb Nicolaus bestreitet, dass man von irgendeinem Phänomen, das uns bekannt ist, behaupten könne, es sei natürlich bewirkt worden.

Evidenter Weise wissen wir nicht, ob es irgendeine Wirkung gibt oder geben könnte, die auf natürliche Weise hervorgebracht wurde.[197]

Ebd., n. 18

Selbst wenn wir Dinge oder Ereignisse erkannt hätten, die als Ursache irgendeiner Wirkung in Frage kämen, so wüssten wir nicht, ob die Annahme, dass diese gegeben seien, tatsächlich dazu führen würde, dass auch die entsprechende Wirkung einträte. Die bloße Identifizierung einer möglichen Ursache führt keineswegs zu einem sicheren Wissen darüber, ob diese die eben nicht wahrnehmbare kausale Kraft besitzt und wirksam werden lässt.

Was auch immer man angenommen hätte, was die Ursache irgendeiner Wirkung sein kann, so wissen wir evidenter Weise nicht, ob auf dessen Setzung die Setzung der Wirkung folgen würde.[198]

Ebd., n. 19

Wenn ein solches Wissen nicht möglich ist, gibt es keine Grundlage, einen Beweis, der dieses zu belegen vorgibt, aufrecht zu erhalten. Jeder argumentative Übergang von der Behauptung über die Existenz einer Ursache zu einer Behauptung über eine entsprechende Wirkung ist aus Sicht des Nicolaus von Autrecourt unmöglich.

Es kann keinen schlechthin gültigen Beweis geben, durch den aus der Existenz der Ursachen die Existenz der Wirkung bewiesen wird.[199]

Ebd., n. 21

Unerkennbarkeit des Subjektes: Entzieht sich zunächst der Zusammenhang zwischen zwei Ereignissen, die wir beobachten können, unserer Wahrnehmung, da wir eben nur singuläre Erscheinungen erkennen können, haben wir darüber hinaus auch keinen Zugang zu einem den Erscheinungen zugrundeliegenden Subjekt, das man als Träger der beobachtbaren Akzidenzien annehmen könnte. Damit ist nicht nur die Möglichkeit ausgeschlossen, eine kausale Kraft anzunehmen, die gleichsam hinter den Akzidenzien als Eigenschaft des Trägers dieser Akzidenzien wirksam ist. Veränderungen lassen sich dann auch nicht mehr als Vorgänge an einem Gegenstand beschreiben. Denn Nicolaus schließt ja gerade aus, dass wir ein sich durchhaltendes Subjekt annehmen können, an dem sich solche Veränderungen vollziehen würden. Uns stehen nur die wahrnehmbaren Akzidenzen offen; über ein dahinterliegendes Subjekt als Träger der Akzidenzien können wir aber nur spekulieren.

Ebd., n. 20

Evidenter Weise wissen wir nicht, ob bei irgendeiner Hervorbringung ein Subjekt beteiligt ist.[200]

Radikaler Skeptizismus: Diese Infragestellung eines im Falle von Hervorbringungen und Veränderungen gleichbleibenden Subjektes ist eine ungleich radikalere Kritik an unserem alltäglichen Weltverständnis. Denn nicht nur, dass wir kein Wissen von kausalen Zusammenhängen haben; folgt man der Kritik des Nicolaus, lassen sich darüber hinaus auch Vorgänge und Ereignisse nicht mehr als Entwicklungen und Veränderungen verstehen, sondern sie zerfallen in eine Abfolge singulärer und nur noch akzidentell zugänglicher Momentaufnahmen. Mit dieser These spitzt Nicolaus von Autrecourt seine wissenschafts- und erkenntniskritische Haltung noch einmal zu.

5.5.3 | Die Rückkehr zum methodologischen Monismus

Als einzige verlässliche Quellen menschlichen Erkennens der äußeren Wirklichkeit kommen für Nicolaus die sinnliche Wahrnehmung von Einzelphänomenen und die durch das Gesetz vom ausgeschlossenen Widerspruch ermöglichte Ableitung von Sätzen in Frage, wobei letzterer eine auf willkürliche Definitionen rekurrierende Sprach- und Bedeutungstheorie zugrunde liegt. Damit zerfällt unser Wissen von der Welt in eine Ansammlung singulärer und zusammenhanglos wahrgenommener Akzidenzien, die sich weder Einheit stiftenden Subjekten noch sachlich und zeitlich strukturierten Abläufen und Ereignisfolgen zuordnen lassen. Die begriffliche Repräsentation dieses Wissens kann weder auf gemeinsame Bestimmungen, die das Singuläre verbinden, noch auf eine natürliche Entsprechung von Bezeichnung und Bezeichnetem im Sinne Ockhams zurückgreifen.

Skeptizismus und Methodenmonismus: Eine Differenzierung des Gegenstandsbereichs, den eine der äußeren Wirklichkeit sich widmende Wissenschaft betrachtet, sowie eine Unterscheidung der jeweiligen Untersuchungsmethoden, wie es etwa dem Wissenschaftsverständnis Alberts des Großen entspricht, lässt die Theorie des Nicolaus von Autrecourt nicht zu. Jegliches Wissen und damit alle Formen von Wissenschaft werden durch die methodologische Beschränkung auf das singuläre Vorkommnis der Eigen- oder der äußeren Sinneswahrnehmung zunächst in Einzelfälle aufgelöst. Durch den Verzicht auf die den Wissenschaftsgebieten je eigentümlichen Prinzipien, die eine Gliederung und Differenzierung begründen würden, werden die Einzelfälle wiederum egalisiert und einem methodischen Monismus unter dem Primat einer theologischen Perspektive unterworfen. Eine Naturforschung als eigenständige Wissenschaft ist für Nicolaus daher keine Option, da jeder wahrgenommene Gegenstand und jeder Erkenntnisakt, den der Mensch hervorbringt, unter dem methodologischen Vorbehalt betrachtet wird, einem stets möglichen Eingreifen Gottes zu unterliegen. Die äußere Wirklichkeit, auch wenn sie von Gott geschaffen ist, unter der methodologischen Vorgabe zu betrachten, dass sie nur als natürlich verfasste Gegenstand einer dem Menschen unter den ihm eigentümlichen Erkenntnisbedingungen möglichen Wissenschaft sein kann, schließt Nicolaus mit dem Argument aus, hiervon nichts wissen zu können.

Quellen

Albertus Magnus: *Analytica posteriora, I* tr. 1–4; *De Animalibus Libri XXVI, XI* tr. 1.; *Super Euclidem*, prooem.
Boethius: *Trost der Philosophie, l. 5* cant. 3.
Bonaventura: *Itinerarium mentis ad deum*, prol. u. c. 1.
Hugo von St. Viktor: *Didascalicon II*, 1 und 12.
Nicolaus von Autrecourt: *Articuli in cedula »Ve Michi« cententi; Epistula ad Bernardum* II.
Wilhelm von Ockham: *Expositio in libros physicorum Aristotelis*, prol.; *Summa logicae I* c. 12 und 14.

Weiterführende Literatur

Chenu, Marie-Dominique: *La théologie au douzième sciѐle*. Paris 1957 (Études de philosophie médiévale 45).
Dreyer, Mechthild: *More mathematicorum. Rezeption und Transformation der antiken Gestalten wissenschaftlichen Wissens im 12. Jahrhundert*. Münster 1996 (Beiträge zur Geschichte der Philosophie und Theologie des Mittelalters. Neue Folge 47).
Köpf, Ulrich: *Die Anfänge der theologischen Wissenschaftstheorie im 13. Jahrhundert*. Tübingen 1974.
Leclercq, Jean: *Wissenschaft und Gottverlangen. Zur Mönchstheologie des Mittelalters*. Düsseldorf 1963.
Möhle, Hannes: *Albertus Magnus*. Münster 2015 (Zugänge zum Denken des Mittelalters 7).
Rexroth, Frank: *Fröhliche Scholastik. Die Wissenschaftsrevolution des Mittelalters*. München 2018.
Weijers, Olga: *In Search of the Truth. A History of Disputation Techniques from Antiquity to Early Modern Times*. Turnhout 2013 (Studies on the Faculty of Arts History and Influence 1).

6 Metaphysik

Zeittafel

Albertus Magnus 1200–1280	ca. 1264 *Metaphysica* 1264–1267 *De causis et processu universitatis a prima causa*
Thomas von Aquin 1225–1274	1256–1259 *De hebdomadibus* 1268–1272 *In metaphysicam*
Johannes Duns Scotus 1265/6–1308	nach 1290 *Quaestiones super libros metaphysicorum* 1297–1304 *In libros sententiarum*
Berthold von Moosburg ca. 1270–1361	nach 1323 *Expositio super Elementationem theologicam Procli*

Der Name ›Metaphysik‹ ist ursprünglich die Bezeichnung für die Bücher des Aristoteles, die Andronikos von Rodos im ersten Jahrhundert v. Chr. nach den Büchern zur Physik in einer Gesamtedition der aristotelischen Werke einordnete. *Meta ta physika*, ›nach der Physik‹, ist also zunächst eine bibliographische Angabe. Losgelöst von dieser historischen Begebenheit kann der griechische Ausdruck *meta* aber auch im Sinne von ›über hinaus‹ verstanden werden, so dass der Name ›Metaphysik‹ auch als Bezeichnung der Wissenschaft verstanden werden konnte, die die Dinge behandelt, die jenseits der natürlichen liegen und die in diesem Sinne als transzendent verstanden werden. Allein vor diesem Hintergrund ergeben sich entsprechende Fragen.

Möglichkeit und Nutzen: Was ist Metaphysik und womit beschäftigt sie sich – und auch, wenn man weiß, wovon sie handelt: Bedarf es überhaupt einer solchen Wissenschaft? Und darüber hinaus: Selbst wenn sich erweist, dass man sie bräuchte, scheitert nicht jeder Versuch, eine solche Form des Wissens zu verwirklichen, an den Grenzen der menschlichen Vernunft? Insbesondere die Frage nach dem Nutzen scheint für das Mittelalter und seine christliche Prägung keineswegs abwegig zu sein, stehen doch eher theologische Inhalte wie die Trinität, die Inkarnation oder die Erlösung des Menschen durch das göttliche Gnadenwirken im Vordergrund, was kaum Raum für ein anderes Wissen um das Höchste übrig zu lassen scheint. Welche Rolle kann die Metaphysik also für das Mittelalter spielen? Und selbst wenn es eine florierende mittelalterliche Metaphysik gegeben hat, welche Bedeutung soll dieser Disziplin unter den gegenwärtigen Bedingungen zukommen, die sich in so vielfältiger Hinsicht von den mittelalterlichen unterscheiden?

H. Möhle, *Philosophie des Mittelalters*, https://doi.org/10.1007/978-3-476-04747-2_6

Will man den Nutzen, ja die Notwendigkeit einer solchen philosophischen Disziplin für das mittelalterliche Denken verstehen, muss man sich klar machen, worin das Eigentümliche der Metaphysik, insbesondere in ihrem Verhältnis zur Theologie besteht. Es wird sich dann zudem zeigen, welche Prägung die Metaphysik durch diese mittelalterliche Auseinandersetzung vor allem hinsichtlich ihrer erkenntniskritischen Fundierung erhält und wo die Anschlussfähigkeit über die mittelalterlichen Bedingungen hinaus liegen könnten.

Theologie und Metaphysik: Metaphysische Fragen stellen sich sicher nicht erst in dem Augenblick, indem man im Kontext einer wissenschaftstheoretischen Diskussion über die philosophische Disziplin einer solchen Wissenschaft in Abgrenzung zu anderen Fachgebieten spricht. Gleichwohl erhält diese Auseinandersetzung mit der Metaphysik eben zu dem Zeitpunkt, als sie als wissenschaftstheoretisch unterlegte Erörterung um theologische und genuin philosophische Ansprüche und Verfahrensweisen geführt wird, eine bislang unbekannte Dynamik. Die Intensität und Brisanz dieser Kontroverse treten naheliegenderweise vor allem da hervor, wo ein institutioneller Rahmen die durch verschiedene Ansprüche geprägten Gelehrten und deren je anders beschaffene Textkorpora, für die sie jeweils zuständig sind, zusammenführt.

Die zu Beginn des 13. Jahrhunderts entstehende Pariser Universität ist der Brennpunkt, in dem sich diese Auseinandersetzungen bündeln, und der Dominikaner Albertus Magnus ist der Gelehrte, der diesen Prozess maßgeblich mitbestimmt und durch entscheidende Weichenstellungen dauerhaft prägt. Albert hat sich hierbei nicht nur mit dem Verhältnis von Theologie und Philosophie zu befassen, sondern trifft auch innerhalb des überlieferten philosophischen Wissens auf unterschiedliche Traditionen, die er abzugrenzen oder – soweit möglich – in ein synthetisches Verhältnis zu überführen hat. Ob der synthetisierende Ansatz Alberts wirklich trägt und mit welchen Konsequenzen er verbunden ist, bzw. um welchen Preis er in Frage zu stellen ist, zeigt sich in aller Deutlichkeit, wenn man sein Konzept mit dem seines Ordensbruders Berthold von Moosburg aus dem 14. Jahrhundert vergleicht. Was für Albert noch in einem einheitlichen Entwurf zusammenzuführen war, hält dieser für inkompatible Ansätze, zwischen denen man sich zu entscheiden hat.

Es sind aber nicht nur die Konsequenzen, die sich aus unterschiedlichen Traditionen ergeben, die die Entwicklung der mittelalterlichen Metaphysik bestimmen, sondern auch die sich ausschließenden systematischen Entscheidungen hinsichtlich der Grundbegriffe und der Vorgehensweise. Dies wird in besondere Weise deutlich, wenn man die Metaphysikkonzeptionen des Thomas von Aquin und des Johannes Duns Scotus betrachtet und die divergierenden Grundannahmen herausstellt, die jeweils für sich das Fundament von weit über das Mittelalter hinaus wirksamen Entwürfen einer Ersten Philosophie werden.

6.1 | Die Auseinandersetzung mit den platonisch-aristotelischen Vorgaben: Albertus Magnus und Berthold von Moosburg

Die Metaphysik des Mittelalters – gleichgültig welche Prägung sie im Einzelnen annimmt – beginnt nicht im luftleeren Raum, als könne sie ein geistesgeschichtliches Vakuum oder ein intellektuelles Niemandsland neu besiedeln. Auch wenn die antiken Vorlagen für eine solche Wissenschaft nur in Ausnahmen und zudem recht spät bekannt sind – die vollständige aristotelische *Metaphysik* z. B. liegt erst zu Beginn des 13. Jahrhunderts in lateinischer Übersetzung vor –, so ist die Auseinandersetzung mit den metaphysischen Fragen stets auch immer durch die Rezeption antiken Gedankenguts bestimmt. Nicht zuletzt durch die für den lateinischen Westen prägenden Tradierungsvorgänge durch unterschiedlich ausgerichtete arabische Gelehrte und deren je eigentümlichen Syntheseleistungen, mit denen sie aristotelisches, platonisches und neuplatonisches Gedankengut verbinden, haben sich die lateinischsprachigen Denker innerhalb dieser überlieferungsgeschichtlich bedingten Mischverhältnisse zu orientieren und ihre eigenen Entwürfe hervorzubringen. Dass der Umgang mit dieser gravierende Akzentverschiebungen aufweisenden Ausgangslage sehr unterschiedlich ausfällt, kann nicht verwundern.

6.1.1 | Die Synthese Alberts des Großen

Corpus metaphysicum: Albert behandelt an vielen Stellen seines Werkes metaphysische Fragen. In besonderer Weise tut er dies im Rahmen seiner Kommentierung des gesamten Werkes des Aristoteles. Gegenstand dieses Projektes ist nicht allein die Kommentierung der aristotelischen Schrift der *Metaphysik*, so wie wir sie heute kennen, sondern umfasst auch ein Werk, das den Titel *Buch von den Ursachen* (*Liber de causis*) trägt und das *corpus metaphysicum* vervollständigt. Als Albert seine Kommentare schreibt, ist ihm noch nicht bekannt, dass das dieses *Buch von den Ursachen* keine Schrift des Aristoteles und auch keine Zusammenstellung von Texten aus dessen Werk darstellt, wovon Albert auszugehen scheint. Das Buch hat einen ganz anderen Ursprung. Es handelt sich um eine ursprünglich arabische Kompilation, die in großen Teilen aus der im 5. Jahrhundert entstandenen *Elementatio theologica* des neuplatonischen Autors Proklos geschöpft ist. Albert sieht in dieser Schrift eine notwendige Ergänzung der authentischen *Metaphysik* des Aristoteles, die er zu kommentieren hat, weil nur hierdurch das metaphysische Gesamtunternehmen abgeschlossen werden kann.

In diesem Buch gelangen wir also zum Ziel dessen, was wir uns vorgenommen haben. Wir zeigen nämlich die erste Ursache und die Ordnung der zweiten Ursachen und wie das erste Sein des Universums der Urgrund ist und wie das Sein aller Dinge vom Ersten entsprechend der Auffassung der Peripatetiker fließt. Und wenn diese Dinge dem elften Buch der Ersten Philosophie angeschlossen sein werden, dann erst ist dieses Werk vollendet.[201]

Albertus Magnus, De causis II tr. 5 c. 24

Dieses Argument zeigt, dass das Motiv für Alberts Kommentar zum *Liber de causis* nicht nur die vermeintliche Autorschaft des Aristoteles ist, sondern dass die sachliche Ergänzung den Grund darstellt, weshalb sich Albert nach Abschluss des ersten Kommentars diesem Werk zuwendet.

Will man die Thesen, die in den beiden Kommentaren zum Ausdruck kommen, als Einheit begreifen, was ganz offensichtlich Alberts Intention ist, wirft dies erhebliche Interpretationsprobleme auf. Diese werden noch dadurch verstärkt, dass sich Albert bereits in seinen Kommentaren zum *corpus Dionysiacum* mit einschlägigen metaphysischen Begriffen und Thesen konfrontiert sieht, deren Verhältnis zu den aristotelischen und pseudo-aristotelischen Schriften unter der Maßgabe zu klären ist, eine widerspruchsfreie Gesamtdeutung zu geben. Wie bei der sehr unterschiedlichen Herkunft der autoritativen Texte nicht anders zu erwarten ist, kann eine solche Gesamtinterpretation nicht vollständig spannungsfrei verlaufen. Diese Spannungen zeigen sich prägnant, wenn man die grundlegende Frage aufwirft, womit sich denn die Metaphysik bzw. die wissenschaftliche Disziplin, der man in der aristotelischen Tradition diesen Namen verliehen hat, überhaupt beschäftigt, bzw. was sie neben den anderen Wissenschaften leistet.

6.1.1.1 | Aufgabe und Gegenstand der Metaphysik: Die Begriffsresolution

Wozu bedarf es überhaupt einer solchen Wissenschaft der Metaphysik? Gerade der Blick auf das breite Spektrum der von Albert behandelten wissenschaftlichen Disziplinen, das neben der Theologie eine reiche Vielfalt vor allem naturkundlicher Wissensbereiche behandelt, lässt die Frage aufkommen, ob eine weitere Disziplin überhaupt noch von Nöten ist. Unterstellt man, dass alle Bereiche möglichen Wissens durch Einzelforschungen und spezielle Disziplinen abgedeckt sind, bedarf es dann noch einer weiteren Wissenschaft, von der man so leicht gar nicht sagen kann, wovon sie überhaupt handeln soll?

Fundamentaldisziplin: Offensichtlich behandeln einzelne Wissenschaften zwar eigentümliche Gegenstandsbereiche, allerdings tun sie dies, indem sie bestimmte Grundbegriffe und Grundprinzipien oder andernorts erörterte Sachverhalte aus anderen Wissenschaften übernehmen oder zumindest mit diesen teilen, ohne sie selbst noch einmal eigens zu hinterfragen. Ob es Prinzipien, wie das logische vom ausgeschlossenen Dritten, oder Vorstellungen, wie die geometrischen von Punkt, Linie oder Kreis, oder ob es die realwissenschaftlichen Begriffe sind, wie die von Körper, belebten oder unbelebten Substanzen: Nicht jede Wissenschaft hat die Aufgabe, alle Voraussetzungen, die sie macht, eigens selbst zu reflektieren. Nicht jede Wissenschaft muss das leisten, was in einer anderen Disziplin bereits geleistet wurde – etwa indem spezielle Sachverhalte, Grundbegriffe und Prinzipien dort und nicht hier reflektiert wurden, wenn z. B. die Geometrie einerseits die numerischen Grundgrößen, die in den Zahlen zum Ausdruck kommen, von der Arithmetik übernimmt, und auf der anderen Seite die Grundformen der Ausdehnung eigens zum Gegenstand macht, die dann wiederum von den physikalischen Disziplinen übernommen werden.

Legt man dieses Verständnis zugrunde, entsteht konsequenterweise die Frage, woher schließlich die ersten Grundbegriffe und die fundamentalen Prinzipien stammen, da dieser Verweisungszusammenhang nicht zirkulär verlaufen kann, sondern an einer Stelle zum Stillstand kommen bzw. von einer grundlegenden Wissenschaft, die nicht noch einmal auf andere verweist, seinen Anfang nehmen muss. Genau dieser Gedanke ist es, der dazu führt, nach einer Fundamentaldisziplin zu fragen, die keine der Einzelwissenschaften sein kann, weil sie diesen in der geschilderten Weise zugrunde liegen muss. Eine solche Fundamentalwissenschaft ist eben deshalb grundlegend, weil sie das in den anderen Disziplinen bereits Vorausgesetzte thematisiert und so diesen die nicht eigens reflektierten Grundlagen bereitstellt.

Kausale versus begriffslogische Deutung: Der Begriff einer Fundamentalwissenschaft lässt sich aber auf zweifache Weise interpretieren und für beide Interpretationen gibt es im Werk Alberts Anhaltspunkte. Zum einen kann eine solche Wissenschaft deshalb grundlegend genannt werden, weil sie einen Sachverhalt oder eine erste Ursache behandelt, die für alle Erscheinungen, die die Einzelwissenschaften betrachten, im Sinne eines Kausalverhältnisses verantwortlich ist.

Nach einer anderen Deutung kann eine Disziplin als Fundamentalwissenschaft verstanden werden, weil sie die überall zugrunde gelegten Begriffe thematisiert, die zumindest implizit, d. h. in den sprachlichen Strukturen verborgen, bei jeder Beschreibung eines einzelwissenschaftlichen Phänomens Verwendung finden. In diesem Sinne enthält sie alles, nämlich in Gestalt der allgemeinsten Begriffe und Prinzipien, weshalb man sie eine Universalwissenschaft nennen kann.

Gegenstand der Metaphysik: Wenn es eine solche Wissenschaft gibt, bleibt die Frage, womit sie sich näherhin beschäftigt, denn nur über ihren Gegenstand kann sie letztlich identifiziert werden. Der naheliegenden Vermutung, die Theologie sei eine solche Fundamentalwissenschaft, weil sie sich mit dem Höchsten, nämlich mit Gott beschäftigt, hat Albert bereits früh eine Absage erteilt. So etwa, wenn er in seiner Dionysius-Paraphrase feststellt,

dass die Theologie, über die wir im Augenblick sprechen, nicht die grundlegende [Wissenschaft] ist aufgrund der Allgemeinheit [ihres] Gegenstandes, unter den die Gegenstände der anderen Wissenschaften wie unter etwas Allgemeines untergeordnet werden; und deshalb fällt es nicht ihr zu, die Prinzipien der anderen Wissenschaften zu beweisen, sondern der Metaphysik. Vielmehr dienen ihr die anderen, insofern sie diese zur ihrem Dienste nutzt.[202]

Albertus Magnus, Super Dion. Epist. VII

Eine Wissenschaft, die im genannten Sinne eine Grundlegungsfunktion für andere Disziplinen hat, scheint aber die Metaphysik zu sein. Deshalb beantwortet Albert die Frage nach der gesuchten Fundamentalwissenschaft zu Beginn seines *Metaphysikkommentars* in enger Anlehnung an die dort vertretene Lehre vom Gegenstand bzw. vom Subjekt – wie es dort heißt – der Metaphysik und stellt hierbei die These in den Vordergrund, dass die Metaphysik das Seiende als Seiendes zum Gegenstand hat:

Albertus Magnus, Metaphysica I tr. 1 c. 2, in: (System der Wissenschaften) 301

Deshalb scheint es angemessen, in Übereinstimmung mit allen Peripatetikern, die die Wahrheit sagen, zu behaupten, dass das Subjekt [der Metaphysik] das Seiende ist, insofern es Seiendes ist, und dass die Bestimmungen, die aus dem Seienden folgen, insofern es Seiendes ist und nicht insofern es dieses Seiende ist, seine Eigenschaften sind, wie es Ursache [und] Verursachtes, Substanz und Akzidens, Getrenntes und Nicht-Getrenntes, Möglichkeit und Wirklichkeit und derartiges sind. Denn, da diese die erste Wissenschaft unter allen ist, ist es notwendig, dass sie vom Ersten handelt. Das ist aber das Seiende. Und [da] sie die Prinzipien aller Einzelwissenschaften, sowohl die zusammengesetzten als auch die einfachen, stützt, und diese nur durch ihnen vorgeordnete [Prinzipien] gestützt werden können, und nur das Seiende und die Prinzipien des Seienden, insofern es Seiendes ist, ihnen vorgeordnet sind, allerdings nicht Prinzipien, die das Seiende begründeten, da das Seiende das erste Prinzip aller Dinge ist, sondern Prinzipien, die aus dem Seienden folgen, insofern es Seiendes ist, ist es notwendig, dass die Prinzipien aller [Einzelwissenschaften] durch diese Wissenschaft gestützt werden, deswegen, weil sie vom Seienden handelt, das die erste Grundlage aller Dinge ist, das seinerseits in überhaupt nichts, was ihm vorgeordnet wäre, begründet ist.[203]

Grundbegriffe: Die zentrale Lehre dieses komplexen Textes beinhaltet zweierlei: zum einen, dass der Gegenstand der Metaphysik das Seiende als Seiendes und nicht ein bestimmtes Seiendes ist; zum anderen, dass die Metaphysik nur durch die Behandlung dieses Gegenstandes die Prinzipien der Einzelwissenschaften bereitstellen und damit die anderen Disziplinen selbst stützen kann. Das Seiende wird in diesem Text als ein allgemeiner Begriff verstanden, der – eben weil er unbestimmt ist – zusätzliche Bestimmungen aufnehmen kann, die sich zu einem jeweils konkreteren Begriff zusammenfügen lassen. Das ist etwa der Fall, wenn man etwas entweder als verursachendes oder verursachtes Seiendes, oder als substantiell bzw. akzidentell Seiendes versteht. Die Metaphysik behandelt so die Grundbegriffe, durch deren Zusammensetzung konkrete Gegenstände in einer grundlegenden Weise allererst beschreibbar werden.

Die Metaphysik ist in diesem Sinne eine Fundamentalwissenschaft und wird von Aristoteles deshalb zumeist als Erste Philosophie bezeichnet. Der Erstheitscharakter und der damit verbundene Grundlegungsanspruch sind Ausdruck davon, dass die Metaphysik nicht eine bestimmte Wissenschaft neben den anderen ist, sondern diesen dadurch vorausgeht, dass sie die von allen anderen Wissenschaften implizit verwendeten Begriffe nicht einfach voraussetzt, sondern eigens thematisiert und in ihrem Zusammenhang verdeutlicht. Wenn Albert, wie es das vorausgehende Zitat deutlich macht, z. B. Möglichkeit und Wirklichkeit als sogenannte Eigenschaften des Seienden zusammen mit diesem zum Gegenstandsbereich der Metaphysik hinzurechnet, dann verbindet er damit den Gedanken, dass es sich hierbei um Grundvorstellungen handelt, unter deren Zuhilfenahme sich wissenschaftliche Einzeldisziplinen auf bestimmte Teile der Welt beziehen.

Möglichkeit und Wirklichkeit: Inwiefern ist etwa die Möglichkeit, die Albert als eine Eigenschaft des Seienden bezeichnet und damit zum Gegenstand der Metaphysik zählt, ein Begriff, den andere Disziplinen voraussetzen? Was hat man sich unter dem Prinzipiencharakter der Möglichkeit vorzustellen und inwiefern handelt es sich in diesem Fall um einen fundamentalen Begriff? Diese Frage lässt sich etwa mit Blick auf die Biologie beantworten – um ein Beispiel zu nennen –, wenn man das Wachstum eines Lebewesens als einen Prozess fortschreitender Verwirklichung ursprünglich nur als möglich angelegter Eigenschaften versteht. Nur wenn man ein Seiendes prinzipiell als möglich und wirklich denken kann, lässt sich die Rede davon, dass es ein und dasselbe Lebewesen ist, das am Anfang und am Ende des Wachstumsprozesses steht, erklären. Denn der biologische Begriff des Wachsens macht implizit davon Gebrauch, dass es etwas Identisches ist, das sich in einer ganz bestimmten Weise von einem Anfangszustand zu einem darauf folgenden entwickelt. Der Begriff der Entwicklung bedeutet hierbei eben nicht, dass sich beliebige Zustände aneinanderreihen, sondern dass für ein und dasselbe Ding etwas wirklich wird, was vorher immerhin in den Bereich seiner Möglichkeiten gehörte und in diesem Sinne eine Kontinuität zulässt. Möglichkeit und Wirklichkeit sind die gedanklich notwendigen Kategorien, um sich ein und dasselbe Seiende als Ausgangs- und Endpunkt eines Wachstumsprozesses vorstellen zu können, der nur dadurch ein zusammenhängender Vorgang ist, dass das zugrundeliegende Seiende seine Identität behält: Das Wachsen eines Baumes aus einem Samen kann nur dadurch begreiflich gemacht werden, dass man das wirklich vorliegende Samenkorn gleichzeitig als einen möglichen Baum denken kann. ›Seiendes‹, ›Möglichkeit‹ und ›Wirklichkeit‹ sind nicht selbst biologische Begriffe, aber eine einzelwissenschaftlich unhinterfragte Rede der Biologie vom Wachstum lässt sich nur mit Hilfe dieser und anderer metaphysischer Grundbegriffe erklären, weshalb sie Prinzipiencharakter haben.

Metaphysische Grundbegriffe treten dadurch hervor, dass man die Ausdrücke, mit denen man alltäglich und vor allem in den Wissenschaften auf die Gegenstände und Vorgänge in der Welt Bezug nimmt, auf ihre zugrundeliegenden Strukturen und die unausgesprochen enthaltenen Grundbegriffe hin untersucht. Am Ende einer solchen Untersuchung steht in letzter Konsequenz ein einziger Begriff, der sich dadurch auszeichnet, dass er nicht weiter zerlegt werden kann. Dieser Begriff ist der des Seienden und zwar des Seienden schlechthin, wie bereits Aristoteles an zentraler Stelle seiner *Metaphysik* (IV,1 1003a) festhält, das nicht noch andere Eigenschaften hat, außer derjenigen, dass ihm weitere Bestimmungen zukommen können. Diesen Sachverhalt soll der Terminus ›Seiendes insofern es Seiendes ist‹ bzw. *ens inquantum ens* zum Ausdruck bringen. Versteht man unter dem Gegenstand einer Wissenschaft in diesem Sinne den grundlegendsten und ersten Begriff, der darin behandelt wird, dann ist der Begriff des Seienden der Gegenstand der Metaphysik, die dadurch eine Fundamentalwissenschaft ist, dass ihr Gegenstand nicht weiter zerlegt und in anderen Disziplinen thematisiert werden kann.

6.1.1.2 | Methode und Reichweite der Metaphysik: Die Kausalresolution

Begriffs- und Kausalresolution: Das Verfahren, dessen sich die Metaphysik bedient, besteht, wie die bisher diskutierten Texte Alberts deutlich machen, offensichtlich in der begrifflichen Analyse der in den anderen

Wissenschaften verwandten Termini. Die komplexen Begriffe der Einzelwissenschaften werden zerlegt, so dass man von einer Begriffsauflösung, einer Begriffsresolution, sprechen kann, was Albert auch an verschiedenen Stellen seiner Werke tut. Allerdings – und das macht die Schwierigkeit von Alberts Ansatz der Metaphysik aus – ist dieses Verfahren keineswegs hinreichend, um alles das innerhalb dieser Wissenschaft zu behandeln, wovon man annehmen müsste, dass es aufgrund seines Prinzipiencharakters dort behandelt werden sollte.

Aus diesem Grund ist die Rede von der Resolution bei Albert mindestens in zwei unterschiedlichen Bedeutungen zu verstehen. Denn es handelt sich nicht immer und in jeder Hinsicht um eine Resolution ausschließlich von Begriffen. Deshalb ist auch nicht in allen Kontexten, in denen Albert davon spricht, dass der Gegenstand der Metaphysik das Seiende ist, dasselbe gemeint. Die Schwierigkeit besteht einerseits darin, dass der Begriff des Seienden (*ens*) bzw. des Seins (*esse*) – Albert verwendet beide Ausdrücke oft im gleichen Zusammenhang ohne erkennbaren Unterschied – mitunter etwas jeweils anderes meint. Als Folge hiervon verändert sich dann auch das Verfahren der Resolution, nämlich in der Weise, dass neben oder an die Stelle der Begriffsresolution eine Rekonstruktion eines Zusammenhangs von Ursachen bzw. einer Ursachenkette tritt. Die Wissenschaft, die diese Rekonstruktion vornimmt, ist dann nicht mehr deshalb eine Fundamentalwissenschaft, weil sie universell, nämlich Wissenschaft vom allgemeinsten Begriff ist, sondern weil sie Wissenschaft vom Ersten, nämlich letztlich von der ersten Ursache ist. Das Verständnis der Metaphysik Alberts hat aber nicht nur diesem zweifachen Verfahren von Begriffs- und Kausalresolution Rechnung zu tragen, sondern stößt auf eine weitere Schwierigkeit dadurch, dass das kausalresolutive Verfahren nicht bis zu einem Ersten im strengen Sinne, sondern nur bis zu einem Ersten, das geschaffen wurde, durchdringt.

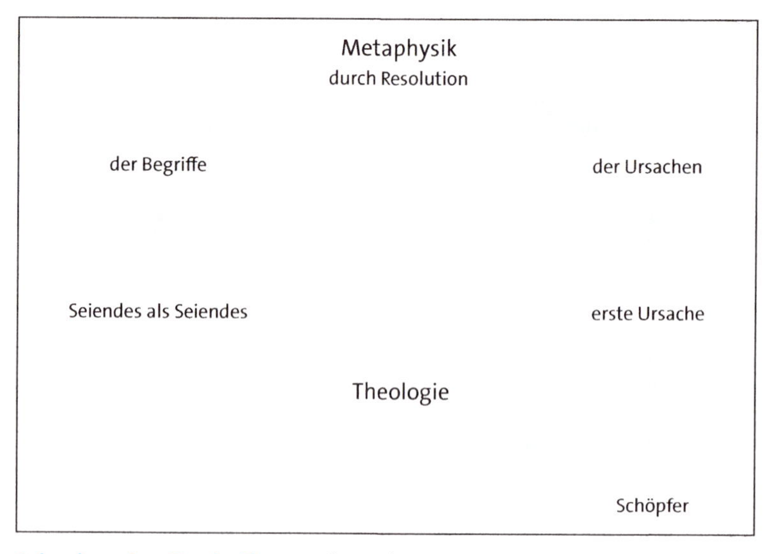

Sein als erstes Geschaffenes: Abgesehen von einer gewissen Mehrdeutigkeit, die die Gegenstandsbestimmung der Metaphysik bereits im ursprünglichen Text des Aristoteles aufweist, ist es vor allem eine zentrale These, die der *Liber de causis* vertritt, die Alberts Metaphysik um eine zusätzliche Perspektive erweitert. Während der Begriff des Seienden bzw. des Seins bislang als alles umfassendes Prädikat verstanden wurde, das aufgrund seiner inhaltlichen Unbestimmtheit auf alle Gegenstände anwendbar ist und in diesem Sinne der erste Gegenstand der Metaphysik sein kann, trifft Albert im *Liber de causis* auf eine andere Annahme. Dort sieht er sich nämlich mit der These konfrontiert, dass das Sein nicht im genannten Sinne umfassend ist, sondern auf den Bereich aller geschaffenen Dinge beschränkt ist. Im *Buch von den Ursachen* heißt es nämlich:

Das erste von den geschaffenen Dingen ist das Sein und kein anderes Geschaffenes ist vor ihm.[204]

Albertus Magnus, De causis II tr. 1 c. 23

Das Verständnis, dass das Seiende ein Erstes und in dieser Funktion Gegenstand der Metaphysik ist, muss modifiziert werden, denn das vermeintlich Erste hat doch noch etwas vor sich, es ist nämlich geschaffen und hängt deshalb von einer vorausgehenden Tätigkeit eines ursprünglichen Schöpfers ab. Von einem Ersten – so argumentiert Albert angesichts dieser Spannung – kann man also hinsichtlich des Seins nur insofern sprechen, als man die Auflösung der Einzeldinge als eine Auflösung in die die Einzeldinge prägenden Wesensbestandteile versteht. Lässt man also die Auflösung da zu einem Ende kommen, wo die Grundbestandteile, die die seienden Dinge von sich her prägen, erreicht sind, dann kann man sagen, dass das Sein ein Erstes ist, weil man keinen einfacheren Begriff finden wird, mit dem man die Gemeinsamkeit aller geschaffenen Dinge bezeichnen könnte:

Wenn man sagt, dass das Erste nichts voraussetzt, meint man, dass es nichts von sich voraussetzt, d. h. nichts mit Blick auf die Bestimmungen, die in sein Wesen eingehen und es innerlich konstituieren. Und so ist das Sein ein Erstes, das nichts voraussetzt. Weil [das Sein] aber ein Hervorgang oder ein Ausfluss vom Ersten ist, ist es notwendig, dass es den Schöpfer voraussetzt. Aber dieser ist nichts von ihm. Das erste Prinzip geht nämlich nicht wesentlich in die Konstitution irgendeines Dinges ein. Deshalb gelangt die Auflösung des Seienden nicht bis zum ersten Prinzip, wenn die Auflösung in Wesensmerkmale geschieht.[205]

Ebd., tr. 1 c. 17

Einheit des Begriffs des Seienden: Wie unschwer zu erkennen ist, ergibt sich hieraus die Konsequenz, dass innerhalb dieser Argumentation der Begriff des Seins auf das geschaffene Sein beschränkt wird. Wenn eine solche Beschränkung vorliegt, kann die Bedeutung des Begriffs des Seins folglich auch nicht überall die gleiche sein, denn der Ausdruck meint jeweils etwas anderes in Bezug auf das geschaffene und das ungeschaffene Sein. Also ist es nicht möglich, diesen Begriff in der gleichen Bedeutung auf den Schöpfer des geschaffenen Seins so anzuwenden wie eben auf das Geschaffene selbst.

[Denn] wenn das erste Prinzip Sein genannt wird und das Geschaffene bzw. Verursachte Sein genannt werden, dann handelt es sich in diesem Fall nur um eine Ge-

Ebd., tr. 1 c. 17

meinsamkeit aufgrund von Analogie. Diese Gemeinsamkeit besteht in dem einen durch sich und im eigentlichen Sinne, in den anderen aber durch eine Nachahmung von jenem, wie im vierten Buch der Ersten Philosophie bewiesen wurde.[206]

Die einheitliche, univoke (s. Kap. 6.2.1.1) Bedeutung des Begriffs des Seienden muss aufgegeben werden. In Kompensation einer univoken Aussage muss sich die Sprache, mit der man von der ersten Ursache, also von Gott, redet, einer gewissen Urbild-Abbild Metaphorik bedienen bzw. sich einer negativen Theologie annähern, wie Albert sie bereits bei Dionysius Pseudo-Areopagita kennen gelernt hat.

Albertus Magnus, Super Dion. De div. nom. c. 5 n. 3

Die göttliche Substanz kann in gewisser Weise von uns erkannt werden, auch an sich, allerdings nicht vollkommen. Dass etwas vollkommen erkannt wird, sagt man, wenn man von etwas weiß, was es ist und was seine Eigenschaften sind. Dies vermag der geschaffene Verstand aber nicht hinsichtlich der göttlichen Substanz aufgrund [Gottes] Unendlichkeit. [Gott] wird aber erkannt wie der Endpunkt einer Resolution, insofern wir ihn nach allem Verursachten und nach jeder Einfachheit der Kreaturen finden. Aber eine solche Erkenntnis richtet sich eher auf das, was er nicht ist, als auf das, was er ist, insofern wir nämlich die göttliche Substanz durch Beiseitelassen alles Geschaffenen erkennen und indem wir so zu ihr gelangen, benennen wir sie auch. Und deshalb sagt [Dionysius], dass [Gott] unbekannt und unaussprechlich ist.[207]

Kausale Erweiterung: Die ursprüngliche Begriffsresolution der Ersten Philosophie muss mit Blick auf Gott, der durch keinen Begriff bezeichnet werden kann, der auch univok von den Geschöpfen ausgesagt werden könnte, durch eine Kausalresolution erweitert werden, d. h. der Leitfaden der Metaphysik kann nicht allein begriffslogisch sein, sondern muss sich auch einer Methode bedienen, die ihre Erkenntnisse aus der Abhängigkeit der Wirkungen von den vorausliegenden Ursachen gewinnt. Insofern jede Ursache selbst wieder verursacht ist, gelangt man auf dem Weg der Resolution zunächst nur bis zu einem ersten Verursachten bzw. zu einem ersten Geschaffenen, das Albert in Einklang mit dem *Liber de causis* als Sein interpretiert. Die Charakteristik alles Seienden ist es also, verursacht zu sein. Nimmt man den Anfang dieser Verursachungskette in den Blick, darf das erste Glied dieser Kette nicht in eben dieser Weise verursacht sein wie alles Folgende, denn sonst wäre es eben nicht das erste Glied, sondern es gäbe weitere, so dass man nicht wirklich von einem Anfang sprechen könnte. Das ist der Grund für die Rede vom ersten Verursachenden. Um diesen Gedanken zu verdeutlichen, liegt es nahe, die Rede von der Verursachung zu präzisieren, indem man von der speziellen Form der Verursachung, nämlich der Schöpfung, spricht, denn diese zeichnet sich dadurch aus, dass sie nur der ersten Ursache, die im engeren Sinne als Ursache der ganzen Kette und nicht als erstes Glied derselben zu verstehen ist, also nur Gott zukommt. Denn nur Gott kommt es zu, voraussetzungslos zu verursachen, indem im engeren Sinne eine Schöpfung aus dem Nichts stattfindet.

Schöpfung versus Einformung: Wie lässt sich diese Unterscheidung, die Albert hinsichtlich der Formen der Verursachung annimmt und die sich des theologischen Begriffs der Schöpfung bedient, philosophisch nachvollziehen? Der philosophische Grundgedanke besteht darin, dass Verursachungsprozesse in der uns bekannten endlichen Welt nicht ohne Voraussetzungen ablaufen, sondern durch die Ausgangsbedingungen und die jeweils wirksamen Kräfte bestimmt und deshalb auch im Prinzip verständlich sind, wovon im Übrigen jede Einzelwissenschaft abhängt.

Im Bereich des Seienden selbst entsteht Neues durch einen Prozess, den Albert Einformung, *informatio*, nennt. Einformung setzt eine Unterscheidung zwischen einem Akt des Seins, durch den ein Seiendes ist, und der je eigentümlichen Ausprägung des Seienden selbst voraus und differenziert so zwischen einer Art des Gegebenseins und demjenigen, was gegeben ist. So ist beispielsweise das Leben die besondere Weise, in der einer bestimmten Klasse von Seienden, nämlich den Lebewesen, das Sein eigen ist. Den sinnenbegabten Wesen ist wiederum eine bestimmte Weise zu eigen, wie ihnen das Lebendigsein zukommt. *Informatio* meint also einen Prozess fortschreitender Bestimmung und Konkretion, die als solche eben nicht voraussetzungslos ist. Das Sein ist das Anfangsmoment einer jeden Bestimmungsreihe und wird deshalb in Bezug auf alles Folgende als Beginn, *incohatio*, und mit Blick auf die erste Ursache als erstes Geschaffenes, *primum creatum*, aufgefasst.

Neuplatonismus: Ein metaphysischer Ansatz, der diesen Weg geht, wird schließlich an einen Punkt gelangen, an dem die von der Lebenswelt her bekannte Begrifflichkeit versagt und die uns bekannten Begriffe nur noch in einer analogen Sprechweise verwendet werden können. Albert liegen in seinen vom Neuplatonismus geprägten Vorlagen der Schriften des Dionysius Pseudo-Areopagita und des *Liber de causis* Ansätze einer sich dann allerdings im Modus der negativen Theologie und der Urbild-Abbild-Metaphorik artikulierenden Metaphysik vor, die er für eine notwendige Ergänzung der von Aristoteles überlieferten Ersten Philosophie hält.

Lichtmetaphorik: Ein von Albert vor diesem Hintergrund sowohl in erkenntnistheoretischer als auch in metaphysischer Hinsicht fruchtbar gemachtes Lehrstück stellt die neuplatonisch zugespitzte Lichtmetaphorik dar. Das Licht als Bild der göttlichen Gutheit umfasst zwei Aspekte, nämlich zum einen als Metapher für die Erkennbarkeit Gottes und seiner Schöpfung einen epistemologischen und zum anderen als Abbild der von Gott ausgehenden Schöpfung einen ontologischen:

Licht kann in zwei Hinsichten verstanden werden: entweder insofern es die Ursache der Erkenntnis ist, was ihm insofern zukommt, als es in der Farbe verkörperlicht vorkommt, [...] oder insofern es die Ursache des Seins ist, was ihm insofern zukommt, als es in sich betrachtet nicht verkörperlicht ist. In dieser [zweiten Hinsicht betrachtet] ist es dem Guten vergleichbar, das die universelle Ursache des Seins und aller vom Göttlichen in alles Verursachte hervorgehenden Bestimmungen ist.[208]

Ebd., c. 4 n. 50

Albert nutzt die Lichtsymbolik, die im Zentrum der Schriften des Dionysius steht, entsprechend nicht nur als Metapher zur Veranschaulichung eines Erkenntnisprozesses, in dem Gott die Quelle und der Mensch der Empfänger des von dort ausfließenden Wissens ist. Vielmehr beschreibt Dionysius mit dem Bild des von Gott ausgehenden Lichtes auch die grundlegende ontologische Struktur, die die gesamte Wirklichkeit auf einen Emanationsvorgang, also auf ein Ausfließen alles Existierenden aus der ersten Ursache, nämlich Gott selbst, zurückführt. Aus diesem Grund kann man zu Recht von einer Lichtkausalität im Werk des Dionysius sprechen, die Albert in sein eigenes ontologisches Modell zu integrieren sucht.

Als eine Eigentümlichkeit der Lichtkausalität wird die Struktur der Wirklichkeit nicht nur als ein Ausfluss aus einem ersten Prinzip verstanden, sondern gleichzeitig wird die Rückkehr des vielfältig Verursachten zur Einheit der Lichtquelle betont. Die Rückkehr wird begründet mit dem Zielcharakter, den das ursprüngliche Licht für das, was es hervorgebracht hat, behält. Die Attraktivität der Lichtmetaphorik, um diese Rückkehr denken zu können, beruht darauf, dass das ursprüngliche Licht auch angesichts der Vielfalt und Eigentümlichkeit des Verursachten seine ihm zukommende Einheit behält und deshalb als einendes Ziel für die Rückkehr des ausgeströmten Vielen Bestand hat. Der Grund hierfür besteht wiederum darin, dass das Licht nicht selbst die Gestalt des Vielfältigen und Gegensätzlichen annimmt, denn die Beschränktheit und Vereinzelung des Vielen kommt nur durch den eigentümlichen Abstand und die jeweils eingeschränkte Perspektive zur ursprünglichen Lichtquelle zustande.

Wie die Unterschiede des von einer Lichtquelle Beleuchteten nur durch die Entfernung vom Ursprung und die Perspektive auf die Quelle entstehen, so ergibt sich auch die Vielfältigkeit des Verursachten nicht aufgrund einer Mannigfaltigkeit in der Ursache selbst, sondern nur durch die besonderen Gegebenheiten, unter denen sich die Lichtkausalität manifestiert. Das Licht selbst bleibt die allein wirkende und universelle Form, die die vergänglichen Dinge zwar durch ein jeweils eigentümliches Verhältnis prägt, die aber nicht selbst ihre als Ziel wirkende Kraft verliert und deshalb die Rückkehr des Hervorgegangenen verursacht.

Mittels der Lichtmetaphorik lässt sich nicht nur der Ausgang aus einem ersten Prinzip, das als solches seine Einheit behält, beschreiben, sondern auch die Rückkehr des Vielen zu seiner ursprünglichen Quelle erklären. Die Umkehr zum Ursprung ergibt sich aufgrund des Zielcharakters, den das Erste deshalb behält, weil es die gleichbleibende Quelle jeder von ihm ausgehenden Bestimmung bleibt.

6.1.1.3 | Synthese von Begriffs- und Kausalresolution

Wie dieses Lehrstück von der Lichtmetapher deutlich macht, nähert sich eine Metaphysik, die das Erste einer Kausalkette, also etwa die göttliche Gutheit, als Ausgang jeder weiteren Hervorbringung in den Blick nimmt und dieses mit der Metapher des Lichtes zu erläutern versucht, einer Wissenschaft an, die Albert selbst als »symbolische Theologie« bezeichnet,

Ebd., c. 4 n. 61

denn die Verähnlichung des Sonnenlichtes mit der Gutheit [Gottes] gehört zur symbolischen Theologie, deren Aufgabe es ist, die Ähnlichkeiten der körperlichen Dinge mit den geistigen aufzuzeigen.[209]

Die Frage, ob diese Form der Theologie mit dem Ansatz einer Metaphysik, die sich als Fundamentalwissenschaft gegenüber den Einzeldisziplinen versteht, vereinbar ist, wird umso dringender, als Albert selbst diesen Anspruch für die Theologie ausdrücklich zurückzuweisen scheint.

Versuch der Synthese: Alberts eigener Entwurf der Metaphysik, der überlieferungsgeschichtlich bedingt sowohl aristotelische als auch neuplatonische Elemente enthält, versucht, diese beiden Traditionen, die sich in der Grundausrichtung einerseits als Begriffs- und andererseits als Kausalresolution deuten lassen, zu vereinen, indem er von der Vollendung des einen Ansatzes durch den anderen spricht. Die Frage, ob es Albert tatsächlich gelingt, diese Verbindung in letzter Konsequenz spannungsfrei herzustellen, kann dem zugrundeliegenden Problem nicht aus dem Wege gehen, ob dies unabhängig von Alberts Ansatz überhaupt möglich ist.

Univokation und Analogie: Die entscheidende Schwierigkeit, die zu lösen sein wird, besteht darin, einen Weg aufzuzeigen, wie das Verfahren der logischen Begriffsresolution mit dem Vorgang der Kausalresolution in Einklang zu bringen sein wird. Wenn das Erste einer Begriffsresolution, nämlich das Seiende als solches, und das Erste einer Kausalresolution, nämlich die erste Ursache, nicht identisch sind, werden diese Spannungen kaum zu vermeiden sein. Diese Spannungen wirken sich methodologisch auf die möglichen Ansätze einer Metaphysik aus: Während der begriffsresolutive Weg sich am Leitfaden der univoken Aussagbarkeit von Begriffen orientiert, mündet die Kausalresolution zur Vermeidung eines infiniten Regresses letztlich in einem analogen Prädikationsmodus von Ursache und Verursachtem, der sich naheliegender Weise in einer metaphorischen Ausdruckweise artikuliert.

6.1.2 | Berthold von Moosburg: Die Differenz von aristotelischer und platonischer Metaphysik

Neuplatonische Zuspitzung: Während Albert versucht, die unterschiedlichen metaphysischen Traditionen, die für ihn zum Teil noch gar nicht als solche erkennbar sind, – etwa wenn er den *Liber de causis* für ein aristotelisches Werke hält – zu vereinigen, sieht sein etwa hundert Jahre später wirkender Ordensbruder Berthold von Moosburg sehr viel deutlicher die Divergenzen unterschiedlicher Zugangsweisen, die aus seiner Sicht eine scharfe Trennung und eine klare Entscheidung erforderlich machen. Infolge dieses Ansatzes findet eine Zuspitzung hinsichtlich der Bestimmung des Gegenstandes und der Methode der Metaphysik statt, die sich auch in der Verschiebung der Benennung dieser Wissenschaft niederschlägt. Anders als Albert der Große wusste Berthold sehr wohl zwischen den Schriften des Aristoteles und den Werken anderer Provenienz zu unterscheiden. So war ihm, als er sich mit der zwischenzeitlich ins Lateinische übersetzten theologischen Einführung des Neuplatonikers Proklos, der sogenannten *Elematatio theologica*, befasste, nicht nur die Herkunft dieses Werkes bekannt, sondern auch die des *Buchs von den Ursachen*, das Albert noch für aristotelisch hielt.

Berthold von Moosburg schickt seinem Kommentar zu der ursprünglich auf Griechisch verfassten Schrift des Proklos nach einer Erläuterung des Titels zunächst eine Einleitung voraus, in der er den Gegenstand seines Kommentars vorstellt. Gleich zu Beginn weist Berthold darauf hin, dass die meisten seiner Zeitgenossen wohl die Frage stellen würden, ob diese Schrift des Proklos, die ganz offensichtlich eine theologische Erörterung darstelle, die näherhin als weisheitliche oder gar göttliche Theologie zu bezeichnen sei (*theologia sapientialis et divinalis*), überhaupt zu Recht eine Wissenschaft im engeren Sinne genannt werden könne. Der Grund für einen solchen Zweifel besteht darin, dass sich die Lehre des Proklos auf Prinzipien stützt, die analog zu den Prinzipien zu betrachten sind, die in der Theologie im engeren Sinne als Glaubensartikel (*articuli fidei*) und keineswegs in irgendeinem Modus des natürlichen Wissens erworben werden.

6.1.2.1 | Die Metaphysik als göttliche Weisheit und weisheitliche Theologie

Um diese Frage nach dem Wissenschaftscharakter zu beantworten, muss man nach Berthold von der grundlegenden Annahme ausgehen, dass

Berthold von Moosburg, Expositio super Elem. theol. praeamb.

jede Wissenschaft ihre Regeln und Prinzipien wie eigentümliche Grundannahmen anwendet, aus denen ein Wissen der Schlussfolgerungen in diesen gewonnen wird.[210]

Solche Prinzipien, die in jeder Wissenschaft vorausgesetzt werden, können einen unterschiedlichen Charakter in der Hinsicht besitzen, dass sie entweder in einem höchsten Maße allgemein (*communissima*), in einem eingeschränkten Sinne allgemein (*communia*) oder gar als für eine einzelne Wissenschaft eigentümlich (*propria*) gelten können. Die obersten, also die allgemeinsten Prinzipien, sind dann nicht nur die Grundlage einer bestimmten wissenschaftlichen Disziplin, sondern bilden das Fundament der Wissenschaftlichkeit als solcher, garantieren also die grundlegenden Voraussetzungen, die erfüllt sein müssen, um überhaupt von einem Wissen sprechen zu können, das den Ansprüchen von Wissenschaft genügen kann. Gerade hinsichtlich dieser Prinzipien und der grundlegenden Begriffe, um die es hierbei geht, sind sich die philosophischen Traditionen, die mit den Namen Platons und Aristoteles' verbunden sind, nicht einig, wie Berthold in aller Deutlichkeit hervorhebt:

Ebd., praeamb.

Erste und allgemeinste werden [diese Prinzipien] genannt, weil sie durch ihre universelle Kraft in alle Wissenschaften herabsteigen. [...] Diese sind aber deswegen die allgemeinsten Prinzipien, weil sie vom Seienden handeln, insofern es Seiendes ist, was nach Aristoteles der universellste aller formalen Begriffe ist, auch wenn dies nach Platon anders ist, wie weiter unten deutlich werden wird.[211]

Dissens von Platon und Aristoteles: Inwiefern interpretiert Platon die allgemeinsten Prinzipien, die als Grundlage der Wissenschaften dienen, anders als Aristoteles, und vor allen Dingen, welche wissenschaftstheoretischen Konsequenzen ergeben sich daraus? Insbesondere ist zu fragen, welche Auswirkungen der von Berthold betonte Dissens zwischen Aristoteles und Platon für die Metaphysik und ihre Verortung im Kontext der anderen Wissenschaften hat.

Verhältnis Theologie – Metaphysik: Diese Fragen finden vor allem vor dem Hintergrund eine Antwort, dass Berthold in der vorliegenden Untersuchung in erster Linie an einer wissenschaftstheoretischen Erörterung der Theologie, d. h. der von ihm weisheitlich oder göttlich genannten Theologie interessiert ist. Aus diesem Grund behandelt der letzte Teil seines Einleitungskapitels die der Theologie eigentümliche Betrachtungsweise, die sich aus der Erörterung der der Theologie eigentümlichen Prinzipien ergibt. Für das Verhältnis dieser das Göttliche behandelnden Wissenschaft zur Metaphysik, wie sie in der aristotelischen Tradition verstanden wird, lautet die zentrale These Bertholds:

Aus dem zuvor Gesagten zeigt sich evidenter Weise, dass diese Wissenschaft [der Theologie], was die Gewissheit ihrer Prinzipien angeht, aufgrund desjenigen Erkenntnisprinzips, durch das sie sich dem Göttlichen zuwendet, nicht nur alle partikulären Wissenschaften, sondern auch die Metaphysik der Peripatetiker, die vom Seienden handelt, insofern es seiend ist, in unvergleichlicher Weise überragt.[212]

Ebd., praeamb.

Der Grund für diese Überlegenheit der Theologie besteht darin, dass die Metaphysik, wie die anderen Wissenschaften, ihren Gegenstand in einem Bereich hat, der nicht die Erkenntnisleistung des Intellekts übersteigt. Andere Erkenntnisse, die jenseits der intellektuellen Tätigkeit liegen, finden bei Aristoteles keinen Eingang in eine der Partikularwissenschaften und auch nicht in die Metaphysik. Genau hierin besteht der Unterschied zu Platon, den Berthold in eine Reihe mit den vorplatonischen Theologen stellt, die nämlich darin übereinkommen, die Theologie als eine Wissenschaft zu verstehen, die die Erkenntniskraft unseres Intellekts übersteigt und in diesem Sinne als eine göttliche Manie verstanden wird (*divina mania*), was weniger als Ausdruck der Raserei denn als Betonung des göttlichen Wirkens im Erkennenden zu verstehen ist:

Weil uns nämlich Aristoteles [...] bei den Erkenntniskräften und den Erkenntnissen unserer Seele nur bis zum Intellekt und der intellektuellen Tätigkeit hinauf führt, dringt nichts über diese hinaus ein; Platon hingegen und die Theologen vor Platon loben die Erkenntnis, die über den Intellekt hinausgeht und von der sie öffentlich sagen, dass sie eine göttliche Manie sei, und sagen, dass eine solche Erkenntnis das Eine der Seele sei. [...] Aber die Erkenntniskraft dieser unserer göttlichen Theologie übersteigt nicht nur die Erkenntniskräfte aller Wissenschaften, sondern übersteigt auch, wie bereits oben gesagt wurde, den Intellekt selbst, der nach dem Autor [Proklos], wie oben gesagt, in uns besser als jede Wissenschaft ist und der der Seele selbst zukommt.[213]

Ebd., praeamb.

Überlegenheit der Theologie: Die Assoziation, die man bei der Nennung des Begriffs der göttlichen Manie (*divina mania*) haben könnte, nämlich dass hiermit das Feld der endlichen Vernunft verlassen werde, um der Einwirkung einer äußeren, nämlich göttlichen Erkenntnisquelle Raum zu verschaffen, scheint nicht in der Absicht Bertholds zu liegen. Dies ist nicht der Fall, auch wenn er betont, dass eine solche Erkenntnisleistung nicht nur jede Wissenschaft, sondern auch das Prinzipienwissen der aristotelischen Metaphysik, das eben nur ein Wissen vom Seienden sei, übersteigt. Eine Annahme, die für die These spricht, dass Berthold die sapientielle Theologie durchaus als Wissenschaft begreift, besteht darin, dass die formale Struktur dieser Art der Theologie analog zu der Struktur anderer Wissenschaften konzipiert wird, nämlich als ein Ableitungswissen, das auf grundlegenden Prinzipien beruht. Diese unterscheiden sich zwar von denen anderer Wissenschaften und begründen die Eigentümlichkeit der Theologie, bleiben aber dennoch fundamentale Grundannahmen, die von jeder Wissenschaft vorausgesetzt und nicht eigens bewiesen werden können.

Homo deificatus: Bertholds Argument für die Überlegenheit der Theologie und die Begrenztheit der Metaphysik beruht darauf, dass sich deren grundlegende Prinzipien in Gestalt der in diesen Wissenschaften jeweils vorausgesetzten Grundbegriffe unterscheiden. Und zwar unterscheiden sie sich in einer Weise, dass die Prinzipien der Theologie dieser Wissenschaft einen höheren Grad an Gewissheit verschaffen, weshalb sie nicht eine Wissenschaft neben den anderen ist, sondern diese überragt und damit auch der Metaphysik, so wie sie von Aristoteles verstanden wurde, überlegen ist. Die Überlegenheit dieser Form der Theologie führt nach Berthold sogar dazu, dass der sie ausübende Mensch göttliche Prägung annimmt, ja gottgleich und damit zum *homo deificatus* wird:

Ebd., praeamb.

Wenn also, wie es der erste Satz behauptet, die Weisheit die Wissenschaft mit der größten Gewissheit ist, weil sie die Prinzipien der Wissenschaften zusammen mit deren Gewissheit erfasst, was sollen wir dann von unserer Überweisheit sagen, die nicht nur die Prinzipien des Seienden mit Gewissheit erfasst, die nach Aristoteles auch Seiende sind, sondern auch die Prinzipien, die über den Seienden sind, und klarerweise besonders des Guten, das das Prinzip und die Ursache nicht nur alles Seienden, sondern auch der göttlichen Prinzipien ist, die, auch wenn sie unterhalb des schlechthin ersten Prinzips sind, die ursprünglichen Prinzipien alles Seienden sind, [was sollen wir von unserer Überweisheit sagen], außer dass sie die gewisseste und höchste Erkenntnis des vergöttlichten Menschen ist?[214]

Fragt man nach dem Gegenstand der von Berthold als Überweisheit verstandenen Theologie, so ist dieser etwas, was über das Seiende hinausgeht, denn diese Theologie

Ebd., praeamb.

ist Weisheit nicht nur des Seienden, sondern des Überseienden.[215]

Fragt man nach dem Subjekt dieser Wissenschaft, also dem Wissenden, so ist es der vergöttlichte Mensch, der durch eben dieses Wissen zu einem solchen *homo deificatus* wird. Platon stellt für Berthold die Verkörperung einer solchen Form von Wissenschaft bzw. Überwissenschaft dar, die über diejenige Gestalt von Wissenschaft, wie sie durch die aristotelische Metaphysik repräsentiert ist, hinausgeht, denn, so fasst er seine Einleitung zusammen, aus dem Gesagten wird

die überragende Rolle eines überweisheitlichen Habitus der platonischen Wissenschaft gegenüber dem weisheitlichen Habitus der [aristotelischen] Metaphysik evident.[216]

Ebd., praeamb.

Problem der Wissenschaftlichkeit: Aufgrund der bisherigen Ausführungen könnte der Eindruck entstehen, als sei es Bertholds Ziel, für die von ihm in den Vordergrund gestellte Theologie, die er mit allen möglichen Prädikaten des Darüber-hinaus-Gehens ausstattet, den Status des Wissenschaftlichen, zumal den einer philosophischen Disziplin aufzugeben. Dies ist aber ganz offensichtlich nicht der Fall, wie aus der Schlussbemerkung seiner Einleitung hervorgeht:

Aus dem Gesagten wird evidenter Weise deutlich, dass unsere göttliche Philosophie im wahrsten und eigentlichsten Sinne Wissenschaft ist, und zwar als wahrsprechende, gewisseste und so höchste, sowohl aufgrund der Art ihres Hervorgehens aus den Prinzipien – den allgemeinsten, den allgemeinen und den eigentümlichen –, die wahrhaft wissenschaftlich ist, als auch aufgrund des Habitus, durch den sie ihre Prinzipien erfasst, wie verschiedentlich gezeigt wurde.[217]

Ebd., praeamb.

Die sich für das Folgende ergebende Frage, die sich aus der bisherigen Schilderung der von Berthold entwickelten Lehre ergibt, zielt nun allerdings darauf, wie die Ansprüche einer kritisch reflektierten Wissenschaftlichkeit mit dem Anspruch eines überweisheitlichen, überwissenschaftlichen und übermetaphysischen Wissenstyps, den Berthold abschließend auf eine sogar den ursprünglich augustinischen Titel der wahren Philosophie (s. Kap. 1.2.1) überbietenden Weise als unsere göttliche Philosophie apostrophiert, vereinbaren lässt.

6.1.2.2 | Wissenschaft vom Einen versus Wissenschaft vom Seienden

Zu Beginn seines Kommentars zu der Schrift des Proklos nimmt Berthold eine Weichenstellung vor, die für sein Verständnis der Metaphysik grundlegend ist. Er betont nämlich, dass Proklos sein Konzept einer ersten Wissenschaft, die für Berthold die göttlichste aller Wissenschaften (*divinissima scientia*) ist, im Ausgang von zwei grundlegenden Prinzipien entwickelt: zum einen, indem er als Erklärungsgrund der Vielheit der Dinge in der Welt einen Vorrang eines ersten Einen anführt, den er als das vorzügliche Alter dieses Einen bezeichnet (*prime unius anitas*); zum anderen, indem er aus der Annahme der Hervorbringungskraft und der Setzung dessen, was hervorgebracht wird, den Vorrang und die Überlegenheit des Guten als dem zugrundeliegenden Wirkprinzip aufzeigt. Die erste Wissenschaft wird aufgrund dieser Vorgaben als diejenige verstanden, die die ursprüngliche Einheit der innerweltlichen Vielheit und die allen innerweltlichen Wirkkräften übergeordnete höchste Wirkmacht aufzeigt.

Gegenstand der ersten Wissenschaft: Gegenstand der Metaphysik sind damit nicht die allgemeinsten Begriffe, mit denen sich die Welt im Ganzen in ihren grundlegendsten Strukturen beschreiben lässt. Gegenstand der ersten Wissenschaft ist vielmehr das erste Eine, das sich als höchste Wirkmacht als Anfang einer sich weltlich fortsetzenden Kausalkette verstehen lässt, denn die Frage nach der zugrundeliegenden Einheit der faktischen Vielheit ist eben die Frage nach dem Ersten eines kausalen Zusammenhangs. Diese Frage nach dem kausal Ersten wird als die Frage nach dem Ursprung der Vielheit gestellt, weshalb Berthold sich ausdrücklich auf Platon und nicht auf Aristoteles als Gewährsmann seiner Konzeption von Metaphysik beruft.

Platon geht von einer grundsätzlichen Unterscheidung des Materiellen und des Immateriellen aus. Eine Vielheit im Bereich des Materiellen kommt nach ihm dadurch zustande, dass etwas Allgemeines, das ein passives Vermögen besitzt, ein konkreter Einzelgegenstand zu werden, tatsächlich die Wirklichkeit dieses bestimmten materiellen Dinges annimmt. Beschreibt man dieses dem Vermögen nach Allgemeine der Sache nach, kann man es die ursprüngliche, also noch nicht geformte Materie nennen, oder dem Begriff nach mit dem allgemeinen Terminus Seiendes bezeichnen, um jede eingrenzende Benennung, die nur bestimmten Dingen zukommt, zu vermeiden. In dieser Analyse der materiellen Welt sind sich nach Bertholds Auffassung Platon und Aristoteles im Grunde genommen einig:

Ebd., prop. 1

Platon aber beschreitet einen anderen Weg hinsichtlich des Ursprungs der Vielheit. Obwohl er nämlich einräumt, dass die Unterscheidung der formale Grund der Vielheit ist, unterscheidet nach ihm die Wirklichkeit nicht überall, d. h. in der vollständigen Gesamtheit der Dinge, sondern nur bei den materiellen. Dort nämlich ist etwas umso mehr dem Vermögen nach und wird folglich durch die Wirklichkeit bzw. die Differenzen unterschieden, je allgemeiner es der Sache nach – wie die erste Materie – oder dem Begriff nach ist – sei es analog wie nach Aristoteles das Seiende in dem, was dieser Art ist, oder univok wie das aller Allgemeinste.[218]

Logische versus theologische Allgemeinheit: Der Unterschied von Platon und Aristoteles bezieht sich nach Berthold auf die platonische These, dass die beschriebenen Verhältnisse, die für den Bereich des Materiellen gelten, keine Anwendung auf die immaterielle Welt finden. Denn hier zeichnet sich die ursprüngliche Allgemeinheit des ununterschieden Einen eben nicht durch eine Potentialität aus, die durch ein allgemeines Prädikat, etwa den Begriff des Seienden im Sinne einer logischen Allgemeinheit abgebildet werden könnte, sondern um eine Allgemeinheit ganz anderen Typs, die Berthold als eine Allgemeinheit der Trennung (*universalitas separationis*) bezeichnet. Diese Allgemeinheit gründet nicht auf dem Vermögen, durch etwas anderes zu etwas Bestimmten konkretisiert zu werden, sondern ist umgekehrt Ausdruck der aktiven Wirkkraft, durch die anderes erst Wirklichkeit wird. In diesem Sinne spricht Berthold davon, dass es sich um ein theologisch Allgemeines (*universale theologicum*) handelt. Das im theologischen Sinne Allgemeine ist also durch die Abgeschiedenheit von allem Materiellen, Konkreten und Vereinzelten ausgezeichnet:

Bei den immateriellen Dingen aber wird umgekehrt die Wirklichkeit durch das Vermögen unterschieden und bestimmt. Umso allgemeiner dort nämlich etwas ist, umso wirklicher ist es, weil es hier eine Allgemeinheit der Trennung, dort aber eine [Allgemeinheit] der Prädikation gibt. Und deshalb [gilt]: Wie ein logisch Allgemeines, weil es dem Vermögen nach ist, durch die Wirklichkeit unterschieden wird, so wird eine theologisch Allgemeines umgekehrt, weil es Wirklichkeit bzw. verwirklicht ist, durch das Vermögen unterschieden.[219]

Ebd., prop. 1

Begriff des Seienden: Diese Deutung hat aus Sicht Bertholds Konsequenzen für die metaphysische Begrifflichkeit, denn für den Bereich des Immateriellen ist nicht mehr der aristotelische Begriff des Seienden der Grundbegriff, sondern der des Einen bzw. der des korrespondierenden Vielen. Dies liegt daran, dass dem Seienden nur eine prädikative Allgemeinheit zukommt, während der Begriff des Einen Ausdruck einer ersten Wirklichkeit ist, die jeder Vielheit aufgrund ihrer Wirkkraft vorausgeht:

Hieraus ergibt sich die Konsequenz, dass das Eine und das Viele nach Platon nicht aufgrund der ersten Entgegensetzung des Seienden und des Nicht-Seienden verursacht werden, sondern entweder aufgrund einer verschiedenen Bestimmung der Wirklichkeit durch das Vermögen und umgekehrt zur Vielheit hin, oder aufgrund des Ausschlusses einer solchen Bestimmung auf das Eine hin.[220]

Ebd., prop. 1

Für die Konzeption der Metaphysik ergeben sich aus dieser Lehre eine Ablehnung der aristotelischen Doktrin vom Vorrang des Begriffs des Seienden und damit eine andere Bestimmung dessen, wovon diese Wissenschaft überhaupt zu handeln hat. Der Begriff des Seienden ist demnach ungeeignet, die ursprüngliche Wirkmacht des ersten Einen und damit seine reale Allgemeinheit zu erfassen, weil er nur noch als prädikative Allgemeinheit verstanden eine gedachte Gemeinsamkeit zum Ausdruck bringt:

Und so wird Seiendes, Eines und Vieles von Platon anders verstanden als von Aristoteles, bei dem Seiendes in dem, was Seiendes ist, transzendent und der erste von allen Begriffen ist, der kein Sein in der Natur der Dinge außerhalb der Seele hat, wie weiter unten deutlich werden wird. Und als Konsequenz werden Eines und Vieles nach ihm transzendente Eigenschaften des Seienden in dem, was Seiendes ist, sein, deren Sein auch nicht außerhalb der Seele ist, obwohl sie dem Verständnis nach dem Seienden nachfolgen, wie von diesen das eine über das Seiende hinaus die Ungeteiltheit hinzufügt, das andere aber die Teilung und die Unterscheidung.[221]

Ebd., prop. 1

Begriff des Einen: Statt des für Aristoteles zentralen Begriffs des Seienden ist im Sinne des Aristoteles-Kommentators Eustratius, auf den sich Berthold immer wieder beruft, angemessener von den Begriffen des Einen und des Guten zu sprechen, zumal das Gute als Ausdruck für die ursprüngliche Ursache aller Dinge den Gedanken der grundlegenden Kausalkraft des Ersten angemessen betont. Legt man den Gesichtspunkt der Kausalität zugrunde, ist das Eine bzw. das Gute dem Seienden übergeordnet, wie Berthold deshalb unter Berufung auf Eustratius feststellt:

Ebd., prop. 1

Wie Eustratius über das erste Buch der Ethik im 7. Kapitel bezeugt, nannte Platon aber das Eine und Unaussprechbare und Gute die gemeinsame Ursache von allem Seienden und ordnete das Eine als Ursache von allem allen Seienden über, indem er es deshalb als über dem Seienden und dem Nicht-Seienden, nicht als vom Seienden abfallend, sondern als jedem Seienden übergeordnet bezeichnete. Dies ist es, was Eustratius meint. Was aber über jedem Seienden wie die Ursachen von jedem Seienden ist, ist das erste Prinzip aller Dinge.[222]

Der zu Beginn von Berthold gewählte Ausgangspunkt bei der Frage nach dem Ursprung der Vielheit führt somit vom Begriff des Seienden weg und verweist stattdessen auf die metaphysischen Grundbegriffe des Vermögens (*potentia*) und der Wirklichkeit (*actus*), denn dieses Begriffspaar korrespondiert dem von Berthold mit den Begriffen des Einen und des Guten ausgedrückten Kausalitätsgedanken:

Ebd., prop. 1

Und so ist auch entsprechend der Auffassung Platons die Unterscheidung, die aus der Entgegensetzung des Vermögens zur Wirklichkeit verursacht wird, die erste formale Wurzel jeder Vielheit.[223]

Allgemeinheit der Abstraktion: Was in diesen ersten Passagen seines Kommentars zur Schrift des Proklos nur angedeutet wird, tritt noch deutlicher hervor, wenn Berthold die These des Proklos diskutiert, wonach alles Seiende von der einen und ersten Ursache hervorgeht. Der Kerngedanke, den Berthold in seinem Kommentar zu diesem Satz herausstellt, besteht darin, dass der Begriff des Seienden von Aristoteles zwar deshalb zum Grundbegriff der Metaphysik erhoben wurde, weil er eine umfassende Allgemeinheit besitzt, allerdings ist dies eben nur eine Allgemeinheit der Aussage, die durch den von den realen Dingen abstrahierenden Verstand hervorgebracht wird. Es handelt sich um eine Allgemeinheit der Abstraktion (*communitas abstractionis*), die nur ein Sein in der Seele, aber nicht in der extramentalen Wirklichkeit beinhaltet. Damit erfasst der Begriff des Seienden – wie Berthold unter Berufung auf Averroes feststellt – nur eine Bestimmung, die im Denken gebildet wird und der in diesem Sinne ausschließlich ein intramentales Sein zukommt.

Ebd., prop. 11

Das Seiende aber, wenn es so verstanden wird, ist das Allgemeinste in sich aufgrund einer Allgemeinheit der Abstraktion, die der Verstand bewirkt, der die Universalität in den Dingen hervorbringt. Und so hat das Seiende selbst kein Sein in der Natur der Dinge, außer in der Seele, wie es ausdrücklich bei Averroes heißt, wenn er über das sechste Kapitel des zehnten Buchs der Metaphysik handelt, wo jene Aussage des Aristoteles steht: »Denn Seiendes und Eines werden universell im höchsten Sinne von allem ausgesagt«, hierzu sagt [Averroes]: »D. h. weil Seiendes und Eines allgemeine Kategorien sind, die nur ein Sein in der Seele haben.«[224]

Die Stoßrichtung dieses Argumentes besteht dementsprechend darin, gegenüber der aristotelischen Konzeption der Metaphysik den Vorbehalt zu äußern, mit dem Begriff des Seienden nur einen Teilbereich des Wirklichen, aber nicht die gesamte Wirklichkeit als solche erfassen zu können. Der Primat, den Aristoteles dem Begriff des Seienden zuspricht, beruht nach dieser Deutung darauf, dass Aristoteles diesen Begriff als den ersten unter den formalen Bestimmungen versteht. Eine formale Bestimmung (*intentio formalis*) ist aber immer eine solche, die durch den Verstand aufgrund einer Abstraktionsleistung gebildet wird und die in diesem Sinne nur ein intramentales Sein besitzt:

Hieraus wird ersichtlich, dass Aristoteles annimmt, das Seiende sei der Natur und dem Verstand nach das Erste unter allen formalen Bestimmungen, die kein Sein außerhalb der Seele besitzen.[225]

Ebd., prop. 11

Platon hingegen versteht ›Seiendes‹ und ›Gutes‹ nicht nur als allgemeine Bestimmungen, die von der erkennenden Seele gebildet werden, sondern interpretiert sie als solche, die eine Allgemeinheit abbilden, die in der extramentalen Wirklichkeit existiert:

Nicht so [wie bei Aristoteles] werden Seiendes und Gutes bei Platon verstanden, der annimmt, dass beide, auch wenn sie in ihrer Allgemeinheit verstanden werden, in der Natur der [wirklichen] Dinge sind.[226]

Ebd., prop. 11

Theologische Allgemeinheit: Im Unterschied zu Aristoteles interpretiert Platon die Grundbegriffe des Seienden und des Guten nicht als die allgemeinsten Prädikate, die der Verstand bilden kann, um die abstrakten Strukturen der Wirklichkeit zu erfassen, sondern er deutet sie als Beschreibungen desjenigen, das in sich die größte Wirklichkeit umfasst, also die Wirkmacht enthält, alles das, was existiert oder existieren könnte, hervorzubringen. Berthold befürwortet also einen Wechsel der Perspektive, der von der umfassenden Allgemeinheit eines Prädikates zu einem Maximum an Aktualität im Sinne einer alles umfassenden ersten Ursache mit ihrem jede mögliche Wirkung beinhaltenden Kausalvermögen führt. Der mit dieser Verschiebung in den Blick genommene Gegenstand ist dann nicht mehr metaphysischer, sondern nach eigener Aussage theologischer Natur.

[Platon] sagt nämlich nicht, dass [Seiendes und Gutes] aufgrund einer logischen Allgemeinheit oder einer [Allgemeinheit] der Prädikation allgemein sind, wo, je allgemeiner etwas ist, dieses umso mehr Potentialität besitzt, sondern nimmt an, dass diese allgemein sind aufgrund einer theologischen Allgemeinheit oder einer [Allgemeinheit] der Trennung, wo, je allgemeiner etwas ist, dieses umso mehr Wirklichkeit besitzt, so dass das Allgemeinste das Wirklichste ist.[227]

Ebd., prop. 11

Dass die hier benannte Wirklichkeit, die das Wesen der theologischen Allgemeinheit ausmacht, tatsächlich im Sinne der Macht des Verursachens, also der Wirkmacht, zu verstehen ist, bringt Berthold auf die konzise Gleichung, dass das Kausalvermögen direkt proportional zur Allgemeinheit ist, so dass sich ein wechselweise bedingter Vorrang ergibt, der zeitlich aber vor allem auch im Sinne eines Ordnungsgefüges zu verstehen ist:

Je wirkmächtiger aber etwas ist, desto allgemeiner und früher ist es.[228]

Ebd., prop. 11

Allgemeinheit der Kausalität: Wenn sich der Grundbegriff der in Rede stehenden Wissenschaft nicht mehr durch die Allgemeinheit der Prädikation und damit durch den unmittelbaren Rekurs auf die Grundstrukturen unseres Denkens und Sprechens auszeichnet – was Berthold mit seiner Kritik der aristotelischen Position ausschließt –, sondern durch den Vorrang in einem Ordnungsgefüge, dass dem Kausalitätsleitfaden folgt, dann ist diese Wissenschaft nicht mehr Wissenschaft von den fundamentalen Prinzipien unserer Bezugnahme auf die Welt, sondern Wissenschaft vom ausgezeichneten Einen und Seienden, das als erste Ursache aller Vielheit zu begreifen ist und das als der göttliche Ursprung alles Seienden verstanden werden muss. Aus diesem Grund spricht Berthold durchaus konsequent in der Einleitung seines Kommentars durchgängig von der göttlichen Wissenschaft, bzw. der göttlichen Theologie und der aller göttlichsten Weisheit, die er als die zu entfaltende Wissenschaft der aristotelisch konzipierten Metaphysik überordnet.

Unterschied von Albert und Berthold: Die aristotelische mit platonisch-neuplatonischen Momenten verbindende Konzeption der Metaphysik Alberts des Großen hat das Ziel, ein kausal- und ein begriffsresolutorisches Verfahren zu kombinieren. Dieser Versuch einer Synthese wird von Berthold explizit abgelehnt und durch ein klares Votum zugunsten einer am Kausalitätsleitfaden entwickelten »göttlichen Wissenschaft« mit dem Grundbegriff des Einen, der den des Seienden ablöst, ersetzt. Auf diese Weise vertritt Berthold das Konzept einer Metaphysik als göttlicher Wissenschaft, die die von Albert vertretene Synthese ablehnt, und darüber hinaus dem aristotelischen Entwurf einer Ersten Philosophie, die ihren primären Gegenstand im Seienden als solchen hat, keine grundlegende Bedeutung einräumt, wie dies sowohl für Thomas von Aquin als auch für Johannes Duns Scotus der Fall ist.

6.2 | Analogie und Univokation: Die aristotelische Konzeption der Metaphysik bei Thomas von Aquin und Johannes Duns Scotus

Anders als bei Albert dem Großen und Berthold von Moosburg konzentrieren sich die Entwürfe der Metaphysik bei Thomas von Aquin und Johannes Duns Scotus auf die Fragen, die sich vor allem durch die Diskussion der von Aristoteles geprägten Konzeption einer Ersten Philosophie ergeben. Eine Voraussetzung hierfür ist eine genaue Kenntnis der Quellen und ihrer Herkunft. Bereits Thomas war darauf aufmerksam geworden, dass der *Liber de causis*, den sein Lehrer Albert noch für aristotelisch hielt, letztlich auf die Lehre des Proklos zurückging. Damit verlor dieses Werk keineswegs das Interesse des Thomas, denn es wurde zum Gegenstand eines eigenständigen Kommentars, doch wußte dieser methodisch zu unterscheiden, was Aristoteles und was dem Neuplatoniker Proklos zuzuschreiben war.

6.2.1 | Thomas von Aquin: Metaphysik und Analogie

Thomas von Aquin entwickelt sein Metaphysikverständnis ebenso wie Johannes Duns Scotus zwar im Ausgang und in kritischer Auseinandersetzung mit den Vorgaben der aristotelischen Metaphysik. Allerdings unterscheiden sich beide darin, dass Thomas der von Aristoteles vorgegebenen Interpretation des metaphysischen Grundbegriffs des Seienden als solchen als eines analog verwendeten Terminus treu bleibt, während Scotus in dieser Hinsicht eine univoke Interpretation zugrunde legt und damit eine tiefgreifende Umdeutung des aristotelischen Modells vornimmt. Um die unterschiedlichen Konzeptionen des Thomas und des Duns Scotus begreifen zu können, sind deshalb zunächst die Voraussetzungen dieser Differenz zu klären.

6.2.1.1 | Univokation und Analogie

Was ist damit gemeint, wenn ein Begriff univok bzw. analog verwendet wird? Die klassischen Beispiele für eine univoke Aussage sind die Gattungsbegriffe, also die Ausdrücke, die so allgemein und damit in ihrem Inhalt so unbestimmt sind, dass sie von unterschiedlichen Gegenständen in ein und derselben Bedeutung ausgesagt werden können. Dies ist etwa der Fall, wenn man sowohl Menschen als auch Katzen als Lebewesen bezeichnet und damit exakt die Kennzeichnung meint, die diese beiden Arten als Lebewesen gemeinsam auszeichnet und womit sie sich etwa von Steinen und Autos als unbelebten Körpern unterscheiden. Im Unterschied zu dieser univoken, also eindeutigen Verwendung von Begriffen, können diese auch ohne jede inhaltliche Gemeinsamkeit, nämlich äquivok verwendet werden. Gemeinsam ist dann lediglich das mehr oder weniger beliebig verwendete Zeichen, also etwa der Ausdruck ›Hund‹, der – so das mittelalterliche Standardbeispiel – sowohl das entsprechende Haustier als auch das gleichnamige Sternzeichen bedeuten kann. Die dritte Möglichkeit, einen sprachlichen Ausdruck zu verwenden, besteht in der analogen Aussage, die dann vorliegt, wenn ein Begriff in abgewandelter, aber nicht gänzlich anderer Bedeutung prädiziert wird. Dies geschieht, wenn dasselbe Wort oder derselbe Wortstamm dazu genutzt wird, von einer Grundbedeutung her spezifische Aspekte des ursprünglich Gemeinten zu kennzeichnen. Das klassische Beispiel hierfür ist die Verwendung des Ausdrucks ›gesund‹ als Bezeichnung der Ursache, des Anzeichens oder der Erhaltung dessen, was durch den Terminus ›Gesundheit‹ in seinem ursprünglichen Gehalt wiedergegeben wird. ›Grundbedeutung‹ meint in diesem Zusammenhang, dass die Aussagen, die Medizin erhalte die Gesundheit, oder die Gesichtsfarbe zeige diese an, nur verstanden werden können, wenn als bekannt vorausgesetzt wird, was die Gesundheit an sich ist. Nur wer weiß, was Gesundheit ist, versteht die Aussage, dass dies oder jenes ein Zeichen oder ein Erhaltungsgrund der Gesundheit ist.

Univokation, Anaolgie, Äquivokation

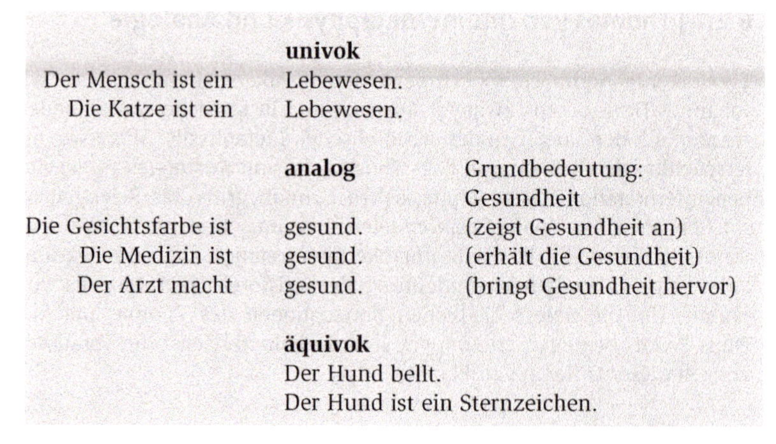

	univok	
Der Mensch ist ein	Lebewesen.	
Die Katze ist ein	Lebewesen.	
	analog	Grundbedeutung: Gesundheit
Die Gesichtsfarbe ist	gesund.	(zeigt Gesundheit an)
Die Medizin ist	gesund.	(erhält die Gesundheit)
Der Arzt macht	gesund.	(bringt Gesundheit hervor)
	äquivok	
	Der Hund bellt.	
	Der Hund ist ein Sternzeichen.	

Für die Metaphysik wird diese Bedeutungslehre insofern wichtig, als man die Frage zu beantworten hat, auf welche Weise der zentrale metaphysische Begriff, der in der aristotelischen Tradition der des Seienden ist, ausgesagt wird. Thomas plädiert für eine analoge, Scotus hingegen für eine univoke Verwendung dieses Grundbegriffs. Diese Differenz ist ein Kristallisationspunkt, von dem aus die unvereinbar divergenten Entwürfe der Metaphysik erkennbar werden.

6.2.1.2 | Der Gegenstand der Metaphysik: der aristotelische Grundansatz

Der Ausgangspunkt der thomanischen Metaphysik ist zunächst eng an das aristotelische Vorgehen angelehnt. Als Gegenstand der Metaphysik nimmt Thomas den Begriff des Seienden an, den der Mensch im Ausgang von den sinnlich wahrnehmbaren Einzelgegenständen gewinnt. Was ist mit diesem Vorgehen gemeint und wie kommt der Begriff des Seienden ins Spiel?

Vieldeutigkeit des Seienden: Seiende sind in einem ersten Zugriff zunächst einmal vor allem die für sich bestehenden und in diesem Sinne substanziellen Einzelgegenstände. Diese existieren als solche, d. h. sie kommen nicht nur an anderem vor wie das, was man im weitesten Sinne eine Eigenschaft nennen kann, die zu einer Substanz hinzukommt und in diesem Sinne ein Akzidenz ist (vom lat. *accidens* – hinzukommend, zufallend). Akzidenzien sind Bestimmungen der Größe, der Beschaffenheit, des Leidens bzw. der Tätigkeit oder andere Kennzeichnungen, die nicht für sich existieren, sondern Charakteristika bezeichnen, die an einem für sich Existierenden vorkommen können und in Bezug auf ein solches ausgesagt werden. Die für die mittelalterliche Philosophie zentrale Lehre von den substanziellen bzw. den akzidentellen Aussageformen geht auf die Theorie des Aristoteles zurück, die er in seiner Kategorienschrift entwickelt. In seiner insgesamt zehn Kategorien umfassenden Aufzählung nennt Aristoteles neun akzidentelle Bestimmungen, die der substanziellen Kennzeichnung, die das Wesen eines konkreten Dinges angibt, nachgeordnet sind. Im weitesten Sinne antwortet die erste Kategorie der Substanz auf die Frage, was etwas ist, während die akzidentellen Kategorien der Frage korrespondieren, wie etwas beschaffen ist.

Kategorienlehre: Formuliert man Aussagen, die etwas im Sinne der zehn Kategorien zum Ausdruck bringen, nimmt man implizit auf das Sein bzw. Seiendes Bezug, denn jeder Satz, der so entsteht, könnte jeweils umformuliert werden in eine Aussage der Form, dass etwas dies oder das *ist*. Auch wenn etwa der deutsche Satz »Sokrates spricht« nicht explizit den Ausdruck ›sein‹ oder ›ist‹ verwendet, so ließe sich dieser Satz jederzeit in der Weise umformulieren, dass Sokrates ein solcher *ist*, der spricht. Aus diesem Zusammenhang ergibt sich die Lehre, dass das Sein auf vielfältige Weise ausgesagt wird, insofern dieser Ausdruck zumindest implizit in ganz unterschiedlichen Satztypen und in Verbindung mit vielfältigen Klassen von Begriffen verwendet wird.

Kategorien (lat.: *praedicamenta*)

1.	Substanz/*ousia*	Sokrates ist Mensch.
2.	Quantität	Sokrates ist 1,60 m groß.
3.	Qualität	Sokrates hat weiße Haare.
4.	Relation	Sokrates ist älter als Platon.
5.	Wann	Sokrates lebte im 5. Jh. v. Chr.
6.	Wo	Sokrates lebte in Athen.
7.	Lage	Sokrates sitzt da.
8.	Habitus	Sokrates ist weise.
9.	Tätigkeit	Sokrates spricht.
10.	Erleiden	Sokrates wird verurteilt.

1.	substantiell
2.–10.	akzidentell

Erste Substanz:	Sokrates
Zweite Substanz:	Mensch

Aristoteles geht mit dieser Lehre von einer gewissen Vorordnung der substanziellen Bestimmungen vor den anderen Kennzeichnungen aus und damit auch von einem gewissen Vorrang des substanziell Seienden gegenüber dem nur akzidentell Seienden. Thomas folgt diesem aristotelischen Primat des substanziell Seienden vor dem akzidentell Vorkommenden. Insgesamt unterscheidet Thomas zu Beginn seines Kommentars zum vierten Buch der aristotelischen *Metaphysik* vier Arten, in denen der Ausdruck ›Seiendes‹ oder ›Sein‹ ausgesagt werden kann, um dann schließlich die vierte Weise des Seins, nämlich die der Substanz, vor den anderen auszuzeichnen.

Thomas von Aquin, In Met. IV lec. 1 n. 543

Die vierte Art aber ist die, die die vollkommenste ist, weil sie nämlich das Sein in der Natur ohne Beimischung eines Mangels hat, gleichsam durch sich selbst existierend, wie es die Substanzen sind. Und auf diese [Art] werden alle anderen wie auf ein Erstes und Ursprüngliches zurückgeführt. Denn von Qualitäten und Quantitäten

sagt man, dass sie sind, insofern sie der Substanz innewohnen; von den Veränderungen und Entstehungsvorgängen, insofern sie zur Substanz oder zu einer der vorgenannten [Arten] hinstreben; Mangelzustände und Verneinungen aber, insofern sie eine der drei zuvorgenannten [Arten] beseitigen.[229]

Erste und zweite Substanz: Des Weiteren übernimmt Thomas auch die aristotelische Deutung, substanziell Seiendes als eine Zusammensetzung aus Form und Materie zu verstehen. Die substanzielle Form eines Dinges bestimmt, um welche Art von Gegenstand es sich handelt, d. h. worin das Wesen des jeweiligen Dinges besteht. Aus diesem Grund hat der Ausdruck ›Substanz‹ bereits bei Aristoteles eine zweifache Bedeutung: Zum einen bezeichnet er den konkreten Einzelgengestand, der für sich besteht, und zum anderen die (substanzielle) Form, die einen Gegenstand zu dem macht, was er ist, also etwa die Menschhaftigkeit, durch die Sokrates das ist, was er ist, nämlich ein Mensch. Hieraus ergibt sich eine Unterscheidung von erster und zweiter Substanz: Sokrates ist erste, Mensch ist zweite Substanz.

Materie und Form: Die Materie, zu der eine Form hinzutreten kann, ist für sich betrachtet zunächst formlos und d. h. unbestimmt. Real existierende Materie ist zwar immer bis zu einem gewissen Grad bestimmt, so dass etwas augenscheinlich Formloses immer noch eine gewisse Disposition zu einer bestimmten quantitativen Bestimmung aufweist. Die reine Materie, also das, was man in der mittelalterlichen Ausdrucksweise die *materia prima* genannt hat, ist tatsächlich nur ein Grenzbegriff, nicht etwas wirklich Vorkommendes.

Aufgrund ihrer Bestimmbarkeit durch die hinzutretende Prägung lässt sich die Materie als Prinzip der Potentialität deuten. Die ungeformte Materie stellt das Potential für alle möglichen Formungsprozesse dar. Welche Form in der Materie jeweils verwirklicht ist, hängt nicht von der Materie selbst ab. Denn ob aus etwas Fleisch und Knochen und schließlich ein Mensch wird, ist nicht durch das Etwas selbst verursacht, sondern die spezifische Formung zu Fleisch und Knochen und schließlich zu einem vernunftbegabten Lebewesen macht aus der Materie erst das, was sie dann ist, nämlich einen Menschen. Während also die Materie das Prinzip des Vermögens bzw. der Potentialität ist, ist die Form das Prinzip der Verwirklichung bzw. der Aktualität. Akt und Potenz bilden neben der Einteilung des Seienden in die zehn Kategorien das zweite Differenzierungsschema, das Thomas von Aristoteles übernimmt.

Thomas von Aquin, In Met. IX lec. 1 n. 1769

[S]eiendes wird einerseits eingeteilt, insofern ein Was ausgesagt wird, nämlich Substanz oder Quantität oder Qualität, was bedeutet, Seiendes durch die zehn Kategorien einzuteilen; andererseits wird es durch Potenz und Akt oder Tätigsein eingeteilt, wovon das Wort Akt hergeleitet ist.[230]

Wirklichkeit und Möglichkeit: Dieses Verhältnis von Form und Materie lässt sich aufgrund der Deutung mit Hilfe des Akt-Potenz-Schemas auf die logische Ebene von Begriffsklassen übertragen. Den Prinzipien von Form und Materie, die jedem konkreten Gegenstand zugrunde liegen, entsprechen dann jeweils bestimmte Begriffstypen: Aufgrund ihrer weitgehenden Unbestimmtheit lässt sich die Materie mit einem Gattungsbegriff, etwa dem des Lebewesens, vergleichen, während die Form wegen ihres prägenden Charakters eher dem Bestimmungsmoment einer spezifischen Differenz, also etwa der Vernunftbegabtheit entspricht. Das Zusammengesetzte (*compositum*) aus Form und Materie korrespondiert dann dem Artbegriff des Menschen.

Unsere Deutung der Wirklichkeit mit Hilfe der Prinzipien von Form und Materie lässt sich demnach an unserem Sprechen über diese Wirklichkeit ablesen, nämlich dadurch, dass wir in unserer Rede bestimmte Klassen von Begriffen verwenden, die Allgemeines repräsentieren, das weiter gekennzeichnet werden kann, oder Spezifisches ausdrücken, das als Bestimmungsmoment ausgesagt wird.

Diese Analyse zeigt, dass man einen konkreten Gegenstand dann erfasst, wenn man ihn als *compositum* aus Form und Materie, d. h. aus Bestimmung und Bestimmbarkeit versteht. Das *compositum* ist dann begriffen, wenn man es durch das Wesensprädikat, z. B. das des Menschseins, als das erfasst, was es eigentlich ist. Das Menschsein entspricht nämlich dem Wesen des konkreten Dinges, also dem, was man lateinisch die *essentia*, mitunter auch die Washaftigkeit, die *quidditas*, nennt.

Esse et essentia: Anders als Aristoteles bleibt Thomas aber nicht bei dieser Analyse stehen, denn was auch immer in seiner Washaftigkeit bestimmt ist, also ein bestimmtes Wesen darstellt, ist deshalb noch kein konkreter Einzelgegenstand. Es muss noch ein anderes Prinzip geben, das allererst verständlich macht, wodurch eine solche Washaftigkeit auch ein tatsächlich vorkommender Gegenstand ist. Dieses zweite Prinzip nennt Thomas »Sein« (*esse*). Mit diesen Prinzipien sind nicht für sich existierende Wirkmächte gemeint, die zuerst getrennt sind, um dann gemeinsam einen konkreten Gegenstand hervorzubringen. Die Blickrichtung, die Thomas einnimmt, ist vielmehr die genau entgegengesetzte: Wenn ein konkreter Gegenstand vorliegt, dann kann man fragen, was ihn zu dem macht, was er ist. Stellt man diese Frage, kommt man nach Thomas zu dem Ergebnis, dass er einerseits ein bestimmtes Wesen hat, das ihn in dem bestimmt, was er ist und wodurch er sich von anderem unterscheidet, und dass dieses Wesen als verwirklicht zu betrachten ist, insofern es tatsächlich als dieser konkrete Gegenstand vorliegt. Ein Seiendes liegt also dann vor, wenn ein Wesen Sein hat:

Vom Wesen aber spricht man, insofern das Seiende durch dieses und in ihm Sein hat.[231]

Thomas von Aquin, De ente et essentia c. 1

Diese Aussage zeigt zunächst an, dass *esse* und *essentia* nicht dasselbe sind. Zudem gehören sie aber zusammen, um vom *ens*, also einem Seienden, sprechen zu können. Nur in und mittels einer Wesensbestimmung kann man von einem Seienden sprechen. Aber wodurch sich ein Seiendes in seinem Grundbestand auszeichnet, ist eben auch noch nicht allein durch den Wesensbegriff erfasst, sondern bedarf der Analyse dessen, was Thomas »Sein« nennt.

Wie sich zeigen wird, rückt das Wesen des aus Form und Materie Zusammengesetzten, wenn man es von seiner Verwiesenheit auf das Sein her betrachtet, in den Status eines noch zu Aktuierenden, also eines zu

Verwirklichenden. Die *essentia* – und in ihr eingeschlossen das ursprüngliche Aktprinzip der Form – bedarf nämlich aufgrund ihres dann doch noch potentiellen Charakters eines anderen Prinzips zur Verwirklichung. Als dieses Prinzip der Verwirklichung erweist sich das Sein selbst. Diesen Sachverhalt kann man sich klar machen, wenn man berücksichtigt, dass man ein Etwas, z. B. einen Hund, in dem begriffen haben kann, was ihn ausmacht – indem man die allgemeine Eigenschaften kennt, die einem Lebewesen zukommen, die spezifischen Kennzeichnungen verstanden hat, die ihn als Hund im Unterschied zu einer Katze auszeichnen, und vielleicht auch die individuellen Charakteristika vor Augen hat, die ihn zu Fido und nicht zu Bello machen –, und doch die Frage offen bleibt, ob dieses Wesen auch tatsächlich existiert oder nur möglich ist, also etwa nur in einem fiktiven Roman eine Rolle spielt.

6.2.1.3 | Die Differenz von Sein (*esse*) und Wesen (*essentia*)

Eine konzise Darstellung seiner Lehre des Verhältnisses von *esse* und *essentia* gibt Thomas in seinem Kommentar zu der Schrift *De Hebdomadibus* des spätantiken Autors Boethius. Im zweiten Kapitel setzt sich Thomas mit dessen These auseinander, dass das Sein und das, was ist (*quod est*), etwas Verschiedenes seien. Der Unterschied, den Boethius hier anspricht, betrifft in der Deutung des Thomas zunächst nicht eine Differenz von Sachen, sondern eine solche von Begriffen. Das, was der Begriff ›Sein‹ bezeichnet, und das, was der Begriff ›was ist‹ bezeichnet, ist zweierlei, so lautet die These. Das ist deshalb der Fall, weil die Art und Weise, wie der Begriff ›sein‹ funktioniert, eine andere ist als die, wie der Begriff ›was ist‹ funktioniert.

***Esse* versus *quod est*:** Thomas erläutert das an einem Beispiel: So unterscheiden sich auch die Verbform *currere*, also ›laufen‹, und das Partizip *currens*, also ›Laufender‹, nicht vom Wortstamm her, sondern dadurch, dass das Verb den abstrakten Gehalt zum Ausdruck bringt, während das Partizip das Konkrete, nämlich den, der läuft, bezeichnet. Thomas führt die boethianische Unterscheidung von *esse* und *quod est* auf einen dreifachen Unterschied zurück.

Die erste Differenz besteht darin, dass man das, was ist, also das, was man auch mit dem Partizip *ens* (›Seiendes‹) zum Ausdruck bringen kann, als Subjekt, d. h. als Träger des Seins bezeichnen kann (*subiectum essendi*). In diesem Sinne kann ein Seiendes als in sich bestehend bzw. als in sich subsistierend bezeichnet werden. Vom Sein selbst kann man dies aber nicht sagen, denn Sein ist nicht in dem Sinne, wie ein Seiendes ist. Das Sein ist vielmehr das, an dem alles andere teilhat, das selbst ist.

Thomas von Aquin, De Hebdomadibus c. 2

So können wir sagen, dass Seiendes oder das, was ist, ist, insofern es teilhat am Akt des Seins.[232]

Der Ausdruck ›Akt des Seins‹ (*actus essendi*) meint so viel wie die Wirklichkeit oder das Wirklichsein, die für jedes Ding gerade darin besteht, dass es ist. Das Sein ist für Thomas der Ausgangspunkt, von dem her zu verstehen ist, was die Rede vom Seienden meint, parallel dazu, dass man die Rede von einem, der läuft, nur dadurch versteht, dass man zuvor verstanden hat, was Laufen selbst bedeutet.

Teilhabe: Die zweite Differenz, die Thomas im Ausgang von Boethius herausstellt, greift detailliert das bereits angesprochene Teilhabeverhältnis auf, das zwischen dem Seienden und dem Sein besteht. Thomas deutet dieses Teilhabeverhältnis in einer ganz bestimmten Weise, indem er mögliche andere Interpretationen dessen, was Teilhabe sein könnte, ausdrücklich ausschließt. Zum einen kann man von Teilhabe, von *participatio*, sprechen, wenn einem eher partikulären Gegenstand eine allgemeine Bestimmung zukommt. So kann man in diesem Sinne sagen, dass der Mensch an der allgemeinen Kennzeichnung des Lebewesens teilhat, weil das Menschsein eine partikuläre Form des Belebtseins ist, aber eben nicht die Bestimmung des Lebewesens in seiner ganzen begrifflichen Allgemeinheit verkörpert.

Zum anderen kann man davon sprechen, dass ein Subjekt, ein konkretes Einzelwesen also, an einer Form teilhat, insofern der konkrete Einzelgegenstand ein mit Materie verbundener Träger der Form ist. In der gleichen Bedeutung kann man auch davon sprechen, dass dieses konkrete Weiß an der Wand an der allgemeinen Form des Weißen nur teilhat, weil es die Form des Weißen keineswegs ausschöpft.

Kausale Teilhabe: Die dritte und für Thomas entscheidende Bedeutung von Teilhabe ist die, der gemäß man sagt, dass eine Wirkung an ihrer Ursache teilhat, deren Vermögen, d. h. deren Wirkmächtigkeit sie vielleicht nahekommt, aber die sie nicht gänzlich ausschöpfen kann. Welche Interpretation der Teilhabe legt Thomas für das Verhältnis von Sein und Seiendem zugrunde?

Thomas sagt im vorliegenden Kontext zwar nicht ausdrücklich, dass das Verhältnis von Seiendem und Sein selbst in dieser Weise als eine Teilhabe einer Wirkung an einer Ursache zu deuten ist, aber indirekt ist diese Schlussfolgerung die einzig mögliche. Ausdrücklich nämlich schließt Thomas die ersten beiden Deutungen der Teilhabe für die Anwendung auf das Verhältnis von Sein und Seiendem aus, so dass allein das Ursache-Wirkungsverhältnis als Erklärungsmodell übrigbleibt. Allerdings modifiziert Thomas dieses, indem er hinzufügt, das Seiende habe am Sein zwar nicht wie ein weniger Allgemeines an einem Allgemeinen teil, sondern wie ein Konkretes (*concretum*) an einem Abstrakten (*abstractum*).

Ebd., c. 2

Aber das, was ist, bzw. das Seiende, wird auf konkrete Weise ausgesagt, auch wenn es das Allgemeinste ist. Und deshalb hat es am Sein selbst teil, nicht so wie das weniger Allgemeine am Allgemeineren teilhat; vielmehr hat es am Sein selbst teil, wie das Konkrete am Allgemeinen teilhat.[233]

Abstrakt versus konkret: Im Ergebnis interpretiert Thomas den zentralen Teilhabebegriff also mittels zweier sich wohl ergänzender Paradigmen: zum einen unter Anwendung des Ursache-Wirkungsschema, zum anderen mit Rückgriff auf die Unterscheidung von konkret und abstrakt. Das Sein entspricht demnach sowohl einer Ursache als auch einem *abstrac-*

tum, an dem das Seiende als dessen Wirkung bzw. als dessen Konkretion teilhat.

Admixtio: Der Unterschied von Abstraktem und Konkretem erlaubt es Thomas in einem nächsten Schritt den dritten von Boethius genannten Unterschied zwischen *esse* und *ens* zu erklären. Die dritte Differenz ist die, dass dem Sein selbst im Gegensatz zum Seienden nichts Fremdes beigemischt werden kann. Das ist der Fall, weil das Sein selbst ausgesagt wird wie eine abstrakte Bestimmung. Eine abstrakte Bestimmung, wie z. B. die des Menschseins (*humanitas*), beinhaltet aber eben nur diese inhaltliche Bestimmung des Menschseins und sonst nichts. Vor allem enthält ein solches *abstractum* keinerlei Hinweis auf einen Träger für diese Kennzeichnung, d. h. es enthält keine Angabe darüber, ob es einen Gegenstand gibt, dem die Eigenschaft des Menschseins zukommt. Bei einem *concretum* ist dies anders, denn wenn ich von einem Menschen spreche, lateinisch also den konkreten Begriff *homo* verwende, bringe ich damit im Grunde genommen zwei Aspekte zum Ausdruck: zum einen den eines Trägers und zum anderen den einer Wesensbestimmung, die dem Träger zukommt. Thomas deutet diese Besonderheit des konkreten Begriffes, wie er eben auch im Fall des Ausdruckes ›Seiendes‹ vorliegt, als eine Beimischung (*admixtio*) von Verschiedenem, das über das jeweilige Wesen eines Seienden hinausgeht. Eine solche Beimischung, so die eigentliche These, ist aber grundsätzlich ausgeschlossen, wenn es um das Sein selbst (*ipsum esse*) geht.

Was Thomas als eine Beimischung hinsichtlich des Konkreten bestimmt hat, wird jetzt in einem weiteren Schritt näher erläutert. Denn zunächst ist etwas, das ist, als dieses ganz bestimmte Wesen, als ein Mensch oder als eine Katze. Dass es ist, ist jeweils gleichbedeutend damit, dass es durch seine spezifische Form, die des Menschenseins oder die des Katzeseins, existiert. »Die Form ist das Prinzip des Seins«[234], heißt es bei Thomas, denn insofern etwas überhaupt ist, also schlechthin Sein hat, hat es dieses durch seine Form, die dem Wesen des jeweiligen Dinges entspricht.

Aber alles, was ist, ist doch gleichzeitig mehr als nur sein Wesen. Jeder Mensch ist eben mehr als ein Mensch, und jede Katze ist eben mehr als bloß eine Katze. Es gibt alte, junge, große und kleine Menschen, welche, die gesund sind, und solche, die krank sind usw. Außerdem: Was etwas seinem Wesen nach ist und wodurch es schlechthin ist, ist alles auch immer noch etwas, nämlich etwas Bestimmtes mit diesen oder jenen Eigenschaften. In Bezug auf das *concretum* Seiendes ist es also angebracht, von einem zweifachen Sein, einem Sein schlechthin (*esse simpliciter*) und einem Etwassein (*esse aliquid*), zu sprechen. Diesem Unterschied entspricht die Differenz von Substanz und Akzidenz, also von der grundlegenden Wesensbestimmung und der hinzukommenden Kennzeichnung.

Doppelte Teilhabe: Diesem Unterschied entspricht folgerichtig eine zweifache Möglichkeit der Teilhabe, denn einerseits muss alles am Sein selbst teilhaben, um überhaupt zu sein. Und andererseits muss alles, was mehr ist als nur dieses Wesen, an dem teilhaben, wodurch es z. B. zu einem Großen oder zu einem Weißen wird. Die Teilhabe am Sein selbst hat deshalb eine grundlegende Bedeutung, weil sie die Voraussetzung dafür ist, dass etwas auch an etwas anderem partizipieren kann, wodurch es dann innerhalb des Rahmens seiner Wesensbestimmung auch noch etwas Konkreteres ist.

Wie Thomas eingangs seiner Erörterung bereits festgestellt hat, spiegeln die genannten Gesetzmäßigkeiten die Verhältnisse wider, wie sie sich auf der begrifflichen Ebene ergeben. Der Begriff *esse* funktioniert nach anderen Prinzipien als der Begriff *ens*. Die zentrale These in diesem Zusammenhang lautet, dass jeder Begriff, der eine inhaltliche, washeitliche Bestimmung von einem Subjekt in wesentlicher oder in akzidenteller Hinsicht aussagt, dies nur dadurch tun kann, dass er das im Begriff ›Sein‹ Ausgesagte bereits voraussetzt.

Um eine inhaltliche Bestimmung von einem Gegenstand auszusagen, muss ich bereits voraussetzen, dass dieses Bestimmungsmoment Wirklichkeit besitzt. Thomas drückt diesen Sachverhalt dadurch aus, dass er von der Teilhabe der inhaltlichen Bestimmung oder des bestimmten Gegenstandes selbst am Sein spricht, womit sowohl ein Verursachtsein, aber auch ein Übergang von einer abstrakten Kennzeichnung zu einer konkreten Bestimmung gemeint ist.

Das thomanische Konzept der Teilhabe nimmt die ursprüngliche Struktur von Akt und Potenz auf, denn was teilhat, ist selbst im Status der Möglichkeit, der Potentialität, während das Partizipierte dem bereits Wirklichen entspricht. In diesem Sinne heißt es bei Thomas an anderer Stelle:

Es ist also notwendig, dass jedes andere Ding ein teilhabendes Seiendes ist, so dass es etwas anderes ist, in diesem die teilhabende Substanz zu sein, und etwas anderes, das Partizipierte selbst zu sein. Alles Teilhabende jedoch verhält sich zum Partizipierten wie die Potenz zum Akt; von daher verhält sich die Substanz jedes geschaffenen Dinges zu ihrem Sein wie die Potenz zum Akt. So ist also alle geschaffene Substanz aus Potenz und Akt zusammengesetzt, d. h. aus dem, was ist, und aus dem Sein.[235]

Thomas von Aquin, Quodl. III q. 8 n. 20

Einfachheit des Seins: Das Seiende ist durch das Sein verursacht, denn nur unter dieser Voraussetzung kann etwas als existierend gedacht werden. Das Sein ist aber auch in dem Sinne die Voraussetzung des Seienden, als es nur durch das Sein möglich ist, ein konkret bestimmtes Subjekt zu denken. Denn nur als Verwirklichung oder Instanziierung von vorgängig abstrakten Begriffen kann man einen konkret bestimmten Gegenstand verstehen. So lässt sich Sokrates etwa als eine Verwirklichung der abstrakten Bestimmung des Menschseins verstehen, wobei auch alle weiteren Eigenschaften des Sokrates, seine Stupsnasigkeit oder sein Lehrersein, wiederum Verwirklichungsformen der Stupsnasigkeit und des Lehrerseins im Allgemeinen darstellen.

Aus dieser Vorordnung des Begriffs des Seins ergibt sich die Konsequenz seiner Einfachheit. Um das leisten zu können, was Thomas dem Begriff des Seins zuschreibt, muss dieser selbst einfach sein und kann in diesem Sinne keine Beimischung von etwas anderem beinhalten, da er sonst zu seinem eigenen Verständnis einer vorherigen Aufklärung der anderen Gehalte bedürfte.

6.2.1.4 | Das Verhältnis von Sein und Seiendem in Bezug auf die Dinge

Thomas hat sich bis zu diesem Punkt der Argumentation ausdrücklich auf die Beschreibung der begrifflichen Verhältnisse beschränkt. In einem weiteren Schritt ist es aber nun notwendig, zu betrachten, wie sich *esse* und *quod est*, also Sein und Seiendes, nicht nur auf der Ebene der Begriffe, sondern hinsichtlich ihrer Verankerung in den Dingen selbst verhalten. Hierbei ist zu unterscheiden, ob wir es mit Zusammengesetztem, also mit Dingen im engeren Sinne zu tun haben, oder mit Einfachem, was sich am Ende der thomanischen Argumentation als Gott erweisen wird.

Realunterschied von Sein und Was-ist: Die zentrale Aussage in Hinsicht auf das genannte Verhältnis bei den zusammengesetzten Dingen, den *composita*, besteht darin, dass in den Dingen selbst Sein und Was-ist real verschieden sind. Die konkreten Dinge zeichnen sich nämlich gerade dadurch aus, dass sie zusammengesetzt sind. Diese Zusammensetzung besteht aber in ihrer fundamentalen Deutung gerade in einer Komposition aus inhaltlicher Bestimmung, nämlich einem Was-ist einerseits, und dessen Aktuierung oder Realisierung, die Thomas mit dem Begriff *esse* bezeichnet, andererseits. Wörtlich heißt es:

Thomas von Aquin, De Hebdomadibus c. 2

Es ist also zuerst zu betrachten, dass sich so, wie Sein und Was-ist im Einfachen entsprechend den Begriffen unterscheiden, sie sich so auch real in den zusammengesetzten Dingen unterscheiden.[236]

Ipsum esse: Zu Begründung beruft sich Thomas auf das, was er im Vorhergehenden hinsichtlich des Begriffes des Seins ausgeführt hat, nämlich dass die *ratio* des Seins, also der Begriff, nicht aus vielem zusammengesetzt sein kann. Aus diesem Grund kann das Sein selbst, das *ipsum esse*, nicht ein Kompositum sein. Vielmehr ist das Sein selbst dasjenige, an dem die konkreten Dinge teilhaben und wodurch sie das sind, was sie sind. Es heißt also weiter:

Ebd., c. 2

Es ist nämlich oben bereits gesagt worden, dass das Sein selbst weder an etwas teilhat, so dass sein Begriff aus vielem konstituiert würde, noch irgendein Äußeres beigemischt hat, so dass in ihm eine akzidentelle Zusammensetzung wäre. Und deshalb ist das Sein selbst nicht zusammengesetzt. Das zusammengesetzte Ding ist also nicht sein eigenes Sein und deshalb sagt [Boethius], dass in jedem Zusammengesetzten ein Seiendes zu sein das eine ist und etwas anderes das Zusammengesetzte selbst, das dadurch ist, dass es am Sein selbst teilhat.[237]

Thomas zeigt, dass diese grundlegende Differenz von Sein und Was-ist für alle zusammengesetzten Dinge kennzeichnend ist. Aber was bedeutet es, ein Kompositum zu sein? Denn mit einem gewissen Recht sind z. B. Wasser und Feuer als einfache Körper zu bezeichnen, weil sie keine Zusammensetzung aus ungleichartigen Bestandteilen aufweisen, wie etwa der Mensch, der aus Knochen und Muskeln etc. zusammengesetzt ist. In einer gewissen Hinsicht kann man solche homogenen Substanzen wie Wasser und Feuer tatsächlich als einfach bezeichnen, dennoch sind sie nicht schlechthin einfach. Auch diese homogenen Substanzen sind nämlich, wie alles andere auch, aus Form und Materie zusammengesetzt.

Aber wie verhält es sich mit den nicht materiebehafteten Formen, wie sie etwa Platon annimmt, wenn er von den Ideen spricht? Auch in diesem Fall, so antwortet Thomas, liegt in einem gewissen Sinne eine Zusammensetzung vor, denn jede Form, auch wenn sie ohne Materie vorkommen sollte, ist doch etwas Bestimmtes, nämlich etwas, was zu einem begrifflichen Gehalt, z. B. dem des Menschseins, determiniert ist. Eine solche Bestimmung lässt sich aber nach Thomas nur dadurch erklären, dass eine Form nicht das Sein selbst im Allgemeinen, *ipsum esse commune*, ist, sondern am Sein nur teilhat, woraus ihre spezifische Natur erwächst, ohne die sie nicht diese oder jene Form wäre. Der Unterschied einer Vielheit spezifischer Formen wird für Thomas gerade erst dadurch erklärbar, dass diese Formen auf je eigene Weise am Sein teilhaben und deshalb eben nicht das Sein selbst sind.

Es wird offensichtlich werden, dass die Form, die frei von der Materie subsistiert, weil sie etwas zu einer Art Bestimmtes ist, nicht das allgemeine Sein selbst ist, sondern an jenem teilhat. Und in dieser Hinsicht ändert sich nichts, wenn wir andere immaterielle Formen einer höheren Ordnung annehmen, als sie die Begriffe dieser sinnlichen Gegenstände sind, wie Aristoteles wollte. Eine jede von diesen, insofern sie sich von einer anderen unterscheidet, ist eine spezifische Form, die am Sein selbst teilhat. Und so wird keine von ihnen wirklich einfach sein. Dasjenige ist nämlich allein wirklich einfach, das nicht am Sein teilhat, nämlich nicht in etwas ist, sondern subsistiert.[238]

Ebd., c. 2

Gott als *ipsum esse*: Ein solches schlechthin Einfaches kann es aber nur eines geben, denn sollten es mehrere sein, müssten diese voneinander unterscheidbar sein, was aber nach den gemachten Voraussetzungen wiederum eine Zusammensetzung, nämlich in Gestalt einer je spezifischen Teilhabe am Sein, voraussetzen würde, womit die geforderte Einfachheit unmittelbar aufgehoben wäre. Dieses Eine, das im strengen Sinne nur ein einziges ist, kann selbst keine innere Differenz zwischen Sein und Was-ist, also zwischen *esse* und *essentia*, aufweisen; es ist in Thomas' Worten das in sich bestehende Sein selbst (*ipsum esse subsistens*). Aber das Sein selbst zeichnet sich gerade dadurch aus, dass es nicht vervielfältigt werden kann, indem ein differenzierendes Moment hinzutritt. Dieses in sich einfache und einzige Sein selbst (*ipsum esse*) identifiziert Thomas deshalb mit Gott.

Dieses [in sich Subsistierende] aber kann nur ein einziges sein, weil es, wenn das Sein selbst nichts anderes beigemischt hat außer dem, dass es Sein ist, wie gesagt wurde, unmöglich ist, dass das, was das Sein selbst ist, vervielfältigt wird durch etwas Unterscheidendes, und weil es nichts anderes außer sich angefügt hat, folgt als Konsequenz, dass es nichts Akzidentelles aufnehmen kann. Dieses Einfache und Eine und Sublime ist Gott selbst.[239]

Ebd., c. 2

6.2.1.5 | Der Primat der Wirklichkeit

Ein zentraler Aspekt der Seinslehre des Thomas von Aquin besteht in der Verknüpfung von zwei Ebenen. Zum einen betont Thomas die Zusammensetzung jedes Dinges durch die Prinzipien von *esse* und *essentia*. Hiermit ist der Seinsbegriff unmittelbar ontologisch relevant. Diese Zusammensetzung spiegelt sich aber auch auf der Ebene wider, die die logischen Verhältnisse bestimmt, d. h. die die Regeln der begrifflichen Verknüpfung umfasst. Wirklichsein heißt nämlich für Thomas auch immer etwas Bestimmtes zu sein. Bestimmungen kommen aber dadurch zum Ausdruck, dass von einem Träger Eigenschaften, oder, eher logisch gesprochen, von einem Subjekt Prädikate ausgesagt werden. Diese zwei Ebenen zeigen sich deshalb auch darin, dass wir den Begriff ›Sein‹ sowohl im engeren Sinne als Ausdruck aktueller Existenz als auch im Sinne der Kopula zur Verbindung von Subjekt und Prädikat verwenden. Wie verhalten sich aber diese beiden Aspekte zueinander? Thomas diskutiert diese Frage eingehend in seiner Auseinandersetzung mit der aristotelischen Schrift *Peri Hermeneias*.

Vorrang des Wirklichseins: Die zentrale Aussage, die Thomas in diesem Zusammenhang macht, lautet, dass die Verwendung des Ausdruckes ›ist‹ im Sinne der Kopula von Subjekt und Prädikat derjenigen Verwendung von ›ist‹ nachgeordnet ist, die das Wirklichsein zum Ausdruck bringt. Thomas deutet die einschlägigen Passagen des aristotelischen Textes abschließend wie folgt:

Thomas von Aquin, In Peri Hermeneias I lec. 5

Deshalb sagt [Aristoteles] aber, dass dieses Wort »ist« die Zusammensetzung mitbezeichnet, weil es diese nicht in grundlegender Weise bezeichnet, sondern als eine Folge. Es bezeichnet nämlich das, was zuerst in den Verstand fällt, auf die Weise der Wirklichkeit absolut. Denn »ist« schlechthin ausgesagt bezeichnet das Wirklichsein und deshalb bezeichnet es auf die Weise eines Tätigkeitswortes.[240]

Dass einem Gegenstand eine Eigenschaft zugesprochen wird, ist also nach Thomas immer nur die Folge davon, dass etwas Bestimmtes vorliegt. Bestimmung heißt aber eben nichts anderes als auf eine konkrete Weise zu sein, nämlich jeweils etwas oder auf eine bestimmte Weise zu sein. In diesem Sinne geht die Wirklichkeit des Bestimmten immer der Möglichkeit voraus, dass sich eine Eigenschaft als Prädikat von einem Gegenstand, einem Subjekt, aussagen lässt. Dieser Primat des Wirklichseins und die Nachordnung der sprachlichen Verwendung des Ausdruckes ›ist‹ als Kopula sind also wechselseitig aufeinander bezogen. Wörtlich heißt es bei Thomas deshalb weiter:

Ebd., lec. 5

Daher aber, weil die Wirklichkeit, die in grundlegender Weise durch das Wort »ist« bezeichnet wird, allgemein die Wirklichkeit jeder Form oder Verwirklichung ist – sei sie substanziell oder akzidentell –, kommt es, dass, wenn wir bezeichnen wollen, dass irgendeine Form oder Verwirklichung einem Subjekt aktuell innewohnt, wir jenes durch dieses Wort »ist« schlechthin oder in einer bestimmten Hinsicht bezeichnen; schlechthin nämlich gemäß der gegenwärtigen Zeit, in einer bestimmten Hinsicht aber gemäß den anderen Zeiten. Und deshalb bezeichnet als Folge hiervon dieses Wort »ist« die Zusammensetzung.[241]

Nachordnung der Kopula ›ist‹: Die Verwendung des Ausdruckes ›ist‹ als Kopula zielt für Thomas lediglich auf eine sekundäre Bedeutung dieses Begriffes. Die primäre Verwendung dieses Terminus hingegen ist die im Sinne der Wirklichkeit oder der Verwirklichung. Wenn man, so die Auffassung des Thomas, einem Subjekt ein Prädikat zuspricht, dann hat man damit immer schon vorausgesetzt, dass der Gegenstand, der dem Subjektterminus entspricht, durch die entsprechende Form, auf die der Prädikatsterminus verweist, geprägt und in diesem Sinne einem bestimmten Grad der Wirklichkeit zugeführt ist.

»Die Wand ist weiß« bedeutet nach diesem Verständnis, dass die Form des Weißen an dieser Wand verwirklicht ist. Das Weiße ist wirklich als diese weiße Wand. Und nur weil das so ist, lässt sich sinnvoll der oben genannte Satz bilden. Die Zusammenfügung, die der Satz hinsichtlich von Subjekt und Prädikat leistet, wird aus diesem Grunde für Thomas nur mitbezeichnet (*consignificat*), weil diese Leistung unserer Sprache die Verwirklichung der Form in einem Träger bereits voraussetzt. Die grundlegende Bedeutung des Ausdruckes ›ist‹ ist also die der Wirklichkeit und damit kommt der Verwendung des ›ist‹ als Existenzaussage gegenüber anderen Verwendungsweise ein gewisser Vorrang zu.

6.2.1.6 | Analogie und Onto-Theologie

In der geschilderten Weise ist der Begriff des Seins oder des Seienden der grundlegende Begriff unserer Sprache und unseres Denkens, insofern er in jeder Aussage und jedem Urteil, das wir treffen, implizit enthalten ist. Die Folge dieser Universalität des Seienden besteht für Thomas ebenso wie für Aristoteles darin, dass der Begriff des Seienden nicht nur in einer einzigen überall gleichbleibenden Bedeutung verwendet wird. Die Begriffe des Seins und des Seienden haben also für Thomas durchaus verschiedene Funktionen, denen jeweils eine bestimmte Stufung im Begründungszusammenhang der Metaphysik zukommt.

Analoge Aussage des Seienden: Diese These ergibt sich für Thomas folgerichtig aus den von ihm geteilten Annahmen des Aristoteles. Der Begriff des Seienden ist für Aristoteles ebenso wenig wie für Thomas ein univok aussagbares, sondern ein analog zu verwendendes Prädikat. Bei analogen Aussagen hat man zu unterscheiden, ob ein Begriff im eigentlichen Sinne verwendet wird oder nur in einer abgeleiteten Bedeutung auf dasjenige zutrifft, von dem er ausgesagt wird. Dieser letzte Fall bedeutet, dass durch eine abgeleitete und in diesem Sinne analoge Aussage die inhaltlichen Bestimmungsmomente, mit denen man Gegenstände sprachlich erfasst, immer nur mit Einschränkung Geltung beanspruchen können. Die den Gegenstand wahrhaft bezeichnende Aussage wird zum Ausnahmefall, der nur hinsichtlich des einen Referenzobjektes gilt, das die ursprüngliche Bedeutung des verwendeten Prädikates prägt, denn

Thomas von Aquin, Summa theologiae I q. 16 a. 6

wenn etwas von vielen Dingen analog ausgesagt wird, kommt dies gemäß dem eigentlichen Bedeutungsgehalt nach nur bei einem von diesen vor, von dem her andere Dinge in einer abgeleiteten Bedeutung bezeichnet werden.[242]

Substanz: Diese Lehre der analogen Prädikation hat deshalb erhebliche Konsequenzen für die Aussage des Begriffs des Seienden und damit für die Metaphysik als Ganze. Denn die vielfältigen Verwendungsweisen des ›Seienden‹ sind alle zurück zu beziehen auf die grundlegende Aussageform der Substanz, die für Thomas das durch sich Existierende bezeichnet. Thomas spitzt diese Theorie der Sache nach nun dadurch zu, dass seine über Aristoteles hinausgehende Seinslehre verschiedene Abstufungen auch im Substanzbegriff zulässt. Etwas kann nämlich mehr oder weniger Substanz sein. Denn der bloß washeitlichen Bestimmung des Substanzhaften fehlt von sich aus das Moment der Wirklichkeit. Die Substanz oder das, was Thomas die *essentia* nennt, besteht ja eben nicht durch sich, sondern bedarf der Verwirklichung durch das Sein.

Mit dieser Seinslehre verbindet Thomas aber den bereits angesprochenen Partizipationsgedanken, wonach eine washeitliche Bestimmung dadurch und in dem Maße Wirklichkeit besitzt, wie sie am Sein selbst teilhat. Aus diesem Grunde wird nicht nur alles Sein vom Substanzsein her verstanden, sondern das Substanzsein verweist noch einmal auf das, was am meisten Substanz ist, indem es in einem Höchstmaß wirklich ist. Dieses ausgezeichnete Seiende ist dann dasjenige, in dem Sein und Wesen, *esse* und *essentia*, zusammenfallen. Dieses ist aber nur eines, nämlich Gott.

Gott als erste Substanz: In der Konsequenz dieses Ansatzes wird Sein nicht nur vom Wirklichsein her gedacht, sondern von dem Sein einer ersten Substanz her. Deshalb lässt sich diese Form der Metaphysik nicht nur als Ontologie, sondern als Onto-Theologie verstehen, nämlich in dem Sinne, dass der letzte Sinn des fundamentalen Begriffs der Metaphysik, nämlich der des Begriffs ›Sein‹ oder ›Seiendes‹, von einem ausgezeichneten Ersten her gedeutet wird. Diesen Zusammenhang macht Thomas in seiner Schrift *De ente et essentia* deutlich, wenn es da heißt:

Thomas von Aquin, De ente et essentia c. 1.

Weil man »seiend« im absoluten und ursprünglichen Sinne von Substanzen, im abgeleiteten und gleichsam eingeschränkten Sinne von Akzidenzien aussagt, findet sich auch »Wesen« wahrhaft und eigentlich bei Substanzen, bei Akzidenzien jedoch nur in gewisser Weise und in einem eingeschränkten Sinne. Unter den Substanzen gibt es nun einfache und zusammengesetzte, und beide haben Wesen. Dies aber findet sich in den einfachen auf wahrere und höhere Weise, sofern sie ja ein höheres Sein haben. Sie sind nämlich Ursachen dessen, was zusammengesetzt ist – zumindest die erste einfache Substanz, die Gott ist.[243]

Die Bezeichnung Onto-Theologie scheint deshalb in Bezug auf Thomas gerechtfertigt, weil die Metaphysik des Thomas nicht nur auch von Gott handelt – das tun auch andere Metaphysikentwürfe, auf die dieser Ausdruck jedoch nicht anwendbar ist. Entscheidend ist vielmehr, dass die Bedeutung des zentralen metaphysischen Begriffs ›seiend‹ bzw. ›Seiendes‹ von einer Primärbedeutung her verstanden wird, die sich nur im Rückgriff auf ein ausgezeichnetes Seiendes, nämlich Gott, erschließt, weshalb es dann auch ganz konsequent ist, wenn es in Thomas' *Metaphysikkommentar* heißt,

dass zu dieser Wissenschaft die Betrachtung des allgemeinen Seienden gehört, zu der [wiederum] die Betrachtung des ersten Seienden gehört.[244]

Thomas von Aquin, In Met. IV lec. 5 n. 593

Ebenso betont Thomas:

Es ist ein und dieselbe Wissenschaft des ersten Seienden und des allgemeinen Seienden.[245]

Thomas von Aquin, In Met. VI lec. 1 n. 1170

Kausalität: Die Begründung, die Thomas hierfür in der zitierten Passage gibt, lautet, dass dies deshalb der Fall ist, weil die einfachen Substanzen, auf jeden Fall Gott selbst, die Ursache alles anderen sind. Der Ursachenbegriff stellt, wie bereits festgehalten, für Thomas das entscheidende Instrument dar, die für die thomanische Metaphysik zentrale Konzeption der Teilhabe zu deuten. Um zu verstehen, was es bedeutet, dass ein Seiendes am Sein teilhat, ist es also notwendig zu begreifen, was es heißt, dass das Seiende von einem Ersten verursacht ist, wobei sich dieses Erste dadurch auszeichnet, dass in ihm Sein und Wesen zusammenfallen.

Die Metaphysik, so wie Thomas von Aquin sie entwirft, beginnt also im engeren Sinne als Begriffsanalyse der grundlegenden ontologischen Strukturen, mündet dann aber über den Teilhabegedanken, der sich an einem Kausalitätsleitfaden entwickelt, in eine Lehre von einem ausgezeichneten Seienden, das Thomas mit Gott gleichsetzt. Aus diesem Grunde bleibt es bei Thomas nicht bei einer reinen Ontologie, vielmehr findet das metaphysische Streben erst bei einer entsprechenden Betrachtung des ausgezeichneten Seienden seinen Abschluss.

Onto-Theologie: Damit ist nicht gemeint, dass Thomas den Bereich, der in der Metaphysik zu behandeln ist, zusätzlich auf die getrennten Substanzen und Gott ausdehnt – dies wäre mit dem Hinweis darauf, dass die genannten Bereiche nicht der Gegenstand der Metaphysik sind, sondern nur als Prinzipien der Gegenstände der Metaphysik behandelt werden, entkräftet. Gravierender ist, dass dieses Ausgreifen auf den Bereich des Unendlichen in dem Sinne bei allen Gegenständen der Metaphysik eine Rolle spielt, als dass die Analogielehre dazu führt, den Begriff des endlichen Seienden von einer Grundbedeutung her zu interpretieren, die eben nicht im allgemeinen Begriff des Seienden als solchen, sondern im Seienden als der reinen Aktualität und damit im göttlichen Seienden fundiert ist. Onto-Theologie meint also nicht einen hinzutretenden – und damit auch potentiell auszulassenden – Überstieg der Metaphysik in die Sphäre des Göttlichen, sondern eine als Ganze von diesem ersten göttlichen Seienden geprägte Ontologie.

Auch wenn der Gegenstand der Metaphysik das Seiende als solches und nicht Gott ist, so gehört Gott doch als Prinzip alles Seienden unmittelbar zur Metaphysik.

So gibt es eine doppelte Theologie bzw. göttliche Wissenschaft: eine, in der die göttlichen Angelegenheiten nicht als Subjekt der Wissenschaft betrachtet werden, sondern als Prinzipien des Subjektes. Und dieser Art ist die Theologie, die die Philosophen verfolgen und die mit einem anderen Namen als Metaphysik bezeichnet wird.[246]

Thomas von Aquin, De trinitate q. 5 a. 4

Dies ist der Fall, weil Gott als Prinzip alles Seienden der Inbegriff des Seienden ist, denn woher sonst sollte verstanden werden, was Seiendes ist, wenn nicht von dem her, was am meisten Seiendes ist? Und genau diese Bestimmung *maxime ens* zu sein, trifft auf Gott als Prinzip des Seienden zu.

Ebd., q. 5 a. 4

Weil das, was das erste Prinzip des Seins aller Dinge ist, in einem Höchstmaß ein Seiendes sein muss.[247]

Teilhabe und Analogie: Aus diesem Grund ist die Vollendung der Metaphysik nicht unabhängig von einem wie auch immer gearteten Ausgriff auf dieses Prinzip vorstellbar. Der Leitfaden, Seiendes – und das meint alles das, was ein Seiendes genannt werden kann – zu verstehen, ist der Teilhabegedanke und damit die Lehre der Analogie. Denn insofern jedes Seiende an ein und demselben Prinzip, also letztlich am ersten Seienden, also Gott, teilhat, ist es aufgrund einer analogen Verwendung des Begriffs des Seienden zu verstehen.

Ebd., q. 5 a. 4

Alle Seiende haben gemeinsame Prinzipien, nicht allein auf die erste Art, von der Aristoteles im elften Buch der Metaphysik sagt, dass alle Seiende dieselben Prinzipien entsprechend der Analogie haben, sondern auch auf eine zweite Art, der entsprechend gewisse Dinge, die der Zahl nach als die dieselben existieren, die Prinzipien aller Dinge sind; wie nämlich die Prinzipien der Akzidentien auf die Prinzipien der Substanz zurückgeführt werden, werden auch die Prinzipien der vergänglichen Substanzen auf die unvergänglichen Substanzen zurückgeführt. Und so werden in einem gewissen Grad und einer gewissen Ordnung alle Seiende auf gewisse Prinzipien zurückgeführt.[248]

Insofern diese Kennzeichnung zutrifft, rückt das einen anderen Aspekt der thomanischen Metaphysikkonzeption in ein anderes Licht. Denn einerseits scheint für Thomas der Gedanke zentral zu sein, dass Metaphysik immer auch Erkenntniskritik ist, d. h. Reflexion auf die den Menschen auszeichnenden Bedingungen, unter denen Erkenntnis überhaupt zu gewinnen ist. Ausdrücklich heißt es deshalb in seinem *Metaphysikkommentar*: Im Gegensatz zu den Einzelwissenschaften

Thomas von Aquin, In Met. II lec. 1 n. 273

betrachtet die erste Philosophie die allgemeine Wahrheit der seienden Dinge. Und deshalb gehört es zu diesem Philosophen [nämlich zum Metaphysiker], Betrachtungen anzustellen, wie sich der Mensch zu der zu erkennenden Wahrheit verhält.[249]

Zweifellos besteht bei Thomas eine gewisse Spannung zwischen einer Metaphysik, die im Ausgang vom Begriff des Seienden die allgemeinen Bestimmungen und damit die Bedingungen thematisiert, unter denen Erkenntnis stattfinden kann, und einer Metaphysik, die nach den ersten Prinzipien im Sinne der ersten Ursachen fragt und damit systematisch auf ein erstes Seiendes, nämlich Gott, ausgerichtet ist, was ihr den Charakter einer Onto-Theologie verleiht. Insofern auch die nach dem ersten Verständnis in den Blick genommene Allgemeinheit nur eine solche ist, die sich im Rahmen einer Analogielehre im Überstieg auf eine einheitsstiftende Grundbedeutung der metaphysischen Begriffe erschließt, wird man kaum umhin können, die onto-theologische Ausrichtung der thomanischen Metaphysik als dominant zu betrachten.

6.2.2 | Johannes Duns Scotus: Metaphysik und Univokation

Primat der Analogie bei Thomas: Die Metaphysik des Duns Scotus kehrt die Blickrichtung der thomanischen Metaphysik um und ist mit dieser nicht kompatibel. Die Grundbestimmung, in der die Metaphysik des Thomas von Aquin vom grundlegenden Begriff des Seienden als solchen handelt, ist die Analogie. Die analoge Verwendung des Seinsbegriffs ist die unumkehrbare Richtung, in der ein Wissen der Metaphysik erworben wird. Die univoke Verwendung eines Begriffs erschließt sich für Thomas erst im Ausgang von der analogen und nicht umgekehrt.

Dieses Verhältnis von Analogie und Univokation findet sich nach Thomas nicht nur auf der Ebene der Prädikation, also im Blick auf den Begriff des Seienden, sondern erstreckt sich auch auf den Kausalzusammenhang, insofern eine gemeinsame, univoke Ursache in ihrem spezifischen Wirkvermögen von einer übergeordneten Ursache abhängig ist, zu der sie in einem analogen Kausalverhältnis steht. So kann man den Menschen als univoke Ursache begreifen, wenn er einen anderen Menschen zeugt, oder das eine Feuer als die univoke Ursache eines anderen Feuers verstehen. Univok meint in diesem Zusammenhang die wesenhafte Übereinstimmung des zeugenden Menschen als der Ursache und des gezeugten Menschen als der Wirkung. Nach antik-mittelalterlichem Verständnis ist die menschliche Art als solche – diesseits des Schöpfungsberichts – von der Sonne hervorgebracht. Sonne und Mensch verbindet aber keineswegs diese Wesensgleichheit, die bei der menschlichen Reproduktion anzunehmen ist. Da die Sonne als Ursache der menschlichen Art nicht etwas gänzlich anderes sein kann, weil jedes Kausalverhältnis zumindest eine gewisse Übereinstimmung von Ursachen und Wirkung voraussetzt, versteht Thomas das Verhältnis von Sonne und Mensch als ein analoges Kausalverhältnis. Seine These hinsichtlich der Kausalität besagt nun, dass auf der Ebene der Ursachen ebenso wie auf der Ebene der Aussage ein Primat der Analogie vor der Univokation besteht, nämlich insofern als die analoge Verursachung erst die univoke ermöglicht, wie auch die analoge Aussage eines Begriffs erst die univoke erschließt. Diesen bemerkenswerten Zusammenhang von Kausalität und Prädikation, der sich hinsichtlich des Primats der Analogie gegenüber der Univokation zeigt, kommt ausdrücklich im ersten Teil der *Summa theologiae* zur Sprache, wenn es dort heißt:

Thomas von Aquin, Summa theologiae I q. 13 a. 5 ad 1

Auch wenn es bei den Aussagen notwendig ist, dass die äquivoken auf die univoken zurückgeführt werden, geht bei den Handlungen dennoch mit Notwendigkeit ein nicht univok Handelndes dem univok Handelnden voraus. Das nicht univok Handelnde ist nämlich die allgemeine Ursache der ganzen Art, wie die Sonne die Ursache der Entstehung aller Menschen ist. Das univok Handelnde aber ist nicht die allgemeine Handlungsursache der ganzen Art – sonst wäre sie die Ursache ihrer selbst,

da sie in der Art enthalten wäre. Vielmehr ist sie eine partikulare Ursache mit Blick auf dieses Individuum, das sie durch die Teilhabe an der Art konstituiert. Die allgemeine Ursache der ganzen Art ist also kein univok Handelndes. Die allgemeine Ursache ist aber früher als die partikulare. Dieses allgemein Handelnde aber ist nicht gänzlich äquivok, auch wenn es kein univok Handelndes ist, weil es so nichts ihm Ähnliches hervorbrächte; es kann aber ein analog Handelndes genannt werden, sowie bei den Aussagen alles Univoke auf ein einzige erstes zurückgeführt wird, das nicht univok, sondern analog ist, was das Seiende ist.[250]

Für die Frage nach der Metaphysikkonzeption des Thomas von Aquin ist insbesondere der letzte Teilsatz von kaum zu überschätzender Bedeutung, denn darin kommt deutlich zum Ausdruck, dass Analogie und Univokation nicht gleichursprüngliche Formen der Verursachung und der Prädikation sind, sondern dass Thomas einen eindeutigen Vorrang der Analogie zugrunde legt. Der Grundgedanke, der für Thomas bei dieser Lehre im Hintergrund stehen dürfte, ist der, dass innerweltlich Verursachtes und allgemein verwendbare Begriffe für den Menschen jeweils nur im Ausgang von der sinnlichen Erkenntnis des Menschen her zu verstehen sind.

Gott als erste Ursache: Alle Ursachenverhältnisse gehen letztlich auf die erste Ursache, nämlich auf Gott, zurück, der allerdings nur Spuren seiner selbst in der Schöpfung hinterlässt und nicht sein Wesen auf diese überträgt. Aus diesem Grund ist alles Verursachte nur ein schwaches Abbild des Göttlichen, das sich dem Geschaffenen nur in einem analogen, auf Ähnlichkeit beruhenden Verhältnis erschließt und das von der gesamten Schöpfung auf viel grundlegendere Weise unterschieden ist, als es bereits der Paradefall der analogen Verursachung des Menschen durch die Sonne ist.

Primat der Sinneswahrnehmung: Für die Prädikationsverhältnisse ausschlaggebend ist, dass jede Verbindung von Subjekt und Prädikat einen Abstraktionsprozess voraussetzt, in dem wir den allgemeinen Gehalt des Prädikatsausdrucks im Ausgang von der Sinneserkenntnis des Einzelnen gewonnen haben, etwa wenn wir den Begriff des Hundes verwenden, den wir durch die Verallgemeinerung dessen bilden, was wir gesehen haben. Wir können einen solchen Begriff nur durch die Kombination verschiedener Bestimmungsmomente bilden, indem wir diese gleichzeitig gegen das abgrenzen, was nicht unter diesen Begriff fällt. Um den Begriff ›Hund‹ univok verwenden zu können, müssen wir also diesen erst auf dem Weg der Induktion, die solche analogen Ähnlichkeitsbeziehungen voraussetzt, gewonnen haben. Je allgemeiner ein Begriff ist, umso mehr entfernt er sich von der sinnlich wahrnehmbaren Vielheit der Dinge, die unter ihn fallen. Bei Begriffen, die nichts sinnlich Wahrnehmbares bezeichnen, sind wir als menschliche Wesen zunehmend auf Extrapolationen im Ausgang von der Sinneswahrnehmung angewiesen. Der allgemeinste Begriff, den wir bilden können, der des Seienden bzw. des Seins, kann also nur auf dem Umweg einer solchen analogen Zusammensetzung gewonnen werden, die damit für Thomas die Voraussetzung jeder univoken Aussage bleibt.

Scotus interpretiert dieses Verhältnis von Univokation und Analogie diametral anders als Thomas. Scotus vertritt einen nicht in Frage zu stellenden Primat der Univokation vor der Analogie, was erhebliche Konsequenzen für die gesamte Metaphysik hat.

6.2.2.1 | Der Gegenstand der Metaphysik

Maxime scibilia: Zu Beginn seines Kommentars zur aristotelischen *Metaphysik* diskutiert Johannes Duns Scotus die Frage, was denn der eigentliche Gegenstand der Metaphysik sei. Zur Beantwortung dieser Frage hält sich Scotus zunächst an die Ausführungen, die Aristoteles selbst in seiner Schrift gibt. Der erste Satz der aristotelischen *Metaphysik* lautet, dass alle Menschen von Natur aus nach Wissen streben. Im zweiten Kapitel des gleichen Werkes präzisiert Aristoteles diese These dahingehend, dass die höchste Form des Wissens in Gestalt der Wissenschaft gegeben ist, die das in einem höchsten Maße Wissbare behandelt. Was sind aber diese *maxime scibilia*, d. h. die im höchsten Maße wissbaren Dinge, die der Gegenstand dieser ausgezeichneten Wissenschaft sind, die man Metaphysik nennt?

Zweifache Deutung des am meisten Wissbaren: Der Begriff des im höchsten Maße Wissbaren, so lautet die erste Antwort des Duns Scotus, kann in zweifacher Weise gedeutet werden. Zum einen ist dasjenige im höchsten Maße wissbar, das von allem Wissbaren zuerst gewusst wird und das deshalb die Voraussetzung dafür ist, dass anderes später gewusst werden kann. Zum anderen ist dasjenige im höchsten Maße wissbar, das am sichersten, d. h. mit der größten Gewissheit gewusst werden kann. Die erste Deutung nennt also das am meisten wissbar, was das Allgemeinste ist, Scotus spricht von den *communissima*; die zweite dasjenige, was das Sicherste ist, also die *certissima*, wie der Begriff bei Scotus lautet.

Folgen für die Metaphysik: Folgt man der ersten Deutung, zeigt sich die Metaphysik als die Wissenschaft, die den *maxime communissima* gewidmet ist.

Diese gemeinsamsten [Bestimmungen] gehören aber zur Betrachtung der Metaphysik, wie Aristoteles zu Beginn des vierten Buches der Metaphysik sagt: »Es gibt eine Wissenschaft, die das Seiende als solches betrachtet und die [Bestimmungen], die ihm an sich zukommen.«[251]

Johannes Duns Scotus, Met. I prol. n. 17

Somit ist sie Wissenschaft von den allgemeinsten Begriffen und damit an erster Stelle Wissenschaft vom Seienden als Seienden, vom *ens in quantum ens*, denn dieser Begriff ist auf alles anwendbar, was irgendwie Gegenstand des Wissens sein kann.

Folgt man der zweiten Deutung, wird die Metaphysik als die Wissenschaft von den mit der größten Gewissheit wissbaren Gegenständen interpretiert, so dass ihr Gegenstand die Prinzipien und die Ursachen sind, denn von diesen hängt die ganze Gewissheit aller späteren Erscheinungen ab.

Das am sichersten Erkennbare sind die Prinzipien und Ursachen, und sie sind in sich umso sicherer, je früher sie sind. Von ihnen ist nämlich die ganze Sicherheit der Späteren abhängig. Diese Wissenschaft aber betrachtet derartige Prinzipien und Ursachen, wie Aristoteles in Met. I Kap. 2 beweist, dadurch, dass sie selbst Weisheit ist, wie dort im Text deutlich wird.[252]

Ebd., prol. n. 21

Zweifache Deutung des Gegenstandes der Metaphysik: Der ersten Deutung folgend ist der Gegenstand der Metaphysik das Allgemeine oder, wie es hier mit dem sinnträchtigen Titel heißt, die *transcendentia*, also die transzendentalen Begriffe. Der zweiten Interpretation folgend sind es die höchsten Ursachen, die den Gegenstand der Metaphysik ausmachen. Als diese Ursachen sind es dann Gott und die ihm am nächsten stehenden Instanzen, die traditionell als Engel oder Intelligenzen bezeichnet werden, die den Gegenstand der Metaphysik ausmachen. Die erste Deutung entspricht nach Scotus dem Verständnis, das Aristoteles zu Beginn des vierten Buches der *Metaphysik* entwirft; die zweite Deutung dem, das Aristoteles im ersten Buch desselben Werkes darstellt, so dass der aristotelische Text allein keinen Aufschluss darüber gibt, welche Deutung die beabsichtigte ist. Auch die Frage, ob die beiden Varianten in einer einzigen Position zu vereinigen sind, bleibt allein vom aristotelischen Text her unbeantwortet.

Ebd., q. 1

Von dem Gegenstand dieser Wissenschaft ist aber zuvor gezeigt worden, dass diese Wissenschaft von den transzendentalen Bestimmungen (*transcendentia*) handelt, es ist aber [auch] gezeigt worden, dass sie von den höchsten Ursachen handelt. Darüber aber, was von diesen als ihr eigentümlicher Gegenstand angenommen werden muss, gibt es verschiedene Auffassungen. Deshalb wird diesbezüglich zuerst gefragt, ob der eigentümliche Gegenstand der Metaphysik das Seiende als Seiendes ist (wie Avicenna annahm) oder Gott und die Intelligenzen (wie der Kommentator Averroes annahm).[253]

Definition

Der lateinische Ausdruck *transcendens* bedeutet wörtlich übersetzt ›übersteigend‹, bzw. ›über etwas hinausgehend‹. In der modernen Philosophie unterscheidet man zwischen Transzendenz im Sinne eines gegenständlichen Überstiegs – also etwa, wenn man von Gott sagt, er sei transzendent, und damit ausdrücken möchte, dass er die Erkenntnismöglichkeiten des Menschen oder die Gegebenheitsweise der innerweltlichen Dinge übersteigt – und transzendental im Sinne desjenigen, das man als Bedingung der Möglichkeit z. B. von Erkenntnis voraussetzt. Im mittelalterlichen Latein kommt der Terminus *transcendentalis* nicht vor. In der Regel ist der Ausdruck *transcendens* im erstgenannten Sinne des Übersteigenden gemeint und dient zur Bezeichnung desjenigen, was mit den auf die endlichen Dinge zutreffenden Begriffen nicht erfasst wird. Insofern nach aristotelischer Lehre die Gegenstände der Welt durch die im Kategorienschema vorgesehenen Begriffe bezeichnet werden (s. Kap. 6.2.1.2), kann man transzendente Begriffe auch als ›transkategorial‹ auffassen.
Bei Johannes Duns Scotus allerdings hat der Ausdruck bereits die Bedeutung des dann später auftretenden Begriffs des Transzendentalen, ohne dass der Terminus *transcendentalis* verwendet würde. Die sachliche Differenzierung zwischen diesen beiden Bedeutungen des Ausdrucks *transcendens* ist für das Verständnis der mittelalterlichen Metaphysik und ihrer Wirkungsgeschichte essentiell.

Avicenna versus Averroes: Mit der Diskussion dieser beiden Optionen setzt sich Scotus im Weiteren auseinander, wenn er nun die Positionen gegenüberstellt, die die arabischen Philosophen Avicenna (980–1037) und Averroes (1126–1198) vertreten haben. Avicenna ist nämlich für Scotus der Interpret, der ein Metaphysikverständnis am Allgemeinheitscharakter des Gegenstandes orientiert und deshalb als eigentümlichen Gegenstand der Metaphysik das Seiende als Seiendes begreift. Averroes hingegen orientiert sich am Gewissheitskriterium und hält deshalb die Prinzipien und Ursachen für den Gegenstand der Metaphysik, wobei er diese Prinzipien und Ursachen näherhin mit Gott und den getrennten Substanzen, den sogenannten Intelligenzen, identifiziert. Im ersten Fall ist die Metaphysik die Wissenschaft vom Transzendentalen, d. h. von den begrifflichen Bestimmungen, die jedes Wissen voraussetzt und die in diesem Sinne allgemeinste sind. Diese Form der Metaphysik handelt von Gott nur, insofern er durch die allgemeinsten Begriffe erfasst werden kann. Im zweiten Fall handelt die Metaphysik vom Transzendenten, d. h. von den Ursachen und Prinzipien, die jedem weltlichen Gegenstand vorausliegen und diesen als dessen Ursachen übersteigen. Das Göttliche wird auf diese Weise als der transzendente Urgrund alles Seienden selbst zum Gegenstand der Metaphysik.

6.2.2.2 | Transzendental versus transzendent

Lösung mit Avicenna: Ohne die Argumente, die im Einzelnen gegen die Auffassung des Averroes sprechen, zu nennen, bleibt festzuhalten, dass sich Scotus der Deutung des Avicenna anschließt und als Gegenstand der Metaphysik den Begriff des Seienden als Seienden und die anderen allgemeinsten Bestimmungen betrachtet. Die Deutung des Averroes, wonach die ersten Prinzipien oder Ursachen und damit Gott und die getrennten Substanzen Gegenstand der Metaphysik seien, wird von Scotus ausdrücklich verworfen.

Bonaventura: Er entscheidet sich damit für eine ganz andere Lesart der Lehre des Averroes als etwa sein Ordensbruder Bonaventura, der Averroes als Gewährsmann dafür in Anspruch nimmt, dass nur durch eine vorherige Kenntnis des ungeschaffenen Seienden, also Gottes, überhaupt ein wahrheitsfähiges Wissen von den endlichen Dingen möglich sei.

Da nun aber »Mängel und Fehler nur durch das positive Sein erkannt werden können« (Averroes, III de Anima, text. 25), kann unser Intellekt, der den Sinn irgendeines geschaffenen Seins bis ins letzte zurückverfolgen will, dies nur erreichen, wenn er durch die Einsicht in das lauterste, wirklichste, vollendetste und absolute Sein unterstützt wird. Das ist das Sein schlechthin, das ewig Seiende, das die Ideen alles Seienden in ihrer Reinheit in sich trägt.[254]

Bonaventura, Itinerarium mentis ad Deum c. 3, 3 (Ed. Kaup) 99

Diese Deutung durch Bonaventura spiegelt die mangelnde sachliche Differenzierung wider, die zwischen einem Begriff des Seienden, der die transzendentale Voraussetzung für die Bildung anderer Begriffe ist, und einem solchen, der der Inbegriff des Seienden ist, insofern er das vollkommenste Seiende bezeichnet, besteht. Bonaventura verbindet in seiner Averroes-Interpretation beide Momente miteinander, insofern der Begriff des Seienden erfasst sein muss, bevor daraus abgeleitete Begriffe, die einen Defekt gegenüber dem Seienden bezeichnen, begriffen werden können, und insofern sich der grundlegende Begriff des Seienden aber nur dadurch erschließt, dass er von einem ausgezeichneten Seienden her, dem vollendeten und absoluten Seienden, verstanden wird. Die transzendentale Deutung mündet bei Bonaventura in einen Begriff des transzendenten Seienden.

Johannes Duns Scotus unterscheidet der Sache nach klar zwischen einer transzendenten und einer transzendentalen Deutung des Begriffs des Seienden und versteht Averroes eindeutig als einen Vertreter, der das transzendente Seiende zum Gegenstand der Metaphysik macht, weshalb er dessen Position ausdrücklich verwirft.

6.2.2.3 | Die Möglichkeit der Metaphysik

Wenn der Gegenstand der Metaphysik das Seiende als solches, das *ens inquantum ens*, ist, so ist nun darüber hinaus im Einzelnen zu zeigen, in welcher Weise das seiner Natur nach begrenzte Verstandesvermögen des Menschen dem Anspruch einer so konzipierten Wissenschaft gerecht zu werden vermag. Anders formuliert stellt sich die Frage, ob und in welcher Weise Metaphysik für den Menschen unter der Bedingung seiner endlichen Natur überhaupt möglich ist.

Diese Frage drängt sich besonders deshalb auf, weil der Begriff des Seienden aufgrund seiner Allgemeinheit auch auf das unendliche Seiende, also Gott, anwendbar ist, so dass der Gegenstand der Metaphysik Gott in gewisser Weise einschließt. Aber ist das noch mit der Endlichkeit der menschlichen Vernunft vereinbar, oder liegt hier ein überschwänglicher Vernunftgebrauch vor, wie ihn später Kant eingehend kritisieren wird?

6.2.2.4 | Der erste Gegenstand des menschlichen Verstandes

Grenzen der Vernunft: Scotus untersucht die Frage nach den Grenzen der menschlichen Vernunft, indem er nach dem der Vernunft angemessenen Gegenstand fragt und in diesem Sinne das Problem zu klären versucht,

Johannes Duns Scotus, Ord. I d. 3 p. 1 q. 1–2 n. 1

ob Gott natürlicherweise vom Verstand des Menschen im diesseitigen Zustand [also solange wir auf Erden leben] erkannt werden kann.[255]

Das in der Formulierung der Fragestellung verwendete Adverb »natürlicherweise« (*naturaliter*) ist in diesem Zusammenhang von besonderer Bedeutung, denn näherhin zielt die Frage damit auf die Erkennbarkeit Gottes unabhängig von einem übernatürlichen Gnadenakt göttlicher Offenbarung. Gegenstand der Frage ist also nicht die Möglichkeit einer theologischen Gotteserkenntnis, sondern deren natürliche Voraussetzung, die im Rahmen einer nicht von der Offenbarung Gebrauch machenden Wissenschaft, nämlich der Metaphysik, zu leisten ist.

Stellvertreter-Begriff: Dass Gott im gegenwärtigen Zustand des Menschen in seiner Wesenheit nicht erfasst werden kann – wofür sowohl erkenntniskritische Momente als auch theologische Gründe, nämlich die ansonsten anzunehmende Überflüssigkeit göttlicher Offenbarung, sprechen –, bedeutet keineswegs, dass wir nicht doch etwas von Gott in anderer Weise erkennen können. Wir erkennen Gott nämlich mittels anderer Begriffe, die zwar nicht sein Wesen zum Ausdruck bringen, die aber stellvertretend für den gegenwärtig nicht dem Menschen zugänglichen Gottesbegriff auf natürliche Weise zu gewinnen sind. Der vollkommenste Begriff, der dies leistet, ist der des unendlichen Seienden (*ens infinitum*), der stellvertretend, d. h. als Ersatz für einen nicht zugänglichen Begriff der Washeit Gottes dem endlichen Verstand zur Verfügung steht (s. Kap. 2.2.4.2).

Aber auch hinsichtlich dieses Konzepts des unendlichen Seienden stellt sich die Frage, ob und in welcher Weise es sich um einen Begriff handelt, der tatsächlich auf natürlichem Wege zu erlangen ist. Geht man mit Scotus und der gesamten aristotelischen Tradition davon aus, dass alles menschliche Erkennen seinen Ausgang bei der Sinneswahrnehmung nimmt und diese natürlich nur endlich Seiendes zum Gegenstand haben kann, so fragt sich, ob der menschliche Verstand in der Lage sein kann, im Ausgang vom endlichen Seienden durch Abstraktion einen Begriff des Seienden zu bilden, der so umfassend ist, dass er einerseits die Bereiche des Endlichen und des Unendlichen umgreift, und der andererseits aber nicht die Einheit seiner Bedeutung verliert und nur noch scheinbar dasselbe aussagt, in Wirklichkeit aber äquivok ist.

Einheit des Begriffs: Gefordert ist also ein Begriff, der extensional möglichst umfassend, d. h. von möglichst vielen Gegenständen prädizierbar ist, und der deshalb intentional möglichst unbestimmt ist, d. h. einen möglichst allgemeinen Bedeutungsgehalt besitzt. Dieser Begriff darf durch seine Anwendung auf die Vielheit der Gegenstände, die er bezeichnet, aber nicht seine Bedeutung ändern, d. h. er muss univok von diesen aussagbar sein, weil er sonst die Einheit, die er zu begreifen vorgibt, eben doch nicht abbilden könnte. Wenn die Univokation nicht gewährleistet werden kann, bedeutet dies, dass die menschliche Vernunft nicht in der Lage ist, die Welt mit allem, was dazu gehört, in einer letzten – wie abstrakt auch immer gedachten – Einheit zu erfassen.

Dieser Begriff – so die scotische These – ist der des Seienden als solchen, des *ens inquantum ens*. Genau dieses Konzept, so haben die bisherigen Ausführungen zu den wissenschaftstheoretischen Annahmen des Scotus gezeigt, ist das *primum obiectum*, also der erste Gegenstand der Metaphysik. Gelingt es Scotus, zu zeigen, dass dieser Begriff tatsächlich zu gewinnen ist, ist die Möglichkeit der Metaphysik erwiesen. Zeigt sich darüber hinaus, dass dieser der erste ausgezeichnete Gegenstand des menschlichen Verstandes ist, also alles, was der Mensch erkennen kann, aufgrund seiner Allgemeinheit in sich enthält, ist der Status der Metaphysik als erster Wissenschaft aufgezeigt und damit ein sicheres Fundament jeglichen Erkennens gelegt.

6.2.2.5 | Die Gattungsaporie

In einem ersten Schritt ist also zunächst zu zeigen, ob es zutrifft, dass der Begriff des Seienden als solchen geeignet ist, in derselben Bedeutung von Endlichem und Unendlichem, also von Schöpfung und Gott, ausgesagt zu werden. Mehr noch: Wenn dieser Begriff wirklich der Gegenstand derjenigen Wissenschaft sein soll, die alle anderen Wissenschaften dadurch grundlegt, dass sie die letzten Grundbegriffe thematisiert und zeigt, dass der menschliche Verstand in der Lage ist, alles partikuläre Wissen, das er hat, auf letzte Einheiten, nämlich auf die allgemeinsten Bestimmungen, die immer schon in den konkreten Begriffen der anderen Wissenschaften enthalten sind, zurückzuführen, dann muss dieser Begriff auch dazu geeignet sein, jeden möglichen Weltbezug auf eine letzte begriffliche Einheit zurückzuführen. Wenn die Urteile, die wir über die Dinge in der Welt fällen, nicht unüberbrückbar zwischen dem Träger einer Eigenschaft, von dem dieses ausgesagt wird, und der Eigenschaft selbst, die von etwas anderem ausgesagt wird, unterscheiden sollen, ist es notwendig, eine gemeinsame Bestimmung bilden zu können, die diese beiden Aspekte, nämlich die der selbständigen Substanzen und die der diesen zukommenden Eigenschaften, verbindet. Soll es eine solche letzte Einheit geben, setzt auch diese einen univok aussagbaren Begriff voraus, der sowohl von den Substanzen als auch von den Eigenschaften prädizierbar sein muss.

Mit diesem doppelten Problem, eine Einheit über die Differenz von Endlichem und Unendlichem hinweg und eine Einheit über die Differenz von Substanz und Akzidenz hinweg aufzeigen zu müssen, sieht sich Scotus konfrontiert, wenn er die Möglichkeit eines univoken Begriffs des Seienden als Gegenstand der Metaphysik diskutiert. Der Begriffsgehalt, der gemeinsam, also univok, von jeweils beiden Seiten ausgesagt wird, stellt dann die Einheit der Bedeutung des grundlegenden metaphysischen Begriffs und damit die letzte unser Denken verbindende Einheit dar.

Univoke Prädikation: Scotus beantwortet diese für seine Metaphysikkonzeption zentrale Frage mit der These von der univoken Prädikation des Begriffs ›seiend‹. Er vertritt die Auffassung, dass der Mensch mit seinem endlichen Verstand in der Lage ist, einen Begriff zu bilden, der in der gleichen Bedeutung von Gott und Schöpfung sowie von Substanzen und Akzidenzien ausgesagt wird. Dieser Bezug auf beide Bereiche steht für Scotus stets im Hintergrund, auch wenn er sich explizit nur auf Gott und das von ihm Geschaffene zu beziehen scheint.

Ebd., d. 3 p. 1 q. 1–2 n. 26

Ich sage, dass Gott nicht nur in einem Begriff erfasst wird, der dem Begriff der Kreatur analog ist, d. h. einem solchen, der gegenüber jenem, der von der Kreatur ausgesagt wird, ein gänzlich anderer wäre, sondern in einem Begriff, der ihm und der Kreatur gegenüber univok ist.[256]

Ausschluss der Analogie: Scotus scheidet in diesem Zusammenhang also die Analogie als einen Mittelweg zwischen einer univoken und einer äquivoken Aussageweise aus (s. Kap. 6.2.1.1). Die Annahme, dass der Begriff ›seiend‹ vom Geschaffenen in einer analogen Weise ausgesagt wird, da er seinem eigentlichen Gehalt nach nur auf das unendlich Seiende anzuwenden ist, gleichwohl aber kein gänzlich anderer Begriff ist, wird von Scotus explizit bestritten. Die Einheit eines analog verwendeten Begriffs ist nur insofern gegeben, als diese Verwendungen auf eine Grundbedeutung verweisen, von der sie als analoge Begriffe aber jeweils in bestimmter Weise abweichen. Eine Gesichtsfarbe und ein Medikament als gesund zu bezeichnen, meint jeweils etwas anders, nämlich zum einen das Zeichen und zum anderen das Mittel zur Gesundheit, so dass das Gemeinsame nur in der Gesundheit selbst liegt, die in keinem der analog verwendeten Begriff selbst zum Ausdruck kommt. Der Grund, warum Scotus diese Möglichkeit für einen der Äquivokation vergleichbaren Fall hält, liegt darin, dass er jede Ähnlichkeitsbeziehung für ein Abweichen von einem gemeinsamen Bezugspunkt hält. Dieser Bezugspunkt geht der Sache nach jeder Abweichung und damit jeder Ähnlichkeit voraus, so dass, wer die Univokation nicht einräumt, die Möglichkeit der Analogie aufhebt und sich deshalb der reinen Äquivokation ausliefert.

Problem der univoken Aussagbarkeit: Scotus ist sich selbstverständlich bewusst, welche großen Schwierigkeiten mit dieser These von der *univocatio entis* verbunden sind. Das dringlichste Problem, das sich stellt, besteht darin, zu klären, wie die Einheit der Bedeutung eines solchen univoken Begriffs des Seienden zu interpretieren ist, wenn die bereits von Aristoteles aufgezeigte Schwierigkeit, die allgemein als Gattungsaporie bezeichnet wird, vermieden werden soll (Aristoteles, Met. III, 3, 998 b17–27). Diese Aporie tritt ein, wenn man die Einheit des Begriffs »Seiendes« als Einheit einer Gattung interpretiert oder kurz gesagt, wenn man behauptet, *ens* sei ein Gattungsbegriff, vergleichbar z. B. dem der Gattung ›Lebewesen‹.

Kategorienschema: Worum geht es bei diesem Argument? Um das Problem zu verstehen, muss man sich zunächst klar machen, was eigentlich Gattungen und Gattungsbegriffe sind. Gattungsbegriffe sind hierarchisch angeordnete Begriffe, die Klassen von Gegenständen durch die implizite Angabe ihrer Bestimmungsmomente bezeichnen.

Vermeintlich einfache Begriffe enthalten eine Komplexität von definierenden Elementen, die zunehmend konkretere Dinge bzw. Entitäten bezeichnen. Es gibt allgemeinste Bestimmungen wie den Begriff ›Seiendes‹ und es gibt Begriffe für Individuelles, die dann im eigentlichen Sinne keine Begriffe mehr, sondern Namen sind.

Arbor porphyriana: Dem aristotelischen Kategorienschema folgend, wie es etwa im Schema des Baumes des Porphyrios (*arbor porphyriana*) sinnbildlich wird, geschieht der Übergang von einem übergeordneten Gattungsbegriff zu einem untergeordneten, den man dann einem Artbegriff nennt, dadurch, dass dem übergeordneten Gattungsbegriff eine spezifische Differenz hinzugefügt wird, die als zusätzliches Bestimmungsmoment die Gattung zur Art kontrahiert. Dies ist etwa der Fall, wenn durch Hinzufügung der spezifischen Differenz ›vernunftbegabt‹ der Gattungsbegriff ›Lebewesen‹ zum Artbegriff ›Mensch‹ überführt oder – um ein anderes Beispiel zu nennen – der noch umfassendere Gattungsbegriff ›Substanz‹ durch Hinzufügung des Differenzierungsmomentes ›körperlich‹ in den spezifischeren Begriff der ausgedehnten Substanz transformiert wird. Je mehr Bestimmungsmomente einem Begriff hinzugefügt

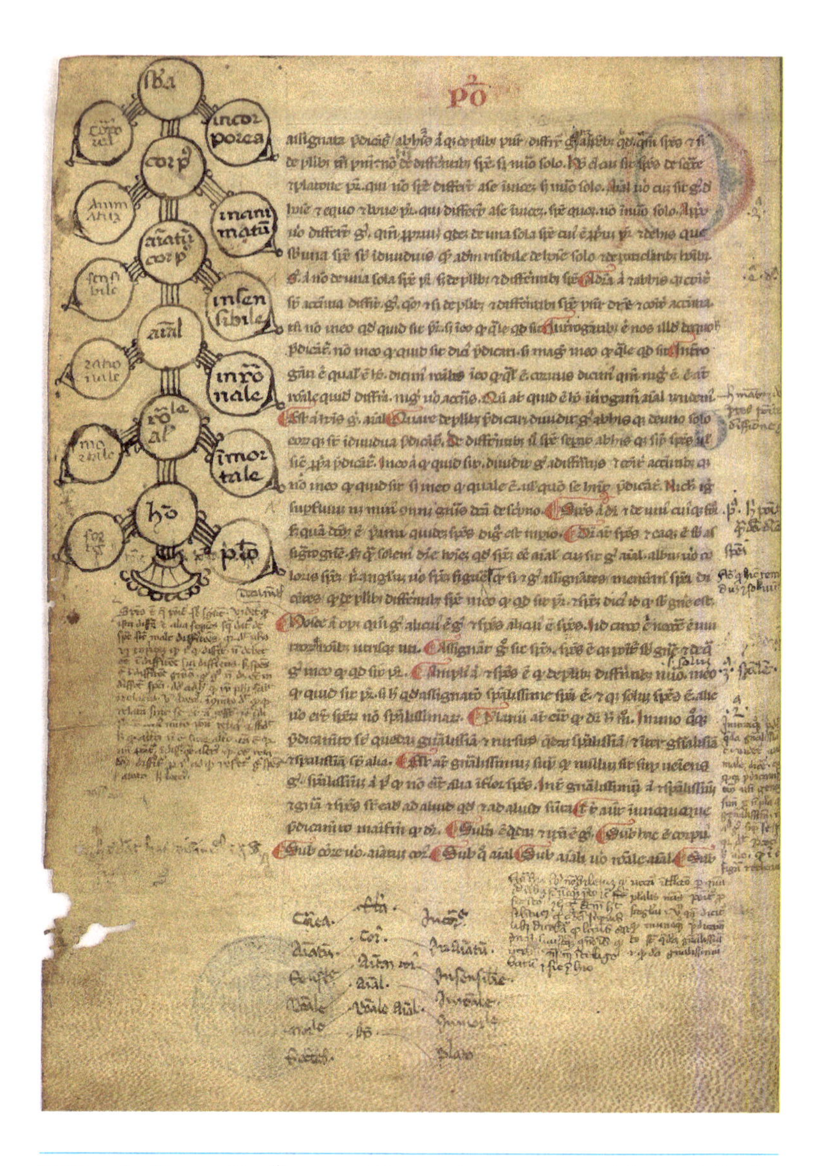

Bildbeschreibung: Die Über- und Unterordnung von Begriffen und die damit verbundene Zusammensetzung von Art- und Gattungsbegriffen aus verschiedenen Bestimmungsmomenten lässt sich in der Anordnung eines Strukturbaumes veranschaulichen. Dieses Schema findet sich in zahlreichen mittelalterlichen Handschriften, die den lateinischen Text der Einleitung des Porphyrios zur aristotelischen *Kategorienschrift*, die sogenannte *Isagoge*, überliefern. Nach diesem Schema des **Porphyrianischen Baumes** aus dem Codex Vat. lat. 2982 fol. 3v der Biblioteca Vaticana in Rom, der aus dem 12. bis 13. Jahrhundert stammt, wird der Artbegriff des Menschen definiert als »vernunftbegabte, belebte und körperliche Substanz«.

werden, umso spezifischer ist seine Bedeutung und umso weniger Gegenstände werden in der Regel durch diesen Begriff benannt.

Aporie: Es würde nun – so das Argument – zu unlösbaren Schwierigkeiten führen, wollte man den Begriff des Seienden, d. h. die Gemeinsamkeit, die man ausdrücken will, wenn man eine Vielheit von Gegenständen als Seiende bezeichnet, genauso verstehen, wie man z. B. den Begriff der Mineralien versteht, indem man viele Gegenstände als Mineralien begreift und sie damit aufgrund der damit verbundenen Eigenschaften, die allen Mineralien gemeinsam zukommen, implizit z. B. von den Lebewesen unterscheidet. Die Unlösbarkeit wird dadurch offensichtlich, dass man, egal für welche von zwei zur Auswahl stehenden Interpretationsweisen man sich entscheidet, auf ein unlösbares Problem stößt.

Differenz außerhalb der Gattung: Der Widerspruch resultiert daher, dass man in einem Fall annehmen müsste, dass die Gattung durch etwas zu den unter sie fallende Arten differenziert würde, was bereits in der Gattung enthalten ist, nämlich Seiendes durch Seiendes. Dies scheint aber nicht möglich zu sein, da z. B. die Gattung der Körper nur dadurch zu den belebten und den unbelebten Körpern weiter differenziert werden kann, dass die Eigenschaft des Belebtseins – Gleiches gilt für die Eigenschaft des Unbelebtseins – nicht schon im Körpersein selbst enthalten ist. Körper sind nicht als solche bereits belebt, sondern sind es nur dann, wenn das Leben als etwas Zusätzliches zum Körper hinzutritt. Das Belebtsein muss also als ein zusätzliches Bestimmungsmoment erst hinzukommen und kann nicht bereits im Körperhaften enthalten sein.

Differenz als Seiendes: Der andere Fall könnte sein, dass die oberste Gattung des Seienden durch etwas weiter unterschieden wird, was selbst nicht in der Gattung enthalten ist. Sie würde dann durch etwas differenziert, das zwar nicht in ihr bereits vorliegt, deshalb aber ein Nicht-Seiendes sein müsste, insofern es nicht unter den Begriff des Seienden fallen dürfte. Hieraus entsteht aber dann das andere Problem, dass etwas, was nicht ist, keine Differenz bewirken kann, eben weil es nicht ist. Beide Annahmen scheiden also aus, weshalb Aristoteles den Schluss zieht, dass das Seiende nicht eine oberste Gattung ist und die Einheit der Wissenschaft vom Seienden, also die Metaphysik, ihre Einheit nicht aus der Einheit einer Gattung beziehen kann.

Auf diese Schwierigkeit kann man unterschiedlich reagieren. Zum einen kann man für den Begriff ›seiend‹ auf die Bedeutungseinheit, die einem Gattungsbegriff im aristotelischen Kategorienschema zukommt, verzichten und damit die These von der *univocatio entis* aufgeben. Die andere Möglichkeit besteht darin, eine Einheit der Bedeutung von ›seiend‹ anzunehmen, die zwar nicht die Einheit eines Gattungsbegriffs ist, die es aber gleichwohl erlaubt, an der These von der univoken Prädikation festzuhalten. In Frage gestellt wird also eine implizit die Gattungsaporie bestimmende Regel, wonach nur Art- und Gattungsbegriffe univok sein können. Diesem zweiten Weg folgt Scotus, wenn er eingedenk der drohenden Gefahr der Gattungsaporie einen eigenständigen Versuch unternimmt, diese für die Univokation vorauszusetzende Einheit so zu konzipieren, dass die hierüber sonst zu erwartenden Streitigkeiten vermieden werden. Scotus wendet sich mit diesem Schritt gegen ein aristotelisches Lehrstück, dem bis dahin die gesamte Tradition seiner mittelalterlichen Exegese gefolgt ist.

6.2.2.6 | Das scotische Verständnis von Univokation

Angesichts der genannten Schwierigkeiten stellt sich die Frage, was Scotus tatsächlich meint, wenn er davon spricht, dass ein Begriff univok verwendet wird. Seine Antwort ist kurz, aber einschlägig.

Ebd., d. 3 p. 1 q. 1–2 n. 26

Und damit kein Streit hinsichtlich des Namens der Univokation entsteht, nenne ich einen univoken Begriff einen solchen, der so einer ist, dass seine Einheit zu einem Widerspruch hinreicht, wenn er von demselben bejaht und verneint wird. [Diese Einheit] reicht ebenso für den Mittelbegriff in einem Syllogismus hin, so dass die in einem auf diese Weise einheitlichen Mittelbegriff vereinigten Außenbegriffe ohne den Trugschluss der Äquivokation als untereinander vereinigt erschlossen werden.[257]

Sprachanalytische Deutung der Univokation: Scotus macht deutlich, dass seinem Univokationsverständnis in keiner Weise eine Bedeutungseinheit im Sinne eines Gattungsbegriffs zugrunde liegt. Die vorausgesetzte Einheit wird vielmehr durch zwei wesentlich weniger weitreichende Forderungen gekennzeichnet. Die eine Forderung stellt eine Minimalbedingung für eine gelungene Aussage in einem einzelnen Satz dar, die andere eine Minimalbedingung für das Gelingen argumentativen Verknüpfens mehrerer Sätze.

Bedingung der Prädikation: Geht man davon aus, dass eine Aussage zu machen darin besteht, einem Subjekt ein bestimmtes Prädikat zu- oder abzusprechen, so kommt eine Aussage nur dadurch zustande, dass man in ein und demselben Satz eben nicht beides gleichzeitig tut. Ein Begriff, der in seiner Bedeutung mehrdeutig ist, lässt sich von demselben Gegenstand sowohl bejahen als auch verneinen, je nachdem in welcher Weise seine Bedeutung interpretiert wird. Sagt man etwa von einem bestimmten Gebäude das Prädikat ›Schloss‹ aus, so kann dies ohne Widerspruch affirmativ und negierend geschehen, je nachdem, ob man die Bedeutung des Begriffs ›Schloss‹ als Wohnsitz eines Königs oder als Schließvorrichtung an einer Türe interpretiert. Setzt man nicht eine Einheit der Bedeutung des prädizierten Begriffs, also in diesem Fall des Terminus ›Schloss‹, voraus, die die beiden Sätze »Dieses Gebäude ist ein Schloss« und »Dieses Gebäude ist kein Schloss« widersprüchlich werden lässt, so findet letztlich in beiden Fällen überhaupt keine Aussage statt. Ein solcher Satz, dessen Prädikatsterminus in dieser Weise mehrdeutig ist, sagt im Grunde gar nichts, weil er keine klare Grenze zieht zwischen der Behauptung, dass das ausgesagte Prädikat dem Subjekt, von dem es ausgesagt wird, zukommt oder nicht. Der scotische Begriff der Univokation impliziert also eine Bedeutungseinheit, die die Voraussetzung dafür ist, dass der Satz vom ausgeschlossenen Widerspruch auf inhaltlich signifikante Aussagen anwendbar ist.

Bedingung der Argumentation: Der zweite Fall, den Scotus im Blick hat, richtet sich auf die Verbindung mehrerer Sätze in einem argumentativen Schlussverfahren. Diese Forderung geht insofern über die erste hinaus, als dass für eine gelungene argumentative Verknüpfung von Sätzen nicht nur die Bedeutungseinheit innerhalb einer einzelnen Aussage gefordert wird, sondern weitergehend eine Einheit notwendig ist, die gewährleistet, dass derselbe Begriff in allen zu verknüpfenden Sätzen in derselben Bedeutung verstanden wird.

Folgert man etwa aus den beiden Sätzen »Alle Hunde sind Lebewesen« und »Hund ist ein Sternzeichen« darauf, dass ein Sternzeichen ein Lebewesen ist, so beruht dieser offensichtliche Fehlschluss darauf, dass der Begriff ›Hund‹ in diesem Schluss eben nicht die geforderte Einheit der Bedeutung besitzt. Die Mehrdeutigkeit des Mittelbegriffs ›Hund‹ ist der Grund, warum sich die Außenbegriffe ›Lebewesen‹ und ›Sternzeichen‹ scheinbar ohne Fehler verbinden lassen.

Transzendentale Einheit des Begriffs des Seienden: Die Einheit, die Scotus als die Minimalbedingung seiner Definition der Univokation voraussetzt, ist also keineswegs die eines durch bestimmte Inhalte gekennzeichneten Gattungsbegriffs. Der Begriff des Seienden ist nicht selbst etwas Begriffenes, sondern stellt die Voraussetzung des Begreifens dar, insofern etwas nur begriffen wird, wenn es gegen das abgegrenzt wird, was ihm widerspricht. Das, was der Ausdruck ›Mensch‹ bezeichnet, ist nur dann begriffen, wenn man verstanden hat, diesen Begriff nicht auf das anzuwenden, was nicht ›Mensch‹ ist. Jedem Akt des Begreifens liegt also das Prinzip zugrunde, einen Begriff nicht gleichzeitig affirmativ und verneinend gebrauchen zu können.

Scientia transcendens: Die Einheit des Begriffs des Seienden ist also formaler Natur und zeigt sich als etwas, das im alltäglichen Sprechen und Argumentieren tatsächlich vorausgesetzt wird. Anders formuliert könnte man sagen, der scotische Univokationsbegriff sei sprachanalytischer und argumentationslogischer Natur. Die These vom Begriff des Seienden als solchen als dem ausgezeichneten Gegenstand der Metaphysik zusammen mit der Annahme von der univoken Verwendung des Begriffs des Seienden besagt demnach nichts anderes, als dass die Metaphysik diejenige Disziplin ist, die die Voraussetzungen des Sprechens von Dingen überhaupt und des Argumentierens in Satzzusammenhängen zum Gegenstand hat. Aufgabe der Metaphysik ist für Scotus also nicht eine ›Übergattung‹, einen ersten Begriff aufzuweisen, der als Inbegriff in höchstem Maße das enthält, was die Gesamtheit der Welt in ihrer Vielheit ausmacht. Metaphysik zeigt sich vielmehr als Rekonstruktion dessen, was zur Orientierung in der Welt als ganzer notwendig ist und immer schon vorausgesetzt wird. Aus diesem Grund darf man die Kennzeichnung der Metaphysik als einer übersteigenden Wissenschaft (*scientia transcendens*) – wie sich Scotus zu Beginn seines Metaphysikkommentars ausdrückt – mit Recht im Sinne einer Transzendentalwissenschaft und nicht bloß einer solchen des Transzendenten verstehen.

Gelingt es, die These von der univoken Prädikation des Begriffs ›seiend‹ zu beweisen, so ist damit der Nachweis erbracht, dass der menschliche Verstand seiner Natur nach dazu in der Lage ist, einen Begriff zu gewinnen, der eine letzte Einheit alles Denkens und Sprechens über die Welt gewährleistet. Diese Einheit, so machen die scotischen Erläuterungen in diesem Zusammenhang deutlich, kann keine inhaltlich bestimmte sein, sondern nur eine solche, die sich formal als Einheit aller inhaltlichen Vielheit zeigt.

6.2.2.7 | Der Beweis der *univocatio entis*

Pointiert argumentiert Scotus mit folgendem Argument für seine These von der *univocatio entis*:

Ebd., d. 3 p. 1 q. 1–2 n. 27

[Obersatz:] Jeder Verstand, der hinsichtlich eines Begriffs sicher und hinsichtlich verschiedener [anderer Begriffe] im Zweifel ist, hat einen Begriff, hinsichtlich dessen er sicher ist, der ein anderer ist als die Begriffe, hinsichtlich derer er im Zweifel ist; das Subjekt schließt das Prädikat ein.
[Untersatz:] Aber der Verstand des Erdenpilgers kann sicher sein, dass Gott ein Seiendes ist, und gleichzeitig im Zweifel darüber sein, ob es sich um ein endliches oder ein unendliches, ein geschaffenes oder ein ungeschaffenes Seiendes [handelt].
[Schlussfolgerung:] Also ist der Begriff des Seienden hinsichtlich Gottes ein anderer als dieser oder jener Begriff und von sich aus keiner von beiden und in diesen beiden eingeschlossen, also ein univoker.[258]

Erste Prämisse: Das scotische Argument ist nach dem klassischen Muster eines Syllogismus konzipiert. Der Obersatz, also die erste Prämisse, formuliert zunächst die allgemeine Ausgangsthese. Die These versteht Scotus offensichtlich als einen analytischen Satz, in dem der Subjektbegriff das Prädikat einschließt, nämlich dass es sich in dem Fall, in dem der Verstand sich hinsichtlich eines Begriffes sicher und hinsichtlich anderer Begriffe unsicher ist, eben um verschiedene Begriffe handeln muss.

Gewissheit und Zweifel: Wie aus dem Zusammenhang ersichtlich wird, hat man die Formulierung »hinsichtlich eines Begriffes sicher und hinsichtlich anderer zweifelhaft sein« so zu verstehen, dass man zwar keinen Zweifel hat, dass das eine Prädikat auf ein bestimmtes Subjekt zutrifft, dass man aber wohl im Zweifel sein kann, ob ein anderes Prädikat von diesem aussagbar ist. Man kann sich nämlich leicht vorstellen, dass man zwar weiß, dass ein Gegenstand unter den einen Begriff falle, aber dass man gleichzeitig unsicher ist, ob dieser Gegenstand auch unter einen anderen Begriff falle.

Ein solcher Fall liegt etwa vor, wenn man einerseits sicher ist, dass das, was man sieht, ein Lebewesen ist, und gleichzeitig unsicher ist, ob es sich um ein Säugetier oder einen Fisch handelt. Weil man weiß, dass es sowohl säugende als auch nicht-säugende Lebewesen gibt, zweifelt man nicht daran, dass beide Arten zu Recht unter der gemeinsamen Gattung der Lebewesen aufgeführt werden. Der gemeinsame Begriff des Lebewesens ist eben ein anderer als die auch untereinander verschiedenen Begriffe des Säugetiers und des Fisches.

Zweite Prämisse: Der Fall, den Scotus in seinem Argument im Auge hat, ist der, dass die Begriffe eine gewisse Ähnlichkeit aufweisen. Dies ist vor allem dann gegeben, wenn der eine Begriff eine Spezifizierung des anderen ist, so dass das Zusammentreffen von Gewissheit und Zweifel die Einheit des übergeordneten Begriffs in Frage zu stellen scheint.

Gott als Seiendes: Dieses Problem tritt natürlich in besonderer Weise in Bezug auf den Begriff ›seiend‹ auf, worauf Scotus im Untersatz des Syllogismus eingeht. Ist man sich nämlich einerseits sicher, dass Gott ein Seiendes ist, kann man sehr wohl darüber im Zweifel sein, ob er ein endliches oder ein unendliches Seiendes ist. Diesen letzten Gedanken begründet Scotus mit dem erläuternden Hinweis darauf, dass alle Philosophen sicher waren, dass das, was sie als erstes Prinzip annehmen, ein Seiendes ist, wenngleich sie unterschiedlicher Meinung waren, ob es sich hierbei um Feuer oder Wasser, um ein geschaffenes oder ein ungeschaffenes Seiendes handelt. Die Pointe dieser Überlegung besteht darin, dass die Unsicherheit, die in Bezug auf untergeordnete, spezifischere Begriffe vorkommt, keineswegs die Gewissheit hinsichtlich des übergeordneten Begriffs in Frage stellt. Gewissheit und Zweifel können gemeinsam bestehen, aber sie richten sich dann auf unterschiedliche Begriffsgehalte, die in ihrer Bedeutungseinheit für sich jeweils bestehen bleiben, untereinander aber distinkt sind.

Schlussfolgerung: Bezogen auf die Frage nach der univoken Aussagbarkeit des Begriffs ›seiend‹ lautet also die scotische Schlussfolgerung, dass die vorausgesetzte Bedeutungseinheit des Seienden als solchen in Bezug auf Gott und die Kreatur sehr wohl erhalten bleibt, auch wenn man durchaus im Zweifel sein kann, ob Gott ein endliches, geschaffenes oder ein unendliches, ungeschaffenes Seiendes ist.

Univoke Aussage des Begriffs ›Seiendes‹: Der Begriff ›seiend‹ ist als solcher hinsichtlich seiner Spezifizierungen (endlich, unendlich etc.) unbestimmt, so dass die Einheit seiner Bedeutung als Voraussetzung der univoken Prädikation nicht in Frage gestellt wird, wodurch er in der gleichen Bedeutung sowohl von Gott als auch von jedem Geschöpf ausgesagt werden kann.

Die Bedeutung von ›seiend‹ erschließt sich nach dieser Theorie nicht erst unter Bezugnahme auf ein unendlich Seiendes, also auf Gott, sondern der Begriff des Seienden als solchen wird als ein zuvor Bekanntes im Begriff des unendlichen Seienden bereits vorausgesetzt, er ist nämlich in diesem – wie auch im Begriff des endlichen Seienden – bereits eingeschlossen. Gewonnen wird dieses Ergebnis dadurch, dass die scheinbare Auflösung der Bedeutungseinheit des einen Begriffs ›seiend‹ von Scotus auf eine gänzliche Unterschiedenheit mehrerer Begriffe zurückgeführt wird.

Das Argument, das Scotus hier entwickelt, geht aber nicht nur, gleichsam in einer negativen Perspektive, darauf aus, die Einheit des Begriffs des Seienden zu bewahren, weil die Differenz zwischen dem sicheren Inhalt und dem bezweifelten Inhalt, also zwischen ›Seiendem‹ einerseits und ›unendlichem‹ bzw. ›endlichem Seiendem‹ andererseits auf eine Differenz des einfachen zu den jeweils zusammengesetzten Begriffen zurückgeführt wird. Die Rede von einem Zweifel macht nämlich nur dann Sinn, wenn es sich bei der Gegenüberstellung der Optionen »unendliches Seiendes« (*ens infinitum*) auf der einen Seite und »endliches Seiendes«

(*ens finitum*) auf der anderen Seite auch tatsächlich um zwei unterschiedliche Begriffe handelt.

Aussage und Widerspruch: Um von zwei unterschiedlichen Begriffen sprechen zu können, ist es aber nach der eingangs angeführten Erklärung des scotischen Verständnisses von Univokation notwendig, dass sich die Aussagen »Das Seiende ist endlich« und »Das Seiende ist unendlich« widersprechen. Das ist gerade nach scotischer Deutung die Minimalbedingung, die ein univoker Begriff erfüllen muss, nämlich dass er bei gleichzeitiger Bejahung und Verneinung zum Widerspruch führt. Die beiden genannten Aussagen müssen kontradiktorisch sein, damit man sagen kann, der Begriff des Endlichen sei ein anderer als der des Unendlichen.

Damit es zu dieser Differenz zwischen endlich und unendlich überhaupt kommen kann, muss aber der je enthaltene Teilbegriff, nämlich der des Seienden, jeweils derselbe sein. Damit die Differenz von *ens finitum* und *ens infinitum* eine Differenz zwischen endlich und unendlich ist, muss der Begriff des Seienden selbst derselbe sein, also univok ausgesagt werden. Die univoke Einheit des Begriffs des Seienden ist die Voraussetzung dafür, dass man von den sich ausschließenden Bestimmungen des Endlichen und des Unendlichen sprechen kann.

›Seiend‹ als Ersterkanntes: Die scotische Lehre von der *univocatio entis* beruht also einerseits auf der Annahme, dass der Begriff ›seiend‹ in allen anderen Begriffen als ein Bestandteil ihrer Bedeutung enthalten ist und in diesem Sinne ein Ersterkanntes ist. ›Seiend‹ wird durch die je hinzutretenden spezifischen Differenzen in den verschiedenen komplexen Begriffen näher bestimmt und ist als ein auf diese Weise kontrahierter Bedeutungsbestandteil in allen Begriffen eingeschlossen.

6.2.2.8 | Metaphysik als Transzendentalwissenschaft

Scientia transcendens: Der Begriff ›seiend‹ ist eben kein Gattungsbegriff, sondern besitzt – wie Scotus sich ausdrückt – eine »übergroße Gemeinsamkeit« (*nimia communitas*), die über das Gemeinsame einer Gattung noch hinausgeht (Ord. I d. 3 p. 1 q. 3 n. 158 (Ed. Vat. 3) 97). Die Lehre von der übergroßen Gemeinsamkeit des Begriffes des Seienden löst deshalb das zentrale Problem, das für Aristoteles die Gattungsaporie hervorgerufen hat. Dies geschieht dadurch, dass Scotus eine Deutung dessen bietet, worin die Einheit des Begriffes des Seienden besteht, ohne auf den Typ von Einheit, wie er bei Art- und Gattungsbegriffen vorliegt, rekurrieren zu müssen. Scotus wendet sich also gegen die Annahme des Aristoteles, dass nur Gattungs- und Artbegriffe univok ausgesagt werden. Es gibt Begriffe, die eine Allgemeinheit haben, die über die der Gattungsbegriffe hinausgeht. Solche Begriffe nennt Scotus transzendentale Begriffe, und die Wissenschaft, die diese Begriffe behandelt, nennt er deshalb *scientia transcendens*, also Transzendentalwissenschaft.

Voraussetzung der univoken Prädikation: Im Ergebnis leistet das scotische Lehrstück von der *univocatio entis* für die übergeordnete Fragestellung nach dem ausgezeichneten Gegenstand des menschlichen Erkenntnisvermögens den Nachweis, dass mit dem Begriff des Seienden als solchen dem Verstand ein Begriff zur Verfügung steht, der in seiner Bedeutung so allgemein und unbestimmt ist, dass er – ohne eine äquivoke Prädikation zur Folge zu haben – von allen möglichen Gegenständen des Erkennens ausgesagt werden kann. Es ist dieser Begriff des Seienden, der unter Beibehaltung der Einheit seiner Bedeutung sowohl von allem Kreatürlichen als auch von Gott, sowie von Substanzen und Akzidentien aussagbar ist.

Mit diesem Ergebnis steht für Scotus fest, dass erstens der Gegenstand der Metaphysik der allgemeine Begriff des Seienden ist, der – und das ist das zweite Ergebnis – univok ausgesagt wird. Drittens zeigt er, dass die Metaphysik dem Anspruch gerecht wird, die natürlichen Erkenntnisfähigkeiten des Menschen nicht zu übersteigen, sondern deren implizite Voraussetzungen zu thematisieren. Viertens ist diese Metaphysik Fundamentalwissenschaft, weil sie die ersten Grundbegriffe und damit die letzte Einheit menschlichen Denkens betrifft, weshalb man sie auch im modernen Sinne zu Recht als Transzendentalwissenschaft bezeichnet.

Metaphysik und Vernunftkritik: Damit tritt eine Konzeption von Metaphysik hervor, die, weil sie eine Lösung für das Analogieproblem schafft, auf den Teilhabegedanken und damit auf jede Vermischung mit einer Ursachenlehre verzichten kann. Aus diesem Grund ist diese Wissenschaft eng an die Grenzen dessen gebunden, was mit den Mitteln der natürlichen Vernunft zu leisten ist, ja lotet diese Grenzen allererst aus und macht sie beschreibbar. In diesem Sinne findet bei Scotus aufgrund der transzendentalen Konzeption eine vollständige Überwindung jeder ontotheologischen Prägung der Metaphysik statt. Auch wenn Scotus Grundbestandteile der aristotelischen Metaphysik übernimmt, löst er sich doch letztlich auch von dieser, um den internen Schwierigkeiten zu entgehen, wie sie etwa in der Gattungsaporie und den für Thomas von Aquin zentralen Konsequenzen, vor allem durch die daraus resultierende Übernahme der Analogielehre, zu Tage treten.

Quellen

Albertus Magnus: *De causis et processu universitatis a prima causa, II* tr. 1 c. 17 u. c. 23, tr. 5 c. 24; *Metaphysica, I* tr. 1 c. 2; *Super Dionysii mysticam theologiam et epistulas,* epist. VII; *Super Dionysium de divinis nominibus*, c. 4. u. 5.

Berthold von Moosburg: *Expositio super Elementationem theologicam Procli*, praemb. und prop. 1 und 11.

Johannes Duns Scotus: *Ordinatio I* d. 3 q. 1 p. 1–2; *Quaestiones super libros metaphysicorum Aristotelis*, prol.; I q. 1.

Thomas von Aquin: *In metaphysicam Aristotelis commentaria*, IV lec. 1 und 5; IX lec. 1; *De ente et essentia*, c. 1; *De hebdomadibus*, c. 2; *De trinitate*, q. 5 a. 4; *In Aristotelis libros peri hermeneias*, I lec. 5; *Summa theologiae I*, q. 13 a. 5, q. 16 a. 6.

Weiterführende Literatur

Aertsen, Jan A.: *Medieval Philosophy and the Transcendentals. The Case of Thomas Aquinas*. Leiden/New York/Köln 1996 (Studien und Texte zur Geschichte des Mittelalters 52).

Aertsen, Jan A.: *Medieval Philosophy as Transcendental Thought. From Philip the Chancellor (ca. 1225) to Francisco Suárez*. Leiden/New York/Köln 2012 (Studien und Texte zur Geschichte des Mittelalters 107).

Goris, Wouter: *Transzendentale Einheit*. Leiden/Boston 2015 (Studien und Texte zur Geistesgeschichte des Mittelalters 119).
Honnefelder, Ludger: *Der zweite Anfang der Metaphysik. Voraussetzungen, Ansätze und Folgen der Wiederbegründung der Metaphysik im 13./14. Jahrhundert*. In: Jan P. Beckmann u. a. (Hg.): *Philosophie im Mittelalter. Entwicklungslinien und Paradigmen*. Hamburg 1996, 165–186.
Honnefelder, Ludger: *Ens inquantum ens. Der Begriff des Seienden als solchen als Gegenstand der Metaphysik nach der Lehre des Johannes Duns Scotus*. Münster ^{2}1989 (Beiträge zur Geschichte der Philosophie und Theologie des Mittelalters. Neue Folge 16).
Wieland, Georg: *Untersuchungen zum Seinsbegriff im Metaphysikkommentar Alberts des Großen*. Münster 1972 (Beiträge zur Geschichte der Philosophie und Theologie des Mittelalters. Neue Folge 7).
Wippel, John F.: *The Metaphysical Thought of Thomas Aquinas. From Finite to Uncreated Being*. Washington 2000.
Zimmermann, Albert: *Ontologie oder Metaphysik? Die Diskussion über den Gegenstand der Metaphysik im 13. und 14. Jahrhundert. Texte und Untersuchungen*. Leuven 1998 (Recherches de Théologie et Philosophie médiévales. Bibliotheca 1).

7 Moralität und Freiheit

Zeittafel

Petrus Abaelardus 1079–1142	1138–1139 *Ethica sive scito te ipsum*
Thomas von Aquin 1225–1274	1265–1272 *Summa theologiae* 1277 Verurteilung von 219 häretischen Thesen durch den Bischof von Paris Étienne Tempier
Heinrich von Gent 1217–1293	nach 1276 *Quaestiones quodlibetales*
Gottfried von Fontaines ca. 1250–1309	1285–1299 *Quaestiones quodlibetales*
Johannes Duns Scotus 1265/6–1308	nach 1290 *Quaestiones super libros metaphysicorum* 1297–1304 *In libros sententiarum*

Moralische Urteile werden mit dem doppelten Anspruch gefällt, dass sie von der Sache her begründbar sind und dass sie die Personen, denen man sie zuspricht, zu Recht einer moralischen Beurteilung unterziehen. Lob und Tadel stützen sich auf ein nicht beliebiges Fundament und betreffen zudem Handelnde nur insofern, als diese für ihr Tun verantwortlich sind. Unsere moralische Praxis setzt begründbare Werte auf Seiten der Urteilenden und auf Freiheit basierende Verantwortung auf Seiten der Beurteilten voraus. Was ist es aber im Einzelnen, was wir moralisch bewerten? Denn die äußeren Handlungen allein sind es offensichtlich nicht. Sie sind es weder im Urteil dritter noch in der Selbstzuschreibung, wie ein Blick auf eine der bis heute eindrücklichsten Lebens- und Liebesgeschichten des Mittelalters und ihre philosophische Reflexion deutlich machen.

7.1 | Petrus Abaelardus: Zustimmung und Moralität

Nachdem Petrus Abaelardus eine steile Karriere zunächst als Logiker, dann als Theologe gemacht hat, nimmt er 1114 schließlich den angesehenen Lehrstuhl seines einstigen Lehrers Wilhelm von Champeaux im Zentrum von Paris ein. Während er auf dem Höhepunkt seines Ruhmes steht, ist er zudem als Hauslehrer der überaus gebildeten, damals etwa zwan-

J. B. Metzler © Springer-Verlag GmbH Deutschland, ein Teil von Springer Nature, 2019
H. Möhle, *Philosophie des Mittelalters*, https://doi.org/10.1007/978-3-476-04747-2_7

zigjährigen Heloïse tätig. Doch allein beim Unterricht bleibt es nicht: Zwischen dem Lehrer und seiner Schülerin entsteht ein inniges Liebesverhältnis, das auch der Familie der jungen Heloïse nicht verborgen bleibt. Weil der Onkel Heloïses, Fulbert, trotz der Eheschließung der beiden auf Rache sinnt, als Abaelard Heloïse aus Paris wegbringt, beauftragt er mehrere gewaltbereite Handlanger, die Abaelard nachts überfallen und offensichtlich unter Einhaltung einer den Tod verhindernden Vorgehensweise kastrieren. Abaelard überlebt den brutalen Eingriff, tritt in St. Denis ins Kloster ein und setzt nach einiger Zeit seine Lehrtätigkeit fort. Heloïse, die zwischenzeitlich selbst im Kloster lebt, macht sich Vorwürfe, zwar die Verstümmelung ihres Geliebten nicht gewollt zu haben, aber doch in gewisser Weise eine Mitschuld daran zu tragen. In einem Brief an ihren einstigen Geliebten, der später Eingang in die Lebensbeschreibung Abaelards finden wird, schreibt sie:

Heloïse, Brief 2, (Ed. Brost) 116

Ich bin voll schuldig und zugleich – das weißt Du – voll unschuldig; nicht der Erfolg der Tat unterliegt der Ahndung, sondern das Fühlen und Wollen des Täters, und ein billig denkender Richter wertet die Gesinnung, nicht den Vorgang.[259]

Moralische Verantwortung: Einerseits ist Heloïse an dem äußeren Ablauf der Handlungen, an dessen Ende die Verstümmelung Abaelards steht, unmittelbar beteiligt, insofern es ohne ihre Leidenschaft und die Abaelards niemals zu den faktischen Geschehnissen gekommen wäre. Andererseits war es sicher niemals ihre Absicht, dass die einmal eingegangene Liebesgeschichte ein solches Ende nehmen würde. Fragt man danach, was denn nun eigentlich der Grund für die moralische Verantwortung und damit der Grund für eine mögliche Zuschreibung von Sünde sei, kann man mit einem von Augustinus her bekannten Modell, wie es zugespitzt bei Gregor dem Großen zu finden ist, antworten:

Gregor der Große, Registrum epistularum XI 56, 9

In der Verführung also liegt der Anfang der Sünde, in der Lust erhält sie Nahrung, in der Zustimmung ihre Vollendung.[260]

Stufenmodell: Die Pointe dieser Aussage liegt darin, ein Stufenmodell zu skizieren, wonach die moralische Verantwortung – im Text ist nur die Rede von der Sünde, die aber gerade eine solche moralische Zurechenbarkeit voraussetzt – in einem ersten Schritt durch eine äußere Verführung (*suggestio*) ihren Anfang nimmt. Dieser Verführung wird in einem weiteren Schritt aufgrund eines vorhandenen oder hierdurch ausgelösten Lustempfindens (*delectatio*) nachgegeben. Am Ende steht dann schließlich die Vollendung der moralischen Zuschreibung, die Gregor im Akt der Zustimmung sieht. Die Zustimmung – der *consensus* – ist also der letzte Schritt, der zur moralischen Verantwortung führt, die bereits durch die Verführbarkeit und das anhaltende Lustempfinden initiiert wurde. Damit ist ausgeschlossen, dass die Zustimmung der alleinige Grund der moralischen Zurechenbarkeit sein kann, insofern sie nur den letzten Schritt in einem mehrstufigen Prozess darstellt.

Consensus: Abaelard folgt diesem Modell nicht. Die moralische Verantwortung sieht er ausschließlich mit einem Akt der Zustimmung verbunden, in dem der Mensch auf das von seinen Strebungen Vorgegebene reagiert. In seiner den ethischen Fragen gewidmeten Schrift *Erkenne Dich selbst* verlegt er deshalb die Verantwortung nicht auf den durch das Lustempfinden gesteuerten Willen, den er – anders als das Wort heute verwendet wird – nicht als die Entscheidungsinstanz, sondern als das natürlich strebende Elemente im Prozess der Handlung versteht. Das richtungsweisende Element beim Zustandekommen einer moralisch signifikanten Handlung, das wir heute eine Willensentscheidung nennen würden, nennt Abaelard »Zustimmung« (*consensus*).

Ein Laster ist somit das, wodurch in uns der Hang zum Sündigen bewirkt wird, d. h. die Neigung, dem zuzustimmen, was sich nicht gehört, dass wir es tun oder unterlassen. Diese Zustimmung aber nennen wir im eigentlichen Sinn Sünde, d. h. Schuld der Seele, durch die sie die Verdammnis verdient und bei Gott haftbar wird.[261]

Petrus Abaelardus, Ethica I 2,9–3,1 (Ed. Ilgner) 155

Allein von dieser – nicht vom natürlichen Wollen – hängt die moralische Dignität bzw. Verwerflichkeit einer Handlung ab:

Somit steht fest, dass eine Sünde manchmal ohne einen gänzlich bösen Willen begangen wird. Hieraus folgt klar, dass das, was Sünde ist, nicht Wille genannt werden kann.[262]

Ebd., 6,11, 163

Das Innere des Menschen, nämlich seine Seele – weder die äußere Handlung, die auf die Zustimmung folgt, noch das vorausgehende Streben, das Abaelard zwar Wille nennt, das aber durch die Naturanlagen des Menschen bestimmt ist und das aufgrund des daraus resultierenden Lustempfindens gerade keine freie Entscheidung bedeutet – ist der Ort der moralischen Zurechenbarkeit. Für Abaelard bedeutet dies etwa, dass die Geschehnisse im Zusammenhang seiner Liebesbeziehung mit seiner einstigen Schülerin Heloïse als solche der moralischen Zurechenbarkeit entzogen sind. In dieser Hinsicht ist allein die innere Haltung entscheidend, die dem äußeren Ablauf jeweils zugrunde gelegen hat.

Dies aber haben wir deshalb angeführt, damit niemand, der alle Lust des Fleisches für Sünde hält, behaupten kann, durch die Handlung werde die Sünde selbst vermehrt: Nämlich dann, wenn einer die innere Zustimmung in den Vollzug des Tuns überführt, so dass er nicht nur durch die Zustimmung zur Schande, sondern auch durch den Makel der Handlung befleckt wird, als ob etwas die Seele beschmutzen könnte, das äußerlich am Körper geschieht. Nichts trägt also ein wie auch immer gearteter Vollzug der Taten zur Vermehrung der Sünde bei. Und nur das beschmutzt die Seele, was zu ihr selbst gehört, d. h. die Zustimmung, die allein Sünde ist – wie wir festgestellt haben –, nicht der ihr vorausgehende Wille noch die ihr nachfolgende Tathandlung.[263]

Ebd., 14,1–2, 181

Zustimmung durch Zielbestimmung: Was heißt Zustimmung aber genau? Diese Frage ist keineswegs überflüssig, denn die die Verantwortung begründende Zustimmung ist eben mehr als eine Einverständniserklärung hinsichtlich einer äußeren Handlung. In gewisser Weise wird die eigentliche moralische Handlung erst durch einen näher zu kennzeichnenden Akt der Zustimmung konstituiert. Dies macht das von Abaelard diskutierte Beispiel eines Ehebruchs deutlich. Die äußere Handlung, also der Geschlechtsverkehr eines Ehepartners mit einem anderen Mann oder einer anderen Frau, ist als solche gar nicht Gegenstand der Zustimmung. Denn diese erfolgt jeweils in Bezug auf eine spezifische Deutung der Handlung, die ganz unterschiedlich ausfallen kann, abhängig davon, was die Handelnden jeweils mit der äußeren Tat verbinden. So kann der Ehebruch zum einen des Äußeren wegen erfolgen, also z. B. aufgrund der Verführung durch die Schönheit einer verheirateten Frau, so dass die Tatsache des Verheiratetseins der Frau hierbei keine Rolle spielt; er kann aber auch des Ruhmes wegen geschehen, nämlich dann, wenn man den Ehebruch mit der Frau eines mächtigen und angesehenen Mannes sucht, um auf diese Weise sein eigenes Machtgefühl zu stärken. Schließlich kann der Ehebruch auch ohne die eigentliche Zustimmung erfolgen, wenn im Vorfeld keinerlei Reflexion stattfand und allein das sinnliche Streben dazu geführt hat:

Ebd., 10,5, 171

Oft geschieht auch Folgendes: Wenn wir, verführt durch ihre Schönheit, mit einer Frau schlafen wollen, von der wir wissen, dass sie verheiratet ist, wollen wir doch keineswegs mit ihr die Ehe brechen, die wir lieber unverheiratet sähen. Umgekehrt suchen viele die Frauen mächtiger Männer zu ihrem eigenen Ruhm mehr deshalb zu verführen, weil sie deren Frauen sind, als wenn sie unverheiratet wären, und sind mehr darauf aus, die Ehe zu brechen als Unzucht zu treiben, d. h. mehr auf ein größeres als ein kleineres Vergehen. Andere schämen sich zutiefst, sich zur Zustimmung in die Begierde oder zu einem bösen Willen verleiten zu lassen, und werden durch die Schwachheit des Fleisches gezwungen, das zu wollen, was sie eigentlich keineswegs wollen wollen.[264]

Nicht die äußere Handlung ist aus Sicht Abaelards moralisch relevant, sondern der Entschluss, einer bestimmten Deutung dieser Handlung, die von der damit verbundenen Zielsetzung abhängt, zu folgen, macht die moralische Bewertung aus. Die moralisch relevante Zustimmung ist demnach immer mit einer Interpretation der Handlung als Mittel zur Erreichung eines bestimmten Ziels verbunden. Erst aus der auf diese Weise hergestellten Relation gegenüber einem Ziel ergibt sich die Grundlage für die Beurteilung menschlichen Handelns.

Aus diesem Grund verweist der von Abaelard in den Vordergrund gestellte Begriff der Zustimmung immer auf den der Absicht (*intentio*), insofern die Zustimmung stets mit der Verfolgung eines Ziels verbunden ist, was die Absicht des Handelnden ausmacht.

Ebd., 35,1, 223

Gut nennen wir ja die Absicht, d. h. recht in sich. Das Tun dagegen nennen wir nicht gut, weil es etwas Gutes in sich aufnimmt, sondern weil es aus einer guten Absicht hervorgeht. Wenn deshalb von demselben Menschen zu verschiedenen Zeiten dasselbe getan wird, nennt man dennoch entsprechend der Verschiedenheit der Absicht sein Tun einmal gut, ein andermal böse. Es unterliegt in Bezug auf »Gut« und »Böse« ersichtlich ebenso einem Wechsel, wie der Satz »Sokrates sitzt« und dessen Begriffsinhalt im Hinblick auf »wahr« und »falsch« einem Wechsel unterliegen, je nachdem ob Sokrates sitzt oder steht. Diese wechselnde Änderung bezüglich wahr und falsch vollzieht sich dabei so – wie Aristoteles sagt – in der Weise, dass nicht das, was sich bezüglich wahr oder falsch ändert, irgendeine Änderung seiner selbst

erfährt, sondern dass sich die zugrunde liegende Sache, d. h. Sokrates, an sich selbst bewegt, d. h. vom Sitzen zum Stehen oder umgekehrt.[265]

Intentio: Wenn Abaelard seinem Buch den Titel »Erkenne dich selbst« gibt, ist damit offensichtlich die Aufforderung verbunden, sein Handeln nicht nach den äußeren Werken und möglicherweise deren Ansehen in der Öffentlichkeit zu bewerten, sondern sein Inneres dadurch zu hinterfragen, dass man seine eigentlichen Handlungsziele und damit die jeweils zugrundeliegenden Absichten zum Gegenstand der Reflexion macht. Mit dieser in der Ethik Abaelards vollzogenen Hinwendung zum Inneren der Seele, die mit den Begriffen der Zustimmung und der Absicht einhergeht, ist fortan unweigerlich die Frage verbunden, worin ein moralisches Gut im Kontext eines je konkreten Lebensentwurfs besteht. Das vermeintlich Objektive des Moralischen ist in seiner Verbindlichkeit für den je eigenen Lebensplan des Einzelnen erst zu erweisen. So wenig das moralisch Gute der Beliebigkeit der pluralen Lebensweisen anheimgestellt ist, so wenig kann auf eine Verortung im Kontext einer bestimmten Gesellschaft und in der konkreten Lebensgeschichte ihrer Mitglieder und ihrer sich im Inneren reflektierenden Entscheidungen verzichtet werden. Die Deutungen dessen, was ein moralisches Gesetz ist, und, woran die Verantwortung für ein sich hieran zu messendes Handeln festzumachen ist, hat auf diese von Abaelards Ethik her zu verstehende Herausforderung Rücksicht zu nehmen.

7.2 | Thomas von Aquin: Natürliches Gesetz und praktische Vernunft

Aristotelische Voraussetzungen: Auch für die praktische Philosophie des Mittelalters ist die Auseinandersetzung mit den heidnischen Lehren der antiken Philosophie signifikant. Für die Herausbildung einer eigenständigen Ethik kommt der Auseinandersetzung mit der aristotelischen Philosophie in verschiedenen Hinsichten Bedeutung zu. Bereits im 12. Jahrhundert zeichnet sich eine Entwicklung ab, die dazu führt, dass sich unter dem Eindruck der aristotelischen Wissenschaftstheorie eine eigenständige philosophische Disziplin der Ethik herausbildet. Wenn jede Wissenschaft, wie Aristoteles feststellt, eigene selbst nicht ableitbare Prinzipien hat, gilt dies nicht nur für die spekulativen Wissenschaften, sondern auch für das Wissen um das, was zu tun ist, also für die Erkenntnis moralischer Zusammenhänge. Ethische Reflexion beruht letztlich auf eigenständigen praktischen Prinzipien, die durch die nicht auf die theoretische zurückführbare praktische Vernunft ebenso grundlegend erfasst werden, wie die theoretische Vernunft die ihr eigenen Grundsätze erkennt. Naheliegenderweise werden diese fundamentalen Grundsätze der praktischen Vernunft als Vorschriften eines allgemein geltenden Naturgesetzes verstanden, das allen konkreten Geboten, die in den verschiedenen Lebensbereichen notwendig sein werden, zugrunde liegt.

Wilhelm von Auxerre entwickelt vor dem Hintergrund der Annahme einer eigenständigen praktischen Wissenschaft zu Beginn des 13. Jahrhunderts eine detaillierte Theorie des natürlichen Gesetzes, die dieses als Inbegriff der grundlegenden praktischen Prinzipien versteht, die der natürlichen Vernunft des Menschen eingeschrieben sind, ohne dass es für deren Auffindung ausführlicher Reflexionen bedürfte. In diesem Sinne unterscheidet sich das natürliche Gesetz im engeren Sinne von dem im weiteren Sinne, insofern letzteres nicht durch die Vernunft, sondern unmittelbar durch die Natur bestimmte Handlungsmuster vorgibt:

Wilhelm von Auxerre, Summa aurea III tr. 18

Im weiteren Sinne spricht man vom Naturgesetz, insofern die Natur alle Lebewesen belehrt, wie es etwa bei der Verbindung von Mann und Frau und ähnlichen Angelegenheiten der Fall ist. [...] Im strengen Sinne versteht man das natürliche Gesetz, insofern das natürliche Gesetz als das bezeichnet wird, was die natürliche Vernunft ohne jede oder ohne eine ausführliche Überlegung als zu tun vorschreibt, wie etwa, dass Gott zu lieben ist, oder ähnliches.[266]

Ein weiterer Entwicklungsschub in der mittelalterlichen Debatte um die praktische Vernunft tritt aus historischen Gründen erst später ein, nämlich in dem Augenblick, in dem die systematische Gestalt der Ethik des Aristoteles in Form der vollständigen lateinischen Übersetzung der *Nikomachischen Ethik* in den Jahren 1246/47 erstmals bekannt wird. Allerdings kann es auch in diesem Bereich des philosophischen Wissens nicht um eine unreflektierte Übernahme aristotelischer Lehrstücke oder gar der ganzen Systematik seiner Lehre gehen. Aufgrund der konkreten Bedingungen der mittelalterlichen Lebens- und Geisteswelt bedarf es tiefgreifender Eingriffe und Modifikationen. Bei diesem Prozess der Aneignung kommt Thomas von Aquin im Anschluss an die Weichenstellungen seines Lehrers Albert dem Großen eine prägende Rolle zu. Um die Bedeutung des von Thomas von Aquin vertretenen Ethikansatzes aber auch daraus resultierende Folgeprobleme adäquat verstehen zu können, sind zunächst einige Voraussetzungen zu klären.

7.2.1 | Voraussetzungen

Wonach bemisst sich moralisch gutes oder böses Handeln in einer Welt, die durch einen göttlichen Schöpfungsplan bestimmt ist und in der der Mensch nach der Verbannung aus dem Paradies zwischen der Hoffnung auf eine grenzenlose Seligkeit und der Angst vor ewig währenden Höllenstrafen sein diesseitiges Leben bestreitet? Mit der Schöpfung scheint die Ordnung von Gut und Böse vorgegeben und der Weg des Menschen zwischen Heil und Verderben so angelegt, dass er ihm, durch Gottes Vorgaben geführt, nur folgen muss, wenn er ihn nicht selbstverschuldet durch den eigenen Ungehorsam verfehlen will.

Göttliches Gesetz: Welche Rolle spielt aber bei diesem Balanceakt zwischen Gut und Böse das menschliche Erkenntnisvermögen? Kann unter diesen Voraussetzungen praktische Erkenntnis für den Menschen noch etwas anderes bedeuten als eine möglichst fehlerfreie Übersetzung des ewigen göttlichen Gesetzes in eine konkrete Handlungsanweisung mit der Vorgabe, das allen Menschen gemeinsame letzte Ziel einer jenseitigen Glückseligkeit möglichst ablenkungsfrei zu erreichen? Diese Frage ist umso berechtigter, als der in der Schöpfungsgeschichte geschilderte Verlust des Paradieses die Strafe für den verbotenen Genuss vom Baum der Erkenntnis ist, aber nicht nur für den Übergriff auf den Baum der Erkenntnis schlechthin, sondern der Erkenntnis, die zwischen Gut und Böse zu unterscheiden weiß. Die Rede ist nicht von einem Wissen um Wahr und Falsch, sondern von einer Erkenntnis dessen, was Gut und Böse ist. Viermal ist zu Beginn der Genesis ausdrücklich der Hinweis auf dieses praktische Wissen zu finden, das dieses *lignum scientiae boni et mali* symbolisiert (Gen 2,9 und 2,17; 3,5 und 3,22).

Die Vertreibung aus dem Paradies wird ausdrücklich damit begründet, dass Adam durch den Genuss von besagtem Baum wie ein Gott – »einer von uns«, wie es wörtlich heißt – »geworden sei, der Wissen vom Guten und Bösen habe« (*Adam quasi unus ex nobis factus est sciens bonum et malum*). Was ihm fehlt, ist das ewige Leben, nach dem er strebt und das er erlangen wird, wenn er auch noch von diesem anderen Baum des Paradieses, nämlich dem Baum des Lebens, isst. Um dies zu verhindern, verweist Gott Adam und – auch wenn es nicht ausdrücklich erwähnt wird – Eva des Paradieses und lässt fortan dessen Eingang von einem schwerbewaffneten Engel mit Feuerschwert bewachen. Die Fähigkeit, aus eigenem Vermögen zwischen Gut und Böse differenzieren zu können, ist nicht mit dem Glück, das ein ewiges Leben bedeutet, identisch, aber immerhin macht es Adam zu einem von uns – wie es der Schöpfergott der Genesis gesagt haben soll.

Ohne die Exegese des biblischen Textes überstrapazieren zu wollen, scheint es unzweifelhaft zu sein, dass das praktischen Wissen, das die moralische Dimension des Menschen betrifft, nicht nur den Menschen als Menschen auszeichnet, sondern ihn in gewisser Weise auch über das rein Menschliche hinaushebt oder ihn zumindest zu einer Vervollkommnung seiner selbst führt.

Wie geht man im Mittelalter mit dieser Dimension des Wissens um, das einerseits quasi göttlich ist und das andererseits im Rahmen eines von Ewigkeit her bestehenden Schöpfungs- und Heilsplans eigentlich überflüssig erscheint?

7.2.2 | Die *Nikomachische Ethik*

Theorie der praktischen Vernunft: Mit Bekanntwerden der vollständigen lateinischen Übersetzung der *Nikomachischen Ethik* des Aristoteles durch Robert Grosseteste ab 1246/47 tritt dem lateinischen Westen nicht nur eine von jeder Jenseitigkeit absehende Vorstellung eines glücklichen Lebens unter den Bedingungen weltlicher Herrschaftsformen entgegen. Vielmehr lernt man vor allem eine systematische Theorie einer autonomen praktischen Vernunft kennen, die nicht vom Füllhorn der göttlichen Offenbarung gespeist wird, sondern sich ihrer natürlichen Fähigkeiten bedient, um die moralischen Entscheidungen zwischen gut und böse, aber auch abgestuft zwischen besser und schlechter, zu treffen und zu begründen. Die praktische Vernunft, so wie Aristoteles sie in Gestalt der Tugend der Klugheit beschreibt, ist die den Menschen auszeichnende geistig-moralische Kraft, durch die der eigene Entwurf eines gelungenen Lebens ohne Rückgriff auf einen ewigen Schöpfungsplan oder eine göttliche Vorsehung für ein Glück im Jenseits realisiert wird.

Selbstverständlich ist die aristotelische Ethik nicht der einzige Entwurf einer antiken Ethik, der den mittelalterlichen Autoren bekannt wird, und es ist zudem die Fassung einer praktischen Philosophie, die in ihrer vollständigen Gestalt auch erst verhältnismäßig spät in lateinischer Sprache überhaupt zugänglich wird. Doch die Geschlossenheit dieser Konzeption und vor allem der Rekurs auf eine eigenständige und genuin praktisch verstandene menschliche Vernunft stellt unter den mittelalterlich-christlichen Bedingungen eine besondere Herausforderung dar.

7.2.3 | Die Ethik des Thomas von Aquin

Als Albert der Große – unmittelbar nachdem er der lateinischen Übersetzung der *Nikomachischen Ethik* habhaft geworden war – den Lehrplan des Kölner Studium Generale umstellt und eine Vorlesung über diesen Text hält, aus der eine erste Fassung seines Ethikkommentars hervorgeht, ist sein Ordensbruder Thomas von Aquin sein Assistent. Dieser verfolgt nachweislich den Lehrbetrieb und begleitet die schriftliche Abfassung des Kommentars in Köln vermutlich sehr eng. Zu diesem Zeitpunkt war die Lektüre dieses Textes in Paris noch verboten. Thomas wird später selbst einen eigenen Kommentar zu diesem Werk verfassen. Vor allem ist es aber seine Auseinandersetzung, die in das Gesamtkonzept seiner *Summe der Theologie*, insbesondere in den zweiten Teil dieses Werkes, eingeflossen ist, die nicht nur die aristotelische Konzeption adaptiert, sondern signifikant weiterentwickelt.

Abbildhaftigkeit des Menschen: Zu Beginn des zweiten Teils seiner *Summe* deutet Thomas den Gesamtaufbau des Werkes und vor allem den systematischen Ort für seine Überlegungen zur Handlungstheorie und zur Ethik im engeren Sinne an. Es zeigt sich, dass der Mensch mit den ihn zum Handeln befähigenden Vermögen ein Abbild des im ersten Teil der *Summe der Theologie* zu betrachtenden Schöpfergottes ist und aufgrund dieser Analogie in der *Summe* selbst zum Gegenstand wird und damit das Programm des zweiten Teils der *Summe* prägt:

Thomas von Aquin, Summa theologiae I-II prol.

[M]an sagt vom Menschen, dass er als Abbild Gottes gemacht wurde, insofern mit »Abbild« die Vernunftbegabung, die Entscheidungsfreiheit und das Aus-sich-Mächtigsein bezeichnet wird. Nachdem also zuvor vom Urbild, nämlich von Gott und von dem, was aus der göttlichen Wirkkraft seinem Willen gemäß hervorgegangen ist, die Rede war, steht noch aus, dass wir sein Abbild, d. h. den Menschen, betrachten, insofern auch er der Ursprung seiner Werke ist, indem er Entscheidungsfreiheit und die Macht über seine Werke besitzt.[267]

Ohne die Eingangskapitel der Genesis zu nennen, übernimmt Thomas den zentralen Gedanken, nicht allein die Vernunftbegabung des Menschen, sondern deren Ausgestaltung als praktisches, also handlungsleitendes Vermögen zum Angelpunkt göttlich-menschlicher Abbildhaftigkeit zu machen. Allerdings deutet Thomas den Grundgedanken der biblischen Formulierung »einer von uns« aus der Genesis (s. Kap. 7.2.1), indem er den Menschen unter dem Gesichtspunkt seines Handlungsvermögens in seiner Abbildhaftigkeit gegenüber dem Göttlichen betrachtet.

Thomas macht im zweiten Teil seiner *Summe* den Menschen als handelndes Wesen zum Gegenstand der Betrachtung und ist damit gezwungen, auch über die Bedingungen zu reflektieren, durch die das menschliche Handeln in moralischer Hinsicht als gut und böse qualifiziert wird. Vor dem eingangs geschilderten Hintergrund wirft das aber die Frage auf, was sein Entwurf der praktischen Philosophie insbesondere im Umgang mit der doppelten Herausforderung erkennen lässt, die durch die Annahme einer autonomen menschlichen Vernunft auf der einen und eines göttlichen Schöpfungs- und Heilsplan auf der anderen Seite gegeben ist.

Thomas' Ethik beruht auf zwei Fundamenten: zum einen auf einer Theorie des Naturgesetzes, das als Bindeglied zum ewigen Gesetz Gottes fungiert, zum anderen auf einer Lehre von der praktischen Vernunft, die in der Tugend der Klugheit ein Abwägungsinstrument in der Ausrichtung menschlichen Handels und dessen Fundierung in den moralischen Tugenden erblickt.

7.2.4 | Das Naturgesetz

Die thomanische Lehre vom Naturgesetz ist Teil des sogenannten Lex-Traktes, der sich im zweiten Teil der *Summe der Theologie* von Frage 90 bis 108 erstreckt. Im Folgenden geht es vor allem um zwei Aspekte, die hinsichtlich der Naturgesetzlehre zu klären sind. Zum einen soll die formale Struktur dessen, was das Naturgesetz ist, erläutert werden und zum anderen sind die inhaltlichen Aspekte vorzustellen, die im Rahmen des Naturgesetzes thematisiert werden, die also weder in das umfassendere ewige Gesetz, noch die speziellen menschlichen Gesetze, noch die Gesetze, wie sie im Alten und Neuen Testament vorliegen, gehören.

7.2.4.1 | Die formale Struktur

Lex aeterna: Auch wenn der Lex-Traktat unterschiedliche Gesetze unterscheidet, unterliegen diese selbstverständlich einem bestimmten Zusammenhang, der an erster Stelle durch das alles durchwaltende göttliche, also ewige, Gesetz, die sogenannte *lex aeterna*, gegeben ist. Dieses Gesetz liegt der gesamten Schöpfung zugrunde und bestimmt damit auch das weitere Verhalten aller Dinge. Das ewige Gesetz spiegelt somit den Schöpfungs- und den durch die göttliche Vorsehung gelenkten Heilsplan wider.

Alle Dinge haben in irgendeiner Weise am ewigen Gesetz teil, insofern sie nämlich aus seiner Einprägung heraus die Neigung zu den ihnen eigentümlichen Handlungen und Zielen besitzen.[268]

Ebd., q. 91 a. 2 co.

Finale Struktur der Natur: Die Überordnung des ewigen Gesetzes kommt dadurch zum Ausdruck, dass alle Dinge an diesem teilhaben. Diese Teilhabe findet ihren konkreten Niederschlag darin, wie die Dinge sich aufgrund der sie jeweils leitenden Kräfte, die als Neigungen – *inclinationes* – bezeichnet werden, verhalten. Die Rede von den Neigungen ist deshalb wichtig, weil Thomas alle Vorgänge in der geschaffenen Natur als zielgeleitet versteht, so dass die Bewegungsprinzipien sinnvoll als die den Dingen innewohnenden Antriebe verstanden werden, die jeweils auf ein durch die Natur vorgegebenes Ziel ausgerichtet sind. Was zur Natur gehört, ist grundsätzlich final, also auf ein Ziel hin, geordnet.

Thomas von Aquin, Summa theologiae I q. 80 a. 1 co.

Jeder Form folgt eine Neigung, sowie das Feuer aufgrund seiner Form zu einem höheren Ort neigt.[269]

Die natürliche Form des Menschen zeichnet sich dadurch aus, dass sie über die Fähigkeiten der unbelebten und vegetativen Natur hinaus auch der Sinneswahrnehmung und der geistigen Erkenntnis fähig ist, so dass die korrespondierenden Neigungen des Menschen dieser Differenziertheit folgen:

Ebd., q. 80 a. 1 co.

Bei den Wesen, die über Erkenntnis verfügen, wird ein jedes so durch die natürliche Form zu seinem ihm eigentümlichen natürlichen Sein bestimmt, dass es dennoch auch für die Erkenntnisbilder anderer Dinge aufnahmefähig ist. Wie das sinnliche Wahrnehmungsvermögen die Erkenntnisbilder aller sinnlich wahrnehmbaren und der Verstand aller verstehbaren Dinge aufnimmt, so ist die menschliche Seele in gewisser Weise alles dem sinnlichen Wahrnehmungsvermögen und dem Verstand nach.[270]

Das ewige Gesetz, in dem sich die göttliche Vorsehung und damit auch der menschliche Heilsplan niederschlagen, ist auf jeweils unterschiedliche Weise in den Neigungen der Dinge implementiert, je nachdem was die Hauptkraft ihrer Natur ausmacht. Für den Menschen ist entscheidend, dass seine Neigungen nicht unmittelbar wirksam sind – wie etwa die Neigung des Steines, nach unten zu fallen, unmittelbar wirksam ist –, sondern der Vermittlung durch die Vernunft bedürfen. Diese Eigenschaft des Menschen, seinen natürlichen Neigungen nicht unmittelbar folgen zu müssen, sondern diese mittels der Vernunft einer Prüfung unterziehen zu können, ist die Grundlage für die eingangs erwähnte Analogie, die Thomas zwischen dem göttlichen Urbild und seinem menschlichen Abbild als Strukturmerkmal der ganzen Summe herausgestellt hat.

Thomas von Aquin, Summa theologiae I-II q. 91 a. 2 co.

Unter den übrigen Geschöpfen ist aber das vernunftbegabte Geschöpf in einer ausgezeichneteren Weise der göttlichen Vorsehung unterstellt, insofern es auch selbst an der Vorsehung teilhat, indem es für sich und andere vorausschaut. Deswegen findet sich auch in ihm eine Teilhabe an der ewigen Vernunft, durch die es eine natürliche Neigung zu der von ihm geschuldeten Handlung und zum Ziel besitzt. Und diese Teilhabe am ewigen Gesetz im vernunftbegabten Geschöpf wird natürliches Gesetz genannt.[271]

Vernunftcharakter des natürlichen Gesetzes: Vernunftbegabte Geschöpfe – für Thomas geht es hier in erster Linie um den Menschen – haben am ewigen Gesetz teil aufgrund der inneren Dispositionen ihrer Natur, die sie zu bestimmten Zielen streben lässt. Allerdings reicht diese Feststellung noch nicht aus, um Thomas' differenzierte Position zu erfassen, denn er fügt hinzu, dass diese Teilhabe am ewigen Gesetz sich im Menschen als natürliches Gesetz (*lex naturalis*) niederschlägt. Es liegt also die Vermutung nahe, dass die natürliche Disposition allein nicht ausreicht, um den Menschen das ihnen vom ewigen Gesetz verheißene Handlungsziel, nämlich ihre Glückseligkeit, zukommen zu lassen. Dies wird deutlich, wenn man den Charakter des natürlichen Gesetzes näher betrachtet. Das natürliche Gesetz ist nämlich nicht einfach Natur, sondern es ist Vernunft, durch die wir unterscheiden, was moralisch geboten und untersagt ist.

[D]as Licht der natürlichen Vernunft, durch das wir unterscheiden, was gut und was böse ist – und diese Unterscheidung ist Sache des natürlichen Gesetzes –, ist demnach nichts anderes als eine Einstrahlung des göttlichen Lichtes in uns. Von daher ist offensichtlich, dass das natürliche Gesetz nichts anderes ist als eine Teilhabe am ewigen Gesetz im vernunftbegabten Geschöpf.[272]

Ebd., q. 91 a. 2 co.

Die Vernunft des Menschen verdankt sich zwar der Schöpfung und damit dem göttlichen Wirken – der Text spricht von göttlicher Einstrahlung –, aber sie gehört zum Wesen des Menschen und ist in diesem Sinne eine natürliche Ausstattung, die für ihr Wirken kein direktes Eingreifen der göttlichen Gnade erfordert. Bevor danach zu fragen ist, was es denn im Einzelnen bedeutet, dass der Mensch als vernunftbegabtes und nicht als natural determiniertes Wesen seine moralische Bestimmung zu verfolgen hat, sind die Andeutungen zu vergegenwärtigen, die Thomas über die inhaltliche Komponente des Naturgesetzes gibt.

7.2.4.2 | Der Inhalt

Zunächst muss man sich klarmachen, dass das Naturgesetz nur die in der praktischen Vernunft verankerten Rahmenbedingungen menschlichen Handelns betrifft und keine Anweisungen enthält, die bis in die konkrete Handlungsplanung reichen. In dieser Konzeption unterscheidet sich die praktische Vernunft keineswegs von der theoretischen, wie etwa die Analogie zum Gebot der Widerspruchsfreiheit auf Seiten der theoretischen Vernunft zeigt.

Die Gebote des Naturgesetzes verhalten sich zu der praktischen Vernunft ebenso, wie sich die Grundsätze der strengen Beweise zu der theoretischen Vernunft verhalten: beide sind nämlich aus sich einleuchtende Grundsätze. [...] Daher lautet der erste, nicht beweisbare Grundsatz [der theoretischen Vernunft]: »Man kann etwas nicht zugleich bejahen und verneinen«. Dieser Grundsatz gründet in dem, was Sein und Nicht-Sein besagt, und auf diesen Grundsatz stützen sich alle anderen Grundsätze.[273]

Ebd., q. 94 a. 2 co.

Analogie von praktischer und theoretischer Vernunft: Um etwas zu begründen, muss man auf etwas rekurrieren können, was als Voraussetzung bereits angenommen wurde; andernfalls führt jeder Begründungsversuch zu einem unendlichen Regress oder er wird zirkulär, indem man auf etwas Bezug nimmt, was seinerseits erst begründet werden sollte. Im theoretischen Bereich kann man niemanden eines bestimmten Widerspruchs überführen, wenn man nicht zuvor diesen als grundsätzlich irrational und deshalb zu vermeiden akzeptiert hat.

Im Bereich der praktischen Vernunft wird man nur dann moralische Argumente verwenden können, wenn man bereits auf dem Boden der Moralität steht, also prinzipiell bereit ist, einen Unterschied zwischen gut und böse einzuräumen. Jemanden, der nicht prinzipiell moralisch sein will, wird man mit moralischen Argumenten kaum bewegen können, sich einem moralischen Urteil anzuschließen. Genau diese grundsätzliche Differenz zwischen gut und böse und damit zwischen dem, was man verfolgen, und dem, was man vermeiden soll, muss für jede weitere Diskussion vorausgesetzt werden und macht somit das erste praktische Prinzip aus.

Ebd., q. 94 a. 2 co.

Wie jedoch »Seiendes« das schlechthin Ersterfasste ist, so ist »Gutes« das, was die praktische Vernunft zuerst erfasst, die auf das Werk gerichtet ist; denn alles, was handelt, handelt eines Zieles wegen, das die Bewandtnis des Guten hat. Deswegen gründet sich der erste Grundsatz der praktischen Vernunft auf die Bewandtnis des Guten, die besagt: Das Gute ist das, wonach alle streben. Dies ist also das erste Gebot des Gesetzes: Das Gute ist zu tun und zu verfolgen, das Böse ist zu meiden. Auf dieses Gebot gründen sich alle anderen Gebote des Naturgesetzes; d. h. alles, was die praktische Vernunft auf natürliche Weise als menschliches Gut erfasst, zählt als zu Tuendes oder zu Lassendes zu den Geboten des Naturgesetzes.[274]

Das erste praktische Prinzip: Dieses erste Prinzip des Naturgesetzes hat also in gewisser Weise nur eine formale Funktion, weil es lediglich den grundlegenden Zusammenhang von Gutheit, Strebensziel und Gebotscharakter herstellt. In einem nächsten Schritt gibt Thomas eine erste Antwort auf die Frage, woran man denn den Ziel- und den Strebenscharakter eines bestimmten Guts erkennen kann. Er tut dies, indem er auf die natürlichen Neigungen des Menschen rekurriert.

Ebd., q. 94 a. 2 co.

Das Gute aber hat die Bewandtnis des Zieles, das Böse aber die Bewandtnis des Gegenteils. Alles, wozu der Mensch von Natur aus geneigt ist, erfasst die Vernunft daher auf natürlichem Wege als gut und folglich als in die Tat umzusetzen. Das Gegenteil erfasst sie als böse und als zu vermeiden. Entsprechend der Ordnung der natürlichen Neigungen gibt es also eine Ordnung der Gebote des Naturgesetzes.[275]

Entscheidend an dieser Passage ist, dass Thomas die natürlichen Neigungen nicht einfach als wirksame Kräfte voraussetzt und ihnen eine Gutheit oder eine gegenteilige Bestimmung zuspricht, um sie als solche zum Gegenstand eines Naturgesetzes zu machen. Vielmehr resultiert das Sollen, also der Gebotscharakter, den man auf diese Neigungen beziehen kann, aus der Vernunft, die die Neigungen erkennt. Die Erkenntnis erfasst die Neigungen bzw. die Ziele, auf die diese gerichtet sind, als gut (*apprehendit ut bona*).

Rolle der Vernunft: Die Natur, die sich in den natürlichen Neigungen niederschlägt, ist nicht als solche ein erstrebenswertes Gut, sondern stellt nur den Bezugspunkt dar, auf den hin etwas als ein Gut erkannt wird. Diese Erkenntnis, d. h. das Wissen um die Gutheit der erstrebten Ziele, ist nicht Sache der Natur, sondern der Vernunft. Die Neigungen haben nicht als solche eine normative Kraft, sondern nur insofern, als sie als erstrebenswertes Ziel erkannt und im Kontext anderer Ziele in einem Abwägungsprozess als normative Größe anerkannt werden.

Weil die Vernunft als Realisierungsinstanz des Naturgesetzes notwendig ist, ergibt überhaupt der letzte Satz der zierten Textpassage »Entsprechend der Ordnung der natürlichen Neigungen gibt es also eine Ordnung der Gebote des Naturgesetzes« einen Sinn. Es ist die Aufgabe der praktischen Vernunft, die das Gute als Gutes erkennt, die Ordnung des Naturgesetzes entsprechend der Ordnung der natürlichen Neigungen zu gestalten. Naturgesetz meint für Thomas also keineswegs einen Vorschriftenkatalog, der an der äußeren Natur einfach ablesbar wäre. Naturgesetz meint für Thomas aber auch nicht ein Gesetz der Vernunft, das ohne Rückgriff und ohne Reflexion auf die sich in den arteigenen Neigungen des Menschen mehr oder weniger manifestierende Natur erfasst werden könnte.

Bevor die Eigentümlichkeit der hier skizzierten praktischen Vernunft und ihres Wirkens näher betrachtet wird, ist der exemplarische Katalog natürlicher Neigungen, den Thomas im Kontext seiner Lehre vom natürlichen Gesetz entwirft, zu vergegenwärtigen.

7.2.5 | Die grundlegenden Neigungen des Menschen

Selbsterhaltung, Arterhaltung, Vernunftentfaltung: Insgesamt unterscheidet Thomas im Lex-Traktat drei Ebenen, auf denen sich die natürlichen Neigungen des Menschen erkennen lassen. In einem ersten Schritt handelt es sich um die Neigungen, die den Menschen nicht unmittelbar als Menschen, sondern noch grundlegender als ein für sich existierendes Wesen, nämlich als Substanz, betreffen.

Nun ist dem Menschen erstens die Neigung zum Guten inne entsprechend der Natur, in der er mit allen Substanzen übereinkommt: Jede Substanz erstrebt nämlich die Erhaltung ihres Seins gemäß ihrer Natur. Und im Hinblick auf diese naturhafte Neigung gehört alles zum natürlichen Gesetz, wodurch das Leben des Menschen erhalten und das Gegenteil abgewehrt wird.[276]

Ebd., q. 94 a. 2 co.

Mit allen Substanzen teilt der Mensch das Streben zur Selbsterhaltung, was für ihn als lebendiges Wesen zunächst die Sicherung seines bloßen Überlebens bedeutet.

In einem zweiten Schritt ergeben sich naturgesetzliche Vorgaben mit Blick auf die Neigungen des Menschen, in denen sich seine spezifischere Natur, nämlich die eines mit Sinnen ausgestatteten Wesens, niederschlägt. In dieser Perspektive ist nicht allein die Selbsterhaltung, sondern die Bewahrung der menschlichen Art das gebotene Ziel. Die Neigungen, die auf dieser Ebene zum Tragen kommen, sind allein mit den Sinnen, also ohne Rücksicht auf die Vernunftbegabtheit des Menschen erkennbar.

Ebd., q. 94 a. 2 co.

Zweitens ist im Menschen die Neigung zu gewissen, ihm schon mehr arteigenen Dingen gemäß der Natur, die er mit den übrigen Sinnenwesen gemeinsam hat. Und hiernach heißt das zum natürlichen Gesetz gehörig, was die Natur alle Sinnenwesen gelehrt hat, wie die Vereinigung von Mann und Frau, die Aufzucht der Kinder und ähnliches mehr.[277]

An diesem Beispiel wird bereits deutlich, dass selbst ein so grundlegendes Ziel wie das der Erhaltung der eigenen Art keineswegs unmittelbar in naturgesetzliche Gebote umzusetzen ist, denn die Vereinigung von Mann und Frau und die Erziehung der Kinder mögen als Ziele in der Strebensnatur eines jeden Sinneswesen verankert sein, doch lassen sie als Zielvorgaben erheblichen Deutungsspielraum für das, was dann im Einzelnen zu tun und zu lassen ist.

Dieser Deutungsspielraum, oder besser gesagt: der Deutungsbedarf naturgesetzlicher Gebote, nimmt weiter zu, wie aus dem dritten Beispiel, das Thomas anführt, unschwer zu erkennen ist.

Ebd., q. 94 a. 2 co.

Drittens ist im Menschen die Neigung zum Guten gemäß der Natur der Vernunft, die ihm eigentümlich ist; so hat der Mensch z. B. die natürliche Neigung, die Wahrheit über Gott zu erkennen und in Gemeinschaft zu leben. Und demzufolge umgreift das natürliche Gesetz alles, was auf diese Naturneigung Bezug hat: dass der Mensch z. B. die Unwissenheit überwindet, dass er andere, mit denen er zusammenleben muss, nicht verletzt, und was sonst noch damit zusammenhängt.[278]

Betrachtet man schließlich den Menschen in dem, was ihn als Menschen auszeichnet und von anderen Sinnenwesen unterscheidet, tritt seine Vernunftbegabtheit in den Vordergrund. In dieser Bestimmung seines Wesens gründen weitere Neigungen, die seine Vernunftnatur widerspiegeln. Wahrheitssuche, soziale Verankerung und die Unverletzlichkeit des anderen zeigen sich in dieser Perspektive als Zielpunkte eines natürlichen Strebens, durch das die Rahmenbedingungen angedeutet sind, in denen die praktische Vernunft die Vorschriften zu entdecken, möglicherweise auch zu entwerfen hat, die man zur *lex naturalis* rechnen muss.

Thomas scheint tatsächlich den offenen Charakter dieser Aufzählung im Auge gehabt zu haben, wenn er am Ende des letzten Absatzes mit den Worten »*und was sonst noch damit zusammenhängt*« einen deutlichen Hinweis darauf gibt, dass er keineswegs einen festen Kanon von Vorschriften hat geben wollen. Umso dringender stellt sich aber die Frage, was es mit der praktischen Vernunft, die für Thomas das entscheidende Instrument zur Ausgestaltung des natürlichen Gesetzes darstellt, auf sich hat, und wie sie unter den konkreten menschlichen Bedingungen des Hier und Jetzt zu realisieren ist.

7.2.6 | Die Klugheit

Die Frage nach der praktischen Vernunft betrifft naturgemäß alle Faktoren, die bei der Bestimmung dessen, was moralisch gut oder böse ist, eine Rolle spielen. Um welche Faktoren es im Einzelnen geht, hängt aber wiederum davon ab, in welchem Sinne man von Gut und Böse spricht, denn hier gibt es zwei Deutungsmöglichkeiten, wie Thomas bei der Beantwortung der Frage, ob die Klugheit eine Tugend sei, ausführt.

In meiner Antwort ist zu sagen, dass [...] Tugend das ist, was denjenigen, der sie besitzt, und sein Werk gut macht. Gut kann aber auf zweifache Weise ausgesagt werden: zum einen materiell von dem, was gut ist; zum anderen formell entsprechend der Bestimmung des Guten.[279]

Thomas von Aquin, Summa theologiae II-II q. 47 a. 4 co.

Das Gute als Gutes: Die materielle und formelle Bestimmung des Guten steckt den Bereich ab, in dem die praktische Vernunft die Frage nach dem moralisch Gebotenen zu beantworten hat. Dieser Bereich erstreckt sich sowohl über die naturalen Strebungen des Menschen als auch über die Tätigkeiten der Vernunft selbst. Handlungen kommen zustande entweder, weil sie etwas in die Tat umsetzen, wonach der Mensch allein aufgrund seiner Natur strebt, oder weil sie etwas ausführen, um ein Ziel zu verwirklichen, das die Vernunft als solches erkannt hat. In beiden Fällen geschieht die Handlung eines Gutes wegen, allerdings im ersten Fall, weil es sich um etwas unmittelbar Erstrebtes handelt, und im zweiten Fall, weil es als ein Gut erkannt wurde, das eben deshalb erstrebenswert ist, weil es einem seinerseits für richtig befundenen Streben entspricht. Nur im zweiten Fall würde Thomas im engeren Sinne von menschlichen Handlungen, die moralisch relevant sind, sprechen, so dass das Streben nach dem Guten als tugendhaft verstanden werden kann. Tugend ist also eine durch die Vernunft reflektierte und in den natürlichen Neigungen verankerte Strebensdisposition nach dem Guten.

Das Gute, insofern es dergestalt ist, ist der Gegenstand der Strebekraft. Und deshalb, wenn es sich um Haltungen handelt, die die rechte Betrachtung der Vernunft ausüben, ohne dass sie auf die Rechtheit des Strebens hingeordnet sind, haben sie weniger von der Bestimmung der Tugend, indem sie gleichsam materiell auf das Gute ausrichten, d. h. auf das, was das Gute ist, [aber] nicht unter der Bestimmung des Guten; mehr haben aber jene Haltungen von der Bestimmung der Tugend, die die Rechtheit des Strebens im Blick haben, weil sie das Gute nicht allein materiell in den Blick nehmen, sondern auch formell, d. h. als das, was das Gute unter der Bestimmung des Guten ist.[280]

Ebd., q. 47 a. 4 co.

Wenn der Mensch aufgrund seiner natürlichen Anlagen ein Gut erstrebt, ohne dass er ausdrücklich darüber reflektiert, ob dieses tatsächlich ein zu verfolgendes Ziel darstellt und sein Streben danach wahrhaft angemessen ist, dann handelt es sich zwar einerseits um ein Gut, andererseits aber nicht um ein Gut im engeren, nämlich formalen Sinn des Wortes. Denn der Begriff des formell Guten bringt zum Ausdruck, dass etwas deshalb getan wird, weil es einem Streben entspricht, das seinerseits als gut erkannt wurde. Es ist die besondere Leistung der Klugheit etwas nicht nur als für einen beliebigen Zweck geeignet zu erkennen, sondern in einem Abwägungsprozess die Handlungsoption zu wählen, die sich für ein seinerseits richtiges Streben als angemessen erweist. Ein solches Gutes ist ein Gutes »unter der Bestimmung des Guten« (*sub ratione boni*), wie es wörtlich heißt.

Tugend: Es ist unschwer zu erkennen, dass diese Position mit der Forderung nach der Rechtheit des Strebens eine weitreichende Voraussetzung macht. Denn um eine moralisch richtige Entscheidung treffen zu können, muss man voraussetzen, dass der Handelnde eine festverwurzelte Neigung besitzt, sein Handeln auf ein gutes Ziel auszurichten. Diese Disposition seines Strebens nennt Thomas mit Aristoteles eine moralische Tugend. Die moralisch relevante Klugheit ist demnach nicht allein eine Angelegenheit der bloßen Vernunft, also des rein intellektuellen Teils der Seele, sondern sie greift über auf die Strebensnatur des Menschen, die sich in den natürlichen Neigungen manifestiert, wo der Ort der moralischen Tugenden im engeren Sinne ist. Natürliche Neigungen und moralische Tugenden sind zwar aufeinander bezogen aber keinesfalls dasselbe.

Ebd., q. 47 a. 4 co.

Zur Klugheit gehört aber – wie gesagt wurde – die Anwendung der rechten Einsicht auf das Werk, was nicht ohne das rechte Streben geschieht. Und deswegen kommt der Klugheit nicht nur die Bestimmung der Tugend zu, die auch den anderen intellektuellen Tugenden zukommt, sondern auch die Bestimmung der Tugend, die den moralischen Tugenden zukommt, zu denen sie auch gezählt wird.[281]

Wer nicht in einem gewissen Sinne und einem bestimmten Umfang eine Neigung zum Guten hat, kann allein durch die Vernunft nicht zum guten Handeln geführt werden. Die praktische Vernunft, die Thomas Klugheit nennt, ist eine genuin praktische Angelegenheit, die in einer anfänglich moralisch bestimmten Disposition ihren Ausgang nimmt, um dann auf diese Disposition zurückwirken zu können, indem sie explizit die Frage stellt, ob das erstrebte Ziel auch tatsächlich gut. In gewisser Weise muss ein Gut vorausgesetzt werden, wobei es dann Sache der praktischen Vernunft ist, dieses Gut mit der Frage nach dem Guten unter der Bestimmung des Guten zu konfrontieren. Die zu stellende Frage lautet also: Ist dieses Gute, zu dem ich aufgrund meiner Natur neige, wirklich ein Gut?

Klugheit zwischen Vernunft und Streben: Würde man die Klugheit allein als intellektuelle Tugend betrachten, müsste man diese Auffassung für zirkulär halten. Was dagegen spricht, ist der Rekurs auf die Strebensnatur und damit auf die natürlichen Neigungen des Menschen, die zunächst vorhanden sein müssen, um durch eine Reflexion der Klugheit zu wirklichen Tugenden aus- oder sogar umgebildet zu werden. Dieser Befund deckt sich mit den Überlegungen zum Naturgesetz, insofern die nicht hinterfragbaren Prinzipien des Gebotenen unmittelbar auf die *inclinationes naturales*, also die natürlichen Neigungen rekurrieren müssen. Aber – und das ist die andere Seite des Problems – die Vorgaben der Natur und auch die als Tugenden verankerten Handlungsdispositionen reichen noch nicht aus, ohne dass eine von der Vernunft ausgehende Reflexion dieser Ausgangsbedingungen unter der Fragestellung stattfindet, ob es sich um wirkliche Güter handelt.

7.2.6.1 | Der Gegenstand der Klugheit

Die Konzeption der Klugheit, so wie sie uns bei Thomas entgegentritt, ist dadurch gekennzeichnet, dass sie verschiedene Anwendungsbereiche betrifft: Sie wählt die Mittel zu einem Ziel, sie reflektiert auf die Ziele als solche und sie konstituiert die moralischen Tugenden, durch die sie selbst in ihrem Wesen gleichermaßen bestimmt ist. Für Thomas resultiert hieraus die Frage, womit die Klugheit es denn nun eigentlich zu tun hat: mit den allgemeinen, aber unbestimmten Handlungszielen, oder mit den Mitteln, deren man zur Erreichung eines vorausgesetzten Zieles bedarf.

In meiner Antwort ist zu sagen, dass [...] die Klugheit die Erkenntnis der universellen und der singulären Handlungsgegenstände, auf die der Kluge die universellen Prinzipien anwendet, einschließt.[282]

Ebd., q. 47 a. 15 co.

Universeller und partikulärer Charakter der Klugheit: Diese Antwort des Thomas kann nicht überraschen, denn es hat sich gezeigt, dass die Klugheit es mit den übergeordneten Zielen einer Handlung zu tun hat, die in dem Sinne universell sind, als sie durch eine Vielheit von untergeordneten Teilzielen oder Mitteln zur Erreichung eines Zwecks spezifiziert werden können. Desgleichen hat die Klugheit aber auch mit den partikulären Handlungen zu tun, insofern diese als konkrete Ausformungen allgemeiner Gebote verstanden werden können.

In Wiederaufnahme dessen, was Thomas bereits im Lex-Traktat ausgeführt hat, hebt er den Prinzipiencharakter des universellen Wirkens der Klugheit in Analogie zur theoretischen Prinzipienerkenntnis hervor. Einen Unterschied beider Erkenntnisweisen sieht Thomas unter Berufung auf Aristoteles darin, dass die Prinzipien der praktischen Erkenntnis in einem höheren Maße in der Strebensnatur des Menschen verankert sind als dies bei der theoretischen der Fall ist. Die durch das Streben geprägte menschliche Natur und eine sich daran orientierende Lebensweise wird nach der Lehre des zehnten Buchs der *Nikomachischen Ethik* durch die reine Kontemplation übertroffen. Gleichwohl sind für die theoretische wie für die praktische Erkenntnis die grundlegenden Prinzipien auf natürliche Weise bekannt, wohingegen die konkreteren Grundsätze jeweils zu erlernen sind und auf Erfahrung beruhen.

Was also die universelle Erkenntnis betrifft, gilt dieselbe Bestimmung für die Klugheit und die spekulative Wissenschaft, weil die ersten universellen Prinzipien von beiden von Natur aus bekannt sind, wie aus dem zuvor Gesagten offensichtlich ist – außer dass die allgemeinen Prinzipien der Klugheit dem Menschen in einem höheren Maß naturgemäß sind, wie nämlich Aristoteles im zehnten Buch der Ethik sagt: »Das Leben, das gemäß der spekulativen Betrachtung ist, ist besser als das, das gemäß dem menschlichen [Leben] ist.«
Aber die anderen universellen Prinzipien, die nachgeordnet sind – gehören sie zur spekulativen oder zur praktischen Vernunft – besitzt man nicht aufgrund der Natur, sondern aufgrund der Auffindung auf dem Wege der Erfahrung oder aufgrund des Lernens.[283]

Ebd., q. 47 a. 15 co.

Entwurfscharakter der Klugheit: Für die Frage nach dem Wesen der praktischen Vernunft ist insbesondere der zweite von Thomas genannte Aspekt von Bedeutung. Da die Klugheit nicht nur mit den allgemeinen Prinzipien zu tun hat, die unter Rückgriff auf die Natur zu gewinnen sind, ergibt sich die Frage nach der Herkunft der konkreten Handlungsanweisungen, die nicht mehr universell sind, sondern den singulären Anwendungsfall betreffen. Hier lautet die Antwort des Thomas, dass man diese Form von Klugheitsurteilen nur durch Erfahrung und durch einen im Leben verankerten Lernprozess erlangen kann. Die lateinischen Ausdrücke *inventio* und *disciplina* dürften in diesem Zusammenhang der thomanischen Auffassung Ausdruck verleihen, dass die konkretisierende praktische Erkenntnis auch durch einen kreativen Vorgang der Auffindung im Sinne eines zu gestaltenden Lebensentwurfes gekennzeichnet ist. Dieser Lebensentwurf lässt sich wiederum als moralisch-geistiger Bildungsprozess verstehen, der im Rahmen der naturalen Vorgaben den je persönlichen Freiraum gestaltet und die moralische Bildung und damit die Ausprägung von Tugenden umfasst.

Dieser gestalterische Freiraum hat aber unterschiedliche Grenzen je nachdem, ob man sich auf der Ebene der grundlegenderen Zielvorgaben oder auf der Ebene der Mittelwahl, die einen zu einem Ziel führen soll, bewegt.

Ebd., q. 47 a. 15 co.

Was aber die partikuläre Erkenntnis der Dinge betrifft, auf die sich die Handlung bezieht, ist wiederum zu unterscheiden, weil sich die Handlung auf etwas bezieht entweder wie auf ein Ziel oder wie auf etwas, was zum Ziel hinführt. Die Ziele aber des rechten menschlichen Lebens sind jeweils bestimmte. Und deshalb kann es eine natürliche Neigung hinsichtlich dieser Ziele geben, wie oben gesagt wurde, dass jemand aufgrund einer natürlichen Disposition gewisse Tugenden hat, durch die er geneigt gemacht wird mit Blick auf die richtigen Ziele und [durch die er] als Konsequenz auch natürlicher Weise ein richtiges Urteil hinsichtlich derartiger Ziele hat.[284]

Die Grenzen des zu Gestaltenden sind unterschiedlich, denn der Freiraum hinsichtlich der Ziele des menschlichen Lebens, die aufgrund der menschlichen Natur und ihrer Bedürfnisse einen mehr oder weniger festen Rahmen bilden, ist eher gering, aber doch dadurch gegeben, dass Ziele erst als Ziele durch die Vernunft begriffen werden müssen. Dieser Freiraum ist durch die Grenzen dessen eingeengt, was Thomas zum Naturgesetz rechnet, das zwar an der Natur des Menschen orientiert, aber in seiner vernünftigen Auslegung keineswegs determiniert ist.

Einen ganz anderen Freiraum gibt es für die praktische Vernunft in der Anwendung auf die partikularen Handlungsoptionen, wie der Text im Anschluss deutlich macht.

Ebd., q. 47 a. 15 co.

Aber das, was zum Ziel hinführt, ist bei den menschlichen Angelegenheiten nicht bestimmt, sondern wird vielfach entsprechend den Unterschieden der Personen und der Beschäftigungen unterschieden. Weil daher die Neigung der Natur immer auf etwas Bestimmtes ausgerichtet ist, kann eine solche Erkenntnis dem Menschen nicht natürlicherweise innewohnen, auch wenn der eine aufgrund einer natürlichen

Disposition eher als ein anderer dazu geeignet ist, solche Dinge zu unterscheiden, wie es auch bei den Schlussfolgerungen der spekulativen Wissenschaften vorkommt. Weil also die Klugheit nicht auf die Ziele, sondern auf das, was zum Ziel hinführt, ausgerichtet ist – wie wir oben hatten –, ist die Klugheit deshalb nicht auf natürliche Weise.[285]

Betrachtet man die Klugheit als die intellektuelle Kraft im Menschen, die zur Detailorientierung seiner Handlungen dient, kommt man zu dem Schluss, dass sie ihr Hauptbetätigungsfeld in der Abwägung der unterschiedlichen Wege findet, die zu einem bestimmten, mehr oder weniger vorausgesetzten Ziel führen.

7.2.7 | Zwischen Naturalismus und Rationalismus

Thomas' Entwurf der Ethik, wie er in diesen wenigen Zügen deutlich geworden ist, kann weder als naturalistisch noch als rationalistisch verstanden werden, wie er auch nicht eine reine Tugend- oder Gesetzesethik darstellt. Vielmehr macht es das Proprium seiner Lehre aus, diese verschiedenen Elemente miteinander zu verbinden, indem er sie nicht beliebig kombiniert, sondern an klar bezeichneten Stellen den einen oder den anderen Aspekt hervorhebt. Ist einerseits die Tugend vorgegeben, findet sie ihre Vollendung doch nur durch die weitere Schulung und Bildung mit Hilfe der Vernunft, die aber ihrerseits auch nur wirklich praktisch sein kann, wenn eine bestimmte Strebensdisposition vorliegt.

Auch was das Naturgesetz betrifft, wird dieses wechselseitige Bedingungsverhältnis offensichtlich, denn einerseits beruht die *lex naturalis* auf der naturalen Ausstattung des Menschen, ist aber andererseits doch Vernunftgesetz, weil es die Teilhabe am ewigen Gesetz darstellt, die eben durch die Vernunftbegabung des Menschen zustande kommt: Es ist einerseits durch die Natur vorgegeben, andererseits aber auch der Deutung und entwurfsoffenen Auslegung durch die Vernunft aufgegeben.

Insbesondere dieses kreative Moment in der praktischen Vernunft ist für Thomas der Anknüpfungspunkt für die Abbildhaftigkeit des Menschen gegenüber seinem göttlichen Urbild – wie Thomas es zu Beginn des zweiten Teils seiner *Summa* ausführt – und es ist offensichtlich auch dieses Besondere eines Wissens um Gut und Böse, das den Menschen im Schöpfungsbericht der Genesis in die Nähe des Göttlichen rückt. Wie die Erzählung der Bibel fortfährt, ist das wie auch immer erworbene Wissen um Gut und Böse aber auch das, was der Mensch fortan unter den nicht mehr so vollkommenen Umständen außerhalb des Paradieses aus eigener Kraft und unter den Bedingungen eines endlichen Lebens wird verwirklichen müssen, nachdem Gott ihn samt seiner praktischen Vernunft vor die Tore des Paradieses verbannt hat.

7.3 | Freiheit und Wille: Heinrich von Gent, Gottfried von Fontaines, Johannes Duns Scotus

Zeigt die Diskussion des Begriffs der Klugheit bei Thomas von Aquin auf der einen Seite die Bedeutung, die die menschliche Vernunft für die Frage nach der moralischen Bewertung einer Handlung hat, ergibt sich aber sogleich das Folgeproblem, ob hierdurch nicht die Freiheit des Handelnden aufgehoben wird, wenn dieser das als richtig Erkannte eben darum tut, weil er es erkannt und nicht, weil er es gewollt hat. In welchem Verhältnis stehen Erkennen und Wollen?

7.3.1 | Problemexposition: Der Zusammenhang von Wille und Verstand

Die Rolle, die man dem Willen beim Zustandekommen einer Handlung zuspricht, wirft in mehreren Hinsichten Probleme auf. Weder eine als Willkür verstandene Freiheit noch deren vollständige Beseitigung können ein adäquates Erklärungsmuster menschlichen Handelns darstellen.

Vertiefung

Akzentuierung des Willens

dafür spricht:	Wenn Handlungen nicht frei sind, sind sie moralisch irrelevant. (*Determinismusproblem*)
dagegen spricht:	Wenn Handlungen nicht durch den Verstand gesteuert sind, sind sie nicht verstehbar. (*Intelligibilitätsproblem*)

Determinismusproblem: Ist eine moralisch gute Handlung als Ergebnis eines physiologischen Ereignisses in unserem Hirn nicht anders zu behandeln als das erfolgreiche Versenken einer Billardkugel, herbeigeführt durch das Vorgängerereignis eines Stoßes mit dem Queue? Sind tatsächlich alle unsere Handlungen Episoden in einer fortlaufenden Reihe kausal, also ursächlich, bestimmter Ereignisse? Oder sollten wir nicht doch zweifeln, zumindest mutmaßen dürfen, dass dies nicht alles ist, weil es eben nicht alles erklärt, von dem wir als zu unserem Wesen gehörig überzeugt sind? Diese Fragen umreißen in groben Zügen das, was man das Determinismusproblem nennen könnte.

Intelligibilitätsproblem: Doch es gibt noch eine ganz andere Schwierigkeit, die mit den Umständen zu tun hat, unter denen wir eine Handlung überhaupt erst verstehen können. Denn um moralisch urteilen zu können, muss zuvor verstanden worden sein, um welche Art von Handlung es sich überhaupt gehandelt hat. Eine Handlung muss intelligibel sein, so dass die Infragestellung einer solchen Verstehensmöglichkeit zum Intelligibilitätsproblem führt.

Selbst wenn wir das Determinismusproblem lösen könnten, ist uns denn wirklich damit geholfen, wenn unser Handeln nicht mehr, wie von der Wissenschaft unterstellt, kausal bestimmt ist? Kann es wirklich eine Lösung sein, menschliches Handeln aus dem sonst überall anzunehmenden Kausalzusammenhang herauszulösen, um es zwar als nicht determiniert, aber eben auch als nicht wirklich ursächlich bestimmt verstehen zu können? Wird dann nicht das, was wir tun, zu einem bloßen Zufallsprodukt, das uns zwar frei, aber nicht wie Handelnde, sondern eher wie Zuschauer gegenüber unseren eigenen Taten erscheinen lässt? Wie kann sich unser Handeln auf die äußere Welt beziehen? Denn nur, wenn diese auf uns wirkt und wir auf sie wirken können – also Kausalität gegeben ist –, lassen sich unsere Handlungen als absichtsvolle Entscheidungen begreifen, mit denen wir auf Impulse reagieren, die uns von der äußeren Welt erreichen.

Sollte unser Handeln in einem extremen Sinne willkürlich sein, lässt sich nicht mehr erklären, wie wir uns gegenseitig als mildtätig und tapfer oder als ideologisch und rücksichtslos in einem moralischen Sinne charakterisieren könnten, denn dies tun wir nur, indem wir beobachten, wie wir auf bestimmte Herausforderungen in der äußeren Wirklichkeit reagieren. Die Rede von der Tapferkeit beispielsweise macht nur im Kontext einer Gefahrensituation Sinn, die auch als solche verstanden werden muss. Wer etwa die Gefahrensituation einer aufgebrachten Menge, die zur Lynchjustiz bereit ist, nicht erkennt, kann nicht für tapfer gehalten werden, wenn er dem möglichen Opfer Beistand leistet.

Durch unser Erkennen muss etwas von der äußeren Welt Einfluss auf uns haben und wir müssen uns diesem Input gegenüber verantwortlich verhalten können. Nur wenn beides gegeben ist, wird man wohl von einem Verhalten sprechen können, das eine moralische Dimension erreicht. Diese Fragestellung betrifft also nicht unmittelbar das Problem, wie sich der Wille zur Welt verhält, sondern wie sich der Wille zu unserem Erkenntnisvermögen und dessen Inhalten verhält, denn nur vermittels des Verstandes kann sich der Wille auf etwas richten, das mit der Welt, in der wir leben und handeln, zu tun hat. In welchem Kausalverhältnis stehen aber Wille, Verstand und Welt?

Die Rede von Wille und Verstand und ihrem Verhältnis ist also nicht eine philosophiehistorische Reminiszenz, sondern bezeichnet die Eckdaten, die sich aufgrund der systematischen Frage ergeben, wie freies Handeln mit Bezug auf die gemeinsam geteilte Welt möglich ist. Nur wenn wir durch unseren Verstand Zugang zur Welt und Einfluss auf unser Verhalten haben, lässt sich unser Handeln als ein Wirken in dieser Welt begreifen, und nur wenn es gelingt, in den Prozess, aus dem unser Handeln hervorgeht, Freiheit zu integrieren – und hierfür steht das Vermögen des Willens –, werden wir unser Handeln als moralisch signifikant verstehen können.

7.3.2 | Die historische Ausgangssituation

Mit dieser Skizze ist ein Freiheitsverständnis umschrieben, das keineswegs selbstverständlich ist und das historisch seine Wurzeln im Mittelalter, genauer im Übergang vom 13. zum 14. Jahrhundert, hat. Um das

Neue dieser Deutung des Willens mit einem Schlagwort zum Ausdruck zu bringen, kann man sagen, dass der Wille als ein Vermögen freier Selbstbestimmung und nicht mehr als ein zwar vernunftgeleitetes, gleichwohl aber natural zu bezeichnendes Streben begriffen wird.

Dieses Verständnis bedeutet einen tiefgreifenden Bruch mit einem auch für das Mittelalter zunächst verbindlichen Grundprinzip der aristotelischen Physik und Metaphysik. Die Interpretation des Willens als eines Vermögens, das ohne eine vorausgehende Ursache selbst Grund seines Überganges vom Zustand des bloßen Vermögendseins zur Verwirklichung sein kann, d. h. selbst vom Handlungsvermögen, also vom Handeln-Können, zur tatsächlichen Handlung übergehen kann, steht in einem direkten Widerspruch zum aristotelischen Grundprinzip, wonach

Aristoteles, Physik VII,1

es notwendig ist, dass alles das, was bewegt wird, von einem anderen bewegt wird.[286]

Erst der Bruch mit diesem Axiom und der darin implizierten finalen, also vom Ziel her gedachten, Interpretation der Willenshandlung erlaubt es, den Willen als Vermögen freier Selbstbestimmung zu begreifen. Bei Johannes Duns Scotus, einer der prägenden Gestalten in der Diskussion um das richtige Freiheitsverständnis im Mittelalter, kommt dieser Gedanke eines durch nichts anderes verursachten Wirkens des Willens etwa in folgenden Worten zum Ausdruck:

Johannes Duns Scotus, Reportatio I-A d. 10 q. 3 n. 53

Wie es also keine Ursache zu suchen gibt, warum der Wille will, außer weil der Wille Wille ist, so gibt es auch [keine Ursache zu suchen], warum der Wille auf diese Weise oder jene Weise will – notwendig und kontingent, notwendig und frei –, außer weil es ein solcher oder ein solcher Wille ist. Denn dies ist ein nicht ableitbarer kontingenter Satz: Der geschaffene Wille will.[287]

Wie kommt es zu einer solchen Deutung und wie kann man sie verstehen, so dass sich hieraus eine sinnvolle Antwort auf das zuvor genannte Determinismus- und Intelligibilitätsproblem ergibt?

7.3.3 | Der historische Kontext: Die Verurteilung von 1277

Der Streit um die Freiheit bzw. ihr richtiges Verständnis ist keineswegs eine Erfindung der zeitgenössischen Diskussion. Zugespitzt findet diese Kontroverse vor allem in den letzten Jahrzehnten des 13. und den ersten des 14. Jahrhunderts statt. Der Kontext der Auseinandersetzung ist durch die Herausforderung gegeben, die durch eine Interpretation des Aristoteles entsteht, die mitunter als radikal oder orthodox bezeichnet wurde. Vor allem den Mitgliedern der Pariser Artistenfakultät wird diese durch den arabischen Gelehrten Averroes inaugurierte Deutung des heidnischen Philosophen, die weit mehr als nur die Freiheitsfrage betrifft, zugeschrieben. Siger von Brabant (1235/40 – vor 1284) galt den Gegnern einer solchen Denkrichtung, die trotz der durch Teile der Forschung vertretenen Etikettierung erst noch auf ihren tatsächlichen Aristotelismus hin zu hinterfragen wäre, als einer der führenden Vertreter. Tatsächlich plädiert er für eine gewisse Form des Determinismus, die dem Willen eben dieses

Vermögen der Selbstbewegung ab- und eine Einbindung in eine durchgängig natürliche Kausalreihe zuspricht, so dass

die Freiheit des Willens in seinen Werken nicht so zu verstehen ist, dass der Wille die erste Ursache seines Wollens und seines Handelns sei, indem er die Macht besäße, sich zu Gegenteiligem zu bewegen, ohne von etwas Früherem bewegt worden zu sein.[288]

Siger von Brabant, De necessitate c. 3

In Paris findet diese Auseinandersetzung im Jahr 1277 schließlich Eingang in die berühmte Verurteilung von 219 häretischen Thesen durch den Bischof von Paris, Étienne Tempier. Dieser führt eine von Papst Johannes XXI. beauftragte Untersuchung durch, die in eine Verurteilung von über 200 für häretisch gehaltenen Sätzen mündet. Im Kern stellt das Pariser Dokument von 1277 bezogen auf die Deutung des Willens eine Verurteilung zur Freiheit dar. Nicht nur die Abhängigkeit des Willens von einem ersten Beweger im kosmologischen Sinne, sondern auch die Abhängigkeit des Willens vom Verstand bzw. vom erkannten Objekt, wie sie in einer handlungstheoretischen-anthropologischen Perspektive erscheint, werden als Irrtum gebrandmarkt und verurteilt.

Voluntarismus versus Intellektualismus: Wird die Unabhängigkeit des Willens zum allein bestimmenden Moment beim Zustandekommen einer menschlichen Handlung, so dass der Verstand selbst keine prägende Wirkung auf diese ausübt, kann man von einem Voluntarismus sprechen, wie ihn Heinrich von Gent vertritt. Gegenüber einem solchen Voluntarismus kann man einerseits einen Intellektualismus vertreten, der statt des Willens allein dem Verstand eine ursächliche Prägung im Entstehungsprozess einer Handlung zuspricht – diese Position vertritt Gottfried von Fontaines –, oder man versucht eine vermittelnde Lösung für das Problem zu finden, so dass beide Vermögen auf eine je eigenständige Weise Eingang in die moralisch zu bewertende Handlung finden. Dies wird der Weg sein, den Johannes Duns Scotus beschreitet.

7.3.4 | Der Voluntarismus des Heinrich von Gent

Primat des Willens: Einer von den 16 Gelehrten, die der Pariser Bischof in sein Beratungsgremium berufen hatte, um die der Verurteilung zugrundeliegende Sachlage zu klären, war nach eigenem Bekunden der an der Pariser Universität als Magister der Theologie lehrende Heinrich von Gent. Heinrich vertritt die Lehre vom Primat des Willens gegenüber dem Verstand bzw. gegenüber dem vom Verstand erkannten Gegenstand. Zwar kann der Wille auch für Heinrich nur dann handeln, wenn er auf etwas bezogen ist, was ihm zuvor der Verstand als mögliches Handlungsobjekt darbietet, doch lässt sich von einem durch den Verstand vermittelten Bewegungsimpuls des Gegenstandes nach der Auffassung Heinrichs nur in einem metaphorischen Sinne sprechen.

Der Verstand bewegt nicht im eigentlichen Sinne, sondern der Gegenstand selbst, der durch sich den Verstand zum Erkennen bewegt und sich dadurch als ein Gut zu erkennen gibt, bewegt den, der etwas will, im metaphorischen Sinne dazu, etwas zu erstreben.[289]

Heinrich von Gent, Quodlibet I q. 14

Dem erkannten Objekt kommt nur die Funktion einer notwendigen Bedingung, also einer zwar vorauszusetzenden, aber nicht selbst wirksamen *causa sine qua non* zu.

Heinrich von Gent, Quodlibet XIII q. 11

Ich sage, dass in zweifacher Hinsicht etwas erforderlich ist, damit eine Handlung hervorgebracht wird: zum einen etwas im Sinne einer notwendigen Bedingung, die gänzlich nichts dazu beiträgt, die Handlung hervorzubringen. [...] Und in diesem Sinne, wie ich oft ausgeführt habe, ist notwendigerweise das Zeigen des Gegenstandes und die Ausrichtung des Verstandes auf ihn erforderlich, um einen Willensakt hervorzubringen. In einem anderen Sinne ist etwas zur Hervorbringung eines Aktes erforderlich, das wie eine Ursache ist, wegen der etwas so ist, und die etwas tut hinsichtlich dessen, das den Akt oder die Handlung aufnimmt, oder hinsichtlich dessen, das [den Akt] hervorbringt.[290]

Eine Ursache in diesem übertragenen Sinne stellt zwar eine notwendige Bedingung für das Wollen dar, übt aber auf die eigentliche Willenshandlung keinerlei bestimmenden Einfluss aus. Sie stellt lediglich in rezeptiver Hinsicht die Eingangsbedingung für den möglichen Handlungsgegenstand dar; sie bleibt passiv, ohne selbst aktiv im Vorfeld der Handlung zu wirken. Es steht für Heinrich außer Frage, dass der beratenden Funktion des Verstandes keinerlei kausale Einflussnahme hinsichtlich der eigentlichen Willenshandlung zuzugestehen ist.

Diese mit einem gewissen Recht als voluntaristisch zu bezeichnende Lehre, die dem Pariser Dokument von 1277 entspricht, zieht sich bei Heinrich durch das gesamte Corpus seiner Schriften. Heinrich vertritt keine Sondermeinung, wenn er gegenüber einer Dominanz des Intellekts bei der Frage nach dem Zustandekommen der moralisch signifikanten Handlung den Willen als das ausschlaggebende Vermögen interpretiert.

Mensch als intellektuelle Bestie: Markant kritisiert etwa der dem Franziskanerorden angehörende Petrus Johannis Olivi (ca. 1248–1298) die Alternative zu einer solchen Willenslehre dadurch, dass er durch die Vorherrschaft des Intellekts den Menschen zu einer Bestie degeneriert sieht. Wer die Freiheit des Willens nicht einräumt, macht aus dem Menschen eine Bestie, zwar kein wildes Tier ohne Verstand, aber eben doch eine Bestie, die über keine menschliche Persönlichkeit verfügt, weil sie ein durch den Verstand gesteuertes Ungeheuer geworden ist. Ausdrücklich wehrt sich Olivi dagegen, die *personalitas* des Menschen allein auf seine intellektuellen Fähigkeiten zu reduzieren:

Petrus Johannis Olivi, Quaestiones in secundum librum Sententiarum q. 57

Es ist also offensichtlich, dass dieser Irrtum [der die Willensfreiheit leugnet] jedes menschliche und auch göttliche Gut zerstört. [...] Und es ist kein Wunder, weil er – wie ich sagen möchte – das, was wir eigentlich sind, nämlich unsere Persönlichkeit von uns nimmt und uns nichts weiter lässt, als dass wir intellektuelle oder bloß Intellekt besitzende Bestien sind.[291]

Verlust der Personalität: Olivi bringt den Irrtum, die Freiheit des Willens zu leugnen, auf die antiintellektualistische Formel, dass dies dem Menschen sein eigentliches Wesen, nämlich seine Personalität – also das, was ihn als Person von anderen Lebewesen unterscheidet –, nähme, und uns zu nichts anderem als zu intellektuellen Bestien (*bestiae intellectuales*) machen würde.

Verbreitung des Voluntarismus: Eine voluntaristische Position, wie Heinrich von Gent sie in aller Ausführlichkeit und mit vielen Argumenten vertritt, findet sich im Kern auch bei anderen Gelehrten, die vor Heinrich an der Pariser Universität lehrten. Walter von Brügge betont etwa,

dass der Wille die im eigentlichen Sinne so genannte und vollkommene Freiheit weder formal noch wirksam vom Verstand her besitzt, sondern von sich her bzw. von der eigentümlichen Form her hat, die ihm eingeboren und mitgeschaffen wurde.[292]

Walter von Brügge, Quaestiones disputatae q. 5

Roger Marston nimmt die prägnante Formulierung Heinrichs vorweg und interpretiert den Verstand nur als notwendige Bedingung des Wollens, die für den Willen die Gelegenheit bereitet, aber nicht dessen Freiheit begründet, wenn er sagt,

dass der Wille die Freiheit aus sich heraus besitzt und nicht vom Verstand hat, außer insofern dieser eine notwendige Bedingung oder eine Gelegenheit darstellt.[293]

Roger Marston, Quaestiones disputatae De anima q. 10

Trotz dieser Anknüpfungspunkte bei Petrus Johannes Olivi oder anderen Autoren wie Walter von Brügge oder Roger Marston sind diese Lehren Heinrichs und der anderen Vertreter einer solchen Position keineswegs unwidersprochen geblieben – und dies mit guten Gründen.

7.3.4.1 | Das Gegenargument des Scotus gegen Heinrich von Gent

Ein ganz entscheidendes Argument gegen diese Form des Voluntarismus bestreitet keineswegs die besondere Rolle des Willens, sondern zielt darauf, die Wirksamkeit des Verstandes nicht gänzlich auszuschließen, d. h. den Intellekt nicht nur als wirkungslose, wenngleich notwendige Voraussetzung gelten zu lassen, sondern ihm die Form der Wirksamkeit zuzusprechen, derer es bedarf, um zu erklären, was eine bestimmte Handlung auszeichnet. Johannes Duns Scotus formuliert dieses Gegenargument in seiner direkten Auseinandersetzung mit der Position Heinrichs in der ihm eigenen lakonischen Ausdrucksweise:

Wenn der erkannte Gegenstand nur eine notwendige Bedingung hinsichtlich der Willenshandlung ist, dann werden die Willenshandlungen formal nicht durch die Gegenstände unterschieden.[294]

Johannes Duns Scotus, Lec. II d. 25 n. 60

Verlust der Gegenstandsbestimmung der Handlung: Worauf Scotus der Sache nach hinweist, ist, dass eine Handlung in dem, was sie ausmacht, durch dasjenige gekennzeichnet ist, als was sie gewollt wird. Ob eine bestimmte Handlung als Selbstverteidigung oder als Raubmord zu qualifizieren ist, hängt davon ab, als was sie der Sache nach intendiert ist, und d. h. zur Verfolgung welchen Zieles sie angestrebt wird. Der Sache nach knüpft dieses Argument an die von Petrus Abaelardus entwickelte Zustimmungstheorie an, wonach die moralische Beurteilung einer Handlung von den Gesichtspunkten abhängt, unter denen sie beabsichtigt wird (s. Kap. 7.1). Die Hinordnung auf ein bestimmtes Ziel und die Vorgabe, diese Handlung zur Verwirklichung dieses Ziels auszuführen, stammt aber nach scotischer Deutung aus dem Verstand. Denn nur diesem und nicht dem Willen kommt die kognitive Leistung zu, Gründe für eine Handlung anzugeben. Wenn aber das Urteil des Verstandes für die tatsächliche Handlung wirkungslos ist, wie es die Lehre von Heinrich behauptet, dann kann es diese Spezifizierung einer Handlung aufgrund von Handlungsgründen und Motiven nicht geben. Handlungen wären letztlich nicht mehr unterscheidbar, und menschliches Handeln nicht mehr unter Rückgriff auf Handlungsmotive zu erklären. Aber genau das widerspricht unserer alltäglichen Praxis im Umgang mit Handlungen und den zugrundeliegenden Motiven, weshalb Scotus dieses Argument gegen Heinrich formuliert.

Dieser Einwand des Duns Scotus entspricht der Sache nach dem Argument, das in der modernen Debatte von Donald Davidson (1917–2003) formuliert wird und die kausale Wirksamkeit von Handlungsgründen einfordert, sofern diese zur Erklärung einer Handlung etwas beitragen sollen:

Donald Davidson, Handlungen, Gründe und Ursachen, 28

Doch dann ist etwas Wesentliches gewiß unberücksichtigt geblieben, denn es kann sein, daß man einen Grund für eine Handlung hat und diese Handlung auch ausführt, ohne daß dieser Grund derjenige ist, weshalb man die Handlung vollzogen hat. Wesentlich für die Beziehung zwischen einem Grund und einer durch ihn erklärten Handlung ist die Vorstellung, daß der Handelnde die Handlung ausgeführt hat, weil er diesen Grund hatte.

Dass jemand diesen und keinen anderen Grund hatte, bedeutet nichts anderes, als dass dieser Grund auch tatsächlich kausal wirksam geworden ist. Die von Davidson geforderte Differenz zwischen möglichen Handlungsgründen und den tatsächlichen Gründen, die eine Handlung verstehbar machen, basiert auf der Annahme, dass genau die Gründe eine Erklärung darstellen, die kausal wirksam geworden sind.

7.3.5 | Der Intellektualismus des Gottfried von Fontaines

Primat des Intellekts: Eine Alternative zu einem solchen Voluntarismus, wie ihn Heinrich vertritt, besteht darin, die Bedeutung des Verstandes über eine notwendige Bedingung hinaus in ganz anderer Weise zu betonen. Einer der deutlichsten und am meisten reflektierten Gegner einer voluntaristischen Position, der auch keine Scheu hat, sich gegen das Verfahren Étienne Tempiers und sein Ergebnis, die Verurteilung von 1277 (s. Kap. 7.3.3), zu wenden, ist Gottfried von Fontaines. Gottfried ist der Meinung, dass man einen Voluntarismus, wie ihn auch Heinrich vertritt, nur dadurch vermeiden kann, dass man das gesamte Handlungsvermögen dem Verstand und nicht dem Willen zuschreibt. Der Verstand allein ist eine hinreichende Kraft, eine Handlung im Menschen zu bewirken:

Die Ordnung dieser Vermögen untereinander und im Blick auf ihre Gegenstände ist so, dass der Wille nur zu seiner Handlung übergehen kann, wenn dies mittels einer Handlung des Verstandes geschieht. Jener Gegenstand, der den Verstand und den Willen bewegt, kann den Willen aber nur bewegen, wenn er zuvor den Verstand hinsichtlich des Erkennens bewegt.[295]

Gottfried von Fontaines, Quodlibet VI q. 10

Dem Willen selbst kommt hierbei keine kausale Bedeutung zu.

[I]ch glaube, dass der Wille im ersten Akt nicht sich selbst bewegt hinsichtlich der Ausübung der Handlung und dass er sein Wollen, wie ich glaube, nicht als erstes in seinem eigenen Vermögen hat.[296]

Gottfried von Fontaines, Quodlibet XV q. 2

Was Gottfried bestreitet, ist also, dass der Wille aus sich heraus einen Entschluss fassen kann, der dann der Ausgangspunkt einer äußeren Handlung wird. Gottfried verlegt also im Gegensatz zur Position Heinrichs die kausale Wirksamkeit vom Willen weg und schreibt sie als ausschlaggebenden ersten Impuls ganz dem Verstandesvermögen zu.

7.3.5.1 | Das Gegenargument des Scotus gegen Gottfried von Fontaines

Unter den verschiedenen Argumenten, die Scotus gegen diese Auffassung formuliert, sticht vor allem dasjenige heraus, dass die Nicht-Erklärbarkeit eines dem Willen vorausgehenden Erkenntnisaktes betrifft. Wie kommt nämlich eine solche Erkenntnis zustande, durch die der Wille in seiner Handlung bestimmt wird? Da kein Erkenntnisakt des Verstandes einfach so gegeben ist, sondern als Akt erst hervorgebracht werden muss, und zudem der Verstand nicht selbst Ursache seines Erkenntnisaktes sein kann, weil er sonst gleichzeitig in Akt und in Potenz, d. h. gleichzeitig tatsächlich wirksam und bloß in der Lage, wirken zu können, wäre, was Gottfried ausdrücklich ausschließt, so bleibt allein die Lösung, dass ein anderes Vermögen, nämlich der Wille, dem Verstand das Erkennen befiehlt, wie Scotus feststellt.

Problem des infiniten Regresses: Woher soll aber ein solcher Befehl kommen, wenn er als Willenshandlung doch nach Gottfried auch einen entsprechenden Erkenntnisakt voraussetzt? Aus scotischer Sicht bleiben für Gottfried nur zwei Möglichkeiten, die beide unbefriedigend sind. Entweder man gerät in einen infiniten Regress, womit eben keine Erklärung vorläge, oder man müsste die Möglichkeit einräumen, dass vom Willen keinerlei Bewegung ausgehen kann. Beides scheint eine absurde Annahme zu sein, womit aus scotischer Sicht die Auffassung des Gottfried widerlegt ist.

Ich frage, wie [der Wille] den Verstand bewegen oder ihm befehlen kann, zu erkennen oder nicht zu erkennen? Der Wille kann nach dieser Auffassung [des Gottfried] nur bewegen, wenn er bewegt wurde; jener Bewegung des Willens geht die Er-

Johannes Duns Scotus, Lec. II d. 25 n. 31

kenntnis [des Gegenstandes] voraus. Entweder hat der Wille also diese Erkenntnis in seiner Macht, oder er hat sie nicht in seiner Macht, weil sie der Willenshandlung vorausgeht und zu dieser der Gegenstand bewegt. Wenn sie nicht in seiner Macht steht, kann [der Wille] den Verstand nicht zum Erkennen oder zum Nicht-Erkennen bewegen. Entweder wird es also ein Fortschreiten ins Unendliche geben oder er wird gar keine Bewegung in seiner Macht haben.[297]

Im Gegensatz zu dieser widersprüchlichen Theorie muss man also zugeben, dass der Wille vor jedem konkreten Erkenntnisakt die Möglichkeit hat, den Verstand zur Erkenntnis anzutreiben, d. h. das Erkennen zu befehlen oder es eben nicht zu befehlen, womit die ursprüngliche Auffassung des Gottfried widerlegt wäre.

Fasst man die Auffassungen Heinrichs und Gottfrieds zusammen und deutet die scotische Lösung an, so ergibt sich folgendes Schema:

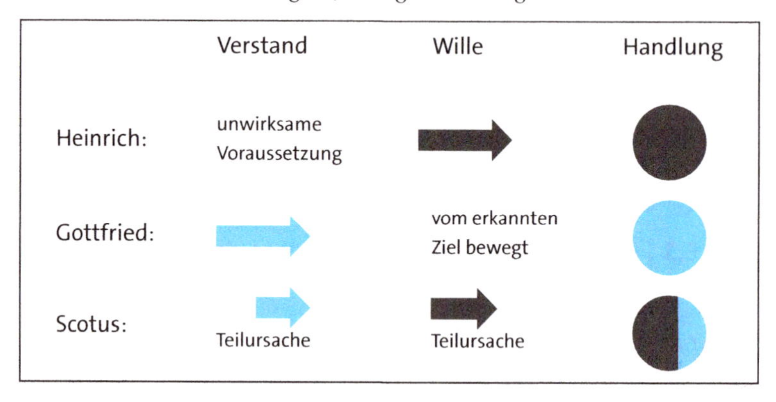

Mittelweg: Heinrich von Gent und Gottfried von Fontaines vertreten hinsichtlich der Deutung der Freiheit extreme Positionen: der eine eine voluntaristische Betonung des Primats des Willens, der andere eine intellektualistische Akzentuierung des Verstandes; der eine in Übereinstimmung mit dem Pariser Dokument von 1277, der andere in deutlicher Opposition zu diesem. Die Lehre des Duns Scotus wird ein Mittelweg zwischen diesen Positionen sein, der aber nur dadurch möglich wird, dass grundlegende Prämissen und Begriffe ganz neu definiert werden.

7.3.6 | Johannes Duns Scotus: *Via media*

Johannes Duns Scotus ist sich des Dilemmas, das in der Gegenüberstellung der Deutungen Heinrichs von Gent und Gottfrieds von Fontaines offensichtlich wird, wohl bewusst. Scotus kennt diese beiden konträren Auffassungen und weiß um ihre Vorzüge, ebenso wie er sich über die daraus resultierenden Folgeprobleme im Klaren ist. Eine einseitige Akzentuierung eines der beiden Vermögen, sei es des Willens, sei es der Vernunft, lässt aus seiner Sicht keine befriedigende Deutung moralisch relevanten Handelns zu. Wie bestimmt also Duns Scotus angesichts dieser

Schwierigkeit das Verhältnis beider Vermögen mit Blick auf die Frage nach dem moralischen Handeln des Menschen?

Intentionalität: Der Ausgangspunkt der Überlegungen ist zunächst, dass für Scotus Verstand und Wille beide intentionale Vermögen der Seele sind, nämlich in dem Sinne, dass sie auf etwas anderes, was jeweils außerhalb der Seele ist, bezogen sind. Um sich auf anderes beziehen zu können, müssen die Seelenkräfte nach Auffassung des Duns Scotus nicht nur über ein rezeptives, also aufnehmendes, sondern gerade auch über ein aktives Vermögen verfügen, das ihrer Bezugnahme auf die intendierten Gegenstände zugrunde liegt.

Geht so einerseits eine grundlegende Aktivität von dem Vermögen selbst aus, das sich auf seinen Gegenstand richtet, d. h. diesen intendiert, so bleibt doch zu fragen, wodurch denn die Bezugnahme auf gerade diesen Gegenstand gewahrt bleibt, d. h. in welcher Weise der intendierte Gegenstand selbst den Vorgang bestimmt, in dem er zum Gegenstand für ein Vermögen wird. Im Kontext der praktischen Erkenntnis resultiert deshalb aus der intentionalen Struktur der beteiligten Vermögen, nämlich von Verstand und Wille, die besondere Schwierigkeit, erklären zu müssen, wie sich das Verhältnis dieser beiden Vermögen, die auf je eigene Weise aktive Kräfte der Seele sind, untereinander gestaltet.

Ablehnung der Extrempositionen: Die Antwort des Duns Scotus auf diese Frage nach der praktischen Vernunft grenzt sich in zwei Richtungen ab. Zum einen ist die Vernunft nicht lediglich eine notwendige, aber nicht selbst wirksame Ursache (*causa sine qua non*), die der Handlung vorausgeht, wie Heinrich von Gent behauptet; zum anderen ist die Vernunft nicht die vollständige Ursache der Handlung (*tota causa actualitatis*), wie Gottfried von Fontaines meint. Gegen Heinrich spricht, dass die Handlungen des Willens nicht mehr durch die jeweiligen Handlungsgegenstände differenzierbar wären, wenn von den erkannten Gegenständen keinerlei Einflussnahme auf den Willen ausgeübt würde. Gegen Gottfried hingegen spricht, dass im Falle der allein vom Gegenstand ausgehenden Wirkursächlichkeit die Freiheit des Willens nicht gewahrt werden könnte, wenn die Vorgaben der Vernunft allein ausreichend sind, dass eine entsprechende Handlung stattfindet. Wörtlich fasst Scotus seine Auseinandersetzung mit Heinrich und Gottfried unter Bezugnahme auf die genannten Gegenargumente deshalb so zusammen:

Ich antworte also auf die Frage, dass die Wirkursache des Willensaktes nicht nur der Gegenstand oder [sein] Erscheinungsbild ist (weil dies auf keine Weise die Freiheit bewahrt), wie die erste Auffassung [nämlich die von Gottfried von Fontaines] behauptet, noch ist die Wirkursache des Willensaktes ausschließlich der Wille, wie die zweite extreme Auffassung [nämlich die Heinrichs von Gent] behauptet, weil sonst nicht alle Bedingungen, die dem Willensakt folgen, bewahrt werden können, wie gezeigt wurde.[298]

Johannes Duns Scotus, Lec. II d. 25 n. 69

Aus diesem Grund nimmt Scotus nach eigenem Bekunden eine mittlere Position ein, wonach der Wille und der Gegenstand beide an der Hervorbringung der Handlung mitwirken. Wörtlich heißt es:

Ebd., d. 25 n. 69

Deshalb schlage ich einen mittleren Weg ein [und behaupte], dass sowohl der Wille als auch der Gegenstand zur Verursachung der Willenshandlung zusammenlaufen, so dass die Willenshandlung vom Willen und vom erkannten Gegenstand als einer Wirkursache herstammt.[299]

Konkurrierende Teilursächlichkeit: Wie hat man sich dieses Zusammenlaufen (*concurrere*) von Wille und erkanntem Gegenstand näherhin vorzustellen? Was beinhaltet die scotische Annahme der Teilursächlichkeit von Wille und Verstand und was folgt aus dieser Lehre? Der Grundgedanke dieser Theorie besteht darin, dass der Verstand eine kausale Wirksamkeit ausüben muss, die den Willen zwar beeinflusst, aber nicht determiniert. Scotus lehnt also die von Heinrich vertretene Deutung des Verstandes als einer *causa sine qua non* genauso ab, wie er auch Gottfrieds These vom ausschließlich passiven Charakter des Willens für unangemessen hält.

Scotus erklärt die Möglichkeit der Teilursächlichkeit dadurch, dass es dem Willen zukommt, die Aufmerksamkeit des Verstandes zu lenken, ohne aber die Erkenntnisakte selbst zu beeinflussen. Handlungsentscheidungen lassen sich also danach moralisch beurteilen, welche vom Verstand gebotenen Handlungsgründe durch den Willen kausal wirksam werden. Dies setzt ein reflexives Vermögen oder eine Zweistufigkeit des Willens voraus, die Scotus ausdrücklich als einen Übergang von einer intentional bestimmten Geneigtheit des Willens hin zu einem handlungswirksamen Wollen versteht.

7.3.7 | Teilursächlichkeit im Erkenntnisvorgang

Mehrstufigkeit des Erkennens: Um zu verstehen, was die Lehre von der Teilursächlichkeit im Detail meint, ist ein Blick auf das komplexe Zusammenspiel von Wille und Verstand im Vorfeld einer Handlung zu werfen. Zunächst ist der Erkenntnisvorgang selbst zu betrachten. Die Erkenntnis eines Gegenstandes vollzieht sich in verschiedenen Schritten: Zuerst nimmt das Sinnesvermögen ein Objekt der äußeren Wirklichkeit, z. B. einen Menschen, wahr, dann bildet das Vorstellungsvermögen ein gewisses Abbild dieses Gegenstandes unter Auslassung der singulären Eigentümlichkeiten, von denen abstrahiert wird. Indem man von den Resten alles Bildhaften, der Ausdehnung, der Umrisse etc. absieht, bildet der Verstand schließlich einen abstrakten Begriff, der nur die allgemeinen Kennzeichen enthält, durch die man den ursprünglichen Gegenstand charakterisieren kann. Aus dem im Blickfeld befindlichen Menschen wird so zunächst die Vorstellung, die man von ihm hat, auch wenn man die Augen schließt, und endlich wird er zu einem Exemplar, das durch den universell verwendbaren Begriff des Menschen, nämlich ein vernunftbegabtes Lebewesen zu sein, erfasst wird. Erst auf dieser letzten Stufe erfasst man den Gegenstand als etwas, indem man ihn durch einen Begriff einer bestimmten Klasse von Dingen zuordnet.

Mitwirkung des Willens: Dieser Prozess geschieht nicht von alleine und er geschieht auch nicht immer, denn nicht alles, was man sieht, erfasst man in der letzten Konsequenz als ein Exemplar eines bestimmten Typs. Aus diesem Grund nimmt Scotus an, dass dieser Vorgang durch eine hinzutretende Ursache, die ihn antreibt, bestimmt sein muss. Diese Ursache ist der Wille, der den Erkenntnisprozess zwar nicht inhaltlich steuert – was ein Mensch ist, hängt nicht vom Willen ab –, aber der ihn in Gang setzt und gegebenenfalls auch beendet, wenn der Wille die Aufmerksamkeit auf etwas anderes lenkt.

Analogie von Erkennen und Wollen: In Entsprechung zu der Mehrstufigkeit im Erkenntnisprozess konzipiert Scotus auch das Willensgeschehen als einen in sich gegliederten und reflexiven Vorgang. Hiermit erreicht er eine Deutung des Willens, die für Heinrich ebenso wie für Gottfried verschlossen bleibt und letztlich zu den extremen Deutungen des Voluntarismus bzw. des Intellektualismus beider Autoren führt.

Der Wille, der einen Gegenstand im engeren Sinne will, will damit auch immer sein eigenes Wollen in Bezug auf diesen Gegenstand (*vult se velle illud*). Da der Wille sich aber immer frei zu seinem eigenen Wollen verhalten kann, kann er das Wollen jedes beliebigen Gegenstandes auch nicht wollen (*non velle*), d. h. er besitzt immer das Vermögen, sein eigenes Wollen auszusetzen, d. h. zu suspendieren. Nach dieser Auffassung verhält sich der Wille in einem – von Scotus so genannten – reflexiven Akt (*actus reflexus*) zu seinem eigenen Wollen. Das auf einer ersten Ebene auf einen bestimmten Gegenstand gerichtete Wollen wird auf einer zweiten Ebene selbst zum Gegenstand des Willens, der sich selbst zu einem diesen Gegenstand Wollenden oder Nicht-Wollenden bestimmen kann. Diese Zweistufigkeit und Reflexivität sind es, die den Willen in der scotischen Interpretation zu einem Vermögen freier Selbstbestimmung machen.

Mit dieser Reflexion wird der ursprüngliche und zunächst unmittelbare Gegenstandsbezug des Wollens auf eine höhere Ebene gestellt. Er wird nämlich im Kontext der Frage betrachtet, ob man sich grundsätzlich als einen solchen will, der im Einzelfall diese oder jene Handlungsoption verfolgt. Mit diesem Schritt ist die Möglichkeit eröffnet, die singuläre Handlungsentscheidung auf ihre Tauglichkeit als allgemeine Handlungsnorm zu thematisieren.

Verschränkung von Erkennen und Wollen: Das *concurrere*, das nach der scotischen Deutung dem Zusammenwirken von Verstand und Wille als Teilursachen zugrunde liegt, erweist sich so als Verschränkung der Verstandestätigkeit mit dem Willen. Der Wille bestimmt zwar nicht den Erkenntnisakt in seinem inneren Vollzug, lenkt aber seine intentionale Ausrichtung, indem er die Aufmerksamkeit des Verstandes in diese oder jene Richtung weist. Hieraus ergibt sich die grundsätzliche These, die Scotus hinsichtlich des Zusammenwirkens von Wille und Verstand vertritt:

Ich antworte hinsichtlich dieses Artikels, dass man sagen muss, dass eine Erkenntnis bzw. ein Akt des Verstandes in der Macht des Willens liegt, so dass dieser den Verstand von dem einen Einsehbaren ab- und einem anderen einzusehenden Gegenstand zuwenden kann.[300]

Johannes Duns Scotus, Rep. par. II d. 42 q. 4 n. 8

Vorrang des Willens: Mit diesem Hintergrund ist es leicht nachzuvollziehen, dass Scotus zwar den Verstand und den Willen als Teilursachen einer Handlung begreift, doch dies nur unter der Voraussetzung einräumt, dass der Wille einen gewissen Vorrang gegenüber dem Verstand hat. Er ist die grundlegende Ursache, die *causa principalis*, wie es bei Scotus heißt, weil sich sein Handlungsmodus, nämlich der eines freien Vermögens, durchsetzt:

Johannes Duns Scotus, Ord. II d. 7 n. 17

Keine Zweitursache kann die grundlegende Ursache der Handlungsursache sein, in einer Art und Weise zu handeln, die jener entgegengesetzt ist, die dem grundlegend Handelnden wegen seines eigenen Verursachungsvermögens zukommt. So wäre nämlich die grundlegende Ursache nicht grundlegend, weil sie von der Zweitursache dazu bestimmt würde, in einer ihrer eigentlichen Handlungsweise entgegengesetzten Weise zu handeln. Also, wenn der Wille die grundlegende Ursache seines Handelns ist (weil, was auch immer im Willen hinsichtlich seines Handelns angenommen wird, dies entweder nicht die Ursache ist, die Handlung in dieser Weise hervorzubringen, oder, wenn es die Ursache ist, es hinsichtlich des Willens die Zweitursache und nicht die grundlegende Ursache ist), folgt, dass der Wille durch nichts anderes zum Handeln bestimmt wird.[301]

Die Freiheit des Willens, so argumentiert Scotus, wird nämlich durch den Verstand deshalb nicht in Frage gestellt, weil dieser nicht als *causa totalis*, sondern im Status eines wirksamen aber nur als Bestandteil der Gesamtursache anzusehenden Wirkprinzips beteiligt ist. Explizit heißt es deshalb in einer der spätesten Ausarbeitungen, die Scotus zu dieser Frage vorgelegt hat, dass die Vorschrift des Verstandes an sich eine Ursache, aber eben nur eine Teilursache (*causa partialis*) der Wahlhandlung darstellt:

Johannes Duns Scotus, Collationes parisienses q. 3 n. 4

Nun ist aber der Wahrheit entsprechend hinsichtlich der Wahl nicht die Vorschrift des Verstandes die grundlegende Ursache, sondern der Wille, der schlechthin frei ist: Auch wenn also hinsichtlich der Handlung der Wahl die Vorschrift des Verstandes oder auch der Gegenstand mitläuft, folgt nicht, dass die Wahl nicht frei wäre, weil die Vorschrift und der Gegenstand nicht die grundlegende Ursache der Wahl sind. Deshalb beweist dieses [zu Beginn angeführte] Argument nur, dass der Verstand nicht die Gesamtursache der Wahl ist, was zuzugeben ist. Aber dennoch ist er eine Ursache durch sich und eine Teil[ursache], die bei der freien Handlung des Willens mitwirkt, sowie beim Befehl des Willens eine motivierende Kraft wirkt.[302]

Der Verstand wirkt als natürliches Vermögen im Status einer mitlaufenden Teilursache, die nicht *causa principalis* ist, weshalb die Freiheit des Willens, eben weil dieser die *causa principalis* ist, nicht aufgehoben ist.

7.3.8 | Intelligibilitätsproblem

Welche Konsequenzen ergeben sich aus dieser Lehre des Johannes Duns Scotus für die eingangs geschilderte Problemkonstellation (s. Kap. 7.3.1)? Insbesondere ist zu prüfen, welche Deutungsmöglichkeiten sich für eine

Willenstheorie ergeben, um Handlungen durch die Handlungsgründe und damit auch durch die Verstandesleistungen erklärbar zu machen, denn nur auf diese Weise kann das Intelligibilitätsproblem gelöst werden. Wie kann man eine Handlung durch den Rekurs auf die tatsächlichen Handlungsgründe rational nachvollziehbar machen, ohne die These aufzugeben, dass dieselbe Handlung irreduzibel frei verursacht wurde?

Wahrung der Rationalität: Zum einen ist es gerade die Möglichkeit, dass der Verstand bei der Hervorbringung einer Willenshandlung kausal wirksam ist, die Scotus gegen die Einwände, die Heinrich von Gent und andere voluntaristische Deutungen vertreten, verteidigt. Es entspricht der Überzeugung des Scotus, dass der Verstand nur dann praktisch zu nennen ist, wenn er den Willen nicht bloß den Handlungsgegenstand zeigend, sondern zu diesem anleitend und motivierend bestimmt, was eine kausale Mitwirkung des Verstandes voraussetzt.

Wahrung der Freiheit: Dass aus einer solchen Annahme keine Nötigung des Willens resultiert, liegt daran, dass Scotus an der Möglichkeit festhält, es liege letztlich am Willen selbst, diejenigen Motivationsgründe wirksam werden zu lassen, für die er sich entscheidet. Mit dieser Entscheidung des Willens als der grundlegenden Ursache (*causa principalis*) sind andere Handlungsgründe ausgeschlossen, die der Verstand bei einer weitergehenden oder bei einer in eine andere Richtung gelenkten Aufmerksamkeit hätte zur Geltung bringen können. Nach dieser Auffassung übt der Verstand eine gewisse Einwirkung auf den Willen aus. Zudem ist diese Wirksamkeit ausschließlich auf das beschriebene Zusammenspiel von Erkenntnisgegenstand und Erkenntnisvermögen zurückzuführen, ohne dass der Wille die Objektivität des Erkannten in Frage stellen könnte. Allerdings steht es in der Macht des Willens, darüber zu entscheiden, inwieweit die Motivation dieses oder eben doch eines anderen Gegenstandes bzw. dieser oder einer anderen Perspektive, in der möglicherweise derselbe Gegenstand betrachtet wird, letztlich für die Handlung wirksam wird.

Begründung versus Letztbegründung: Die entscheidende Frage besteht also darin, ob mit dieser Zuordnung von Erkenntnis und Wille tatsächlich das Problem gelöst werden kann, die frei verursachte Handlung letztlich auf nachvollziehbare rationale Gründe zurückzuführen und dadurch intelligibel zu machen. Denn letztlich obliegt es doch dem Willen, zu entscheiden, ob er diesem und nicht einem anderen Handlungsgrund folgt. Wollte man hierfür noch einmal einen weiteren rationalen Grund anführen, verschöbe sich nur die ultimative Entscheidung des Willens um einen weiteren Schritt hinter diesen vermeintlich letzten Grund, den der Verstand anführt. Diese letzte Entscheidung des Willens, es nun bei diesem Erklärungsgrund oder bei dieser Kette von Gründen zu belassen, kann nicht selbst wieder mit gleichartigen Gründen einsichtig gemacht werden. Deshalb lautet die scotische Antwort auf die insistierende Frage, warum der Wille [dieses] will, »weil er eben Wille ist.«

Und so kommt ein Text ins Spiel, der den – so kann man mit Blick auf die immer wieder gegen scotische Willenslehre erhobenen Vorwürfe sagen – vermeintlichen Voluntarismus des Scotus zum Ausdruck bringt:

Johannes Duns Scotus, Reportatio I-A d. 10 q. 3 n. 53

Wie es also keine Ursache zu suchen gibt, warum der Wille will, außer weil der Wille Wille ist, so gibt es auch [keine Ursache zu suchen], warum der Wille auf diese Weise oder jene will – notwendig und kontingent, notwendig und frei –, außer weil es ein solcher oder ein solcher Wille ist. Denn dies ist ein nicht ableitbarer kontingenter Satz: Der geschaffene Wille will.[303]

Inkompatibilismus: Diese Antwort des Duns Scotus ist Ausdruck seiner Überzeugung, dass Freiheit und Natur und damit Wille und Verstand jeweils nicht hintergehbaren Typen kausaler Verursachung zuzuordnen sind. Es gibt keine übergeordnete Form von Kausalität, aus der dieser Unterschied von kontingenter und notwendiger Verursachung abzuleiten wäre. Aus diesem Grund ist die scotische Position mit der modernen Ausdrucksweise als inkompatibilistisch zu begreifen. Allerdings erlaubt das scotische Modell der Teilursächlichkeit eine Deutung menschlichen Handelns jenseits der Alternativen von Determinismus und Voluntarismus bzw. Irrationalismus.

Der Preis, man kann aber auch sagen, der sachliche Fortschritt der scotischen Lösung besteht darin, die Intelligibilitätsforderung signifikant einzuschränken und sie damit in ihrem Eigenrecht zu wahren. Eine Letztbegründung der Willenshandlung ist aufgrund der genannten Prämissen des Duns Scotus auszuschließen. Dies ist deshalb der Fall, weil es nicht möglich ist, einen rationalen Grund dafür anzuführen, warum der Wille sich gerade von den Motiven bestimmen lässt, durch die ihn der Verstand im Modus der praktischen Erkenntnis zwar als durch notwendige, aber für sich noch nicht hinreichende Handlungsgründe zur Tat anhält.

Antireduktionismus: Die scotische Theorie praktischer Erkenntnis ist nicht reduktionistisch, insofern sie keine Zurückführung willentlichen Handelns auf den Modus natürlicher Kausalität zulässt, sondern dem Willen ein ihm eigentümliches Verursachungsvermögen zuspricht, das man Selbstbestimmung nennen kann, was Scotus ausdrückt, wenn er sagt:

Johannes Duns Scotus, Met. IX q. 15 n. 41

Deshalb ist der Wille ein Vermögen, weil er selbst etwas vermag, denn er kann sich selbst bestimmen.[304]

Einschränkung des Rationalitätsparadigmas: Zudem setzt die scotische Position eine deutlich markierte Grenze hinsichtlich der Intelligibilität menschlichen Handelns, nämlich deshalb, weil sie zwar einerseits Handlungen prinzipiell auf Gründe zurückführbar macht, aber andererseits die rationale Ableitbarkeit, warum es gerade diese Gründe sind, die wirksam geworden sind, ausschließt. Es bleibt eine Angelegenheit des Willens, zu entscheiden, welchen Vorschriften des Verstandes er folgen wird. Zwar macht ihn jede praktische Erkenntnis geneigt, nach genau diesen Gründen zu handeln, aber welche praktische Vorschrift, wenn es konkurrierende gibt – und wer wollte das bestreiten – letztlich handlungsauslösend sein wird, hängt wiederum vom Willen ab. In diesem Sinne bestimmt der Wille sich selbst, indem er seine Kausalität auf die praktische Erkenntnis überträgt und ihr dadurch ein hinreichendes Wirkvermögen verleiht.

Der Wille, der in Bezug auf die ihm eigentümliche Handlung [nämlich das Wollen] unbestimmt ist, bringt diese Handlung hervor und bestimmt dadurch den Verstand in Bezug auf die Kausalität, die der Verstand hat, um nach außen etwas zu bewirken.[305]

Johannes Duns Scotus, Met. I q. 15 n. 39

Menschliches Selbstverständnis: Die Plausibilität der scotischen Theorie der praktischen Erkenntnis wird sich gerade daran bemessen, welche Überzeugungskraft man bereit ist, gerade diesen Prämissen einzuräumen, die für den Entwurf der praktischen Erkenntnis bei Johannes Duns Scotus grundlegend sind. Wo anders soll die Überzeugungskraft dieses Entwurfes herkommen, als aus dem Selbstverständnis des Menschen, der sich als ein handelndes Wesen begreift, das sich vor die moralische Verantwortung seiner zwar begründbaren, aber nicht letzt-begründbaren Handlungen gestellt sieht? Auch wenn Scotus den Begriff nicht verwendet, zielt sein Ansatz auf die Herausarbeitung dessen, was Petrus Johannis Olivi die Personalität des Menschen genannt hat und die er durch eine allein dominante Steuerung menschlichen Handelns durch die Vernunft gefährdet sieht (s. Kap. 7.3.4). Damit aus der von Olivi getroffenen Absage an eine intellektuelle Bestie kein voluntaristisches Monster wird, kann die von Scotus verfolgte Lösung nur in einer ausgewogenen Abwägung der beiden für den Menschen charakteristischen Wesenszüge der Willentlichkeit und der Rationalität bestehen.

Quellen

Gottfried von Fontaines: *Quodlibet VI* q. 10; *XV* q. 2.
Heinrich von Gent: *Quodlibet I* q. 14; *XIII* q. 11.
Johannes Duns Scotus: *Lectura II* d. 25; *Quaestiones super libros metaphysicorum Aristotelis IX* q. 15.
Petrus Abaelardus: *Ethica sive scito te ipsum I*, 1–14 und 35.
Thomas von Aquin: *Summa theologiae I* q. 80 a. 1; *I-II* q. 91 a. 2., q. 94 a. 2; *II-II* q. 47 a. 4 u. a. 15.

Weiterführende Literatur

Ernst, Stephan: *Ethische Vernunft und christlicher Glaube. Der Prozeß ihrer wechselseitigen Freisetzung in der Zeit von Anselm von Canterbury bis Wilhelm von Auxerre.* Münster 1996 (Beiträge zur Geschichte der Philosophie und Theologie des Mittelalters. Neue Folge 46).
Kluxen, Wolfgang: *Philosophische Ethik bei Thomas von Aquin.* Hamburg 1998.
Mandrella, Isabelle: *Das Isaak-Opfer. Historisch-systematische Untersuchung zu Rationalität und Wandelbarkeit des Naturrechts in der mittelalterlichen Lehre vom natürlichen Gesetz.* Münster 2002 (Beiträge zur Geschichte der Philosophie und Theologie des Mittelalters. Neue Folge 62).
Möhle, Hannes: *Ethik als scientia practica nach Johannes Duns Scotus. Eine philosophische Grundlegung.* Münster 1995 (Beiträge zur Geschichte der Philosophie und Theologie des Mittelalters. Neue Folge 44).
Wieland, Georg: *Ethica – Scientia Practica. Die Anfänge der philosophischen Ethik im 13. Jahrhundert.* Münster 1981 (Beiträge zur Geschichte der Philosophie und Theologie des Mittelalters. Neue Folge 21).

8 Anhang

8.1 | Verzeichnis der lateinischen Abkürzungen

a.	articulus
c.	capitulum
cant.	canticum
co.	corpus
d.	distinctio
Ed.	editio
epis.	epistula
fol.	folio
l.	liber
lec.	lectio
lect.	lectura
mod.	modifiziert
n.	numerus
ord.	ordinatio
p.	pars
praef.	prafatio
praeamb.	praeambula
prol.	prologus
prooem.	prooemium
prop.	propositio
q.	quaestio
quodl.	quodlibet
tr.	tractatus

8.2 | Originalzitate

1 Cum autem dicit vel a philosophia verissima aliqua nondum in suam notitiam pervenisse sectam, quae universalem contineat viam animae liberandae: satis, quantum arbitror, ostendit vel eam philosophiam, in qua ipse philosophatus est, non esse verissimam, vel ea non contineri talem viam. Et quo modo iam potest esse verissima, qua non continetur haec via? Nam quae alia via est universalis animae liberandae, nisi qua universae animae liberantur ac per hoc sine illa nulla anima liberatur? Augustinus, De Civitate Dei X,32 (CCSL 47,1) 310,16–24.

2 [I]n quo esset ista liberandae animae universalis via, hoc est omnibus gentibus data [...]. Via ergo ista non est unius gentis, sed universarum gentium; et lex verbumque Domini non in Sion et Hierusalem remansit, sed inde processit, ut se per universa diffunderet. Augustinus, De Civitate Dei X,32 (CCSL 47,1) 311,72–92.

3 Haec est igitur universalis animae liberandae via, quam sancti angeli sanctique prophetae prius in paucis hominibus ubi potuerunt Dei gratiam reperien-

H. Möhle, *Philosophie des Mittelalters*, https://doi.org/10.1007/978-3-476-04747-2_8

tibus et maxime in Hebraea gente, cuius erat ipsa quodam modo sacrata res publica in prophetationem et praenuntiationem civitatis Dei ex omnibus gentibus congregandae, et tabernaculo et temple et sacerdotio et sacrificiis significaverunt et eloquiis quibusdam manifestis, plerisque mysticis praedixerunt: praesens autem in carne ipse Mediator et beati eius apostoli iam testamenti novi gratiam revelantes apertius indicarunt, quae aliquanto occultis superioribus sunt significata temporibus, pro aetatum generis humani distributione, sicut eam Deo sapienti placuit ordinare, mirabiblium operum divinorum, quorum superius pauca iam posui, contestantibus signis. Augustinus, De Civitate Dei. X,32 (CCSL 47,1) 312,98–112.

4 Quaecunque autem ibi dixi, sub persona secum sola cogitatione disputantis et investigantis ea, quae prius non animadvertisset, prolata sunt, sicut sciebam eos velle, quorum petitioni obsequi intendebam. Anselm von Canterbury, Monologion prol. (Ed. Schmitt) 28.

5 Si quis unam naturam, summam omnium quae sunt, solam sibi in aeterna beatitudine sua sufficientem, omnibusque rebus aliis hoc ipsum quod aliquid sunt aut quod aliquomodo bene sunt per omnipotentem bonitatem suam dantem et facientem, aliaque perplura quae de Deo sive de eius creatura necessarie credimus, aut non audiendo aut non credendo ignorant: puto quia ea ipsa ex magna parte, si vel mediocris ingenii est potest ipse sibi saltem sola ratione persuadere. Anselm von Canterbury, Monologion c. 1 (Ed. Schmitt) 40.

6 [...] ratione ducente et illo prosequente ad ea que irrationabiliter ignorat rationabiliter proficiat. Anselm von Canterbury, Monologion c. 1 (Ed. Schmitt) 40.

7 Non tento, Domine, penetrare altitudinem tuam, quia nullatenus comparo illi intellectum meum; sed desidero aliquatenus intelligere veritatem tuam, quam credit et amat cor meum. Neque enim quaero intelligere ut credam, sed credo ut intelligam. Nam et hoc credo: quia »nisi credidero non intelligam«. Anselm von Canterbury, Proslogion c. 1 (Ed. Schmitt) 82–84.

8 In finem. Psalmus David. Dixit insipiens in corde suo: Non est Deus. Corrupti sunt, et abominabiles facti sunt in studiis suis; non est qui faciat bonum, non est usque ad unum. Psalm 13,1 (14,1).

9 Ergo Domine, qui das fidei intellectum, da mihi, ut, quantum scis expedire, intelligam, quia es sicut credimus, et hoc es quod credimus. Anselm von Canterbury, Proslogion c. 2 (Ed. Schmitt) 84.

10 Et quidem credimus te esse aliquid quo nihil maius cogitari possit. Anselm von Canterbury, Proslogion c. 2 (Ed. Schmitt) 84.

11 Quid est deus? Quod vides totum et quod non vides totum. Sic demum magnitudo illi sua redditur, qua nihil maius cogitari potest, si solus est omnia, si opus suum et intra et extra tenet. Seneca, Naturales quaestiones l. 1 praef. u 13 (Ed. Brok) 28.

12 An ergo non est aliqua talis natura quia »dixit insipiens in corde suo: non est Deus«? Sed certe ipse idem insipiens cum audit hoc ipsum quod dico: »aliquid quo maius nihil cogitari potest« intelligit quod audit et quod intelligit in intellectu eius est etiam si non intelligat illud esse. Anselm von Canterbury, Proslogion c. 2 (Ed. Schmitt) 84.

13 Aliud enim est rem esse in intellectu alium intelligere rem esse. Anselm von Canterbury, Proslogion c. 2 (Ed. Schmitt) 84.

14 Nam cum pictor praecogitat quae facturus est, habet quidem in intellectu, sed nondum intelligit esse quod nondum fecit. Cum vero iam pinxit, et habet in intellectu et intelligit esse quod iam fecit. Anselm von Canterbury, Proslogion c. 2 (Ed. Schmitt) 84.

15 Convincitur ergo etiam insipiens esse vel in intellectu aliquid quo nihil maius cogitari potest, quia hoc, cum audit, intelligit, et quidquid intelligitur, in intellectu est. Anselm von Canterbury, Proslogion c. 2 (Ed. Schmitt) 84.

16 Et certe id quo maius cogitari nequit, non potest esse in solo intellectu. Anselm von Canterbury, Proslogion c. 2 (Ed. Schmitt) 84.

17 Si enim vel in solo intellectu est, potest cogitari esse et in re, quod maius est. Anselm von Canterbury, Proslogion c. 2 (Ed. Schmitt) 84.

18 Si ergo id quo maius cogitari non potest, est in solo intellectu: id ipsum quo maius cogitari non potest, est quo maius cogitari potest. Sed certe hoc esse non potest. Anselm von Canterbury, Proslogion c. 2 (Ed. Schmitt) 84.

19 Existit ergo procul dubio aliquid quo maius cogitari non valet, et in intellectu et in re. Anselm von Canterbury, Proslogion c. 2 (Ed. Schmitt) 86.

20 Gratias tibi, bone Domine, gratias tibi, quia quod prius credidi te donante, iam sic intelligo te illuminante, ut, si te esse nolim credere, non possim non intelligere. Anselm von Canterbury, Proslogion c. 4 (Ed. Schmitt) 88.

21 Verum quomodo dixit in corde quod cogitare non potuit; aut quomodo cogitare non potuit quod dixit in corde, cum idem sit dicere in corde et cogitare? Anselm von Canterbury, Proslogion c. 4 (Ed. Schmitt) 88.

22 Quod si vere, immo quia vere et cogitavit, quia dixit in corde, et non dixit in corde, quia cogitare non potuit: non uno tantum modo dicitur aliquid in corde et cogitatur. Anselm von Canterbury, Proslogion c. 4 (Ed. Schmitt) 88.

23 Aliter enim cogitatur re, cum vox eam significans cogitatur, aliter cum id ipsum quod res est intelligitur. Anselm von Canterbury, Proslogion c. 4 (Ed. Schmitt) 88.

24 Illo itaque modo potest cogitari Deus non esse, isto vero minime. Anselm von Canterbury, Proslogion c. 4 (Ed. Schmitt) 88.

25 Nullus quippe intelligens id quod Deus est, potest cogitare quia Deus non est licet haec verba dicat in corde, aut sine ulla aut cum aliqua extranea significatione. Anselm von Canterbury, Proslogion c. 4 (Ed. Schmitt) 88.

26 Deus enim est id quo maius cogitari non potest. Quod, qui bene intelligit, utique intelligit id ipsum sic esse ut nec cogitatione queat non esse. Anselm von Canterbury, Proslogion c. 4 (Ed. Schmitt) 88.

27 Qui ergo intelligit sic esse Deum, nequit eum non esse cogitare. Anselm von Canterbury, Proslogion c. 4 (Ed. Schmitt) 88.

28 Patere igitur ut verbis utar infidelium. Aequum enim est ut, cum nostrae fidei rationem studemus inquirere, ponam eorum obiectiones, qui nullatenus ad fidem eandem sine ratione volunt accedere. Quamvis enim illi ideo rationem quaerant, quia non credunt, nos vero quia credimus: unum idemque tamen est, quod quaerimus. Et si quid responderis cui auctoritas obsistere sacra videatur, liceat illam mihi obtendere, quatenus quomodo non obsistat aperias. Anselm von Canterbury, Cur deus homo c. 3 (Ed. Schmitt) 14.

29 [Q]uomodo qui ascendit usque ad caelos descendat usque ad inferos, et opera tenebrarum, ausa prodire in lucem, arguantur a luce in luce. Bernhard von Clairvaux, Brief 188 (Sämtliche Werke 3) 62–64.

30 Quid enim magis contra rationem quam ratione rationem conari transcendere? Et quid magis contra fidem quam credere nolle quidquid non possit ratione attingere? Bernhard von Clairvaux, Brief 190 (Sämtliche Werke 3) 76.

31 Ad nostram itaque recurrentes imbecillitatem nobis potius gratiam intelligendo deesse quam eis scribendo defuisse credamus, quibus ab ipsa dictum est Veritate: *Non enim vos estis qui loquimini, sed Spiritus patris vestri, qui loquitur in vobis.* Quid itaque mirum si absente nobis spiritu ipso, per quem ea et scripta sunt et dictata atque ipso quoque scriptoribus intimata, ipsorum nobis desit intelligentia? Petrus Abaelardus, Sic et non prol. (Ed. Boyer/McKeon) 89.

32 Haec quippe prima sapientiae clavis definitur assidua scilicet seu frequens interrogatio; ad quam quidem toto desiderio arripiendam philosophus ille omnium perspicacissimus Aristoteles [...] studiosos adhortatur. [...] Dubitando quippe ad inquisitionem venimus; inquirendo veritatem percipimus. Petrus Abaelardus, Sic et non prol. (Ed. Boyer/McKeon) 103.

33 Irridetur simplicium fides, eviscerantur arcana Dei, quaestiones de altissimis rebus temerarie ventilantur, insultatur Patribus, quod eas magis sopiendas quam solvendas censuerint. [...] Ita omnia usurpat sibi humanum ingenium,

fidei nil reservans. Tentat altiora se, fortiora scrutatur, irruit in divina, sancta temerat magis quam referat, clausa et signata non aperit, sed diripit, et quidquid sibi non invenit pervium, id putat nihilum, credere dedignatur. Bernhard von Clairvaux, Brief 188 (Sämtliche Werke 3) 62.

34 Accidit autem mihi ut ad ipsum fidei nostrae fundamentum humanae rationis similitudinibus disserendum primo me applicarem, et quaendam theologiae tractatum *De Unitate et Trinitate divina* scolaribus nostris componerem, qui humanas et philosophicas rationes requirebant, et plus quae intelligi quam quae dici possent efflagitabant: dicentes quidem verborum superfluam esse prolationem quam intelligentia non sequeretur, nec credi posse aliquid nisi primitus intellectum, et ridiculosum esse aliquem aliis praedicare quod nec ipse nec illi quos doceret intellectu capere possent, Domino ipso arguente quod caeci essent duces caecorum. Petrus Abaelardus, Historia Calamitatum, De libro theologiae (Ed. Monfrin) 82–83,690–701.

35 Visa autem nunc differentia intellectuum ad sensum et imaginationem seu etiam rationem, restat eam ad existimationem et scientiam assignare. Inde autem maxime existimatio idem quod intellectus videtur esse, quod nonnumquam intelligere pro existimare dicimus, et opinionis nomen, quod idem est quod existimatio, ad intellectum quandoque transfertur. Sed differunt quod existimare credere est, et existimatio idem quod credulitas sive fides. Petrus Abaelardus, Tractatus de intellectibus (Ed. Morin) 42.

36 Intelligere autem speculari est per rationem, sive ita credamus esse sive minime. Unde cum audio dici homo lignum est, non minus huius propositionis intellectum concipio, si tamen conceptui fidem non adhibeam, hoc est non ita ut concipio esse credam. Omnis itaque qui aliquid existimat, id quod existimat necessario intelligit; non autem e converso. Petrus Abaelardus, Tractatus de intellectibus (Ed. Morin) 42.

37 Nec ulla est existimatio, nisi de eo quod propositio dicere habet, hoc est de aliqua rerum vel coniunctione vel divisione. Unde numquam eam sine propositionis intellectu haberi constat. Petrus Abaelardus, Tractatus de intellectibus (Ed. Morin) 42.

38 Cognitio enim fidei non tribuit conceptum simplicem de Deo, sed tantummodo inclinat ad assentiendum quibusdam [c]omplexis, quae non habent evidentiam ex terminis simplicibus apprehensis, et per consequens per fidem non habetur conceptio simplex transcendens omnem conceptum simplicem apud metaphysicum. Johannes Duns Scotus, Quaestiones Quodlibetales q. VII n. 11 (Ed.Wadding XII) 175.

39 Hoc etiam patet, quia metaphysicus infidelis et alius fidelis eundem conceptum habent. Cum iste sic affirmans de Deo, ille vero negans non tantum contradicunt sibi invicem ad nomen sed etiam ad intellectum. Johannes Duns Scotus, Quaestiones Quodlibetales q. VII n. 11 (Ed.Wadding XII) 175.

40 Annon iustius os loquens talia fustibus tunderetur quam rationibus refelleretur? Bernhard von Clairvaux, Brief 190 (Sämtliche Werke 3) 92.

41 Ipso auditu horreo, et ipsum horrorem puto sufficere ad refellendum. Bernhard von Clairvaux, Brief 190 (Sämtliche Werke 3) 88.

42 Hic commemorandum est quod, cum facultates secundum genera rerum de quibus in ipsis agitur diversae sint i.e. naturalis, mathematica, theologica, civilis, rationalis, una tamen est, scilicet naturalis, quae in humanae locutionis usu promptior est et in transferendorum sermonum proportionibus prior. [...] Hunc igitur verborum usum philosophus iste non modo ex cotidiana omnium hominum locutione verum etiam ex scripturarum, quae a diligentissimis atque probatissimis viris editae sunt, auctoritate accipiens. Gilbert von Poitiers, De Trinitate c. IV n. 1–4 (Ed. Mandrellla/Möhle) 218–220.

43 [R]ecte omnium genera naturalium praedicamentorum enumerat et, quae et ex quo sensu vel de subsistentibus vel de Deo dicantur, divisione declarat. Ait ergo: Traduntur a philosophis, maxime ab Aristarcho et Aristoteles, praedica-

menta numero suorum generum decem omnino. Praeter quae scilicet in nulla facultate aliquid praedicatur et quae de rebus omnibus universaliter i. e. nullo de quo aliquid dici conveniat excepto, vel proprie vel transsumptione aliqua praedicantur. Et quae illa sint, supponit. Gilbert von Poitiers, De Trinitate c. IV n. 4–5 (Ed. Mandrella/Möhle) 220.

44 [Deus] ideo unum est, et est id quod est: reliqua enim non sunt id quod sunt. Unumquodque enim eorum habet esse suum ex his ex quibus est, id est ex partibus suis. Boethius, De trinitate 2 (Ed. Moreschini) 170, 93–95.

45 Est igitur homo corpus non ab eo, ex quo ipse constat, corpore sed ab illius corporis esse. Est et idem homo spiritus non ab eo, ex quo ipse constat, spiritu sed ab illius spiritus esse. Itaque esse hominis non simplex aut solitarium est. Est enim, sicut dictum est, et corpus ab esse corporis sui, ex quo ipse constat, et anima ab esse animae suae ex qua scilicet ipse constat. Gilbert von Poitiers, De Trinitate c. II n. 78 (Ed. Mandrella/Möhle) 174.

46 Nec modo subsistentium ex diversis subsistentibus compositorum – ut est homo vel lapis – verum etiam simplicium – ut est hominis anima quae subsistens ex nullis subsistentibus constat – et omnium subsistentiarum vel affectionum accidentalium et denique omnium quae sic sunt ex principio ut non sint principium, qualiter praedictum est, multa sunt ex quibus unumquodque est aliquid. Ac per hoc vera ratione nullum eorum est id quod est. Gilbert von Poitiers, De Trinitate c. II n. 88 (Ed. Mandrella/Möhle) 178.

47 Quod vero non est ex hoc atque ex hoc i. e. non ex diversis sed tantum est ex hoc scilicet cuius est unum solum quo sit, illud vere est id quod est non aliud ab eo: ut Deus vel eius divinitas. Non enim est a divinitate aliud quo Deus sit. Nec est unde divinitas ipsa sit nisi quod ea Deus est. Gilbert von Poitiers, De Trinitate c. II n. 89 (Ed. Mandrella/Möhle) 180.

48 Videar forsan nimius in suggilatione scientiae, et quasi reprehendere doctos, ac prohibere studia litterarum. Absit. Non ignoro quantum Ecclesiae profuerint litterati sui et prosint, sive ad refellendos eos qui ex adverso sunt, sive ad simplices instruendos. Bernhard von Clairvaux, Predigt 36 c. 1 n. 2 (Sämtliche Werke 5) 562.

49 Sed prius quaerendum existimo, sitne ignorantia omnis damnabilis. Et mihi quidem videtur non esse, - neque enim omnis ignorantia damnat –, sed multa et innumerabilia esse, quae nescire liceat absque diminutione salutis. Bernhard von Clairvaux, Predigt 36 c. 1 n. 1 (Sämtliche Werke 5) 560.

50 Etiam absque omnibus illis artibus, quae liberales dicuntur, - quamvis honestioribus et utilioribus discantur studiis et exerceantur –, quam plurimi hominum salvi facti sunt, placentes moribus atque operibus. Bernhard von Clairvaux, Predigt 36 c. 1 n. 1 (Sämtliche Werke 5) 560–562.

51 Est autem, quod in se est, omnis scientia bona, quae tamen veritate subnixa sit; sed tu qui cum timore et tremore tuam ipsius operari salutem pro temporis brevitate festinas, ea scire amplius priusque curato, quae senseris viciniora saluti. Bernhard von Clairvaux, Predigt 36 c. 2 n. 2 (Sämtliche Werke 5) 564.

52 Sunt namque qui scire volunt eo fine tantum, ut sciant: et turpis curiositas est. Et sunt qui scire volunt, ut sciantur ipsi: et turpis vanitas est. Bernhard von Clairvaux, Predigt 36 c. 3 n. 3 (Sämtliche Werke 5) 564.

53 Sed iam adverte, quomodo utraque cognitio sit tibi necessaria ad salutem, ita ut neutra carere valeas cum salute. Nam si ignoras te, non habebis timorem Dei in te, non humilitatem. An vero sine timore Dei et sine humilitate de salute praesumas, tu videris. Bene fecistis grunniendo significare quod minime ita sapiatis, immo quod non ita desipiatis, ne in eo quod planum est immoremur. Sed attendite cetera. An potius pausandum est propter somnolentos? Putabam me uno sermone implere quod promisi de duplici ignorantia, et fecissem, nisi fastidiosis longior videretur. Quosdam siquidem oscitantes, et quosdam dormitantes intueor. Nec mirum: praecedentis noctis vigiliae longissimae quippe fuerunt et excusant eos. Verum illis quid dicam, qui et tunc

dormierunt, et modo nihilominus dormiunt? Sed non pergo nunc ulterius exagitare verecundiam eorum: sufficit tetigisse. Puto quod melius deinceps vigilabunt, nostrae observationis cauterium verituri. In hac spe gerimus eis morem vice hac; et quod continuandum ratio exigebat, eorum caritate, pendente licet disputatione, partimur, facientes finem ubi non erat finis. Ipsi vero super sibi facta indulgentia nobiscum glorificent sponsum Ecclesiae, Dominum nostrum, qui est Deus benedictus in saecula. Amen. Bernhard von Clairvaux, Predigt 36 c. 4 n. 7 (Sämtliche Schriften 5) 570.

54 Duo sunt enim opera in quibus universa continentur quae facta sunt. Primum est opus conditionis. Secundum est restaurationis. Opus conditionis est quo factum est ut essent quae non erant. Opus restaurationis est quo factum est ut melius essent quae perierant. Ergo opus conditionis est creatio mundi cum omnibus suis elementis. Opus restaurationis est incarnatio verbi cum omnibus sacramentis suis. Sive his quae praecesserunt ab initio saeculi, sive his quae subsequentur usque ad finem mundi. Hugo von St. Victor, De sacramentis I prol. (Schriften 1) 31–32.

55 His igitur sex considerationibus excursis tanquam sex gradibus Throni veri Salomonis, quibus pervenitur ad pacem, ubi verus pacificus in mente pacifica tanquam in interiori Hierosolyma requiescit; tanquam etiam sex alis Cherub, quibus mens veri contemplativi plena illustratione supernae sapientiae valeat sursum agi. Bonaventura, Itinerarium mentis ad Deum c. 7,1 (Ed. Quaracchi 5) 312.

56 [T]anquam etiam sex diebus primis, in quibus mens exercitari habet, ut tandem perveniat ad sabbatum quietis. Bonaventura, Itinerarium mentis ad Deum c. 7,1 (Ed. Quaracchi 5) 312.

57 In hoc autem transitu, si sit perfectus, oportet quod relinquantur omnes intellectuales operationes, et apex affectus totus transferatur et transformetur in Deum. Hoc autem est mysticum et secretissimum, quod nemo novit nisi qui accipit (Apc 2,17), nec accipit nisi qui desiderat. Bonaventura, Itinerarium mentis ad Deum c. 7,4 (Ed. Quaracchi 5) 312.

58 [D]eterminatur autem per voluntatem, quae eligit assentire uni parti determinate et praecise propter aliquid, quod est sufficiens ad movendum voluntatem, non autem ad movendum intellectum, utpote quia videtur bonum vel conveniens huic parti assentire. Et ista est dispositio credentis, ut cum aliquis credit dictis alicuius hominis, quia videtur ei decens vel utile. Thomas von Aquin, De veritate q. 14 a. 1 co. (Ed. Leon. 22, 2/2) 437.

59 Sed in fide est assensus et cogitatio quasi ex aequo. Non enim assensus ex cogitatione causatur, sed ex voluntate. Thomas von Aquin, De veritate q. 14 a. 1 co. (Ed. Leon. 22, 2/2) 437.

60 Unde patet quod salubriter est via fidei hominibus provisa, per quam patet omnibus facilis aditus ad salutem secundum quodcumque tempus. Thomas von Aquin, De veritate q. 14 a. 10 co. (Ed. Leon. 22, 2/2) 467.

61 [S]ed quia intellectus non hoc modo terminatur ad unum ut ad proprium terminum perducatur, qui est visio alicuius intelligibilis; inde est quod eius motus nondum est quietatus, sed adhuc habet cogitationem et inquisitionem de his quae credit, quamvis eis firmissime assentiat. Quantum enim est ex seipso, non est ei satisfactum, nec est terminatus ad unum; sed terminatur tantum ex extrinseco. Thomas von Aquin, De veritate q. 14 a. 1 co. (Ed. Leon. 22, 2/2) 437.

62 Ad secundum dicendum quod haec scientia accipere potest aliquid a philosophicis disciplinis, non quod ex necessitate eis indigeat, sed ad maiorem manifestationem eorum quae in hac scientia traduntur. Non enim accipit sua principia ab aliis scientiis, sed immediate a Deo per revelationem. Et ideo non accipit ab aliis scientiis tanquam a superioribus, sed utitur eis tanquam inferioribus et ancillis; sicut architectonicae utuntur subministrantibus, ut civilis militari. Et hoc ipsum quod sic utitur eis, non est propter defectum vel insufficientiam eius, sed propter defectum intellectus nostri; qui ex his quae per naturalem rationem (ex qua procedunt aliae scientiae) cognoscuntur, facilius

manuducitur in ea quae sunt supra rationem, quae in hac scientia traduntur. Thomas von Aquin, Summa theologiae I q. 1 a. 5 ad 2 (Ed. Leon. 4) 16.

63 Utitur tamen sacra doctrina etiam ratione humana: non quidem ad probandum fidem, quia per hoc tolleretur meritum fidei; sed ad manifestandum aliqua alia quae traduntur in hac doctrina. Cum enim gratia non tollat naturam, sed perficiat, oportet quod naturalis ratio subserviat fidei. Thomas von Aquin, Summa theologiae I q. 1 a. 8 ad 2 (Ed. Leon. 4) 22.

64 Si vero adversarius nihil credat eorum quae divinitus revelantur, non remanet amplius via ad probandum articulos fidei per rationes, sed ad solvendum rationes, si quas inducit, contra fidem. Cum enim fides infallibili veritati innitatur, impossibile autem sit de vero demonstrari contrarium, manifestum est probationes quae contra fidem inducuntur, non esse demonstrationes, sed solubilia argumenta. Thomas von Aquin, Summa theologiae I q. 1 a. 8 co. (Ed. Leon. 4) 22.

65 Quae tamen artis humanae peritia, si quando tractandis sacris eloquiis adhibetur, non debet ius magisterii sibimet arroganter arripere, sed velut ancilla dominae quodam famulatus obsequio subservire. Petrus Damiani, Briefe (Ed. Reindel) Nr. 119, 354.

66 Si qua vero circa creaturas communiter a philosopho et fideli considerantur, per alia et alia principia traduntur. Nam philosophus argumentum assumit ex propriis rerum causis: fidelis autem ex causa prima. [...] Et propter hoc sibi, quasi principali, philosophia humana deservit. Et ideo interdum ex principiis philosophiae humanae, sapientia divina procedit. Nam et apud philosophos prima philosophia utitur omnium scientiarum documentis ad suum propositum ostendendum. Exinde etiam est quod non eodem ordine utraque doctrina procedit. Nam in doctrina philosophiae, quae creaturas secundum se considerat et ex eis, in Dei cognitionem perducit, prima est consideratio de creaturis et ultima de Deo. In doctrina vero fidei, quae creaturas non nisi in ordine ad Deum considerat, primo est consideratio Dei et postmodum creaturarum. Thomas von Aquin, Summa contra gentiles II c. 4 (Ed. Leon. 13) 279.

67 Habet enim haec generatio ingenitum vitium, ut nihil, quod a modernis reperiatur, putet esse recipiendum. Unde fit, ut si quando inventum proprium publicare voluerim, personae id alienae imponens inquam: »Quidam dixit, non ego.« Itaque, ne omnino non audiar, omnes meas sententias dominus quidam invenit, non ego. Adelard von Bath, Quaestiones naturales prol. (Ed. Burnett) 82.

68 De animalibus difficilis est mea tecum dissertio. Ego enim aliud a magistris Arabicis ratione duce didici; tu vero aliud, auctoritatis pictura captus, capistrum sequeris. Quid enim aliud auctoritas dicenda est quam capistrum? Ut bruta quippe animalia capistro quolibet ducuntur, nec quo aut quare ducantur discernunt, restemque qua tenentur solum sequuntur, sic non paucos vestrum bestiali credulitate captos ligatosque auctoritas scriptorum in periculum ducit. Unde et quidam sibi nomen auctoritatis usurpantes nimia scribendi licentia usi sunt, adeo ut pro veris falsa bestialibus viris insinuare non dubitaverint. Adelard von Bath, Quaestiones naturales c. 6 (Ed. Burnett) 102.

69 Cur enim cartas non impleas, cur et a tergo non scribas, cum tales fere huius temporis auditores habeas, qui nullam iudicii rationem exigant, tituli nomine tantum vetusti confidant? Non enim intelligunt ideo rationem singulis datam esse, ut inter verum et falsum ea prima iudice discernatur. Nisi enim ratio iudex universalis esse deberet, frustra singulis data esset. Sufficeret enim praeceptorum scriptori datam esse, uni dico vel pluribus; ceteri eorum institutis et auctoritatibus essent contenti. Amplius: ipsi qui auctores vocantur, non aliunde primam fidem apud minores adepti sunt, nisi quia rationem secuti sunt, quam quicumque nesciunt vel negligunt, merito ceci habendi sunt. Adelard von Bath, Quaestiones naturales c. 6 (Ed. Burnett) 102–104.

70 Neque tamen id ad vivum reseco. Ut auctoritas me iudice spernenda sit. Id autem assero, quod prius ratio inquirenda sit, ea inventa, auctoritas si adiacet

demum subdenda. Ipsa vero sola nec fidem philosopho facere potest, nec ad hoc adducenda est. Unde et logici locum ab auctoritate probabilem non necessarium esse consenserunt. Adelard von Bath, Quaestiones naturales c. 6 (Ed. Burnett) 104.

71 Stet igitur inter me et te ratio sola iudex ut sit. Adelard von Bath, Quaestiones naturales c. 7 (Ed. Burnett) 104.

72 Quare si quid amplius a me audire desideras, rationem refer et recipe. Non enim ego ille sum quem pellis pictura pascere possit. Omnis quippe littera meretrix est, nunc ad hos nunc ad illos affectus exposita. Adelard von Bath, Quaestiones naturales c. 6 (Ed. Burnett) 104.

73 Plato ostensurus mundum sensilem esse factum, quia corporeum, cum omne quod factum est in sui natura sit dissolubile, ipse vero dicturus sit eum indissolubilem (quod est contra omnium opinionem), prius propagare vult eum aeternitati. Quod facit quattuor modis, scilicet docens a quo, et ad cuius exemplum, et ex quibus partibus, et qua causa factus sit. Bernhard von Chartres, Glosae super Platonem tr. 4 (Ed. Dutton) 158,26–31.

74 Sic mundus sensilis opus dei; origo igitur eius causativa, non temporaria. Sic mundus sensilis, licet et corporeus, a deo tamen factus atque institutus, aeternus est. Calcidius, Commentarius in Timaeum 23 (Ed. Waszink) 74,18–20.

75 Per auctorem probat mundum aeternum, cum dicit a deo factum. Omne enim quod fit, vel est opus dei, vel naturae, vel hominis artificis imitantis naturam. Natura quidem est vis et ratio gignendi. Hominis autem opus patet non esse mundum, nec naturae. Opera naturae sunt quae habent semina in visceribus terrae ad arbores et segetes et cetera procreanda, vel quae habent semina in genitalibus membris ad foetus animalium, quae omnia in tempore nascuntur et occidunt, et ideo dicuntur temporalia. Bernhard von Chartres, Glosae super Platonem tr. 4 (Ed. Dutton) 158,31–38.

76 Est igitur mundus opus dei. Opera vero dei non sunt temporalia, quia nec principium nec finem habent in tempore. Vocantur quidem causativa, quia habent causas, ante tempus soli deo et non nobis cognitas, quae ita sunt fundamenta dei operum, sicut semina naturae operum naturalium, et ideo nihil patiuntur ex his quae infert tempus, scilicet nec morbum nec senium nec similia, sed sunt sine necessitate incommodi. Bernhard von Chartres, Glosae super Platonem tr. 5 (Ed. Dutton) 158,38–44.

77 Per exemplum quoque propagatur mundus aetemitati, quia, cum archetipus qui est eius exemplum sit aeternus, ex ipso similitudinem aeternitatis trahit. Sicut enim aeternitatem ille habet semper manendo, ita iste fluitando. Ille semper est; hic fuit, est, et erit semper. Bernhard von Chartres, Glosae super Platonem tr. 4 (Ed. Dutton) 158,44–47.

78 Omne quod est vel est genitum vel ingenitum, sed omne quod gignitur habet legitimam, id est rationabilem, causam. Bernhard von Chartres, Glosae super Platonem tr. 4 (Ed. Dutton) 159,62–64.

79 [V]oluit cuncta effici similia sui, quia ex inordinatis fecit ordinata. Bernhard von Chartres, Glosae super Platonem tr. 4 (Ed. Dutton) 164,181–182.

80 Hoc ideo dicit, quia in hyle antequam formaretur, iactabatur seminarium corporum, non quod adhuc esset corpus, sed formandum erat, et ideo nitebatur ut formas acciperet. In qua hyle ipsa confusio erat, quasi fluctuatio et incerti motus. Illud vero seminarium nativis formis deus formavit, per quas discreta a se ipsis quattuor elementa, liquida et elimata, inventa sunt, nondum sensu comprehensibilia, et inde dicunt philosophi non ex nihilo deum fecisse mundum, sed tantum exornasse. Bernhard von Chartres, Glosae super Platonem tr. 4 (Ed. Dutton) 164,188–195.

81 Quia fecit hunc mundum similem intelligibili, qui est unus, igitur et istum constituit unum similitudine illius. Et sicut ille continet convenientia suae naturae, id est intelligibilia, sic iste continet convenientia suae naturae, id est visibilia. Bernhard von Chartres, Glosae super Platonem tr. 4 (Ed. Dutton) 165,219–222.

82 Nota archetipum nec principium nec finem habere, et tamen secundum philosophos diversum esse a deo et inferiorem. Diversus est, quia colligit in se omnium rerum ideas, quae sunt unum de tribus principiis a Platone consideratis: est quippe unum deus, omnium opifex, alteram ideae, id est originales formae omnium quae numquam admiscentur creaturis, tertium hyle, materia scilicet corporum. Bernhard von Chartres, Glosae super Platonem tr. 4 (Ed. Dutton) 166,232–237.

83 [L]icet ante constitutionem mundi omnes nativae formae quae post in hylen venerunt in ipsa hyle tantum potentialiter exstiterunt, illae tamen quae ipsam ad quattuor mundi elementa procreanda formabant, actualiter ante mundi exornationem in ipsa constiterunt; non tamen ut carentes origine, ne sint plura principia prima quam tria: scilicet deus, hyle et ideae. Bernhard von Chartres, Glosae super Platonem tr. 8 (Ed. Dutton) 232,397–402.

84 Dicebat Bernardus Carnotensis nos esse quasi nanos gigantum umeris insidentes, ut possimus plura eis et remotiora videre, non utique proprii visus acumine, aut eminentia corporis, sed quia in altum subvehimur et extollimur magnitudine gigantea. Johannes von Salisbury, Metalogicon 3,4 (Ed. Hall) 116,46–50.

85 Ex hiis ergo colligi potest mentem et ylen idem esse. H < u > ic autem assentire videtur Plato, ubi dicit mundum esse < deum > sensibilem. Mens enim, de qua loquimur et quam unam dicimus esse eamque impassibile < m >, nihil aliud est quam deus. Si ergo mundus est ipse Deus praeter se ipsum perceptibile sensui, ut Plato et Zeno et Socrates et multi alii dixerunt, yle igitur mundi est ipse deus, forma vero adveniens yle nihil aliud quam id, quod facit deus sensibile se ipsum. David von Dinant, Tractatus naturalis (Ed. Casadei) 298,220–227.

86 [E]rgo videtur, quod opifex et materia reducantur in idem, et hoc concessit ille stultissimus, qui numquam aliquid vere et · bene intellexit et ideo dixit, quod materia prima et Deus et nous sive mens essent idem, et nihil esset principium universi nisi illud. Albertus Magnus, In II Sent. d. 1 a. 5 (Ed. Borgnet 27) 17a.

87 Item quaecumque differunt formis differunt. Ergo si non formis differunt non differunt ergo idem sunt. David von Dinant, Tractatus Averrois de generatione animalium (Ed. Casadei) 326,263–264.

88 Amplius, quicquid differt ab aliquo, aliqua differentia differt; ergo quod nulla differentia differt ab aliquo, idem erit illi. Item, omnis differentia est a forma; ergo quod nullam habet formam, nullam habet differentiam; sed prima simplicia, quae sunt deus, nous et hyle, nullam habent formam; ergo nullam habent differentiam; et ›idem est, a quo non differt differentia‹; ergo penitus sunt idem. Albertus Magnus, De homine (Ed. Colon. 27,2) 63,1–8.

89 Ad aliud autem quod obicitur de errore David de Dinanto dicendum quod stultissimum ridiculum est quia nihil ita differt ab aliquo sicut Deus et materia prima: cum utrumque sit simplex suo modo quia eorum simplici[tas] non est unius rationis et differunt seipsis sicut omnia prima differunt ab invicem. Albertus Magnus, In II Sent. d. 1 a. 5 (Ed. Borgnet 27) 18b–19a.

90 Ad aliud dicendum quod haec est falsa quod omnis differentia sit a forma, quam habeat res differens. Forma enim non habet formam, et hyle secundum quod hyle non habet formam, et tamen forma differt a materia. Similiter haec est falsa quod omne quod differt ab alio, differat per differentiam aliquam quam habeat, quia una differentia differt ab alia differentia, et tamen non habet differentiam, per quam ab illa differat, quia si haberet, iretur in infinitum. Unde patet quod multa differunt seipsis. Albertus Magnus, De homine (Ed. Colon. 27,2) 66,50–59.

91 Solutio: Secundum catholicam fidem et secundum omnium recte philosophantium attestationem dicimus quod deus et anima et hyle non sunt idem. Albertus Magnus, De homine (Ed. Colon. 27,2) 65,62–64.

92 Similiter dicamus antiquissimos veterum errasse in hoc quod deum Palladem nominaverunt, sed non errasse in hoc quod deum dixerunt fuisse et esse in

omni eo quod est, fuit et erit, et ipsum deum esse rerum esse, ›non materiale, sed causale‹. Dicemus tunc quod peplum significabat proprium esse rerum, quod habent a formis propriis, quia res in quibus cognoscitur deus ut per imaginem et vestigium, velant eum, eo quod non perfecte repraesentant eum ad cognoscendum, et nullum sapientum per rationem posse revelare peplum hoc, quia nullus per inquisitionem naturarum potest perfecte cognoscere deum. Et ideo fides est necessaria, quae est argumentum faciens cognoscere divina rationi non apparentia. Albertus Magnus, De homine (Ed. Colon. 27,2) 67,14–27.

93 Ad rationem primam David dicendum quod res diversimode existentes diversimode intelliguntur. Quaedam enim intelliguntur per se ut primae causae, quaedam autem ex priori, quaedam autem ex posteriori, et quaedam intellectu completo et quaedam incompleto. Et quae intelliguntur intellectu incompleto, sic intelliguntur duabus de causis, scilicet propter elevationem sui esse supra nostrum intellectum, et hoc modo intelligitur deus incomplete, ut dicunt Boethius et Avicenna, aut propter debilitatem sui esse ut materia, tempus et motus. [...] Et hoc ignoravit David, cum dixit omnia intelligi per similitudinem propriae formae vel identitate. Albertus Magnus, De homine (Ed. Colon. 27,2) 66,3–18.

94 Quia sicut in his quae ex lege credi debent, quae tamen pro se rationem non habent, quaerere rationem stultum est — quia qui hoc facit, quaerit quod impossibile est invenire – et eis nolle credere sine ratione haereticum est, sic in his quae non sunt manifesta de se quae tamen pro se rationem habent, eis velle credere sine ratione philosophicum non est. Boethius von Dacien, De aeternitate mundi (Ed. Schönberger) 104 (mod.).

95 [S]ententia enim philosophorum innititur demonstrationibus et ceteris rationibus possibilibus in rebus de quibus loquuntur; fides autem in multis innititur miraculis et non rationibus; quod enim tenetur propter hoc quod per rationes conclusum est, non est fides, sed scientia. Boethius von Dacien, De aeternitate mundi (Ed. Schönberger) 104.

96 [N]e incurramus stultitiam quaerendo demonstrationem ubi ipsa non est possibilis, ne etiam incurramus haeresim nolentes credere quod ex fide teneri debet, quia pro se demonstrationem non habet [...] et ut appareat quod fides et philosophia sibi non contradicunt de aeternitate mundi, ut etiam appareat quod rationes quorundam haereticorum non habent vigorem, per quas contra christianam fidem mundum tenent esse aeternum, de hoc per rationem inquiramus, scilicet utrum mundus sit aeternus. Boethius von Dacien, De aeternitate mundi (Ed. Schönberger) 104–106.

97 Si autem opponas, cum haec sit veritas christianae fidei et etiam veritas simpliciter – quod mundus sit novus et non aeternus, et quod creatio sit possibilis [...] – quamvis naturalis istas veritates causare non possit nec scire, eo quod principia suae scientiae ad tam ardua et tam occulta opera sapientiae divinae se non extendunt, tamen istas veritates negare non debet. Boethius von Dacien, De aeternitate mundi (Ed. Schönberger) 136–138 (mod.).

98 Primo hic diligenter considerandum est quod nulla quaestio potest esse, quae disputabilis est per rationes, quam philosophus non debet disputare et determinare, quomodo se habeat veritas in illa, quantum per rationem humanam comprehendi potest. Boethius von Dacien, De aeternitate mundi (Ed. Schönberger) 128.

99 Et huius declaratio est, quia omnes rationes per quas disputatur ex rebus acceptae sunt; aliter enim essent figmentum intellectus. Philosophus autem omnium rerum naturas docet; sicut enim philosophia docet ens, sic partes philosophiae docent partes entis, ut scribitur IV. Metaphysicae, et de se patet. Ergo philosophus omnem quaestionem per rationem disputabilem habet determinare; omnis enim quaestio disputabilis per rationes cadit in aliqua parte entis, philosophus autem omne ens speculatur, naturale, mathematicum et divinum. Ergo omnem quaestionem per rationes disputabilem habet

philosophus determinare. Et qui contrarium dicit, sciat se proprium sermonem ignorare. Boethius von Dacien, De aeternitate mundi (Ed. Schönberger) 128.

100 Natura non potest causare aliquem motum novum, nisi ipsum praecedat alius motus qui sit causa eius. Sed primum motum non potest alius motus praecedere, quia tunc non esset primus motus. Ergo naturalis, cuius primum principium est natura, non potest ponere secundum sua principia primum motum esse novum. Boethius von Dacien, De aeternitate mundi (Ed. Schönberger) 130.

101 Quod autem naturalis non potest hoc ostendere, declaratur accipiendo duas suppositiones per se notas, quarum prima est: quod nullus artifex potest aliquid causare, concedere vel negare nisi ex principiis suae scientiae. Secunda suppositio est: quod quamvis natura non sit primum principium simpliciter, est tamen primum principium in genere rerum naturalium, et primum principium quod naturalis considerare potest. Boethius von Dacien, De aeternitate mundi (Ed. Schönberger) 128–130.

102 Dicunt enim ea esse vera secundum philosophiam, sed non secundum fidem catholicam, quasi sint duae contrariae veritates, et quasi contra veritatem sacrae Scripturae sit veritas in dictis gentilium damnatorum, de quibus scriptum est: »Perdam sapientiam sapientium«, quia vera sapientia perdit falsam sapientiam. Enquête sur les 219 articles (Ed. Hissette) 13.

103 Sic verum dicit christianus, dicens mundum et motum primum esse novum. [...] Verum etiam dicit naturalis qui dicit hoc non esse possibile ex causis et principiis naturalibus, nam naturalis nihil concedit vel negat nisi ex principiis et causis naturalibus. Boethius von Dacien, De aeternitate mundi (Ed. Schönberger) 142.

104 Sic ergo patent duo: unum est quod naturalis non contradicit christianae fidei de aeternitate mundi, et aliud est quod per rationes naturales non potest ostendi mundum et motum primum esse novum. Boethius von Dacien, De aeternitate mundi (Ed. Schönberger) 142.

105 Omne quod corporeus sensus attingit, quod et sensibile dicitur, sine ulla intermissione temporis commutatur; velut cum capilli capitis nostri crescunt, vel corpus vergit in senectutem, aut in iuventutem efflorescit, perpetuo id fit nec omnino intermittit fieri. Quod autem non manet, percipi non potest; illud enim percipitur quod scientia comprehenditur; comprehendi autem non potest quod sine intermissione mutatur. Non est igitur exspectanda sinceritas veritatis a sensibus corporis. Augustinus, De diversis quaestionibus octoginta tribus q. 9 (CCSL 44a) 16.

106 Sed ne quis dicat esse aliqua sensibilia eodem modo semper manentia, et quaestionem nobis de sole atque stellis afferat, in quibus facile convinci non potest, – illud certe nemo est qui non cogatur fateri, nihil esse sensibile quod non habeat simile falso, ita ut internosci non possit. Nam ut alia praetermittam, omnia quae per corpus sentimus, etiam cum ea non adsunt sensibus, imagines tamen eorum patimur tamquam prorsus adsint vel in somno vel in furore, quod cum patimur, omnino utrum ea ipsis sensibus sentiamus an imagines sensibilium sint, dicernere non valemus. Si igitur sunt imagines sensibilium falsae, quae discerni ipsis sensibus nequeunt, et nihil percipi potest nisi quod a falso discernitur, non est constitutum iudicium veritatis in sensibus. Augustinus, De diversis quaestionibus octoginta tribus q. 9 (CCSL 44a) 16–17.

107 Quamobrem saluberrime admonemur averti ab hoc mundo, qui profecto corporeus est et sensibilis, et ad Deum, id est veritatem, quae intellectu et interiore mente capitur, quae semper manet et eiusdem modi est, quae non habet imaginem falsi a qua discerni non possit, tota alacritate converti. Augustinus, De diversis quaestionibus octoginta tribus q. 9 (CCSL 44a) 17.

108 Sunt namque ideae principales quaedam formae vel rationes rerum stabiles atque incommutabiles, quae ipsae formatae non sunt ac per hoc aeternae ac semper eodem modo sese habentes, quae divina intellegentia continentur. Et

cum ipsae neque oriantur neque intereant, secundum eas tamen formari dicitur omne quod oriri et interire potest et omne quod oritur et interit. Augustinus, De diversis quaestionibus octoginta tribus q. 46 (CCSL 44a) 71.

109 [R]estat ut omnia ratione sint condita, nec eadem ratione homo qua equus; hoc enim absurdum est existimare. Singula igitur propriis sunt creata rationibus. Has autem rationes ubi esse arbitrandum est nisi in ipsa mente Creatoris? Augustinus, De diversis quaestionibus octoginta tribus q. 46 (CCSL 44a) 72.

110 Non enim extra se quidquam positum intuebatur, ut secundum id constitueret quod constituebat; nam hoc opinari sacrilegum est. Quod si hae rerum omnium creandarum creatarumve rationes divina mente continentur, neque in divina mente quidquam nisi aeternum atque incommutabile potest esse, atque has rationes rerum principales appellat ideas Plato, non solum sunt ideae, sed ipsae verae sunt, quia aeternae sunt et eiusdem modi atque incommutabiles manent. Augustinus, De diversis quaestionibus octoginta tribus q. 46 (CCSL 44a) 72–73.

111 Sed anima rationalis inter eas res, quae sunt a Deo conditae, omnia superat et Deo proxima est, quando pura est; eique in quantum caritate cohaeserit, in tantum ab eo lumine illo intellegibili perfusa quodammodo et illustrata cernit non per corporeos oculos, sed per ipsius sui principale quo excellit, id est per intellegentiam suam, istas rationes, quarum visione fit beatissima. Augustinus, De diversis quaestionibus octoginta tribus q. 46 (CCSL 44a) 73.

112 Hoc est quaerere, utrum quidquid certitudinaliter cognoscitur a nobis cognoscatur in ipsis rationibus aeternis. Bonaventura, De scientia Christi q. 4 (Ed. Quaracchi 5) 17.

113 Ergo cognitio certitudinalis in statu viae venit ab inferiori, cognitio autem in rationibus aeternis venit a superiori: ergo quamdiu sumus in statu viatorum non competit nobis cognitio per lumen aeternarum rationum. Bonaventura, De scientia Christi q. 4 (Ed. Quaracchi 5) 21.

114 [D]icendum, quod hoc [Aristoteles] ponit ad nostram intelligentiam concurrere lumen et rationem veritatis creatae; sed tamen, ut in praecedentibus dictum est, non excluditur lux et ratio veritatis aeternae, quia possibile est, quod anima secundum inferiorem portionem attingat quae sunt infra, superiori nihilominus portione attingente quae sunt supra. Bonaventura, De scientia Christi q. 4 (Ed. Quaracchi 5) 25.

115 Item, unicuique cognoscibili respondet propria ratio cognoscendi ad hoc, ut de ipso habeatur cognitio certitudinalis; sed rationes illae cognoscendi non percipiuntur distincte ab aliquo intellectu viatoris: ergo nihil in illis habet proprie et determinate cognosci. Bonaventura, De scientia Christi q. 4 (Ed. Quaracchi 5) 22.

116 Ad illud quod obiicitur, quod unicuique cognoscibili respondet propria ratio cognoscendi; dicendum, quod quia non omnino distincte videmus illas rationes in se, ideo non sunt tota ratio cognoscendi; sed requiritur cum illis lumen creatum principiorum et similitudines rerum cognitarum, ex quibus propria ratio cognoscendi habetur respectu cuiuslibet cogniti. Bonaventura, De scientia Christi q. 4 (Ed. Quaracchi 5) 25.

117 Ad praedictorum intelligentiam est notandum, quod cum dicitur, quod omne, quod cognoscitur certitudinaliter, cognoscitur in luce aeternarum rationum, hoc tripliciter potest intelligi: uno modo, ut intelligatur, quod ad certitudinalem cognitionem concurrit lucis aeternae evidentia tanquam ratio cognoscendi tota et sola. Bonaventura, De scientia Christi q. 4 (Ed. Quaracchi 5) 22–23.

118 Alio modo, ut intelligatur, quod ad cognitionem certitudinalem necessario concurrit ratio aeterna quantum ad suam influentiam, ita quod cognoscens in cognoscendo non ipsam rationem aeternam attingit, sed influendam eius solum. Bonaventura, De scientia Christi q. 4 (Ed. Quaracchi 5) 23.

119 Et ideo est tertius modus intelligendi, quasi medium tenens inter utramque viam, scilicet quod ad certitudinalem cognitionem necessario requiritur ratio aeterna ut regulans et ratio motiva, non quidem ut sola et in sua omni-

moda claritate, sed cum ratione creata et ut ex parte a nobis contuita secundum statum viae. Bonaventura, De scientia Christi q. 4 (Ed. Quaracchi 5) 23.

120 Quod autem mens nostra in certitudinali cognitione aliquo modo attingat illas regulas et incommutabiles rationes, requirit necessario nobilitas cognitionis et dignitas cognoscentis. Bonaventura, De scientia Christi q. 4 (Ed. Quaracchi 5) 23.

121 Nobilitas, inquam, cognitionis, quia congitio certitudinalis esse non potest, nisi sit ex parte scibilis immutabilitas, et infallibilitas ex parte scientis. Bonaventura, De scientia Christi q. 4 (Ed. Quaracchi 5) 23.

122 Rursus, quia non ex se tota est anima imago, ideo cum his attingit rerum similitudines abstractas a phantasmate tanquam proprias et distinctas cognoscendi rationes, sine quibus non sufficit sibi ad cognoscendum lumen rationis aeternae, quamdiu est in statu viae, nisi forte per specialem revelationem hunc statum transcenderet, sicut in his, qui rapiuntur, et in aliquorum revelationibus Prophetarum. Bonaventura, De scientia Christi q. 4 (Ed. Quaracchi 5) 24.

123 Posuit autem Plato, sicut supra dictum est, formas rerum per se subsistere a materia separatas, quas ideas vocabat, per quarum participationem dicebat intellectum nostrum omnia cognoscere; ut sicut materia corporalis per participationem ideae lapidis fit lapis, ita intellectus noster per participationem eiusdem ideae cognosceret lapidem. Sed quia videtur esse alienum a fide quod formae rerum extra res per se subsistant absque materia, sicut Platonici posuerunt, dicentes per se vitam aut per se sapientiam esse quasdam substantias creatrices, ut Dionysius dicit XI cap. de Div. Nom.; ideo Augustinus, in libro octoginta trium quaest., posuit loco harum idearum quas Plato ponebat, rationes omnium creaturarum in mente divina existere, secundum quas omnia formantur, et secundum quas etiam anima humana omnia cognoscit. Thomas von Aquin, Summa theologiae I q. 84 a. 5 (Ed. Leon. 5) 322.

124 Cum ergo quaeritur utrum anima humana in rationibus aeternis omnia cognoscat, dicendum est quod aliquid in aliquo dicitur cognosci dupliciter. Uno modo, sicut in obiecto cognito; sicut aliquis videt in speculo ea quorum imagines in speculo resultant. Et hoc modo anima, in statu praesentis vitae, non potest videre omnia in rationibus aeternis; sed sic in rationibus aeternis cognoscunt omnia beati, qui Deum vident et omnia in ipso. Thomas von Aquin, Summa theologiae I q. 84 a. 5 (Ed. Leon. 5) 322.

125 Respondeo dicendum quod omne quod elevatur ad aliquid quod excedit suam naturam, oportet quod disponatur aliqua dispositione quae sit supra suam naturam, sicut, si aer debeat accipere formam ignis, oportet quod disponatur aliqua dispositione ad talem formam. Cum autem aliquis intellectus creatus videt Deum per essentiam, ipsa essentia Dei fit forma intelligibilis intellectus. Unde oportet quod aliqua dispositio supernaturalis ei superaddatur, ad hoc quod elevetur in tantam sublimitatem. Cum igitur virtus naturalis intellectus creati non sufficiat ad Dei essentiam videndam, ut ostensum est, oportet quod ex divina gratia superaccrescat ei virtus intelligendi. Et hoc augmentum virtutis intellectivae illuminationem intellectus vocamus; sicut et ipsum intelligibile vocatur lumen vel lux. Et istud est lumen de quo dicitur Apoc. XXI, quod claritas Dei illuminabit eam, scilicet societatem beatorum Deum videntium. Et secundum hoc lumen efficiuntur deiformes, idest Deo similes; secundum illud I Ioan. III, cum apparuerit, similes ei erimus, et videbimus eum sicuti est. Thomas von Aquin, Summa theologiae I q. 12 a. 5 (Ed. Leon. 4) 123.

126 Alio modo dicitur aliquid cognosci in aliquo sicut in cognitionis principio; sicut si dicamus quod in sole videntur ea quae videntur per solem. Et sic necesse est dicere quod anima humana omnia cognoscat in rationibus aeternis, per quarum participationem omnia cognoscimus. Ipsum enim lumen intellectuale quod est in nobis, nihil est aliud quam quaedam participata similitudo luminis increati, in quo continentur rationes aeternae. Thomas von Aquin, Summa theologiae I q. 84 a. 5 (Ed. Leon. 5) 322.

127 Quia tamen praeter lumen intellectuale in nobis, exiguntur species intelligibiles a rebus acceptae, ad scientiam de rebus materialibus habendam; ideo non per solam participationem rationum aeternarum de rebus materialibus notitiam habemus, sicut Platonici posuerunt quod sola idearum participatio sufficit ad scientiam habendam. Thomas von Aquin, Summa theologiae I q. 84 a. 5 (Ed. Leon. 5) 322.

128 Respondeo dicendum quod, sicut supra dictum est, obiectum cognoscibile proportionatur virtuti cognoscitivae. Est autem triplex gradus cognoscitivae virtutis. Quaedam enim cognoscitiva virtus est actus organi corporalis, scilicet sensus. Et ideo obiectum cuiuslibet sensitivae potentiae est forma prout in materia corporali existit. Et quia huiusmodi materia est individuationis principium, ideo omnis potentia sensitivae partis est cognoscitiva particularium tantum. Thomas von Aquin, Summa theologiae I q. 85 a. 1 (Ed. Leon. 5) 330.

129 Quaedam autem virtus cognoscitiva est quae neque est actus organi corporalis, neque est aliquo modo corporali materiae coniuncta, sicut intellectus angelicus. Et ideo huius virtutis cognoscitivae obiectum est forma sine materia subsistens, etsi enim materialia cognoscant, non tamen nisi in immaterialibus ea intuentur, scilicet vel in seipsis vel in Deo. Thomas von Aquin, Summa theologiae I q. 85 a. 1 (Ed. Leon. 5) 330–331.

130 Intellectus autem humanus medio modo se habet, non enim est actus alicuius organi, sed tamen est quaedam virtus animae, quae est forma corporis, ut ex supra dictis patet. Et ideo proprium eius est cognoscere formam in materia quidem corporali individualiter existentem, non tamen prout est in tali materia. Cognoscere vero id quod est in materia individuali, non prout est in tali materia, est abstrahere formam a materia individuali, quam repraesentant phantasmata. Thomas von Aquin, Summa theologiae I q. 85 a. 1. (Ed. Leon. 5) 331.

131 Et ideo necesse est dicere quod intellectus noster intelligit materialia abstrahendo a phantasmatibus; et per materialia sic considerata in immaterialium aliqualem cognitionem devenimus, sicut e contra angeli per immaterialia materialia cognoscunt. Thomas von Aquin, Summa theologiae I q. 85 a. 1 (Ed. Leon. 5) 331.

132 Unde per intellectum connaturale est nobis cognoscere naturas, quae quidem non habent esse nisi in materia individuali; non tamen secundum quod sunt in materia individuali, sed secundum quod abstrahuntur ab ea per considerationem intellectus. Thomas von Aquin, Summa theologiae I q. 12 a. 4 (Ed. Leon. 4) 121.

133 Plato vero, attendens solum ad immaterialitatem intellectus humani, non autem ad hoc quod est corpori quodammodo unitus, posuit obiectum intellectus ideas separatas; et quod intelligimus, non quidem abstrahendo, sed magis abstracta participando, ut supra dictum est. Thomas von Aquin, Summa theologiae I q. 85 a. 1 (Ed. Leon. 5) 331.

134 Intellectus autem humani, qui est coniunctus corpori, proprium obiectum est quidditas sive natura in materia corporali existens. Thomas von Aquin, Summa theologiae I q. 84 a. 7 (Ed. Leon. 5) 325.

135 Ad hoc dicunt quidam, scilicet Thomas, quod quiditas rei sensibilis est obiectum adaequatum intellectus nostri. Johannes Duns Scotus, De anima q. 19 n. 5 (OPh 5) 186.

136 Sed contra conclusionem qua dicitur quod sola quiditas materialis est obiectum intellectus nostri, arguitur sic. Johannes Duns Scotus, De anima q. 19 n. 6 (OPh 5) 187.

137 Sed diceret doctor ille quod potest cognosci ab intellectu separato, non tamen a coniuncto corpori. Sed hoc non valet secundum positionem suam, nam via sua procedit de intellectu nostro secundum naturam suam vel naturalem modum eius essendi, sicut procedit de naturali modo essendi et cognoscendi angeli et potentiae sensitivae. Modo ita est quod non est natus ita semper esse separatus, sed naturaliter appetit corpori uniri; igitur, secundum ipsum, na-

turale obiectum eius, in quocumque statu sit, erit quiditas materiae coniuncta secundum esse, licet sit separabilis secundum rationem — quod est improbatum. Johannes Duns Scotus, De anima q. 19 n. 11–12 (OPh 5) 188–189.

138 Item, intellectus noster etiam in via potest cognoscere ens sub ratione entis, quae est universalior quam ratio quiditatis sensibilis; igitur quiditas sensibilis non est obiectum adaequatum intellectus nostri. Johannes Duns Scotus, De anima q. 19 n. 13 (OPh 5) 189.

139 Antecedens patet, quia aliqua scientia humana est de ente secundum quod ens. Probatio consequentiae: quia nulla potentia potest cognoscere aliquid universalius obiecto sibi adaequato; tunc enim obiectum non esset sibi adaequatum. Exemplum de visu, qui non potest cognoscere aliquid universalius colore vel luce. Johannes Duns Scotus, De anima q. 19 n. 13 (OPh 5) 189.

140 Dicendum igitur ad quaestionem quod via generationis vel acquirendo scientiam prius apprehendimus quiditates sensibilium, quia pro statu naturae lapsae nihil intelligimus nisi cum ministerio sensibilium; tamen illa non sunt proprium et adaequatum obiectum intellectus nostri, sed etiam possumus intelligere substantias separatas. Et tale obiectum est prius via perfectionis et simpliciter, quia per talem cognitionem attingitur obiectum perfectissimum quod est Deus et substantiae separatae aliae, etiam pro statu viae; et licet talis cognitio sit aenigmatica, tamen perfectior est omni alia cognitione nostra respectu inferioris creaturae. Johannes Duns Scotus, De anima q. 19 n. 18 (OPh 5) 190–191.

141 Cuius ratio est, quia de Deo nullam habemus cognitionem naturaliter nisi per creaturas; nulla autem creatura, nec etiam omnes simul, possunt sufficenter divinam essentiam repraesentare quiditative, id est, ut natura haec vel essentia. Johannes Duns Scotus, De anima q. 19 n. 23 (OPh 5) 192.

142 Exemplum ponitur ad hoc: ponamus quod nunquam viderim triangulum — viderim autem tetragonum et pentagonum etc. —, tunc possum abstrahere ab omnibus huiusmodi quod est figura; deinde possum scire quod non est processus in infinitum in descendendo, sicut nec in numeris, ex quo possum scire quod oportet dare aliquam primam. Ulterius dividendo figuram in circularem et rectilinearem, et componendo rectilinearem cum figura prima, intelligo quiditatem trianguli, quae convenit triangulo soli ita quod non alii; non tamen per hunc conceptum compositum possum intelligere triangulum, ut triangulus est, sub propria forma per se et intuitive. Johannes Duns Scotus, De anima q. 19 n. 25 (OPh 5) 193.

143 Similiter a pluribus entibus possumus abstrahere hoc quod est ens absolute; et a pluribus bonis, ipsum bonum. Et quia entia et bona sunt ordinata, tandem possumus devenire ad hoc quod intelligam summum bonum, quia non est in eis processus in infinitum. Sic ergo possum illa ad invicem componere per intellectum et dicere aliquod ens esse summum bonum, qui conceptus sic compositus soli Deo convenit. Johannes Duns Scotus, De anima q. 19 n. 26 (OPh 5) 193–194.

144 Et ideo de Deo possumus naturaliter habere conceptum quiditativum, compositum tamen; sed per talem conceptum non cognoscimus eum in se, ut est talis naturae determinatae, tamen sic eum cognoscere perfectius est simpliciter quam cognoscere quodcumque aliud a Deo, ut dictum est supra. Johannes Duns Scotus, De anima q. 19 n. 26 (OPh 5) 194.

145 Sic igiturpatet quod obiectum adaequatum intellectui nostro non est quiditas materialis, quia Deum et substantias spirituales aliqualiter cognoscere possumus, ut dictum est. Johannes Duns Scotus, De anima q. 19 n. 26 (OPh 5) 194.

146 Est autem philosophia amor et studium et amicitia quodammodo sapientiae, sapientiae vero non huius, quae in ferramentis quibusdam, et in aliqua fabrili scientia notitiaque versatur, sed illius sapientiae, quae nullius indigens, vivax mens et sola rerum primaeva ratio est. Est autem hic amor sapientiae, intelligentis animi ab illa pura sapientia illuminatio, et quodammodo ad seipsam retractio atque advocatio, ut videatur sapientiae studium divinitatis et purae mentis illius amicitia. Haec igitur sapientia cuncto animarum generi meritum

suae divinitatis imponit, et ad propriam naturae vim puritatemque reducit. Hinc nascitur speculationum cogitationumque veritas, et sancta puraque actuum castimonia. Hugo von St. Victor, Didascalicon I, 2 (Ed. Offergeld) 118.

147 Quaenam discors foedera rerum / causa resolvit? quis tanta deus / veris statuit bella duobus, / ut, quae carptim singula constent, / eadem nolint mixta iugari? / an nulla est discordia veris / semperque sibi certa cohaerent? / sed mens caecis obruta membris / nequit oppressi luminis igne / rerum tenues noscere nexus? / sed cur tanto flagrat amore / veri tectas reperire notas? / scitne, quod appetit anxia nosse? / sed quis nota scire laborat? / at si nescit, quid caeca petit? / quis enim quicquam nescius optet, / aut quis valeat nescita sequi, / quove inveniat? quis repertam / queat ignarus noscere formam? / an, cum mentem cerneret altam, / pariter summam et singula norat? / nunc membrorum condita nube / non in totum est oblita sui / summamque tenet singula perdens. / igitur quisquis vera requirit, / neutro est habitu; nam neque novit / nec penitus tamen omnia nescit, / sed, quam retinens meminit, summam / consulit alte visa retractans, / ut servatis queat oblitas / addere partes. Boethius, De Consolatione, l. 5 cant. 3 (Ed. Moreschini) 145–146.

148 Duo sunt enim opera in quibus universa continentur, quae facta sunt: Primum est opus conditionis, secundus est restaurationis. Opus conditionis est, quo factum est, ut essent quae non erant. Opus restaurationis est, quo factum est, ut melius essent quae perierant. Ergo opus conditionis est creatio mundi cum omnibus suis elementis. Opus restaurationis est incarnatio verbi cum omnibus sacramentis suis, sive his quae praecesserunt ab initio saeculi sive his quae subsequentur usque ad finem mundi. Hugo von St. Victor, De sacramentis I prol. (Ed. Berndt) 31–32.

149 Tres sunt musicae: mundana, humana, instrumentalis. Hugo von St. Victor, Didascalicon II, 12 (Ed. Offergeld) 176.

150 Mundana, alia in elementis, alia in planetis, alia in temporibus; in elementis, alia in pondere, alia in numero, alia in mensura; in planetis, alia in situ, alia in motu, alia in natura; in temporibus, alia in diebus, vicissitudine lucis et noctis, alia in mensibus, crementis detrimentisque lunaribus, alia in annis, mutatione veris, aestatis, autumni, et hiemis. Hugo von St. Victor, Didascalicon II, 12 (Ed. Offergeld) 176.

151 Humana musica, alia in corpore, alia in anima, alia in connexu utriusque; in corpore, alia est in vegetatione, secundum quam crescit quae omnibus nascentibus convenit, alia est in humoribus, ex quorum complexione humanum corpus subsistit, quae sensibilibus communis est, alia in operationibus, quae specialiter rationalibus congruit, quibus mechanica praeest. Hugo von St. Victor, Didascalicon II, 12 (Ed. Offergeld) 176.

152 Musica in anima alia est in virtutibus, ut est iustitia, pietas, et temperantia, alia in potentiis, ut est ratio, ira, et concupiscentia. Musica inter corpus et animam est illa naturalis amicitia qua anima corpori non corporeis vinculis, sed affectibus quibusdam colligatur, ad movendum et sensificandum ipsum corpus, secundum quam amicitiam nemo carnem suam odio habuit. Musica haec est, ut ametur caro, sed plus spiritus, ut foveatur corpus, non perimatur virtus. Hugo von St. Victor, Didascalicon II, 12 (Ed. Offergeld) 178.

153 Musica instrumentalis alia in pulsu, ut fit in tympanis et chordis, alia in flatu, ut in tibiis et organis, alia in voce, ut in carminibus et cantilenis. »Tria quoque sunt genera musicorum: unum quod carmina fingit, aliud quod instrumentis agitur, tertium quod instrumentorum opus carmenque diiudicat.« Hugo von St. Victor, Didascalicon II, 12 (Ed. Offergeld) 178.

154 Hoc ergo omnes artes agunt, hoc intendunt, ut divina similitudo in nobis reparetur, quae nobis forma est, Deo natura, cui quanto magis conformamur tanto magis sapimus. Hugo von St. Victor, Didascalicon II 1 (Ed. Offergeld) 154.

155 Item quod est in actu imago est eius quod est in mente hominis, et quod est in mente hominis imago est eius quod est in mente divina. Hugo von St. Victor, Didascalicon Appendix C (Ed. Offergeld) 410.

156 Nam per senas alas illas recte intelligi possunt sex illuminationum suspensiones, quibus anima quasi quibusdam gradibus vel itineribus disponitur, ut transeat ad pacem per ecstaticos excessus sapientiae christianae. [...] Effigies igitur sex alarum seraphicarum insinuat sex illuminationes scalares. Bonaventura, Itinerarium mentis ad Deum prol. 3 (Ed. Quaracchi 5) 295.

157 Iuxta igitur sex gradus ascensionis in Deum sex sunt gradus potentiarum animae per quosascendimus ab imis ad summa, ab exterioribus ad intima, a temporalibus conscendimus ad aeterna, scilicet sensus, imaginatio, ratio, intellectus, intelligentia et apex mentis seu synderesis scintilla. Bonaventura, Itinerarium mentis ad Deum c. 1, 6 (Ed. Quaracchi 5) 297.

158 Hos gradus in nobis habemus plantatos per naturam, deformatos per culpam, reformatos per gratiam; purgandos per iustitiam, exercendos per scientiam, perficiendos per sapientiam. Bonaventura, Itinerarium mentis ad Deum c. 1, 6 (Ed. Quaracchi 5) 297.

159 In hac oratione orando illuminamur ad cognoscendum divinae ascensionis gradus. Cum enim secundum statum conditionis nostrae ipsa rerum universitas sit scala ad ascendendum in Deum; et in rebus quaedam sint vestigium, quaedam imago, quaedam corporalia, quaedam spiritualia, quaedam temporalia, quaedam aeviterna, ac per hoc quaedam extra nos, quaedam intra nos; ad hoc quod perveniamus ad primum principium considerandum, quod est spiritualissimum et aeternum et supra nos, oportet, nos transire per vestigium, quod est corporale et temporale et extra nos, et hoc est deduci in via Dei; oportet, nos intrare ad mentem nostram quae est imago Dei aeviterna, spiritualis et intra nos, et hoc est ingredi in veritate Dei; oportet, nos transcendere ad aeternum, spiritualissimum et supra nos, aspiciendo ad primum principium, et hoc est laetari in Dei notitia et reverentia maiestatis. Bonaventura, Itinerarium mentis ad Deum c. 1, 2 (Ed. Quaracchi 5) 297.

160 Primo modo aspectus contemplantis, res in se ipsis considerans, videt in eis pondus, numerum et mensuram: pondus quoad situm, ubi inclinantur, numerum, quo distinguuntur, et mensuram, qua limitantur. Ac per hoc videt in eis modum, speciem et ordinem, nec non substantiam, virtutem et operationem. Ex quibus consurgere potest sicut ex vestigio ad intelligendum potentiam, sapientiam et bonitatem Creatoris immensam. Bonaventura, Itinerarium mentis ad Deum c. 1, 11 (Ed. Quaracchi 5) 298.

161 Non legantur libri Aristotelis de methafisica et de naturali philosophia. Chartularium Universitatis Parisiensis I n. 20 (Ed. Denifle/Chatelain) 78–79.

162 [Q]uia nulla veritas alii discordat. Albertus Magnus, Super Ethica I lec. 13 (Ed. Colon. 14,1) 71, 82.

163 [D]ico, quod nihil ad me de dei miraculis, cum ego de naturalibus disseram. Albertus Magnus, De gen. et corr. I tr. 1 c. 22 (Ed. Colon. 5,2) 129, 15–16.

164 [N]aturalia non sunt a casu nec a voluntate, sed a causa agente et terminante ea, nec nos in naturalibus habemus inquirere, qualiter deus opifex secundum suam liberrimam voluntatem creatis ab ipso utatur ad miraculum, quo declaret potentiam suam, sed potius quid in rebus naturalibus secundum causas naturae insitas naturaliter fieri possit. Albertus Magnus, De caelo et mundo l. 1 tr. 4 c. 10 (Ed. Colon. 5,1) 103, 5–12.

165 Erit autem modus noster in hoc opere Aristotelis ordinem et sententiam sequi et dicere ad explanationem eius et ad probationem eius, quaecumque necessaria esse videbuntur, ita tamen, quod textus eius nulla fiat mentio. Et praeter hoc digressiones faciemus declarantes dubia suborientia et supplentes, quaecumque minus dicta in sententia Philosophi obscuritatem quibusdam attulerunt. [...] Et addemus etiam alicubi partes librorum imperfectas et alicubi libros intermissos vel omissos, quos vel Aristoteles non fecit vel forte si fecit, ad nos non pervenerunt. Albertus Magnus, Physica I tr. 1 c. 1 (Ed. Colon. 4,1) 1, 23–41.

166 Cum autem tres sint partes essentiales philosophiae realis, quae, inquam, philosophia non causatur in nobis ab opere nostro, sicut causatur scientia mora-

lis, sed potius ipsa causatur ab opere naturae in nobis, quae partes sunt naturalis sive physica et metaphysica et mathematica, nostra intentio est omnes dictas partes facere Latinis intelligibiles. Albertus Magnus, Physica I tr. 1 c. 1 (Ed. Colon. 4,1) 1, 43–49.

167 Ex his colligitur quod punctum continui est principium simpliciter, sed linea principiatum si comparatur ad punctum; si vero ad superficiem referatur, est principium. Corpus autem non nisi principiatum existit, cuius causa est quia principium simplex omne est et indivisible divisione sui principiati. Punctum igitur quod simpliciter indivisibile est, simpliciter principium est continui. Linea secundum id principium est secundum quod est indivisibilis, scilicet secundum latitudinem, et principiatum secundum id quod divisibilis existit, hoc est secundum longitudinem. Similiter autem se habet superficies comparata ad lineam et ad corpus. Albertus Magnus, Super Euclidem prooem. (Ed. Colon. 39) 2,37–49.

168 Quia autem omnium horum principium est punctum, ab ipso diffinitionum quae principia quaedam demonstrationum sunt, sumamus exordium. Albertus Magnus, Super Euclidem prooem. (Ed. Colon. 39) 2,63–66.

169 Genus autem hic non dicimus praedicabile unum vel primum secundum ordinem praedicati. Albertus Magnus, Analytica posteriora I tr. 2 c. 16 (Ed. Borgnet 2) 60.

170 [S]ed dicimus genus, quod est generationis principium sicut causa. Albertus Magnus, Analytica posteriora I tr. 2 c. 16 (Ed. Borgnet 2) 60.

171 [N]aturalia non sunt a casu nec a voluntate, sed a causa agente et terminante ea, nec nos in naturalibus habemus inquirere, qualiter deus opifex secundum suam liberrimam voluntatem creatis ab ipso utatur ad miraculum, quo declaret potentiam suam, sed potius quid in rebus naturalibus secundum causas naturae insitas naturaliter fieri possit. Albertus Magnus, De caelo et mundo I tr. 4 c. 10 (Ed. Colon. 5,1) 103,5–12.

172 Sic igitur manifestum est quod oportet nos hic scientiam aliam inducere, quae sit per propria singulis convenientia, quia aliter doctrina naturarum a nobis non erit perfecte tradita. Albertus Magnus, De animalibus XI tr. 1 c. 1 n. 9 (Ed. Stadler) 764.

173 Quaeramus ergo, utrum ex prioribus natura procedentes prius consideranda accidentia communium generum animalium, ex illis consideranda sint propria cuiuslibet generis, aut e contrario ex prioribus quoad nos procedentes debeamus incipere narrare naturas et dispositiones accidentium propriorum, quae cuilibet animali secundum suam naturam propriam conveniunt. Hoc autem modo non determinatum et notum certificare de ipsis, quia hoc effugit nostram scientiam propter multitudinem et infinitatem quae est in talibus. Albertus Magnus, De animalibus XI tr. 1 c. 2 n. 12 (Ed. Stadler) 765.

174 Sic igitur quaeratur, utrum physicus de communibus animalium loquens debet considerare res naturales et manifestas operationes et passiones communium modorum specierum animalium, et post debet assignare causas de eis, an e contrario sit sibi procedendum in rebus quas narravimus. Supponamus autem ex omnibus inductis, quod prius narranda sunt ea quae sunt manifestarum operationum et passionum animalium, sicut fecimus in omnibus decem praeinductis libris: et nunc debemus inducere causas eorum quae enumeravimus et diximus convenire animalium generibus. Albertus Magnus, De animalibus XI tr. 1 c. 2 n. 13 (Ed. Stadler) 765.

175 Probatum est ergo et per inductionem scientiarum et per inductionem argumentationum et perfectarum et imperfectarum, quod omnis scientia intellectiva est ex praeexistenti cognitione. Nec dicitur scientia intellectiva, eo quod aliqua sit scientia sensibilis, sed ideo dicitur quia aliqua cognitio est experimentalis quae non est ex praeexistenti cognitione, sed potius ex immediata acceptione sensibilium et sensibilium collatione per intellectum reflexum ad sensum, non per intellectum secundum se et purum. Albertus Magnus, Analytica posteriora I tr. 1 c. 3 (Ed. Borgnet 2) 11.

176 Haec igitur est vera solutio ambiguitatis, quod id quod syllogismo vel inductione addiscitur simpliciter, potest in suis principiis secundum quid praesciri. Albertus Magnus, Analytica posteriora I tr. 1 c. 5 (Ed. Borgnet 2) 18.

177 Et quando res eveniunt, tunc sunt in causis mediis et in materia, et secundum potestates illorum eveniunt et non secundum potestatem causae primae. Albertus Magnus, Metaphysica VI tr. 2 c. 6 (Ed. Colon. 16,2) 312,54–57.

178 Quinimmo in exercitatione huius unicuique sine periculo liberum reservatur iudicium. Wilhelm von Ockham, In libros physicorum prol. (OPh 4) 4.

179 Propter quod sciendum quod ›subiectum scientiae‹ dupliciter accipitur. Uno modo pro illo quod recipit scientiam et habet scientiam in se subiective; sicut dicitur quod corpus vel superficies est subiectum albedinis et ignis est subiectum caloris. Et isto modo subiectum scientiae est ipsemet intellectus, quia quaelibet scientia talis est accidens ipsius intellectus. Wilhelm von Ockham, In libros physicorum prol. (OPh 4) 8–9.

180 Alio modo dicitur subiectum scientiae illud de quo scitur aliquid. Et sic accipit Philosophus ›subiectum‹ in libro Posteriorum; et sic idem est subiectum conclusionis et scientiae; nec dicitur subiectum, nisi quia est subiectum conclusionis. Wilhelm von Ockham, In libros physicorum prol. (OPh 4) 9.

181 Et ideo quando sunt diversae conclusiones habentes diversa subiecta illo modo quo logicus utitur hoc vocabulo ›subiectum‹, tunc illius scientiae quae est aggregata ex omnibus scientiis illarum conclusionum, non est aliquod unum subiectum, sed diversarum partium sunt diversa subiecta. Quando autem omnes conclusiones habent idem subiectum, tunc totius aggregati est unum subiectum, illud scilicet quod est subiectum omnium illarum conclusionum. Wilhelm von Ockham, In libros physicorum prol. (OPh 4) 9.

182 Similiter sciendum quod differentia est inter obiectum scientiae et subiectum. Nam obiectum scientiae est tota propositio nota, subiectum est pars illius propositionis, scilicet terminus subiectus. Sicut scientiae qua scio quod omnis homo est susceptibilis disciplinae, obiectum est tota propositio, sed subiectum est iste terminus ›homo‹. Wilhelm von Ockham, In libros physicorum prol. (OPh 4) 9.

183 Ad cuius intellectum est sciendum quod omnis scientia est respectu complexi vel complexorum. Et sicut complexa sciuntur per scientiam, ita incomplexa ex quibus complexa componuntur sunt illa de quibus illa scientia considerat. Nunc autem ita est quod complexa quae sciuntur per scientiam naturalem, non componuntur ex rebus sensibilibus nec ex substantiis, sed componuntur ex intentionibus seu conceptibus animae communibus talibus rebus. Wilhelm von Ockham, In libros physicorum prol. (OPh 4) 11.

184 Et ideo proprie loquendo scientia naturalis non est de rebus corruptibilibus et generabilibus nec de substantiis naturalibus nec de rebus mobilibus, quia tales res in nulla conclusione scita per scientiam naturalem subiciuntur vel praedicantur. Sed proprie loquendo scientia naturalis est de intentionibus animae communibus talibus rebus et supponentibus praecise pro talibus rebus in multis propositionibus. Wilhelm von Ockham, In libros physicorum prol. (OPh 4) 11.

185 Per idem ad secundum dico quod logica per hoc distinguitur a scientiis realibus quia scientiae reales sunt de intentionibus, quia de universalibus supponentibus pro rebus: quia termini scientiarum realium quamvis sint intentiones, tamen supponunt pro rebus; sed logica est de intentionibus supponentibus pro intentionibus. Wilhelm von Ockham, In libros physicorum prol. (OPh 4) 12.

186 Unde quandocumque aliquis profert propositionem vocalem, prius format interius unam propositionem mentalem, quae nullius idiomatis est, in tantum quod multi frequenter formant interius propositiones quas tamen propter defectum idiomatis exprimere nesciunt. Partes talium propositionum mentalium vocantur conceptus, intentiones, similitudines et intellectus. Wilhelm von Ockham, Summa logicae I c. 12 (OPh 1) 42.

187 Sed quid est illud in anima quod est tale signum? Dicendum quod circa istum articulum diversae sunt opiniones. Aliqui dicunt quod non est nisi quoddam fictum per animam. Alii, quod est quaedam qualitas subiective exsistens in anima, distincta ab actu intelligendi. Alii dicunt quod est actus intelligendi. Wilhelm von Ockham, Summa logicae I c. 12 (OPh 1) 42.

188 De istis autem opinionibus inferius perscrutabitur, ideo pro nunc sufficiat quod intentio est quiddam in anima, quod est signum naturaliter significans aliquid pro quo potest supponere vel quod potest esse pars propositionis mentalis. Wilhelm von Ockham, Summa logicae I c. 12 (OPh 1) 43.

189 [Q]uodlibet universale est vere et realiter singulare: quia sicut quaelibet vox, quantumcumque communis per institutionem, est vere et realiter singularis et una numero quia est una et non plures, ita intentio animae, significans plures res extra, est vere et realiter singularis et una numero, quia est una et non plures res, quamvis significet plures res. Wilhelm von Ockham, Summa logicae I c. 14 (OPh 1) 47.

190 [U]niversale est una intentio singularis ipsius animae, nata praedicari de pluribus, ita quod propter hoc quod est nata praedicari de pluribus, non pro se sed pro illis pluribus, ipsa dicitur universalis. Wilhelm von Ockham, Summa logicae I c. 14 (OPh 1) 49.

191 Et ideo, ad evitandum tales absurditates, sustinui in aula Sorbone in disputationibus quod sum certus evidenter de obiectis quinque sensuum et de actibus meis. Nicolaus de Autrecourt, Epistula ad Bernhardum I n. 15 (Ed. de Rijk) 56.

192 Et faciliter secundum hunc modum (ut videtur) probaretur bene unumquodque. Nam, ponatur quod ista vox ›homo‹ significaret hominem esse cum asino: manifestum est quod tunc sequitur ›homo est; ergo asinus est‹. Nicolaus de Autrecourt, Epistula ad Egidium n. 13 (Ed. de Rijk) 106.

193 [S]ic a primo ad ultimum quod in istis consequentiis ordinatis ultimum consequens erit realiter idem cum primo antecedente, vel cum parte significati per < primum > antecedens. Nicolaus de Autrecourt, Epistula ad Bernhardum II n. 10 (Ed. de Rijk) 64.

194 Ex eo quod aliqua res est cognita esse, non potest evidenter, evidentia reducta in primum principium, vel in certitudinem primi principii, inferri quod alia res sit. Nicolaus de Autrecourt, Epistula ad Bernhardum II n. 11 (Ed. de Rijk) 64.

195 Dixi epistola predicta quod nescimus evidenter quod aliqua res alia a Deo possit esse causa alicuius effectus. Dixi epistola predicta quod non scimus evidenter quod aliqua causa causet efficienter que non sit Deus. Nicolaus de Autrecourt, Articuli in cedula »Ve Michi« contenti n. 15–16 (Ed. de Rijk) 174.

196 Dixi epistola predicta quod non scimus evidenter quod aliqua causa efficiens naturalis sit, vel esse possit. Nicolaus de Autrecourt, Articuli in cedula »Ve Michi« contenti n. 17 (Ed. de Rijk) 174.

197 Dixi epistola predicta quod non scimus evidenter utrum aliquis sit, vel esse possit, effectus naturaliter productus. Nicolaus de Autrecourt, Articuli in cedula »Ve Michi« contenti n. 18 (Ed. de Rijk) 176.

198 Dixi epistola predicta quod, quibuscumque acceptis que possunt esse causa alicuius effectus, non scimus evidenter quod ad positionem eorum sequatur effectus positio. Nicolaus de Autrecourt, Articuli in cedula »Ve Michi« contenti n. 19 (Ed. de Rijk) 176.

199 Dixi in epistola predicta quod nulla potest esse demonstratio simpliciter qua ex existentia causarum demonstretur existentia effectus. Nicolaus de Autrecourt, Articuli in cedula »Ve Michi« contenti n. 21 (Ed. de Rijk) 176.

200 Dixi quod nescimus evidenter quod in aliqua productione concurrat subiectum. Nicolaus de Autrecourt, Articuli in cedula »Ve Michi« contenti n. 20 (Ed. de Rijk) 176.

201 In hoc ergo libro ad finem intentionis pervenimus. Ostendimus enim causam primam et causarum secundarum ordinem et qualiter primum universi esse est principium et qualiter omnium esse fluit a primo secundum opiniones

Peripateticorum. Et haec quidem quando adiuncta fuerint XI Primae philosophiae, tunc primo opus perfectum est. Albertus Magnus, De causis II tr. 5 c. 24 (Ed. Colon. 17,2) 191,17–23.

202 Ad quartum dicendum, quod theologia, de qua nunc loquimur, non est principalis universalitate subiecti, sub quo ordinentur subiecta aliarum scientiarum sicut sub universali; et ideo non est suum probare principia aliarum scientiarum, sed metaphysicae, sed aliae famulantur ei, inquantum ipsa utitur eis ad suum obsequium. Albertus Magnus, Super Dionysii epistulam VII (Ed. Colon. 37,2) 503,33–39.

203 Ideo cum omnibus Peripateticis vera dicentibus dicendum videtur, quod ens est subiectum inquantum ens et ea quae sequuntur ens, inquantum est ens et non inquantum hoc ens, sunt passiones eius, sicut est causa < et > causatum, substantia et accidens, separatum et non-separatum, potentia et actus et huiusmodi. Cum enim sit prima ista inter omnes scientia, oportet, quod ipsa sit de primo, hoc autem est ens et < cum > stabiliat omnium particularium principia tam complexa quam incomplexa, nec stabiliri possint nisi per ea quae sunt ipsis priora, et non sint eis aliqua priora nisi ens et entis, secundum quod ens, principia, non quidem quae ens principient, cum ipsum sit principium omnium primum, sed principia, quae sunt ex ente, secundum quod est ens: oportet, quod omnium principia per istam scientiam stabiliantur per hoc quod ipsa est de ente, quod est primum omnium fundamentum in nullo penitus ante se fundatum. Albertus Magnus, Metaph. I tr. 1 c. 2 (Ed. Colon. 16,1) 4,51–68.

204 Prima rerum creatarum est esse et non est ante ipsum creatum aliud. Albertus Magnus, De causis II tr. 1 c. 23 (Ed. Colon. 17,2) 88,63.

205 Cum enim dicitur, quod primum nihil supponit ante se, intelligitur, quod nihil sui supponit ante se, hoc est, de essentiantibus et intrinsece constituentibus ipsum. Et sic esse primum est, quod nihil ante se supponit. Quia tamen est processus sive effluxus a primo, necesse est, quod supponat ante se creatorem. Sed ille nihil sui est. Primum enim principium non ingreditur essentialiter constitutionem rei alicuius. Propter quod resolutio entium non devenit usque ad primum principium, quando in essentialia fit resolutio. Albertus Magnus, De causis II tr. 1 c. 17 (Ed. Colon. 17,2) 81,79–88.

206 Cum ergo primum principium esse dicitur et creata sive causata esse dicuntur, non est ibi communitas nisi per analogiam. Quae communitas in uno est per se et proprie, in aliis autem per imitationem illius, sicut in iv Primae Philosophiae probatum est. Albertus Magnus, De causis II tr. 1 c. 17 (Ed. Colon. 17,2) 82,15–19.

207 Solutio: Dicendum, quod divina substantia aliquo modo a nobis cognosci potest, etiam secundum se, sed non perfecte; perfecte enim cognosci dicitur, de quo scitur, quid ipsum sit et proprietates eius; hoc autem non potest intellectus creatus in substantia divina propter sui infinitatem. Cognoscitur tamen ut terminus resolutionis, secundum quod invenimus ipsum post omnia causata et post omnem simplicitatem creaturarum. Sed talis cognitio potius est, quid non est quam quid est, inquantum scilicet cognoscimus substantiam divinam per remotionem ab omnibus causatis, et sic devenientes in ipsam etiam nominamus ipsam; et propter hoc dicit, quod est ignotum et ineffabile. Albertus Magnus, Super Dion. De div. nom. c. 5 n. 3 (Ed. Colon. 17,1) 304,52–65.

208 Dicendum ad primum, quod lumen dupliciter potest considerari: aut secundum quod est causa cognitionis, et hoc convenit sibi, secundum quod est incorporatum colori; sic enim manifestat ipsos, secundum quod dicit Philosophus, quod ›color est extremitas perspicui in corpore terminato‹, et sic convenit magis cum vero quam cum bono. Aut secundum quod est causa essendi, et hoc convenit sibi, secundum quod est in se, non-incorporatum, et secundum hoc est comparabile bono, quod est universalis causa essendi et omnium divinarum processionum in omnibus causatis. Albertus Mangus, Super Dion. De div. nom. c. 4 n. 50 (Ed. Colon. 17,1) 156,61–72.

209 Dicit ergo primo, quod cum assimilatio luminis solaris ad bonitatem pertineat ad symbolicam theologiam, cuius est assignare similitudines corporalium ad spiritualia. Albertus Magnus, Super Dion. De div. nom. c. 4 n. 61 (Ed. Colon. 17,1) 168,47–50.

210 De primo sciendum, quod omnis scientia suis utitur regulis et principiis velut propriis fundamentis, ex quibus acquiritur in eis scientia conclusionum. Berthold von Moosburg, Expositio super Elem. theol. praeamb. (Ed. Sturlese) 54.

211 Prima sunt et dicuntur communissima eo, quod virtute sua universali descendunt in omnes scientias [...] Haec autem principia ideo sunt communissima, quia sunt de ente in eo, quod ens, quod est universalissima omnium intentionum formalium secundum Aristotelem, licet aliter sit secundum Platonem, ut inferius apparebit. Berthold von Moosburg, Expositio super Elem. theol. praeamb. (Ed. Sturlese) 56.

212 Ex praedictis evidenter apparet scientiam istam in suorum principiorum certitudine ratione principii cognitivi, per quod circa divina versatur, non solum omnibus particularibus scientiis, sed etiam metaphysicae Peripatetici, quae est de ente in eo, quod ens, incomparabiliter eminere. Berthold von Moosburg, Expositio super Elem. theol. praeamb. (Ed. Sturlese) 65.

213 Cum enim Aristoteles, ut testatur auctor libro De fato et providentia 8 cap., non ducat nos sursum in cognitivis et cognitionibus animae nostrae nisi usque ad intellectum et intellectualem operationem et nihil ultra hanc insinuet, Plato autem et ante Platonem theologi laudant cognitionem supra intellectum, quam divulgant esse divinam maniam, et dicunt ipsam talem cognitionem esse unum animae [...]. Sed cognitivum huius nostrae divinalis theologiae est excedens non solum cognitiva omnium scientiarum, sed etiam excedit, ut iam supra dictum est, ipsum intellectum, qui secundum auctorem ubi supra in nobis est melior omni scientia et est ipsius animae. Berthold von Moosburg, Expositio super Elem. theol. praeamb. (Ed. Sturlese) 65.

214 Si igitur, ut dicit prima propositio, sapientia est certissima scientia, quia accipit principia scientiarum cum eorum certitudine, quid dicemus de nostra supersapientia, quae est acceptio cum certitudine non solum principiorum entium, quae secundum Aristotelem etiam sunt entia, sed etiam principiorum, quae sunt super entia, et signanter prime boni, quod est principium et causa non solum omnium entium, sed etiam principiorum divinalium, quae sunt, licet sub simpliciter primo principio, primordialia omnium entium principia, nisi quod ipsa est certissima et altissima cognitio hominis deificati? Berthold von Moosburg, Expositio super Elem. theol. praeamb. (Ed. Sturlese) 66.

215 [S]apientia, quae non solum est entium, sed superentium. Berthold von Moosburg, Expositio super Elem. theol. praeamb. (Ed. Sturlese) 67.

216 Ex dictis evidens est eminentia habitus supersapientialis scientiae Platonicae ad habitum sapientialem metaphysicae. Berthold von Moosburg, Expositio super Elem. theol. praeamb. (Ed. Sturlese) 68.

217 Ex praemissis evidenter apparet istam nostram divinalem philosophiam esse verissime et propriissime scientiam, et hoc veridicam et certissimam et sic altissimam tum ratione modi sui procedendi ex principiis sive communissimis et communibus sive propriis, qui est vere scientificus, tum etiam ratione habitus, quo accipit sua principia, ut diffusius est ostensum. Berthold von Moosburg, Expositio super Elem. theol. praeamb. (Ed. Sturlese) 69.

218 Plato vero alia via incedit circa multitudinis originem, qui, licet concedat distinctionem esse formalem causam multitudinis, tamen actus secundum eum non ubique, hoc est in tota rerum universitate, distinguit nisi in solis materialibus. Ibi enim, quanto aliquid est communius sive secundum rem, ut materia prima, sive secundum rationem, et hoc sive sit analogum ut secundum Aristotelem ens in eo, quod huiusmodi, sive univocum ut generalissimum, tanto est potentialius et per consequens distinguitur per actum sive differentias. Berthold von Moosburg, Expositio super Elem. theol. prop. 1 (Ed. Sturlese) 73–74.

219 In immaterialibus vero e converso actus distinguitur et determinatur per potentiam. Ibi enim, quanto aliquid est universalius, tanto est activius, quia hic est universalitas separationis, illic vero praedicationis. Et ideo, sicut universale logicum, cum sit potentiale, distinguitur per actum, ita e converso universale theologicum, cum sit actus vel actuale, distinguitur per potentiam. Berthold von Moosburg, Expositio super Elem. theol. prop. 1 (Ed. Sturlese) 74.

220 Ex quo consequens est, quod unum et multa non causantur secundum Platonem ex prima oppositione entis et non entis, sed vel ex diversa determinatione actus per potentiam et e converso quoad multitudinem vel exclusione determinationis talis quoad unum. Berthold von Moosburg, Expositio super Elem. theol. prop. 1 (Ed. Sturlese) 74.

221 Et sic aliter accipitur ens et unum et multum a Platone quam ab Aristotele, apud quem ens in eo, quod ens, est transcendens et prima omnium intentionum non habens esse in rerum natura extra animam, ut inferius apparebit. Et per consequens unum secundum eum et multum proprietates entis in eo, quod ens, erunt transcendentia, quarum esse etiam non est extra animam, quamquam secundum intellectum sint posteriora ente, utpote quorum unum addit super ens indivisionem, aliud vero divisionem sive distinctionem. Berthold von Moosburg, Expositio super Elem. theol. prop. 1 (Ed. Sturlese) 74.

222 »Plato vero unum«, ut testatur Eustratius super I Ethicorum cap. 7 »et ineffabile et bonum communem causam omnium entium dixit et super entia omnia unum ordinavit causam quidem omnium illud dicens propter hoc, ut super ens et non ens, non ut ab ente deficiens, sed ut enti omni superpositum«. Haec Eustratius. Quod autem est super omnia entia ut omnium entium causa, est principium omnium rerum primum. Berthold von Moosburg, Expositio super Elem. theol. prop. 1 (Ed. Sturlese) 74.

223 Et sic distinctio causata ex oppositione potentiae ad actum est prima radix formalis omnis multitudinis etiam secundum Platonem. Berthold von Moosburg, Expositio super Elem. theol. prop. 1 (Ed. Sturlese) 74.

224 Ens autem sic acceptum est communissimum in se communitate abstractionis, quam facit intellectus, qui efficit universalitatem in rebus. Et sic ipsum ens non habet esse in rerum natura nisi in anima, sicut expresse habetur ab Averroe super X Metaphysicae cap. 6, ubi tractans illud Aristotelis: »Nam ens et unum universaliter praedicantur de omnibus maxime« sic dicit: »Id est, quoniam ens et unum praedicamenta sunt universalia, quae non habent esse nisi in anima«. Berthold von Moosburg, Expositio super Elem. theol. prop. 11 (Ed. Sturlese) 186.

225 Ex his apparet, quod Aristoteles ponit ens esse primum omnium intentionum formalium et natura et intellectu, quae non habent esse extra animam. Berthold von Moosburg, Expositio super Elem. theol. prop. 11 (Ed. Sturlese) 186.

226 Non sic autem accipiuntur ens et bonum apud Platonem, qui ponit utrumque etiam in sua universalitate acceptum esse in rerum natura. Berthold von Moosburg, Expositio super Elem. theol. prop. 11 (Ed. Sturlese) 186.

227 Non enim dicit ea esse universalia universalitate logica seu praedicationis, ubi, quanto aliquid est universalius, tanto est potentialius, sed ponit ea esse universalia universalitate theologica sive separationis, ubi, quanto aliquid est universalius, tanto est actualius ita, quod universalissimum est actualissimum. Berthold von Moosburg, Expositio super Elem. theol. prop. 11 (Ed. Sturlese) 186.

228 Quanto autem aliquid est causalius, tanto est universalius et prius. Berthold von Moosburg, Expositio super Elem. theol. prop. 11 (Ed. Sturlese) 187.

229 Quartum autem genus est quod est perfectissimum, quod scilicet habet esse in natura absque admixtione privationis, quasi per se existens, sicut sunt substantiae. Et ad hoc sicut ad primum et principale omnia alia referuntur. Nam qualitates et quantitates dicuntur esse, inquantum insunt substantiae; motus et generationes, inquantum tendunt ad substantiam vel ad aliquid praedictorum; privationes autem et negationes, inquantum removent aliquid trium praedictorum. Thomas von Aquin, In Met. IV lec. 1 n. 543 (Ed. Marietti) 183.

230 Sed quia ens dividitur uno modo secundum quod dicitur quid, scilicet substantia, aut quantitas, aut qualitas, quod est dividere ens per decem praedicamenta: alio modo secundum quod dividitur per potentiam et actum vel operationem, a qua derivatum est nomen actus, ut postea dicetur; oportet nunc determinare de potentia et actu. Thomas von Aquin, In Met. IX lec. 1 n. 1769 (Ed. Marietti) 512.
231 Sed essentia dicitur secundum quod per eam et in ea ens habet esse. Thomas von Aquin, De ente et essentia c. 1 (Ed. Leon. 43) 370.
232 [I]ta possumus dicere quod ens sive id quod est sit in quantum participat actum essendi. Thomas von Aquin, De Hebdomadibus c. 2 (Ed. Leon. 50) 271,57–59.
233 Sed id quod est sive ens, quamvis sit communissimum, tamen concretive dicitur, et ideo participat ipsum esse, non per modum quo magis commune participatur a minus commune, sed participat ipsum esse per modum quo concretum participat abstractum. Thomas von Aquin, De Hebdomadibus c. 2 (Ed. Leon. 50) 271,97–102.
234 Forma est principium essendi. Thomas von Aquin, De Hebdomadibus c. 2 (Ed. Leon. 50) 272,56–57.
235 Oportet ergo quod quaelibet alia res sit ens participative, ita quod aliud sit in eo substantia participans esse et aliud ipsum esse participatum. Omne autem participans se habet ad participatum sicut potentia ad actum. Unde substantia cuiuslibet rei creatae se habet ad suum esse sicut potentia ad actum. Sic igitur omnis substantia creata composita est ex potentia et actu, id est ex eo quod est et esse. Thomas von Aquin, Quodl. III q. 8 n. 20 (Ed. Leon. 25) 277,37–46.
236 Est ergo primo considerandum, quod sicut esse et quod est differunt in simplicibus secundum intentiones, ita in compositis differunt realiter. Thomas von Aquin, De Hebdomadibus c. 2 (Ed. Leon. 50) 272,204 – 273,206.
237 [D]ictum est enim supra, quod ipsum esse neque participat aliquid, ut eius ratio constituatur ex multis; neque habet aliquid extraneum admixtum, ut sit in eo compositio accidentis; et ideo ipsum esse non est compositum. Res ergo composita non est suum esse: et ideo dicit, quod in omni composito aliud est esse, et aliud ipsum compositum, quod est participatum ipsum esse. Thomas von Aquin, De Hebdomadibus c. 2 (Ed. Leon. 50) 273,207–215.
238 [M]anifestum erit quod ipsa forma immaterialis subsistens, cum sit quiddam determinatum ad speciem, non est ipsum esse commune, sed participat illud: et nihil differt quantum ad hoc, si ponamus illas formas immateriales altioris gradus quam sint rationes horum sensibilium, ut Aristoteles voluit: unaquaeque illarum, inquantum distinguitur ab alia, quaedam specialis forma est participans ipsum esse; et sic nulla earum erit vere simplex. Id autem erit solum vere simplex, quod non participat esse, non quidem inhaerens, sed subsistens. Thomas von Aquin, De Hebdomadibus c. 2 (Ed. Leon. 50) 273,240–251.
239 Hoc autem non potest esse nisi unum; quia si ipsum esse nihil aliud habet admixtum praeter id quod est esse, ut dictum est impossibile est id quod est ipsum esse, multiplicari per aliquid diversificans: et quia nihil aliud praeter se habet admixtum, consequens est quod nullius accidentis sit susceptivum. Hoc autem simplex unum et sublime est ipse Deus. Thomas von Aquin, De Hebdomadibus c. 2 (Ed. Leon. 50) 273,251–268.
240 Ideo autem dicit quod hoc verbum est consignificat compositionem, quia non eam principaliter significat, sed ex consequenti; significat enim primo illud quod cadit in intellectu per modum actualitatis absolute: nam est, simpliciter dictum, significat in actu esse; et ideo significat per modum verbi. Thomas von Aquin, In Peri Hermeneias I lec. 5 (Ed. Leon. 1*1) 31,391–397.
241 Quia vero actualitas, quam principaliter significat hoc verbum est, est communiter actualitas omnis formae, vel actus substantialis vel accidentalis, inde est quod cum volumus significare quamcumque formam vel actum actualiter inesse alicui subiecto, significamus illud per hoc verbum est, vel simpliciter

vel secundum quid: simpliciter quidem secundum praesens tempus; secundum quid autem secundum alia tempora. Et ideo ex consequenti hoc verbum est significat compositionem. Thomas von Aquin, In Peri Hermeneias I lec. 5 (Ed. Leon. 1*1) 31,397–407.

242 Sed quando aliquid dicitur analogice de multis, illud invenitur secundum propriam rationem in uno eorum tantum, a quo alia denominantur. Thomas von Aquin, Summa theologiae I q. 16 a. 6 (Ed. Leon. 4) 213.

243 Sed quia ens absolute et per prius dicitur de substantiis et per posterius et quasi secundum quid de accidentibus, inde est quod essentia proprie et vere est in substantiis, sed in accidentibus est quodammodo et secundum quid. Substantiarum vero quaedam sunt simplices et quaedam compositae, et in utrisque est essentia, sed in simplicibus veriori et nobiliori modo, secundum quod etiam esse nobilius habent. Sunt enim causa eorum quae composita sunt, ad minus substantia prima simplex, quae Deus est. Thomas von Aquin, De ente et essentia c.1. (Ed. Leon. 43) 370.

244 [A]d illam scientiam pertinet consideratio entis communis, ad quam pertinet consideratio entis primi [...]. Thomas von Aquin, In Met. IV lec. 5 n. 593 (Ed. Marietti) 199.

245 [E]adem enim est scientia primi entis et entis communis [...]. Thomas von Aquin, In Met. VI lec. 1 n. 1170 (Ed. Marietti) 355.

246 Sic ergo theologia sive scientia divina est duplex: una in qua considerantur res divinae non tamquam subiectum scientiae, sed tamquam principia subiecti, et talis est theologia quam philosophi prosequuntur, quae alio nomine metaphysica dicitur. Thomas von Aquin, De trinitate q. 5 a. 4 (Ed. Leon. 50) 154,175–180.

247 Et quia id quod est principium essendi omnibus oportet esse maxime ens. Thomas von Aquin, De trinitate q. 5 a. 4 (Ed. Leon. 50) 153,131–133.

248 Omnium autem entium sunt principia communia non solum secundum primum modum, – quod appellat Philosophus in XI Metaphysicae omnia entia habere eadem principia secundum analogiam –, sed etiam secundum modum secundum, ut sint quaedam res eaedem numero exsistentes omnium rerum principia, prout scilicet principia accidentium reducuntur in principia substantiae, et principia substantiarum corruptibilium reducuntur in substantias incorruptibiles, et sic quodam gradu et ordine in quaedam principia omnia entia reducuntur. Thomas von Aquin, De trinitate q. 5 a. 4 (Ed. Leon. 50) 153,120–131.

249 Nam unaquaque particularis scientia considerat quamdeam particularem veritatem circa determinatum genus entium. [...] Sed philosophia prima considerat universalem veritatem entium. Et ideo ad hunc philosophum pertinet considerare, quomodo se habeat homo ad veritatem cognoscendam. Thomas von Aquin, In Met. II lec. 1 n. 273 (Ed. Marietti) 96.

250 Ad primum ergo dicendum quod, licet in praedicationibus oporteat aequivoca ad univoca reduci, tamen in actionibus agens non univocum ex necessitate praecedit agens univocum. Agens enim non univocum est causa universalis totius speciei, ut sol est causa generationis omnium hominum. Agens vero univocum non est causa agens universalis totius speciei (alioquin esset causa sui ipsius, cum sub specie contineatur): sed est causa particularis respectu huius individui, quod in participatione speciei constituit. Causa igitur universalis totius speciei non est agens univocum. Causa autem universalis est prior particulari. – Hoc autem agens universale, licet non sit univocum, non tamen est omnino aequivocum, quia sic non faceret sibi simile; sed potest dici agens analogicum: sicut in praedicationibus omnia univoca reducuntur ad unum primum, non univocum, sed analogicum, quod est ens. Thomas von Aquin, Summa theologiae I q. 13 a. 5 ad 1 (Ed. Leon. 4) 147.

251 Haec autem communissima pertinent ad considerationem metaphysicae secundum Philosophum in IV huius in principio: ›Est scientia quaedam quae speculatur ens in quantum ens, et quae huic insunt secundum se etc.‹. Johannes Duns Scotus, Met. I prol. n. 17 (OPh 3) 8.

252 [C]ertissima cognoscibilia sunt principia et causae, et tanto secundum se certiora quanto priora. Ex illis enim dependet tota certitudo posteriorum. Haec autem scientia considerat huiusmodi principia et causas, sicut probat Philosophus, I huius cap. 2, per hoc quod ipsa est sapientia, ut patet ibi in littera. Johannes Duns Scotus, Met. I prol. n. 21 (OPh 3) 10.

253 De isto autem obiecto huius scientiae ostensum est prius quod haec scientia est circa transcendentia; ostensum est autem quod est circa altissimas causas. Quod autem istorum debeat poni proprium eius obiectum, variae sunt opiniones. Ideo de hoc quaeritur primo utrum proprium subiectum metaphysicae sit ens in quantum ens (sicut posuit Avicenna) vel Deus et Intelligentiae (sicut posuit Commentator Averroes). Johannes Duns Scotus, Met. I q. 1 (OPh 3) 15.

254 [C]um »privationes et defectus nullatenus possint cognosci nisi per positiones«, non venit intellectus noster ut plene resolvens intellectum alicuius entium creatorum, nisi iuvetur ab intellectu entis purissimi, actualissimi, completissimi et absoluti, quod est ens simplicter et aeternum, in quo sunt rationes omnium in sua puritate. Bonaventura, Itinerarium mentis ad Deum c. 3, 3 (Ed. Quaracchi 5) 304.

255 [E]t quaero primo utrum Deus sit naturaliter cognoscibilis ab intellectu viatoris. Johannes Duns Scotus, Ord. I d. 3 p. 1 q. 1–2 n. 1 (Ed. Vat. 3) 1.

256 [D]ico quod non tantum in conceptu analogo conceptui creaturae concipitur Deus, scilicet qui omnino sit alius ab illo qui de creatura dicitur, sed in conceptu aliquo univoco sibi et creaturae. Johannes Duns Scotus, Ord. I d. 3 p. 1 q. 1–2 n. 26 (Ed. Vat. 3) 18.

257 Et ne fiat contentio de nomine univocationis, univocum conceptum dico, qui ita est unus quod eius unitas sufficit ad contradictionem, affirmando et negando ipsum de eodem; sufficit etiam pro medio syllogistico, ut extrema unita in medio sic uno sine fallacia aequivocationis concludantur inter se uniri. Johannes Duns Scotus, Ord. I d. 3 p. 1 q. 1–2 n. 26 (Ed. Vat. 3) 18.

258 [O]mnis intellectus, certus de uno conceptu et dubius de diversis, habet conceptum de quo est certus alium a conceptibus de quibus est dubius; subiectum includit praedicatum. Sed intellectus viatoris potest esse certus de Deo quod sit ens, dubitando de ente finito vel infinito, creato vel increato; ergo conceptus entis de Deo est alius a conceptu isto et illo, et ita neuter ex se et in utroque illorum includitur; igitur univocus. Johannes Duns Scotus, Ord. I d. 3 p. 1 q. 1–2 n. 27 (Ed. Vat. 3) 18.

259 Quae plurimum nocens, plurimum, ut nosti, sum innocens, non enim rei effectus sed efficientis affectus in crimine est, nec quae fiunt sed quo animo fiunt aequitas pensat. Petrus Abaelardus, Historia calamitatum (Ed. Monfrin) 116.

260 In suggestione igitur peccati initium est, in delectatione fit nutrimentum, in consensu perfectio. Gregor der Große, Registrum epistularum XI 56, 9 (Ed. Hartmann 2) 343.

261 Vitium itaque est, quo ad peccandum proni efficimur, hoc est inclinamur ad consentiendum ei, quod non convenit, ut illud scilicet faciamus aut dimittamus. Hunc vero consensum proprie peccatum nominamus, hoc est culpam animae, qua damnationem meretur, vel apud deum rea statuitur. Petrus Abaelardus, Ethica I 2,9–3,1 (Ed. Ilgner) 154.

262 Constat itaque peccatum nonnumquam committi sine mala penitus voluntate, ut ex hoc liquidum sit, quod peccatum est, voluntatem non dici. Petrus Abaelardus, Ethica I 6,11 (Ed. Ilgner) 162.

263 Haec autem ad hoc induximus, ne quis forte volens omnem carnis delectationem esse peccatum diceret ex actione ipsum peccatum augeri, cum quis videlicet consensum ipsum animi in exercitium duceret operationis, ut non solummodo consensu turpitudinis, verum etiam maculis contaminaretur actionis, tamquam si animam inquinare posset, quod exterius in corpore fieret. Nichil igitur ad augmentum peccati pertinet qualiscumque operum exsecutio, et nichil animam, nisi quod ipsius est, inquinat, hoc est consensus, quem solummodo

esse peccatum diximus, non voluntatem eum praecedentem vel actionem operis subsequentem. Petrus Abaelardus, Ethica I 14,1–2 (Ed. Ilgner) 180.

264 Saepe etiam contingit, ut, cum velimus concumbere cum ea, quam scimus coniugatam, specie illius illecti, nequaquam tamen adulterari cum ea vellemus, quam esse coniugatam nollemus. Multi econtrario sunt, qui uxores potentum ad gloriam suam eo magis appetunt, quia talium uxores sunt, quam si essent innuptae, et magis adulterari quam fornicari appetunt, hoc est magis quam minus excedere. Sunt quos omnino piget in consensum concupiscentiae vel malam voluntatem trahi, et hoc ex infirmitate carnis velle coguntur, quod nequaquam vellent velle. Petrus Abaelardus, Ethica I 10,5 (Ed. Ilgner) 170.

265 Bonam quippe intentionem, hoc est rectam in se, dicimus, operationem vero non, quod boni aliquid in se suscipiat, sed quod ex bona intentione procedat. Unde et ab eodem homine cum in diversis temporibus idem fiat, pro diversitate tamen intentionis eius operatio modo bona modo mala dicitur et ita circa bonum et malum variari videtur, sicut haec propositio ›Socrates sedet‹ vel eius intellectus circa verum et falsum variatur, modo Socrate sedente modo stante. Quam quidem permutationem varietatis circa verum et falsum ita in his contingere Aristotiles dicit, non quod ipsa, quae circa verum et falsum mutantur, aliquid suscipiant sui mutatione, sed quod res subiecta, id est Socrates, in seipso moveatur, de sessione scilicet ad stationem vel econverso. Petrus Abaelardus, Ethica I 35,1 (Ed. Ilgner) 222.

266 Large, secundum quod ius naturale dicitur quod natura docuit omnia animalia, ut est coniunctio maris et feminae, et similia [...] Stricte sumitur ius naturale secundum quod ius naturale dicitur quod naturalis ratione sine deliberatione aut sine magna dictat esse faciendum, ut Deum esse diligendum et similia. Wilhelm von Auxerre, Summa aurea III tr. 18 (Ed. Ribaillier 3,1) 369.

267 Quia, sicut Damascenus dicit, homo factus ad imaginem Dei dicitur, secundum quod per imaginem significatur intellectuale et arbitrio liberum et per se potestativum; postquam praedictum est de exemplari, scilicet de Deo, et de his quae processerunt ex divina potestate secundum eius voluntatem; restat ut consideremus de eius imagine, idest de homine, secundum quod et ipse est suorum operum principium, quasi liberum arbitrium habens et suorum operum potestatem. Thomas von Aquin, Summa theologiae I-II prol. (Ed. Leon. 6) 5.

268 [M]anifestum est quod omnia participant aliqualiter legem aeternam, inquantum scilicet ex impressione eius habent inclinationes in proprios actus et fines. Thomas von Aquin, Summa theologiae I-II q. 91 a. 2 co. (Ed. Leon. 7) 154.

269 [Q]uamlibet formam sequitur aliqua inclinatio, sicut ignis ex sua forma inclinatur in superiorem locum. Thomas von Aquin, Summa theologiae I q. 80 a. 1 co. (Ed. Leon. 5) 282.

270 In habentibus autem cognitionem, sic determinatur unumquodque ad proprium esse naturale per formam naturalem, quod tamen est receptivum specierum aliarum rerum, sicut sensus recipit species omnium sensibilium, et intellectus omnium intelligibilium, ut sic anima hominis sit omnia quodammodo secundum sensum et intellectum. Thomas von Aquin, Summa theologiae I q. 80 a. 1 co. (Ed. Leon. 5) 282.

271 Inter cetera autem rationalis creatura excellentiori quodam modo divinae providentiae subiacet, inquantum et ipsa fit providentiae particeps, sibi ipsi et aliis providens. Unde et in ipsa participatur ratio aeterna, per quam habet naturalem inclinationem ad debitum actum et finem. Et talis participatio legis aeternae in rationali creatura lex naturalis dicitur. Thomas von Aquin, Summa theologiae I-II q. 91 a. 2 co. (Ed. Leon. 7) 154.

272 [L]umen rationis naturalis, quo discernimus quid sit bonum et malum, quod pertinet ad naturalem legem, nihil aliud sit quam impressio divini luminis in nobis. Unde patet quod lex naturalis nihil aliud est quam participatio legis aeternae in rationali creatura. Thomas von Aquin, Summa theologiae I-II q. 91 a. 2 co. (Ed. Leon. 7) 154.

273 [P]raecepta legis naturae hoc modo se habent ad rationem practicam, sicut principia prima demonstrationum se habent ad rationem speculativam, utraque enim sunt quaedam principia per se nota. [...] Et ideo primum principium indemonstrabile est quod non est simul affirmare et negare, quod fundatur supra rationem entis et non entis, et super hoc principio omnia alia fundantur. Thomas von Aquin, Summa theologiae I-II q. 94 a. 2 co. (Ed. Leon. 7) 169–170.

274 Sicut autem ens est primum quod cadit in apprehensione simpliciter, ita bonum est primum quod cadit in apprehensione practicae rationis, quae ordinatur ad opus, omne enim agens agit propter finem, qui habet rationem boni. Et ideo primum principium in ratione practica est quod fundatur supra rationem boni, quae est, bonum est quod omnia appetunt. Hoc est ergo primum praeceptum legis, quod bonum est faciendum et prosequendum, et malum vitandum. Et super hoc fundantur omnia alia praecepta legis naturae, ut scilicet omnia illa facienda vel vitanda pertineant ad praecepta legis naturae, quae ratio practica naturaliter apprehendit esse bona humana. Thomas von Aquin, Summa theologiae I-II q. 94 a. 2 co. (Ed. Leon. 7) 170.

275 Quia vero bonum habet rationem finis, malum autem rationem contrarii, inde est quod omnia illa ad quae homo habet naturalem inclinationem, ratio naturaliter apprehendit ut bona, et per consequens ut opere prosequenda, et contraria eorum ut mala et vitanda. Secundum igitur ordinem inclinationum naturalium, est ordo praeceptorum legis naturae. Thomas von Aquin, Summa theologiae I-II q. 94 a. 2 co. (Ed. Leon. 7) 170.

276 Inest enim primo inclinatio homini ad bonum secundum naturam in qua communicat cum omnibus substantiis, prout scilicet quaelibet substantia appetit conservationem sui esse secundum suam naturam. Et secundum hanc inclinationem, pertinent ad legem naturalem ea per quae vita hominis conservatur, et contrarium impeditur. Thomas von Aquin, Summa theologiae I-II q. 94 a. 2 co. (Ed. Leon. 7) 170.

277 Secundo inest homini inclinatio ad aliqua magis specialia, secundum naturam in qua communicat cum ceteris animalibus. Et secundum hoc, dicuntur ea esse de lege naturali quae natura omnia animalia docuit, ut est coniunctio maris et feminae, et educatio liberorum, et similia. Thomas von Aquin, Summa theologiae I-II q. 94 a. 2 co. (Ed. Leon. 7) 170.

278 Tertio modo inest homini inclinatio ad bonum secundum naturam rationis, quae est sibi propria, sicut homo habet naturalem inclinationem ad hoc quod veritatem cognoscat de Deo, et ad hoc quod in societate vivat. Et secundum hoc, ad legem naturalem pertinent ea quae ad huiusmodi inclinationem spectant, utpote quod homo ignorantiam vitet, quod alios non offendat cum quibus debet conversari, et cetera huiusmodi quae ad hoc spectant. Thomas von Aquin, Summa theologiae I-II q. 94 a. 2 co. (Ed. Leon. 7) 170.

279 Respondeo dicendum quod, sicut supra dictum est cum de virtutibus in communi ageretur, virtus est quae bonum facit habentem et opus eius bonum reddit. Bonum autem potest dici dupliciter, uno modo, materialiter, pro eo quod est bonum; alio modo, formaliter, secundum rationem boni. Thomas von Aquin, Summa theologiae II-II q. 47 a. 4 co. (Ed. Leon. 8) 351.

280 Bonum autem, inquantum huiusmodi, est obiectum appetitivae virtutis. Et ideo si qui habitus sunt qui faciant rectam considerationem rationis non habito respectu ad rectitudinem appetitus, minus habent de ratione virtutis, tanquam ordinantes ad bonum materialiter, idest ad id quod est bonum non sub ratione boni, plus autem habent de ratione virtutis habitus illi qui respiciunt rectitudinem appetitus, quia respiciunt bonum non solum materialiter, sed etiam formaliter, idest id quod est bonum sub ratione boni. Thomas von Aquin, Summa theologiae II-II q. 47 a. 4 co. (Ed. Leon. 8) 351–352.

281 Ad prudentiam autem pertinet, sicut dictum est, applicatio rectae rationis ad opus, quod non fit sine appetitu recto. Et ideo prudentia non solum habet rationem virtutis quam habent aliae virtutes intellectuales; sed etiam habet

rationem virtutis quam habent virtutes morales, quibus etiam connumeratur. Thomas von Aquin, Summa theologiae II-II q. 47 a. 4 co. (Ed. Leon. 8) 352.

282 Respondeo dicendum quod, sicut ex praemissis patet, prudentia includit cognitionem et universalium et singularium operabilium, ad quae prudens universalia principia applicat. Thomas von Aquin, Summa theologiae II-II q. 47 a. 15 co. (Ed. Leon. 8) 363.

283 Quantum igitur ad universalem cognitionem, eadem ratio est de prudentia et de scientia speculativa. Quia utriusque prima principia universalia sunt naturaliter nota, ut ex supradictis patet, nisi quod principia communia prudentiae sunt magis connaturalia homini; ut enim philosophus dicit, in X Ethic., vita quae est secundum speculationem est melior quam quae est secundum hominem. Sed alia principia universalia posteriora, sive sint rationis speculativae sive practicae, non habentur per naturam, sed per inventionem secundum viam experimenti, vel per disciplinam. Thomas von Aquin, Summa theologiae II-II q. 47 a. 15 co. (Ed. Leon. 8) 363.

284 Quantum autem ad particularem cognitionem eorum circa quae operatio consistit est iterum distinguendum. Quia operatio consistit circa aliquid vel sicut circa finem; vel sicut circa ea quae sunt ad finem. Fines autem recti humanae vitae sunt determinati. Et ideo potest esse naturalis inclinatio respectu horum finium, sicut supra dictum est quod quidam habent ex naturali dispositione quasdam virtutes quibus inclinantur ad rectos fines, et per consequens etiam habent naturaliter rectum iudicium de huiusmodi finibus. Thomas von Aquin, Summa theologiae II-II q. 47 a. 15 co. (Ed. Leon. 8) 363.

285 Sed ea quae sunt ad finem in rebus humanis non sunt determinata, sed multipliciter diversificantur secundum diversitatem personarum et negotiorum. Unde quia inclinatio naturae semper est ad aliquid determinatum, talis cognitio non potest homini inesse naturaliter, licet ex naturali dispositione unus sit aptior ad huiusmodi discernenda quam alius; sicut etiam accidit circa conclusiones speculativarum scientiarum. Quia igitur prudentia non est circa fines, sed circa ea quae sunt ad finem, ut supra habitum est; ideo prudentia non est naturalis. Thomas von Aquin, Summa theologiae II-II q. 47 a. 15 co. (Ed. Leon. 8) 363.

286 Omne quod movetur necesse est ab aliquo moveri. Aristoteles, Physik VII (Ed. Arist. Lat. 7 1,2) 256.

287 Non est ergo aliqua causa quaerenda quare voluntas vult nisi quia voluntas est voluntas, nec quare sic vel sic vult: necessario et contingenter, necessario et libere, nisi quia est talis et talis voluntas. Haec enim est propositio contingens immediata: ›voluntas creata vult.‹ Johannes Duns Scotus, Reportatio I-A d. 10 q. 3 n. 53 (Ed. Wolter/Bychkov) 402.

288 Unde considerandum quod libertas voluntatis in suis operibus non sic intelligenda, quod voluntas sit prima causa sui velle et sui operari potens se movere ad opposita, ab aliquo priori non mota. Siger von Brabant, De necessitate c. 3 (Philosophes médiévaux 3) 34.

289 Neque adhuc proprie ratio movet, sed ipsum obiectum movens per se rationem ad cognoscendum et per hoc se ostendendo tamquam bonum, metaphorice movet volentem ad appetendum. Heinrich von Gent, Quodlibet I q. 14 (Opera Omnia 5) 89.

290 Dico quod aliquid ad actum aliquem eliciendum requiritur dupliciter. Uno modo ut causa sine qua non, quae nihil agit omnino in eliciendo actum. [...] Et hoc modo, ut saepius tractavi, ad actum voluntatis eliciendum necessario requiritur obiecti ostensio et forma intellectus circa ipsum. Alio autem modo requiritur aliquid ad actum aliquem eliciendum ut causa propter quam sic, quae agit aliquid vel circa receptivum actus seu operationis, vel circa elicitivum eius. Heinrich von Gent, Quodlibet XIII q. 11 (Opera Omnia 18) 88.

291 Patet igitur quod hic error omne bonum humanum et etiam divinum exterminate [...] Nec mirum, quia, ut ita dicam, id quod proprie sumus, personalitatem scilicet nostram, a nobis tollit nihilque amplius nobis dat nisi quod simus quae-

dam bestiae intellectuales seu intellectum habentes. Petrus Johannis Olivi, Quaestiones in secundum librum Sententiarum q. 57 (Ed. Jansen) 338.

292 Ex his patet quod voluntas habet libertatem proprie dictam et perfectam, non a ratione nec formaliter nec effective, sed a se vel a propria forma sibi ingenita et concreata. Walter von Brügge, Quaestiones disputatae q. 5 (Ed. Longpré) 52.

293 [D]icendum est quod voluntas a se ipsa habet libertatem et non a ratione nisi sicut causa sine qua non vel occasione. Roger Marston, Quaestiones disputatae De anima q. 10 (Bibliotheca Franciscana Scholastica medii aevi 7) 447.

294 [S]i obiectum cognitum sit tantum causa sine qua non respectu volitionis, igitur volitiones non distinguerentur formaliter ab obiectis. Johannes Duns Scotus, Lec. II d. 25 n. 60 (Ed. Vat. 19) 249.

295 [T]alis est ordo istarum potentiarum inter se et respectu suorum obiectorum quod voluntas non potest exire in actum suum nisi mediante actu intellectus; et illud obiectum quod movet intellectum et voluntatem non potest movere voluntatem nisi prius moveat intellectum secundum cognitionem. Gottfried von Fontaines, Quodlibet VI q. 10 (Les Philosophes Belges 3) 203.

296 [C]redo quod voluntas in primo actu non movet se quantum ad exercitium actus, nec habet, ut credo, primum suum velle in potestate sua. Gottfried von Fontaines, Quodlibet XV q. 2 (Ed. Lottin) 8.

297 Quaero quomodo potest movere aut imperare intellectui ad intelligendum vel non intelligendum? Voluntas, secundum illam viam, non potest movere nisi mota; illam motionem voluntatis praecessit cognitio. Aut igitur illa cognitio est in potestate voluntatis, – aut non in potestate eius, quia est ante volitionem et ad illam movet obiectum. Si non est in potestate eius, non potest movere intellectum ad intelligendum vel non intelligendum. Vel ergo erit processus in infinitum, vel non erit in potestate eius aliquia motio. Johannes Duns Scotus, Lec. II d. 25 n. 31 (Ed. Vat. 19) 238.

298 Respondeo igitur ad quaestionem quod causa effectiva actus volendi non est tantum obiectum aut phantasma (quia hoc nullo modo salvat libertatem), prout ponit prima opinio, – nec etiam causa effectiva actus volendi est tantum voluntas, quemadmodum ponit secunda opinio extrema, quia tunc non possunt salvari omnes condiciones quae consequuntur actum volendi, ut ostensum est. Johannes Duns Scotus, Lec. II d. 25 n. 69 (Ed. Vat. 19) 253.

299 Ideo teneo viam mediam, quod tam voluntas quam obiectum concurrunt ad causandum actum volendi, ita quod actus volendi est a voluntate et ab obiecto cognito ut a causa effectiva. Johannes Duns Scotus, Lec. II d. 25 n. 69 (Ed. Vat. 19) 253.

300 Respondeo quantum ad istum articulum quod oportet dicere quod in potestate voluntatis sit aliqua cogitatio sive aliquis actus intellectus, ut possit intellectum avertere ab uno intelligibili et convertere ad aliud intelligendum. Johannes Duns Scotus, Rep. par. II d. 42 q. 4 n. 8 (Ed. Wad. 11,1) 411.

301 Et confirmatur ratio, quia nulla causa secunda potest esse causa principalis causae agendi, opposito modo illi qui convenit principali agenti ex sua causalitate: sic enim causa principalis non esset principalis, quia determinaretur ad oppositum modum a causa secunda agendi suo proprio modo agendi; igitur cum voluntas sit causa principalis sui actus (quia quodcumque ponatur in voluntate respectu actus eius, vel non erit causa actus sic eliciendi, – vel si est causa, est secunda causa respectu voluntatis, et non causa principilis), sequitur quod voluntas per nihil aliud determinatur ad agendum. Johannes Duns Scotus, Ord. II d. 7 n. 17 (Ed. Vat. 8) 81.

302 Nunc autem secundum veritatem, dictamen intellectus non est principalis causa respectu electionis, sed voluntas quae simpliciter libera est; licet igitur respectu actus electionis concurrat dictamen intellectus, vel etiam obiectum, non sequitur quod electio non sit libera, cum dictamen et obiectum non sit principalis causa electionis; unde ista ratio solum probat, quod dictamen intellectus non sit tota causa electionis, quod est concedendum, sed tamen est causa per se et partialis, quae ad actionem liberam voluntatis [co]agit, sicut

ad imperium voluntatis agit potentia motiva. Johannes Duns Scotus, Collationes parisienses q. 3 n. 4 (Ed. Wad. 3) 355 (korrigiert mit Cod. Vat. lat. 876).

303 Non est ergo aliqua causa quaerenda quare voluntas vult nisi quia voluntas est voluntas, nec quare sic vel sic vult: necessario et contingenter, necessario et libere, nisi quia est talis et talis voluntas. Haec enim est propositio contingens immediata: ›voluntas creata vult.‹ Johannes Duns Scotus, Reportatio I-A d. 10 q. 3 n. 53 (Ed. Wolter/Bychkov) 402.

304 Et ideo [voluntas] est potentia, quia ipsa aliquid potest, nam potest se determinare. Johannes Duns Scotus, Met. IX q. 15 n. 41 (OPh 4) 686.

305 [V]oluntas, quae indeterminata est ad actum proprium, illum elicit et per illum determinat intellectum quantum ad illam causalitatem quam habet respectu fiendi extra. Johannes Duns Scotus, Met. IX q. 15 n. 39 (OPh 4) 686.

8.3 | Literaturverzeichnis

8.3.1 | Primärliteratur

8.3.1.1 | Gesamteditionen

Albertus Magnus: *Opera Omnia*. 38 Bde. Hg. von August Borgnet. Paris 1890–1899. [Ed. Borgnet]

Albertus Magnus: *Opera Omnia*. Münster 1951 ff. [Ed. Colon.]

Anselm von Canterbury: *Opera Omnia*. 2 Bde. Hg. von Franciscus Salesius Schmitt. Rom/Edinburgh [2]1984.

Aristoteles Latinus: *Corpus philosophorum medii aevi academiarum consociatarum auspiciis et consilio editum*. Leiden 1931 ff.

Augustinus: *Corpus Scriptorum Ecclesiasticorum Latinorum*. Wien 1865 ff.

Bernhard von Clairvaux: *Sämtliche Werke*. 10 Bde. Hg. von Gerhard Winkler. Innsbruck 1990–1999.

Bonaventura: *Doctoris Seraphici S. B. Opera omnia*. 10 Bde. Quaracchi 1882–1902.

Heinrich von Gent: *Opera Omnia*. Hg. von Raymond Macken/Gordon A. Wilson. Leuven 1979 ff.

Johannes Duns Scotus: *Opera Omnia*. 12 Bde. Lyon 1639; Ndr. Hildesheim 1968. [Ed. Wad.]

Johannes Duns Scotus: *Opera Omnia*. Rom 1950 ff. [Ed. Vat.]

Johannes Duns Scotus: *Opera Philosophica*. 5 Bde. St. Bonaventure, N. Y. 1997. [OPh]

Kant, Immanuel: *Kants gesammelte Schriften*. Preußische Akademie der Wissenschaften. Berlin 1900 ff. [AA]

Thomas von Aquin: *Opera Omnia iussu Leonis XIII edita cura et studio Fratrum Praedicatorum*. Rom 1882 ff. [Ed. Leon.].

Wilhelm von Ockham: *Opera philosophica et theologica*. 17 Bde. Hg. von Gedeon Gál u. a. St. Bonaventure, N. Y. 1967–1988. [OPh bzw. OTh]

8.3.1.2 | Verwendete Editionen

Adelard von Bath: *Conversations with his Nephew. On the Same and the Different, Questions on Natural Science and On Birds*. Hg. von Charles Burnett. Cambridge 1998.

Albertus Magnus: *Analytica posteriora*. (Ed. Borgnet 2). Hg. von August Borgnet. Paris 1890.

Albertus Magnus: *Commentarii in II Sententiarum*. (Ed. Borgnet 27). Hg. von August Borgnet. Paris 1894.
Albertus Magnus: *De Animalibus Libri XXVI. Nach der Cölner Urschrift*. 2 Bde. Hg. von Hermann Stadler. Münster 1916/1920.
Albertus Magnus: *De caelo et mundo*. (Ed. Colon. 5,1). Hg. von Paul Hossfeld. Münster 1971.
Albertus Magnus: *De causis et processu universitatis a prima causa*. (Ed. Colon. 17,2). Hg. von Winfried Fauser. Münster 1993.
Albertus Magnus: *De generatione et corruptione*. (Ed. Colon. 5,2). Hg. von Paul Hossfeld. Münster 1980.
Albertus Magnus: *De homine*. (Ed. Colon. 27,2). Hg. von Henryk Anzulewicz/Joachim R. Söder. Münster 2008.
Albertus Magnus: *Metaphysica*. (Ed. Colon. 16,1–2). Hg. von Bernhard Geyer. Münster 1960/1964.
Albertus Magnus: *Physica*. (Ed. Colon. 4,1–2). Hg. von Paul Hossfeld. Münster 1987/1993.
Albertus Magnus: *Super Dionysii mysticam theologiam et epistulas*. (Ed. Colon. 37,2). Hg. von Paul Simon. Münster 1978.
Albertus Magnus: *Super Dionysium de divinis nominibus*. (Ed. Colon. 37,1). Hg. von Paul Simon. Münster 1972.
Albertus Magnus: *Super Ethica. Commentum et Quaestiones*. (Ed. Colon. 14,2). Hg. von Wilhelm Kübel. Münster 1972.
Albertus Magnus: *Super Euclidem*. (Ed. Colon. 39). Hg. von Paul M. J. E. Tummers. Münster 2014.
Anonymos: *An Diognet*. Gr./Dt. Hg. von Horacio E. Lona (Fontes Christiani 72). Freiburg i. Br. 2018, 158–264.
Anselm von Canterbury: *Cur deus homo*. Lat./Dt. Hg. von Franciscus Salesius Schmitt. München 1956.
Anselm von Canterbury: *Monologion*. Lat./Dt. Hg. von Franciscus Salesius Schmitt. Stuttgart-Bad Cannstatt 1964.
Anselm von Canterbury: *Proslogion*. Lat./Dt. Hg. von Franciscus Salesius Schmitt. Stuttgart-Bad Cannstatt 1962.
Augustinus: *De civitate Dei. Libri I–X*. Hg. von Bernhard Dombart und Alphons Kalb (Corpus Christianorum Series Latina 47,1). Turnhout 1955.
Augustinus: *De diversis quaestionibus octaginta tribus*. Lat./Dt. Hg. von Carl J. Perl. Paderborn 1972.
Augustinus: *De diversis quaestionibus octaginta tribus. De octo Dulcitii quaestionibus*. Hg. von Almut Mutzenbecher (Corpus Chritianorum Series Latina 44 A). Turnhout 1975.
Augustinus: *Vom Gottesstaat. Buch 1 bis 10*. Hg. von Wilhelm Thimme. München 1985.
Aristoteles Latinus: *Physica. Translatio Vetus*. Hg. von Fernand Bossier/Jozef Brams (Aristoteles Latinus VII 1,1). Leiden/New York 1990.
Athenagoras: Legatio. In: Michael Fiedrowicz (Hg.): *Christen und Heiden. Quellentexte zu ihrer Auseinandersetzung in der Antike*. Darmstadt 2004, 583.
Bernhard von Chartres: *Glosae super Platonem*. Hg. von Paul E. Dutton. Toronto 1991.
Bernhard von Clairvaux: 36. Predigt: Von der Selbst- zur Gotteserkenntnis. In: Gerhard Winkler (Hg.): *Sämtliche Werke*. Lat./Dt. Bd. 3. Innsbruck 1992, 561–572.
Bernhard von Clairvaux: Brief 188. An die Bischöfe und Kardinäle der Kurie: Er mahnt sie zu Wachsamkeit gegen die Irrlehren Abaelards. In: Gerhard Winkler (Hg.): *Sämtliche Werke*. Lat./Dt. Bd. 5. Innsbruck 1994, 60–63.
Bernhard von Clairvaux: Brief 190. An Papst Innozenz: Er mahnt den Pontifex, den Irrlehren Abaelards entgegenzutreten. In: Gerhard Winkler (Hg.): *Sämtliche Werke*. Lat./Dt. Bd. 5. Innsbruck 1994, 64–73.

Bernhard von Clairvaux: De consideratione ad Eugenium papam. Über die Besinnung an Papst Eugen. In: Gerhard Winkler (Hg.): *Sämtliche Werke*. Lat./Dt. Bd. 1. Innsbruck 1990, 611–827.
Berthold von Moosburg: *Expositio super Elementationem theologicam Procli*. Hg. von Loris Sturlese/Maria R. Pagnoni-Sturlese (Corpus philosophorum teutonicorum medii aevi 6,1). Hamburg 1984.
Boethius von Dacien: *Tractatus de aeternitate mundi*. In: Peter Nickl (Hg.): *Bonaventura, Thomas von Aquin, Boethius von Dacien. Über die Ewigkeit der Welt*. Frankfurt a. M. 2000, 104–171.
Boethius, Anicius M. S.: *De trinitate. Opuscula theologica*. Hg. von Claudio Moreschini. München 2000.
Boethius, Anicius M. S.: *In Isagogen Porphyrii commenta*. Hg. von Samuel Brandt (Corpus Scriptorum Ecclesiasticorum Latinorum 48). Wien/Leipzig 1906.
Boethius, Anicius M. S.: *Trost der Philosophie*. Lat./Dt. Hg. von Ernst Gegenschatz/Olof Gigon [1949]. Zürich/München [3]1981.
Bonaventura: *Itinerarium mentnis ad deum. De reductione artium ad theologiam*. Lat/Dt. Hg. von Julian Kaup. München 1961.
Bonaventura: *Vom Wissen Christi*. Lat./Dt. Hg. von Andreas Speer. Hamburg 1992.
Calcidius: *Commentarius in Timaeum*. Hg. von Jan H. Waszink (Plato Latinus 4). London/Leiden 1962.
Denifle, Heinrich Seuse: *Chartularium Universitatis Parisiensis*. Bde. 1–3. Paris 1889–1894.
David von Dinant: Tractatus Averrois de generatione animalium. In: Elena Casadei (Hg.): *I Testi Di David Di Dinant: Filosofia Della Natura E Metafisica A Confronto Col Pensiero Antico* (Testi, Studi, Strumenti 20). Spoleto 2008, 315–326.
David von Dinant: Tractatus naturalis. In: Elena Casadei (Hg.): *I Testi Di David Di Dinant: Filosofia Della Natura E Metafisica A Confronto Col Pensiero Antico* (Testi, Studi, Strumenti 20). Spoleto 2008, 289–313.
Davidson, Donald: Handlungen, Gründe und Ursachen. In: Donald Davidson (Hg.): *Handlung und Ereignis*. Frankfurt a. M. 1985, 19–42.
Gilbert von Poitiers: *Kommentar zum Traktat des Boethius. Über die Trinität*. Lat/Dt. Übers. von Isabelle Mandrella/Hannes Möhle (Herders Bibliothek der Philosophie des Mittelalters 42). Freiburg i. Br. 2017.
Gottfried von Fontaines: *Quodlibet VI*. Hg. von Maurice de Wulf/Jean Hoffmanns (Les Philosophes Belges 3). Leiden 1914.
Gottfried von Fontaines: *Quodlibet XV*. Hg. von Odon Lottin (Les Philosophes Belges 14). Leiden 1937.
Gregor der Große: *Registrum epistularum*. Hg. von Paul Ewald/Ludwig Hartmann. Berlin 1891–1899.
Heinrich von Gent: *Quodlibet I.* (Opera Omnia 5). Hg. von Raymond Macken. Leuven 1979.
Heinrich von Gent: *Quodlibet XIII.* (Opera Omnia 18). Hg. von Jos Decorte. Leuven 1985.
Hugo von St. Viktor: *De sacramentis Christianae fidei*. Hg. von Rainer Berndt. (Corpus Victorinum. Textus historici 1). Münster 2008.
Hugo von St. Viktor: *Didascalicon*. Lat./Dt. Übers. von Thilo Offergeld. Freiburg i. Br. 1997.
Johannes Duns Scotus: *Collationes oxonienses et parisienses*. (Ed. Wad. 3). Lyon 1639.
Johannes Duns Scotus: *Lectura*. (Ed. Vat. 16–21). Vatikan 1950 ff.
Johannes Duns Scotus: *Ordinatio*. (Ed. Vat. 1–15). Vatikan 1950 ff.
Johannes Duns Scotus: *Quaestiones Quodlibetales*. (Ed. Wad. 12). Lyon 1639.
Johannes Duns Scotus: *Quaestiones super libros metaphysicorum Aristotelis*. (OPh 3–4) Hg. von Robert R. Andrews/Girard J. Etzkorn/Gedeon Gál/Romuald Green/Frank Kelley/George Marcil/Timothy B. Noone/Rega Wood. St. Bonaventure, N. Y. 1997.

Johannes Duns Scotus: *Quaestiones super secundum et tertium de anima*. (OPh 5) Hg. von Bernardo C. Bazán/Kent Emery/Romuald Green/Timothy B. Noone/Roberto Plevano/Andrew Traver. St. Bonaventure, N. Y. 2006.
Johannes Duns Scotus: *Reportatio I-A*. Hg. von Allan B. Wolter/Oleg V. Bychkov. St. Bonaventure, N. Y. 2004.
Johannes Duns Scotus: *Reportata parisiensis* (Ed. Wad. 11,1) Lyon 1639.
Johannes von Salisbury: *Metalogicon*. Hg. von J. B. Hall (Corpus christianorum Continuatio mediaevalis 98). Turnhout 1991.
Kant, Immanuel: *Der Streit der Fakultäten*. [AA 7]
Nicolaus von Autrecourt: *His Correspondence with Master Giles and Bernard of Arezzo*. Hg. von Lambertus M. de Rijk. Leiden 1994.
Petrus Abaelardus: *Die Leidensgeschichte und der Briefwechsel mit Heloisa*. Hg. von Eberhard Brost [1938]. Heidelberg ^{4}1979.
Petrus Abaelardus: *Historia Calamitatum*. Hg. von Jacques Monfrin. Paris 1962.
Petrus Abaelardus: *Scito te ipsum. Erkenne dich selbst*. Lat./Dt. Übers. von Rainer M. Ilgner (Fontes Christiani 44). Turnhout 2011.
Petrus Abaelardus: *Sic et non*. Hg. von Blanche B. Boyer/Richard McKeon. Chicago 1976/77.
Petrus Abaelardus: *Tractatus de intellectibus*. Hg. von Patrick Morin. Paris 1994.
Petrus Damiani: *Briefe*. Hg. von Hans Reindel (MGH Die Briefe der Deutschen Kaiserzeit. Bd. 4.3). Hannover 1989.
Petrus Johannis Olivi: *Quaestiones in secundum librum Sententiarum*. Hg. von Bernhard Jansen (Bibliotheca Franciscana Scholastica medii aevi 5). St. Bonaventure, N. Y. 1924.
Roger Marston: *Quaestiones disputatae. De emanatione aeterna, de statu naturae lapsae et de anima*. Hg. von A PP. Collegii S. Bonaventurae (Bibliotheca Franciscana Scholastica medii aevi 7). St. Bonaventure, N. Y. 1932.
Seneca, Lucius Annaeus: *Naturwissenschaftliche Untersuchungen. Naturales quaestiones*. Übers. von Martin F. A. Brok. Darmstadt 1995.
Siger von Brabant: De II_0 Physicorum. In: Joannes J. Duin (Hg.): *La doctrine de la providence dans les écrits de Siger de Brabant. Textes et étude* (Philosophes médiévaux 3). Louvain 1954, 63–66.
Siger von Brabant: De VIII_0 Physicorum. In: Joannes J. Duin (Hg.): *La doctrine de la providence dans les écrits de Siger de Brabant. Textes et étude* (Philosophes médiévaux 3). Louvain 1954, 67–70.
Siger von Brabant: De necessitate et contingentia causarum. In: Joannes J. Duin (Hg.): *La doctrine de la providence dans les écrits de Siger de Brabant. Textes et étude* (Philosophes médiévaux 3). Louvain 1954, 14–50.
Siger von Brabant: Métaphysique. In: Joannes J. Duin (Hg.): *La doctrine de la providence dans les écrits de Siger de Brabant. Textes et étude* (Philosophes médiévaux 3). Louvain 1954, 71–111.
Thomas von Aquin: *Commentaria in Aristotelis libros peri hermeneias et posteriorum analyticorum cum synopsibus et annotationibus*. (Ed. Leon. 8). Rom 1882.
Thomas von Aquin: *De ente et essentia*. (Ed. Leon. 43). Rom 1976.
Thomas von Aquin: *Expositiones in Isaiam prophetam. In tres psalmos David. In Boetium de hebdomadibus et de trinitate*. (Ed. Leon. 50). Rom 1880.
Thomas von Aquin: *In metaphysicam Aristotelis commentaria*. (Ed. Marietti). Turin 1935.
Thomas von Aquin: *Quaestiones disputatae de veritate*. (Ed. Leon. 22, 2/2). Rom 1972.
Thomas von Aquin: *Summa theologiae*. (Ed. Leon. 4–12). Rom 1888–1906.
Thomas von Aquin: *Summa contra Gentiles*. (Ed. Leon. 13–15). Rom 1918–1930.
Thomas von Aquin: *Über die Wahrheit*. Lat./Dt. Übers. von Edith Stein. Wiesbaden 2013.

Walter von Brügge: *Quaestiones disputatae*. Hg. von Ephrem Longpré (Les Philosophes Belges 10). Leuven 1928.
Wilhelm von Auxerre: *Summa aurea*. (Ed. Ribaillier). Hg. von Jean Ribaillier (Spicilegium Bonaventurianum 16–20). Paris/Rom 1980–1987.
Wilhelm von Ockham: *Expositio in libros physicorum Aristotelis*. (OPh 4). Hg. von Vladimir Richter/Gerhard Leibold. St. Bonaventure, N. Y. 1985.
Wilhelm von Ockham: *Summa logicae*. (OPh 1). Hg. von Philotheus Boehner/Stephanus Brown/Gedeon Gál. St. Bonaventure, N. Y. 1974.

8.3.2 | Sekundärliteratur

8.3.2.1 | Einführungen

Beckmann, Jan P. (Hg.): *Einführung in die Philosophie des Mittelalters*. Hagen 1990.
De Libera, Alain: *Die mittelalterliche Philosophie*. München 2005.
De Rijk, Lambert M.: *La Philosophie au Moyen Âge*. Leiden 1985.
De Vries, Josef: *Grundbegriffe der Scholastik*. Darmstadt 1980.
Flasch, Kurt: *Einführung in die Philosophie des Mittelalters* [1987]. Darmstadt ^{3}1994.
Flasch, Kurt: *Das philosophische Denken im Mittelalter. Von Augustin zu Machiavelli* [1986]. Stuttgart ^{3}2013.
Gracia, Jorge J. E. u. a. (Hg.): *A Companion to Philosophy in the Middle Ages*. Oxford 2003.
Heinzmann, Richard: *Philosophie des Mittelalters* (Grundkurs Philosophie 7). Stuttgart ^{2}1998.
Kobusch, Theo (Hg.): *Philosophen des Mittelalters*. Darmstadt 2000.
Marenbon, John (Hg.): *Medieval Philosophy* (Routledge History of Philosophy 3). London/New York 1998.
Schönberger, Rolf: *Was ist Scholastik?* Hildesheim 1991.
Lagerlund, Henrik (Hg.): *Encyclopedia of Medieval Philosophy. Philosophy Between 500 and 1500*. Dordrecht/Heidelberg/London/New York 2011.
Schulthess, Peter/Imbach, Ruedi: *Die Philosophie im lateinischen Mittelalter. Ein Handbuch mit einem bio-bibliographischen Repertorium*. Zürich/Düsseldorf 1996.
Sturlese, Loris: *Philosophie im Mittelalter. Von Boethius bis Cusanus*. München 2013.

8.3.2.2 | Philosophiegeschichte

Armstrong, Arthur H. (Hg.): *The Cambridge History of Later Greek and Early Medieval Philosophy*. Cambridge ^{5}1995.
Beckmann, Jan P.: *Geschichte der Philosophie mit Quellentexten*. Bd. 2: *Mittelalter und Renaissance*. Hamburg 1990.
Beckmann, Jan P. u.a. (Hg.): *Philosophie im Mittelalter. Entwicklungslinien und Paradigmen*. Hamburg 1996.
Brungs, Alexander/Mudroch, Vilem/Schulthess, Peter: *Die Philosophie des Mittelalters*. Bd. 4,1–2: *13. Jahrhundert*. (Grundriss der Geschichte der Philosophie. Begründet von Friedrich Ueberweg). Basel 2017.
Decorte, Jos: *Eine kurze Geschichte der mittelalterlichen Philosophie*. Paderborn 2006 (ndl. 1992).
Flasch, Kurt: *Geschichte der Philosophie in Text und Darstellung. Mittelalter* [1982]. Stuttgart 1994.

Geyer, Bernhard: *Die Patristische und Scholastische Philosophie.* (Friedrich Ueberwegs Grundriss der Geschichte der Philosophie. Zweiter Teil). Berlin [11]1928.
Grabmann, Martin: *Die Geschichte der scholastischen Methode nach gedruckten und ungedruckten Quellen.* 2 Bde. Freiburg i. Br. 1909–1911.
Kenny, Anthony: *Geschichte der abendländischen Philosophie.* Bd. 2: *Mittelalter.* Darmstadt 2012 (engl. 2005).
Kobusch, Theo: *Die Philosophie des Hoch- und Spätmittelalters* (Geschichte der Philosophie 5). München 2011.
Kretzmann, Norman u. a. (Hg.): *The Cambridge History of Later Medieval Philosophy. From the Rediscovery of Aristotle to the Disintegration of Scholasticism, 1100–1600.* Cambridge 1982.
Le Goff, Jacques: *Geschichte ohne Epochen? Ein Essay.* Darmstadt 2016 (frz. 2014).
McGinn, Bernhard: *Mystik im Abendland.* Bd. 1–4. Freiburg i. Br. 1994–2010 (engl. 1991–2005).
Pasnau, Robert: *The Cambridge History of Medieval Philosophy.* Cambridge 2010.
Van Steenberghen, Fernand: *Die Philosophie im 13. Jahrhundert.* München 1977 (frz. 1966).

8.3.2.3 | Spezialuntersuchungen

Aertsen, Jan A.: *Medieval Philosophy and the Transcendentals. The Case of Thomas Aquinas* (Studien und Texte zur Geschichte des Mittelalters 52). Leiden/New York/Köln 1996.
Aertsen, Jan A.: *Medieval Philosophy as Transcendental Thought. From Philip the Chancellor (ca. 1225) to Francisco Suárez* (Studien und Texte zur Geschichte des Mittelalters 107). Leiden/New York/Köln 2012.
Beierwaltes, Werner (Hg.): *Platonismus in der Philosophie des Mittelalters.* (Wege der Forschung 197). Darmstadt 1969.
Chenu, Marie-Dominique: *La théologie au douzième sciècle* (Études de philosophie médiévale 45). Paris 1957.
Cross, Richard: *Duns Scotus's Theory of Cognition.* Oxford 2014.
Davidson, Donald: *Handlung und Ereignis.* Frankfurt a. M. 1990 (engl. 1980).
De Libera, Alain: *La querelle des universaux. De Platon à la fin du Moyen Âge.* Paris 1996.
Dreyer, Mechthild: *More mathematicorum. Rezeption und Transformation der antiken Gestalten wissenschaftlichen Wissens im 12. Jahrhundert* (Beiträge zur Geschichte der Philosophie und Theologie des Mittelalters. Neue Folge 47). Münster 1996.
Dutton, Paul E.: Material Remains of the Study of the Timaeus in the Later Middle Ages. In: Claude Lafleur/Joanne Carrier (Hg.): *L'enseignement de la philosophie au XIIIe siècle. Autour du »Guide de l'étudiant« du ms. Ripoll 109. Actes du colloque international édités, avec un complément d'études et de textes.* Turnhout 1997, 203–230.
Ernst, Stephan: *Ethische Vernunft und christlicher Glaube. Der Prozeß ihrer wechselseitigen Freisetzung in der Zeit von Anselm von Canterbury bis Wilhelm von Auxerre* (Beiträge zur Geschichte der Philosophie und Theologie des Mittelalters. Neue Folge 46). Münster 1996.
Ernst, Stephan: *Petrus Abaelardus* (Zugänge zum Denken des Mittelalters 2). Münster 2003.
Ernst, Stephan: *Anselm von Canterbury* (Zugänge zum Denken des Mittelalters 6). Münster 2011.
Goris, Wouter: *Transzendentale Einheit* (Studien und Texte zur Geistesgeschichte des Mittelalters 119). Leiden/Boston 2015.

Grant, Edward: *Das physikalische Weltbild des Mittelalters*. Zürich/München 1980 (engl. 1977).
Grant, Edward: *God and Reason in the Middle Ages*. Cambridge 2001.
Hissette, Roland: *Enquête sur les 219 articles condamnés à Paris le 7 mars 1277* (Philosophes médiévaux 22). Paris 1977.
Holopainen, Toivo J.: *Dialectic and Theology in the Eleventh Century* (Studien und Texte zur Geistesgeschichte des Mittelalters 54). Leiden/New York/Köln 1996.
Honnefelder, Ludger: *Ens inquantum ens. Der Begriff des Seienden als solchen als Gegenstand der Metaphysik nach der Lehre des Johannes Duns Scotus* (Beiträge zur Geschichte der Philosophie und Theologie des Mittelalters. Neue Folge 16). Münster ^{2}1989.
Honnefelder, Ludger: *Scientia transcendens. Die formale Bestimmung von Seiendheit und Realität in der Metaphysik des Mittelalters und der Neuzeit (Duns Scotus, Suárez, Wolff, Kant, Peirce)* (Paradeigmata 9). Hamburg 1990.
Honnefelder, Ludger: *Der zweite Anfang der Metaphysik. Voraussetzungen, Ansätze und Folgen der Wiederbegründung der Metaphysik im 13./14. Jahrhundert*. In: Jan P. Beckmann u. a. (Hg.): *Philosophie im Mittelalter. Entwicklungslinien und Paradigmen*. Hamburg 1996, 165–186.
Honnefelder, Ludger: *Duns Scotus*. München 2005.
Honnefelder, Ludger: *Woher kommen wir? Ursprünge der Moderne im Denken des Mittelalters*. Berlin 2008.
Kluxen, Wolfgang: *Philosophische Ethik bei Thomas von Aquin*. Hamburg 1998.
Kluxen, Wolfgang: *Aspekte und Stationen der mittelalterlichen Philosophie*. Hg. von Ludger Honnefelder/Hannes Möhle. Paderborn 2012.
Kobusch, Theo: *Christliche Philosophie. Die Entdeckung der Subjektivität*. Darmstadt 2006.
Köpf, Ulrich: *Die Anfänge der theologischen Wissenschaftstheorie im 13. Jahrhundert*. Tübingen 1974.
Le Goff, Jacques: *Die Intellektuellen im Mittelalter*. Stuttgart ^{4}2001 (frz. 1957).
Leclercq, Jean: *Wissenschaft und Gottverlangen. Zur Mönchstheologie des Mittelalters*. Düsseldorf 1963.
Mandrella, Isabelle: *Das Isaak-Opfer. Historisch-systematische Untersuchung zu Rationalität und Wandelbarkeit des Naturrechts in der mittelalterlichen Lehre vom natürlichen Gesetz* (Beiträge zur Geschichte der Philosophie und Theologie des Mittelalters. Neue Folge 62). Münster 2002.
Marenbon, John: *Abelard in Four Dimensions. A Twelfth-Century Philosopher in His Context and Ours*. Notre Dame 2013.
Möhle, Hannes: *Ethik als scientia practica nach Johannes Duns Scotus. Eine philosophische Grundlegung* (Beiträge zur Geschichte der Philosophie und Theologie des Mittelalters, Neue Folge 44). Münster 1995.
Möhle, Hannes: *Albertus Magnus* (Zugänge zum Denken des Mittelalters 7). Münster 2015.
Pasnau, Robert: *Theories of Cognition in the Later Middle Ages*. Cambridge 1997.
Perler, Dominik: *Theorien der Intentionalität im Mittelalter*. Frankfurt a. M. 2002.
Perler, Dominik: *Zweifel und Gewissheit. Skeptische Debatten im Mittelalter*. Frankfurt a. M. 2006.
Rexroth, Frank: *Fröhliche Scholastik. Die Wissenschaftsrevolution des Mittelalters*. München 2018.
Rode, Christian: *Zugänge zum Selbst. Innere Erfahrung in Spätmittelalter und früher Neuzeit* (Beiträge zur Geschichte der Philosophie und Theologie des Mittelalters. Neue Folge 79). Münster 2015.
Schrimpf, Gangolf: *Anselm von Canterbury, Proslogion II–IV. Gottesbeweis oder Widerlegung des Toren?* Frankfurt a. M. 1994.
Speer, Andreas: *Triplex veritas. Wahrheitsverständnis und philosophische Denkform Bonaventuras* (Franziskanische Forschungen 32). Werl 1987.

Speer, Andreas: *Die entdeckte Natur. Untersuchungen zu Begründungsversuchen einer ›scientia naturalis‹ im 12. Jahrhundert* (Studien und Texte zur Geistesgeschichte des Mittelalters 45). Leiden/New York/Köln 1995.
Tachau, Katherine H.: *Vision and certitude in the age of Ockham. Optics, epistemology and the foundations of semantics 1250–1345* (Studien und Texte zur Geistesgeschichte des Mittelalters 22). Leiden/New York/Kopenhagen/Köln 1988.
Tellkamp, Jörg A.: *Sinne, Gegenstände und Sensibilia: Zur Wahrnehmungslehre des Thomas von Aquin* (Studien und Texte zur Geistesgeschichte des Mittelalters 66). Leiden/Boston/Köln 1999.
Thorndike, Lynn: *A history of magic and experimental science*. Bd. 1–4. New York 1923.
Weijers, Olga: *In Search of the Truth. A History of Disputation Techniques from Antiquity to Early Modern Times* (Studies on the Faculty of Arts History and Influence 1). Turnhout 2013.
Wieland, Georg: *Untersuchungen zum Seinsbegriff im Metaphysikkommentar Alberts des Großen* (Beiträge zur Geschichte der Philosophie und Theologie des Mittelalters. Neue Folge 7). Münster 1972.
Wieland, Georg: *Ethica – Scientia Practica. Die Anfänge der philosophischen Ethik im 13. Jahrhundert* (Beiträge zur Geschichte der Philosophie und Theologie des Mittelalters. Neue Folge 21). Münster 1981.
Wippel, John F.: *The Metaphysical Thought of Thomas Aquinas. From Finite to Uncreated Being*. Washington 2000.
Zahlten, Johannes: *Creatio mundi. Darstellungen der sechs Schöpfungstage und naturwissenschaftliches Weltbild im Mittelalter* (Stuttgarter Beiträge zur Geschichte und Politik 13). Stuttgart 1979.
Zimmermann, Albert: *Ontologie oder Metaphysik? Die Diskussion über den Gegenstand der Metaphysik im 13. und 14. Jahrhundert. Texte und Untersuchungen* (Recherches de Théologie et Philosophie médiévales. Bibliotheca 1). Leuven 1998.
Zimmermann, Albert: *Thomas lesen*. Stuttgart-Bad Cannstatt 2000.

8.4 | Abbildungsverzeichnis

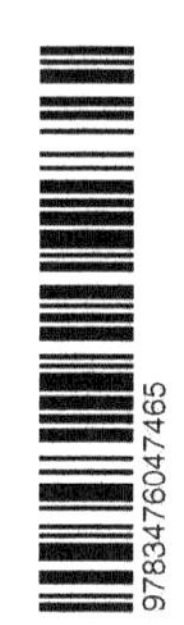